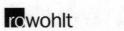

Jürgen Neffe

Einstein

Eine Biographie

Rowohlt

2. Auflage Januar 2005
Copyright © 2005 by Rowohlt Verlag GmbH,
Reinbek bei Hamburg
Alle Zitate aus «The Collected Papers of Albert Einstein»:
© 1987–2004 Hebrew University and Princeton University Press.
Reprinted by permission of Princeton University Press
Alle Rechte vorbehalten
Lektorat Uwe Naumann
Satz aus der Lexikon No 2 PostScript InDesign
bei Pinkuin Satz und Datentechnik, Berlin
Druck und Bindung Clausen & Bosse, Leck
Printed in Germany
ISBN 3 498 04685 3

Inhalt

Prolog

Der Unsterbliche

Einsteins Geheimnis

Princeton, New Jersey, 18. April 1955. Ein sonniger Montagmorgen. Im Krankenhaus des Universitätsstädtchens erscheint der Pathologe Thomas Harvey zum Dienst. Auf dem Seziertisch im Obduktionsraum findet er einen Toten vor, wie ihn ein Arzt nur einmal im Leben zu Gesicht bekommt. Zunächst verhält sich der Zweiundvierzigjährige wie an jedem Arbeitstag. Er nimmt das klinikeigene Formular zur Hand und trägt die erforderlichen Daten in die dafür vorgesehenen Kästchen ein. Name: Albert ... Zuname: Einstein ... Geschlecht: männlich ... Alter: 76 ... Jahr: 55 ... laufende Nummer der Leichenschauen in diesem Jahr: 33. Dann beginnt der Obduzent mit der Autopsie.

Er setzt sein Skalpell hinter einem Ohr des Toten an und zieht es kräftig über Hals und Brustkorb durch die kalte, bleiche Haut hinweg bis zum Boden des Bauches. Daraufhin wiederholt er den Schnitt noch einmal vom anderen Ohr her. Schließlich sieht er jene Ypsilon-Signatur vor sich, die 150 Jahre zuvor der Berliner Arzt Rudolf Virchow in die Pathologie eingeführt hat.

Aus dem Innern der Bauchhöhle des Toten sickert Blut. Harvey vermutet als Todesursache eine geplatzte Aorta. Wie sich wenig später herausstellt, liegt er damit richtig. Einstein hat seit Jahren unter einem Aneurysma gelitten, einer blutgefüllten Ausstülpung seiner Baucharterie. Diese ist, offenbar bedingt durch eine Schwäche in der Gefäßwand, in der Nacht geplatzt. Unweigerliche Folge: innere Blutungen, Exitus. Das teilt der Arzt den Reportern mit, die vor der Klinik auf seinen Bericht gewartet haben und sofort alle Details in die Welt hinausschicken.

Der Pathologe ist dem Physiker zu Lebzeiten mehrmals über den

Weg gelaufen. Nichts Ungewöhnliches in einer Kleinstadt wie Princeton, wo Einstein die letzten 22 Jahre seines Lebens verbracht hat. Richtig nahe ist der Arzt dem prominenten Mitbürger nur einmal gekommen, bei einem Hausbesuch in Vertretung einer Kollegin.

«Ich sehe, Sie haben Ihr Geschlecht gewechselt», hatte Einstein gewitzelt, als der Doktor damals sein Zimmer betrat. Offenbar bevorzugte er die weibliche Variante medizinischer Fürsorge. Er steckte in seinem Bett, das beinahe sein halbes Zimmer ausfüllte. Eine Federdecke bedeckte den kräftigen Körper, der berühmte Haarschopf das Kopfkissen. Der Patient litt wieder einmal unter Verdauungsstörungen, die ihn schon seit seiner Kindheit plagten.

Harvey forderte ihn auf, einen Arm frei zu machen. Er suchte eine geeignete Vene, stach eine Braunüle durch die Haut und saugte Blut in eine Spritze. Währenddessen erzählte er, wie er vor dem Krieg mit Freunden ein paar Wochen lang durch Europa geradelt war und dabei auch Deutschland kennen gelernt hatte. Aufmerksam hörte der Emigrant ihm zu. Schließlich reichte ihm der Arzt ein Glas und bat ihn um seinen Urin. Als Einstein aus dem Bad zurückkehrte und ihm das Gefäß mit der körperwarmen Flüssigkeit aushändigte, war Harvey immer wieder derselbe Gedanke durch den Kopf gegangen: «Das stammt vom größten Genie aller Zeiten.»

Und nun liegt dessen erkalteter Leichnam aufgeschnitten vor ihm. Letzte Gelegenheit, sich etwas von dem Körper anzueignen, bevor er ins Krematorium wandert. Etwas, auf das die Welt einmal blicken wird. Plötzlich fühlt der Pathologe eine Chance, wie sie niemals wiederkehren wird. Fall 55 – 33 soll sein Leben verändern. Er fasst einen folgenschweren Entschluss.

Es gehört durchaus zum Standard von Autopsien, auch das Gehirn eines Verstorbenen zu entnehmen und zu untersuchen. Was Harvey aber mit dem toten Einstein anstellt, hat ihm weder sein ärztlicher Eid aufgegeben, noch besitzt er dazu Auftrag oder Erlaubnis. Er sägt den Kopf des Verstorbenen auf und schneidet den Inhalt heraus. Wie Hamlet den Schädel hält er das Hirn in der Hand. In diesen zweieinhalb Pfund Nervengewebe, da ist er sich sicher, verbirgt sich der Schlüssel zum Verständnis größter geistiger Schöpferkraft. Wenn es gelänge, diesem Organ sein Betriebsgeheimnis zu entlocken, würden ihm, dem Pathologen, Ruhm und Ehre zuteil. Er beschließt, es an sich zu nehmen und nie wieder herzugeben.

Princeton Hospital, ein halbes Jahrhundert später. Wie ein Täter, den es immer wieder zum Tatort zieht, hat Harvey den ehemaligen Obduktionsraum aufgesucht. Ein fensterloses, neonhelles Hinterzimmer, halb Büro, halb Labor, voll gepackt mit Flaschen, Kolben, Kühlboxen, Eimern, Akten und ausgemustertem Mobiliar. Die Mitte des Raumes beherrscht noch immer der Tisch aus blankem Edelstahl. Davor wartet der Weißhaarige. Er trägt eine ärmellose Strickweste über seinem Sporthemd. Das Leben hat ihm den Rücken ein wenig gebeugt. Ein Mann um die 90.

Unaufgefordert betritt ein junger Arzt im weißen Kittel das Zimmer und stellt einen Pappkarton auf den Stahltisch. Harvey öffnet die Kiste wie jemand, der die Handgriffe schon tausendmal erledigt hat. Aus dem Innern zieht er zerknüllte Tücher hervor, dann hievt er zwei schwere Glasgefäße von der Form großer Weckgläser aus dem Karton. Beide sind bis oben mit einer gelblich durchscheinenden, leicht trüben Flüssigkeit gefüllt. Darin schichten sich, in feine Gaze gewickelt und mit winzigen nummerierten Schildchen versehen, rosig-graue Brocken – Einsteins Gehirn, zerstückelt und in alkoholischer Lösung.

«Alles in Ordnung, Doktor Harvey?», erkundigt sich der junge Arzt. «Danke, Elliot, alles bestens.» – «Mal wieder nach dem Rechten sehen, ja?» Mit beiden Händen dreht Harvey eines der Gläser vorsichtig im Licht hin und her. «Mein Kleinod», sagt er, und als die Würfel im Innern fahl schimmern, schildert er sein abenteuerliches Leben von jenem Montagmorgen an, da er den Schatz in seinen Besitz nahm.

Wie er das Gehirn sorgfältig präpariert, in rund 200 Würfel geschnitten und auf die beiden Gefäße verteilt hat. Wie er, auch wegen seiner Tat, seine Stelle verlor. Wie ihn die Gläser, stets im Karton in zerknüllte Tücher gebettet, auf seinen Wegen kreuz und quer durch das Land begleiteten. Wie er sie immer wieder verstecken musste, mal unter einem Bierkühler, ein andermal im Kleiderschrank, als er sich, längst schon nicht mehr im ärztlichen Dienst, als verarmter Fabrikarbeiter in Kansas ein Zimmer mit einem Studenten teilte. Und wie er das brisante Raubgut schließlich nach über 40 Jahren reumütig in den Gewahrsam seiner einstigen Arbeitsstätte zurückgeführt hat.

Elliot Krauss, sein Nachnachfolger in der Pathologie, muss die Geschichte schon häufig gehört haben. «Alles hier in diesem Zimmer passiert, Doktor Harvey, nicht wahr?» – «Genauso ist es, Elliot.» Nach wie vor betrachtet der alte Arzt seine Tat als eine Art Kavaliersdelikt.

Einstein hätte Harveys Vorgehen unter dem weißen Deckmäntelchen der Medizin gewiss verurteilt – auch wenn er im Prinzip nicht dagegen war, dass sein Gehirn untersucht würde. Aber davon wusste Harvey nichts. In seinem Testament hat Einstein genau verfügt, was nach seinem Ableben mit ihm zu geschehen habe. Seine sterblichen Überreste sollten noch am Tag seines Todes verbrannt und die Asche an einem geheimen Ort verstreut werden – wie es dann auch geschah. Nichts wollte er hinterlassen, das später als Weihe- oder Pilgerstätte taugen würde. Er selber war das Denkmal. Götter haben keine Gräber.

Aber wer wollte Harvey nur verdammen? Hat sich nicht auch Einsteins Augenarzt und langjähriger Freund Henry Abrams kurz nach der Autopsie am Kopf des Toten zu schaffen gemacht, ihm mit geübten Handgriffen beide Augen aus den Höhlen getrennt, sie an sich genommen und in ein Schließfach verbracht, wo sie bis heute präpariert lagern sollen? Harvey hat verwerflich gehandelt, aber irgendwie auch menschlich – was einander bekanntlich nicht ausschließt. Immerhin, sagt er, habe er es ja im Dienste der Wissenschaft getan und über die Jahre ein ums andere Mal Forschern Proben aus seiner Gewebesammlung zur Verfügung gestellt. Bis zuletzt hat er gehofft, sie würden das Genie unter ihren Mikroskopen dingfest machen.

Da Arbeiten über Einsteins Hirn nicht nur Publikationen, sondern auch Publizität versprechen, nimmt es kaum Wunder, dass die Experten tatsächlich fündig werden. Da soll die Zahl an so genannten Glia-Zellen erhöht, der Umfang der unteren Scheitellappen größer sein als normal und außerdem noch eine bestimmte Furche eine ungewöhnliche Gestalt besitzen.

Erste Schritte zum Verständnis außerordentlicher Schöpferkraft? Unsinn. Alle Untersuchungen an Einsteins Denkorgan sind von wiederum anderen Experten der Hirnanatomie mehr oder weniger einhellig verrissen worden. Tenor: Schlechte Arbeiten, schwache Ergebnisse, falsche Schlüsse. Das Gehirn hat zwar Ungeheures geleistet – aber nur im Wechselspiel mit vielen anderen Gehirnen. Außerhalb der Welt, in der es gelebt hat, bleibt davon nichts. Die Forscher wissen nicht einmal, ob die gemessenen Abweichungen in Einsteins Nervengewebe – sollten sie überhaupt eine Bedeutung besitzen – nicht erst durch die starke geistige Aktivität bis ins hohe Alter entstanden sind. Wie wollen sie dann erst die beobachteten Besonderheiten einordnen, die überdies auf Tausende, wenn nicht gar Millionen Menschen ebenfalls zutreffen?

Einsteins Einmaligkeit erhellen sie jedenfalls nicht. Was sie aber beibringen, ist ein Beleg dafür, dass auch am Ende des wissenschaftlich geprägten 20. Jahrhunderts der Aberglaube, den Geist als Abbild im Fleische wiederfinden zu können, noch nichts von seiner Kraft eingebüßt hat. Und sie zeugen von der Sehnsucht nach einfachen Formeln, auf die sich selbst das Leben und Werk eines Geistesmächtigen von Einsteins Format bringen lässt – jenes Unsterblichen, der Formeln von bestechender Klarheit und Eleganz mit Ewigkeitswert geschaffen hat: für die tote Materie. Für das Lebendige aber gelten andere Gesetze.

Einstein war einer der bekanntesten Menschen, die je auf diesem Planeten herumspaziert sind. Zumindest hat es kein Wissenschaftler auch nur annähernd zu vergleichbarem Ruhm und ähnlich mythischer Verklärung gebracht. Umso mehr umgibt ihn der Zauber des Rätselhaften, der sich nicht zuletzt der extremen Spannweite seines Charakters verdankt. Ein Mann, Bürger und Bohemien, Übermensch und ungezogenes Kind in einem, der zwar Widersprüche zwischen Weltbildern aufheben konnte, selbst aber den Widerspruch personifiziert und seine Mitmenschen wie kein anderer polarisiert hat. Den einen Freund, den anderen Feind, ein Narziss, der sein Äußeres vernachlässigt, Sonnyboy und Rebell, Menschenfreund und Autist, Weltbürger und Eremit, ein Pazifist als Forscher auch in militärischen Diensten.

Hier die Ideale der Französischen Revolution, sein Einsatz für Freiheit und Brüderlichkeit, dort der blinde Fleck, wenn es um die weibliche Hälfte der Menschheit geht. Hier moralische Autorität, dort Verdacht auf uneheliche Kinder und Syphilis. Mit seinem ausgeprägten Sinn für Gerechtigkeit steht er der Königin im Prinzip so nah wie dem

Clochard. Die Gleichheit der Geschlechter hat ihn dagegen nie bewegt. Im Gegenteil: Frauen hat er als Geliebte geschätzt und benützt, als Gefährtinnen auf gleicher Augenhöhe aber nie wirklich akzeptiert (außer vielleicht beim Musizieren) und das Weibliche unverhohlen verachtet. An der Ehe ist er zweimal kläglich gescheitert.

Selten waren sich Hellsicht und getrübter Blick so nahe. Die Gefahr durch die Nazis, das Ausmaß der Judenverfolgung, die Bedrohung der Demokratie in den USA durch die amerikanische Militarisierung nach dem Zweiten Weltkrieg – kaum einer hat diese Entwicklungen so früh und so klar erkannt wie Einstein. Dann wieder erschreckt er Freunde und Weggefährten durch das Ausmaß seiner politischen Naivität.

Weltbewegende Erkenntnisse auf der einen, Irrtümer und Rechenfehler auf der anderen Seite. Mit seiner Relativitätstheorie und seinen grundlegenden Arbeiten zur Quantentheorie hat er sich zum Vollender und Überwinder der klassischen Physik gemacht. Kaum ist er berühmt, stellt sich der Wegbereiter mit seiner ganzen Autorität der Entwicklung in den Weg und erscheint der jüngeren Generation wie ein Verbohrter, der den Fortschritt verpasst.

Dank seiner Vorstellungskraft kann er sich in das Wesen von Elektronen ebenso einfühlen wie in das Schicksal ferner Sterne. Wenn es aber um Menschen geht, die ihm nahe stehen, besonders um seine Söhne und deren Nöte, fehlt ihm jegliche Empathie. Da kann er regelrecht brutal werden. Dann wieder zeigt er tiefes Mitgefühl für die Armen, Schwachen und Verfolgten. Keinen Gott lässt er gelten und kein religiöses Dogma, aber kaum ein Naturwissenschaftler ist von tieferer Religiosität erfüllt als er. Mal gütiger Weiser, mal unverbesserlicher Sturkopf – ein egozentrischer Einzelgänger mit Verantwortungssinn für die gesamte Menschheit.

Weder Gewebeschichten seines Gehirns noch irgendwelche anderen körperlichen Überbleibsel, etwa seine Gene, verraten etwas über die Extreme, aus deren Kraftfeldern sich auch sein Schaffen gespeist hat. Der Schlüssel zu seinem Geheimnis ist nicht in der Biologie zu finden. Er liegt – in seiner Biographie.

Kapitel 1

Seine zweite Geburt
Schicksalsjahr 1919

Als Albert Einstein am 7. November 1919, einem winterlich grauen Freitagmorgen, in seiner Wohnung in der Berliner Haberlandstraße 5 erwacht, hat sein Leben eine entscheidende Wende genommen, und es wird nie wieder so werden, wie es bis dahin war. Noch hat der Vierzigjährige keine Ahnung von dem, was ihm in den nächsten Wochen und Monaten blühen und ihn bis ans Ende seiner Tage nicht mehr loslassen wird. In seinem Bestreben, «dem Herrgott in die Karten zu gucken», ist er dem Wesen der Natur so nahe gekommen wie nur wenige. Doch die Richtung, die ihm das Schicksal nun weist, ist selbst in seinen kühnsten Vorstellungen nicht vorgesehen. Seinem Willen wird die Macht über seinen Weg entrissen. Es ist der Tag eins nach seiner «Heiligsprechung» im Tempel der Wissenschaft.

Bislang hat Einstein weitgehend unbehelligt von der Öffentlichkeit gelebt. Nun wird er die Macht einer – neben Forschung und Technik – weiteren prägenden Kraft des 20. Jahrhunderts kennen lernen: Die Massenmedien haben ihn entdeckt und machen ihn in einem beispiellosen Personenkult zum ersten globalen Popstar der Wissenschaft. Wie kaum ein anderer liefert er den lebendigen Beweis der These vom sich selber nährenden und verstärkenden Ruhm, der am Ende kein Motiv mehr braucht als sich selbst. Heute ist Einsteins Konterfei bekannter als das irgendeiner anderen Person – vor allem das beinahe stereotype Abbild des alten, von weißer Mähne umgebenen faltigen Gesichtes mit der Knollennase und dem treuherzigen Blick.

Berühmtheit und Massenmedien bedingen einander wie Sonne und Licht. Ruhm entsteht als Folge medialer Kettenreaktionen. Den Auslöser zündet an diesem Novembermorgen die Londoner «Times».

Als Medium der Epoche – ein knappes Jahrzehnt vor dem Beginn des Rundfunkzeitalters – stehen Zeitung und Zeitschrift in voller Blüte. Das britische Blatt stellt seinen Lesern «eine der bedeutendsten, wenn nicht die bedeutendste Aussage menschlicher Gedanken» vor. Wo sonst auf den Seiten vornehme Zurückhaltung und Sachlichkeit herrschen, gestattet sich die Redaktion einen gehörigen Schuss Euphorie und berichtet über eine «Revolution in der Wissenschaft».

Für den Urheber des Aufruhrs im fernen Berlin birgt der Inhalt des Berichts keinerlei Überraschung. Denn die «Revolution» – gemeint ist seine Allgemeine Relativitätstheorie – liegt immerhin schon vier Jahre zurück. Und lange bekannt ist Einstein auch die Nachricht, auf die sich die Meldung beruft: Eine astronomische Messung vor mehr als fünf Monaten hat Einsteins «Neue Theorie des Universums» bestätigt.

Als Prüfsteine für die Richtigkeit seines Gedankenmodells hat Einstein mehrere Vorhersagen gemacht. Eine davon besagt, dass große Massen den Raum regelrecht verbiegen oder krümmen. Sollte diese Krümmung tatsächlich existieren, dann müsste das Licht auf seinem Weg durch das All ihren Formen genau folgen. In der Nähe der Sonne, der uns nächsten großen Masse im Weltraum, müsste es um einen winzigen, gleichwohl messbaren Betrag abgelenkt werden.

Dieser Betrag lässt sich durch Einsteins Formelwerk exakt berechnen – in der Sprache der Geometrie: 1,7 Bogensekunden. Das kommt am Himmel einem Abstand von der Breite eines Streichholzes gleich. Die bisherige, ebenfalls noch ungetestete Vorhersage auf Basis der Gleichungen von Isaac Newton, des Wegbereiters der modernen Physik, sagt nur die Hälfte dieses Wertes voraus. Daraus leitet sich eine entscheidende Nagelprobe für die Tauglichkeit von Einsteins Theorie ab: Bestätigt sich sein Orakelspruch in der Praxis, dann würde seine Theorie knapp 200 Jahre nach Newtons Tod über dessen Gedankenmodell triumphieren.

Die erforderlichen Messungen sind nur alle paar Jahre möglich, wenn der Mond die Sonne aus Sicht der Erdenbewohner für wenige Minuten vollständig bedeckt. Nur dann sind sonnennahe Sterne überhaupt auszumachen, sodass sich eine mögliche Krümmung der Lichtstrahlen durch die Sonnenmasse messen lässt. Nun erfahren die Leser der «Times», dass britischen Forschern in den Tropen genau dieser Test während einer Sonnenfinsternis gelungen ist, und zwar schon am 29. Mai des Jahres.

Einstein hat von den Resultaten bereits im frühen Sommer 1919 erfahren. «Heute freudige Nachricht», berichtet er bereits am 27. September seiner krebskranken Mutter in der Schweiz. «H. A. Lorentz hat mir telegraphiert, daß die englischen Expeditionen die Lichtablenkung an der Sonne wirklich bewiesen haben.» Doch erst am 6. November sind sie auf einer gemeinsamen Sitzung der Royal Society und der Royal Astronomical Society in London feierlich verkündet worden. Es sind die Folgen dieser denkwürdigen Sitzung, die Einsteins Leben fast schlagartig umkrempeln werden. Der britische Mathematiker und Philosoph Alfred North Whitehead hat das Treffen erlebt.

«Die ganze Atmosphäre gespannter Aufmerksamkeit war genau die eines griechischen Dramas», berichtet er. «Wir waren der Chor, der die Verkündung des Schicksals zu begleiten hatte, wie es sich in der Entfaltung eines überragenden Ereignisses offenbarte. Schon die Inszenierung hatte dramatische Qualitäten: Das traditionelle Zeremoniell, und im Hintergrund das Porträt Newtons, das uns daran erinnerte, daß die größte aller wissenschaftlichen Verallgemeinerungen nun, nach mehr als zwei Jahrhunderten, ihre erste Modifikation erfahren würde. Auch am persönlichen Element fehlte es nicht: Ein großes Abenteuer des menschlichen Geistes war an sicheren Gestaden angelangt. [...] Die Gesetze der Physik sind die Sprache des Schicksals.»

In dieser Stunde wird Albert Einstein ein zweites Mal geboren: als Legende und Mythos, als Idol und Ikone eines ganzen Zeitalters. Der sterbliche Einstein hat gerade den Zenit seines forschenden Schaffens überschritten und die eher tragische zweite Lebenshälfte noch vor sich. Da betritt ein Unsterblicher gleichen Namens die Weltbühne – jener Einstein, der sich im Bewusstsein des 20. Jahrhunderts als Archetypus des Geistesabenteurers einnisten wird, der als Weltweiser eine Art Menschheitsgewissen verkörpert und das Prinzip Verantwortung zum Maßstab von Wissenschaft und Fortschritt erhebt, und der noch zu Lebzeiten als Synonym des Genialen in die Umgangssprache eingeht.

Am 10. November greift die «New York Times» die Story unter der Überschrift auf: «Sterne am Himmel alle schief» und verkündet: «Einsteins Theorie triumphiert.» Niemand müsse sich indes darum kümmern, was die neue Theorie besage, beruhigt das Blatt seine Leser. «Nur zwölf weise Männer» seien imstande, sie zu verstehen. Am 11. November folgt ein Leitartikel zum selben Thema, und bis zum Ende des Jahres erscheinen fast täglich weitere Geschichten, die der Leserschaft die skurrile neue Welt der Relativität und ihren Schöpfer näher bringen. Nicht zuletzt diese Berichte an das notorisch neugierige, sensationshungrige und begeisterungsfähige amerikanische Publikum werden Einsteins Ruhm nähren.

Berlin nimmt von alledem weder am 7. November noch in den Tagen danach Notiz. Die deutschen Hauptstädter drücken ein Jahr nach Ende des Krieges andere Sorgen. Die Mehrheit der Menschen hungert und friert. Anfang des Monats ist vor der Zeit der Winter angebrochen, der erste Schnee gefallen. Es gibt kaum etwas zu essen und fast nichts zum Verfeuern. Die Bahn hat für elf Tage ihren Personenverkehr eingestellt, um wenigstens das Nötigste an Kartoffeln und Kohlen in die Stadt zu schaffen.

Mangel herrscht an fast allem. Selbst die kleinen Freuden des Lebens werden zum großen Problem. «Das große Los zu ziehen, vom Blitz erschlagen zu werden oder eine Tafel Schokolade zum Normalpreis zu erwischen, alles das sind Glücksfälle des Zufalls, die sich im Range gleichstehen», notiert «Der Abend». Flüchtlinge aus dem Osten drängen in die überfüllte Stadt, der Wohnraum wird knapp, Obdachlose kampieren in windgeschützten Ecken. Die Besitzer großer Wohnungen müssen mit Zwangseinquartierungen rechnen – so auch die Familie Einstein mit ihren sieben Zimmern in der Haberlandstraße.

«Wir müssen ein Zimmer aufgeben (vermieten)», schreibt Einstein seiner Mutter im September 1919. «Der Fahrstuhl geht von morgen an nicht mehr, sodass jeder Ausgang eine Bergpartie bedeutet, und außerdem steht uns großes Frieren im Winter bevor.» Seinen Söhnen aus erster Ehe, Hans Albert und Eduard, wird er im März 1920 berichten: «Eine Woche waren wir ohne Licht, Gas, manchmal auch ohne Wasser.»

Abgesehen von solchen praktischen Einschränkungen gibt es für den Hausherrn an diesem Morgen im November keinen Grund, die Routine seines üblichen Tagesablaufes aufzugeben. Nach dem Erwachen in seinem separaten, schlicht möblierten Schlafzimmer gleich neben der Eingangstür – außer Bett und Nachttisch stehen dort nur ein Schrank, eine Truhe, ein Tisch und ein paar Stühle – geht er durch Bibliothek und Wohnzimmer in die Badestube gleich neben dem Schlafzimmer seiner frisch angetrauten zweiten Frau Elsa am anderen Ende der Wohnung. Danach frühstückt die Familie miteinander. Hunger müssen die Einsteins, neben dem Ehepaar die zwei Stieftöchter Ilse und Margot, nicht leiden. Mit «Futter», wie der leidenschaftliche Esser Einstein es nennt, ist der Haushalt auch dank regelmäßiger Pakete aus der Schweiz ordentlich versorgt.

Nach dem Frühstück tritt Einstein für gewöhnlich seinen Arbeitsweg an. Dafür muss er das Haus nicht verlassen. Sein Schreibtisch steht oberhalb der Wohnung in einer Mansarde, die er über eine Treppe bequem erreichen kann. In dem Turmzimmer verbringt er seine meiste Zeit. Zwei Fenster geben den Blick frei über die Dächer von Berlin. In einer Ecke neben Schreibtisch und Fenster steht sein Fernrohr, eine bescheidene Ausführung für Amateure. Damit beobachtet er, wenn überhaupt, eher Nachbarn als Sterne. An den Wänden hängen Bilder von Schopenhauer und von drei großen britischen Physikern: von James Clerk Maxwell, Michael Faraday und, an einem Sonderplatz, von Newton.

Stundenlang zieht Einstein sich in sein kleines Reich zurück. Manchmal, wenn er sich zerstreuen will, steigt er in die Wohnung hinunter, setzt sich im Biedermeierzimmer an den Flügel und improvisiert. Seine Geige, die ihn schon seit den Kindertagen begleitet, spielt er zum Verdruss seiner Mitbewohner meist nur nachts – in der gekachelten Küche, weil es da so schön hallt.

Noch haben ihn die Ausläufer des herannahenden Sturms der Popularität nicht erreicht. Briefe, einfach an «Professor Albert Einstein, Deutschland» adressiert, würden nicht bei ihm ankommen. Die tägliche Post, die Portier Otto später in Waschkörben bringen wird, findet bequem im Briefkasten Platz. Kein Staatsmann und keine Königin greifen zum Telefon, um ihm zu gratulieren. Einzig bekannt ist ein Telegramm seines bewunderten niederländischen Kollegen Hendrik Lorentz, der ihn über die Bekanntgabe der Ergebnisse in London informiert.

Während dort in der nächsten Nacht die Rotationspressen der «Times» eine weitere Geschichte über «Die Revolution in der Wissenschaft» aufs Papier bringen, die sich lang und breit mit den Folgen der historischen Sonnenfinsternis auseinander setzt, steht den Berlinern in der kommenden Nacht eine partielle Mondfinsternis bevor. Angesichts der trüben Wetterlage besteht zwar kaum Aussicht, das Naturschauspiel zu beobachten. Dennoch versorgt die «Berliner Morgenpost» ihre Leser mit exakten Daten über das bevorstehende Spektakel: «In Berlin, wo der Vollmond um 3 Uhr 58 nachmittags aufgeht, tritt der dann nahezu im Süden stehende Mond 2 Minuten vor Mitternacht in den Erdschatten.»

Seit Jahrhunderten können Astronomen Sonnen- und Mondfinsternisse genau vorhersagen – Himmelserscheinungen, die Menschen seit jeher fesseln. Spätestens von der Antike an haben Sternengucker – zunächst mit bloßen Augen, seit Galileis Zeiten mit immer feineren Fernrohren und Teleskopen – das Uhrwerk der Himmelsmechanik mit wachsender Genauigkeit untersucht. Anfang des 20. Jahrhunderts haben die astronomischen Tabellen und Sternenkarten eine atemberaubende Präzision erreicht. Wer um die Gesetze der Mechanik weiß, wie Newton sie vor mehr als 250 Jahren fand, kann das Geschehen am Himmel fast beliebig exakt beschreiben. Allenfalls kleine Abweichungen hinter dem Komma, im Grunde Petitessen für pedantische Spezialisten, trüben die Perfektion des Bildes.

Ausgehend von ihrem politischen Mittelpunkt in London muss die Welt nun lernen, dass ein weithin Unbekannter namens Albert Einstein in Berlin dem phantastischen Menschenwerk der perfekten Himmelsformel ein völlig neues, ganz und gar unverständliches, in seinen Prognosen aber noch präziseres Modell des Universums entgegengestellt hat, das einen merkwürdigen Namen trägt: Allgemeine Relativitätstheorie.

Ein Mann, der vom Geschiebe der Sterne und Planeten nicht mehr versteht als jeder durchschnittliche Amateurastronom, hat ein seltsames System von Formeln aufgestellt, das den Kosmos besser beschreibt als jedes vor ihm. Und dazu hat er nicht einmal durch das Okular eines Teleskops blicken müssen, sondern nur denken und rechnen. Auch wenn das alte und das neue System in ihren Ergebnissen nur um Nuancen hinter dem Komma voneinander abweichen, könnten sie in ihrem inneren Aufbau verschiedener nicht sein. Ging Newton von rätselhaften Fernwirkungen aus, die er in seinen Gleichungen zwar beschreiben, aber nicht erklären kann, liefert Einstein ein Modell zur Berechnung des himmlischen Geschehens und zugleich zu dessen Verständnis.

Den glücklichen, vermutlich auch sorgloseren Weltkriegssiegern in Großbritannien und den USA teilt sich die Tragweite der neuen Ideen aus dem Lande des geschlagenen Feindes fast unmittelbar mit. Einsteins Landsleuten bleibt die Größe seines Wurfes weiterhin verschlossen. Stattdessen bespricht die Zeitung «Der Tag» am 8. November mit Begeisterung das Buch eines gewissen Johannes Schlaf, der ernsthaft «der vorkopernikanischen Weltauffassung wieder zum Siege verhelfen» und die Erde in den Mittelpunkt des Weltalls zurückbefördern will. Vom kühnsten Werk des 20. Jahrhunderts, das nach Bekanntgabe seiner spektakulären Bestätigung Briten und Amerikaner in Bann schlägt, nicht ein einziges Wort.

Für Furore sorgt allerdings ein von der «Gesellschaft für drahtlose Telegraphie» soeben vorgestellter Vorläufer des heutigen Mobiltelefons. «Man wird sich darauf einrichten müssen», schreibt die «Berliner Illustrirte Zeitung», wie immer am Puls der Zeit, «daß in Bälde auch das Telephon zu jenen Dingen gehört, die man ebenso wie die Uhr, das Notizbuch, das Taschentuch und die Geldbörse ständig bei sich trägt.»

Am 15. November appelliert endlich eine Meldung aus der Wissenschaft an den deutschen Stolz: Den Berliner Forschern Max Planck und Fritz Haber wird der Nobelpreis des Jahres 1918 zuerkannt, dem einen für Physik, dem anderen für Chemie, und Johannes Stark der Physikpreis des Jahres 1919 – drei Männer, die in Einsteins Leben jeweils eine bedeutende Rolle spielen werden, im Guten wie im Schlimmen. Er selbst muss auf das Telegramm aus Stockholm noch bis Ende 1922 warten. Dann wird er insgesamt zehnmal für den Preis nominiert worden sein.

Ansonsten befindet sich das Land in der Schwebe zwischen Zusammenbruch und Neubeginn. An der innenpolitischen Front hat sich für einen Moment relative Ruhe eingestellt. Soeben ist ein geplanter Generalstreik abgeblasen worden. Das Scheitern beherrscht Schlagzeilen und Stadtgespräch.

Die junge Republik unter Reichspräsident Ebert verhandelt mit den Siegermächten über Friedensbedingungen und Reparationen. Nur noch elf Tage, bis Generalfeldmarschall von Hindenburg mit der «Dolchstoßlegende» der Weimarer Republik eines ihrer beherrschenden Themen liefern wird – und einen Anstoß für ihr Scheitern.

Am selben Tag, am 18. November, bringt als Erste die «Vossische Zeitung» einen eher nüchternen Bericht über Einsteins Durchbruch, der sich auf die Meldungen in der «Times» beruft. Es folgen weitere, eher zurückhaltende Artikel in anderen Blättern. Die Briten dagegen können gar nicht genug kriegen. «Ganz England redet über Ihre Theorie», schreibt Sir Arthur Eddington, wissenschaftlicher Leiter der so entscheidenden Sonnenfinsternis-Expedition, am 1. Dezember an Einstein. Und Paul Ehrenfest berichtet am 24. November aus Holland: «Alle Zeitungen sind voll von Übersetzungen aufregender Artikel der ‹Times› über die Sonnenfinsternis und Deine Theorie.» In seiner Antwort spricht Einstein vom «Gegacker der auffliegenden Zeitungsenten».

Am 14. Dezember aber ändert sich das Bild auch in Deutschland. Die «Berliner Illustrirte Zeitung» zeigt auf ihrem Titelblatt das Porträtfoto eines ernsten, nachdenklich vor sich hin blickenden Mannes mit zurückgekämmtem dunklem Haar und dichtem Schnauzbart, das Kinn auf die Finger der halb geöffneten Rechten gestützt. Darunter ist zu lesen: «Eine neue Größe der Weltgeschichte.»

Hat die breite Öffentlichkeit bis dahin kaum Kenntnis von dem Genannten genommen, gibt es nun binnen kurzem fast niemanden mehr, der nicht von Einstein und seinem Werk gehört hätte. Eine zeitgenössische Schilderung spiegelt das Pathos jener Tage eindrucksvoll wider: «Kein Name wurde in dieser Zeit so viel genannt, wie der dieses Mannes. Alles verschwand vor dem Universalthema, das sich der Menschheit bemächtigt hatte. [...] An allen Ecken und Enden tauchten gesellschaftliche Unterrichtskurse auf, fliegende Universitäten mit Wanderdozenten, welche die Leute aus der dreidimensionalen Misere des täglichen Lebens in die freundlicheren Gefilde der Vierdimensionalität führten. [...] Die Relativität war das beherrschende und erlösende Wort geworden. [...] Es war seit undenklicher Zeit das erste Mal, dass sein Akkord durch die Welt zog. Schon die Vorstellung: ein lebendiger Kopernikus wandelt unter uns, hatte etwas Erhebendes.»

Auf einmal ist Einsteins Name in aller Munde – und diese merkwürdige Sache namens Relativitätstheorie, die vor allem dadurch besticht, dass sie niemand durchschaut. «Ich bin sicher, dass es das Mysterium des Nicht-Verstehens ist», deutet er «die Aufregung der Massen über meine Theorie», «was sie so anzieht, es beeindruckt sie, es hat die Farbe und die Anziehungskraft des Mysteriösen.»

Bis zu diesem Zeitpunkt hat er noch glauben können, der «Relativitätsrummel» werde sich bald wieder legen. «Es ist doch eine Gnade des Schicksals, dass ich dies habe erleben dürfen», gesteht er Max Planck noch am 23. Oktober. «Mit mir hat man seit dem Bekanntwerden der Lichtkrümmung einen Kultus getrieben, dass ich mir vorkomme wie ein Götzenbild», schreibt er Anfang 1920 seinem Schweizer Freund Heinrich Zangger. «Aber auch das wird mit Gottes Hilfe vorübergehen.» Was er in dem Moment noch nicht weiß: Gegen die Dynamik des sich selbst nährenden Ruhms können selbst die Götter nichts ausrichten.

Er wird nun in einer Weise verklärt, die ihm selber unheimlich ist. Die Zeit der Albträume beginnt, in denen die unerledigte Post ihn überwältigt. Einstein drückt seinen Überdruss in einem jener Verse aus, in denen er sein Leben lang ein Ventil für seine Gefühle findet:

«Die Post bringt täglich hundert Sachen
Und jede Zeitschrift sperrt den Rachen –
Was tut der Mensch in solcher Pein?
Er schweigt und denkt: lasst mich allein.»

Auch wenn fast niemand seine Gedanken nachvollziehen und die wahren Früchte seines jahrelangen heroischen Ringens um eine neue Ordnung des Kosmos wirklich genießen kann – einer wie Einstein, der muss, nachdem Nietzsche Gott längst für tot erklärt hat, noch einmal mit dem «Alten» gesprochen haben. So nennt er den Schöpfer manchmal, ohne eine Person zu meinen.

Seinen Nimbus eines Menschen, der alle anderen überragt, verdankt Einstein seiner Wirkung mindestens so sehr wie seinem Wirken. Was er ab 1919 erlebt, vor allem auf seinen Reisen um den Globus, eine bis an die Hysterie reichende Verehrung als Held und Heiliger, ist nicht nur der Nachhall der epochalen Hammerschläge, mit denen er das Gebäude der Physik niedergerissen hat, um auf den Trümmern sein bis heute gültiges neues Weltbild zu errichten.

Er gibt den Menschen nach den drei Kränkungen durch die Wissenschaft auch so etwas wie Trost: Hat Kopernikus die Krone der Schöpfung aus dem Zentrum ihrer Welt befördert, Darwin ihr den Glauben an eine göttliche Erschaffung genommen und Freud auch noch ihr Unbewusstes zum Herrscher über das Ich erklärt, so zeigt nun dieses triebgesteuerte, von niederem Leben abstammende, auf seinem kleinen Planeten einsam durch das Weltall irrende Wesen, wie großartig der Mensch trotz allem ist. Allein durch Nachdenken, seine edelste Kunst, ist es ihm gelungen, das Universum und dessen Tiefen zu durchdringen.

Nicht nur diese zivilisatorische Leistung hebt die Figur Einstein unversehens ans Firmament – und ruft seine Feinde auf den Plan. Seine Wirkung auf die Menschen verdankt sich auch ganz anderen Ursachen. Zunächst einmal versteht er es, die gewonnene Autorität als überragender Forscher und Prophet für seine – vor allem humanitären und politischen – Zwecke einzusetzen. Seine Suche, ja seine Sucht nach Harmonie und sein Kampf gegen jede Art von Autorität bleiben nicht auf die Wissenschaft beschränkt. Er dehnt sie auf die gesamte Menschheit und den Prozess des kulturellen Fortschritts aus. Wie kein anderer seiner Wissen schaffenden Kollegen jemals verbindet Einstein seine Person mit einem politischen Programm.

Dabei kommt sein unverwechselbares, manchmal fast chaplineskes Äußeres seinem Charisma ebenso zugute wie sein spontaner, an Groucho Marx erinnernder Witz. So wie ihn die Medien benutzen, so lernt er allmählich, sich deren Einfluss dienstbar zu machen – anfangs noch ziemlich ungeschickt, schließlich immer ausgefuchster, wenn auch stets mit diesem charmanten Anflug von Tollpatschigkeit. Seine Stimme hat Gewicht, was er von sich gibt, macht Schlagzeilen, er hält über Rundfunk landesweit ausgestrahlte Ansprachen.

Durch seinen souveränen Umgang mit Presse, Funk und Film schafft er etwas, das Werbestrategen heute wohl «Markenzeichen» nennen würden. In der Marke Einstein verbindet sich der Inbegriff des zerstreuten Professors mit dem Bild des furchtlosen Kämpfers für Frieden, Menschenrechte, Abrüstung und Weltregierung, des trotteligen, sich über Konventionen wie etwa Kleiderordnungen und Bevormundungen hinwegsetzenden Bohemien mit dem hellsichtigen Analytiker der Zeitläufte.

Als Einstein an seinem Lebensabend der Welt und der Zukunft die Zunge herausstreckt, hinterlässt er schließlich jenes Bildnis seiner selbst, das den vollendeten Wandel vom Menschen zur Metapher signalisiert: Dem Tabubrecher, der Wesenszüge von Galilei und Gandhi in sich vereint, gelingt die Synthese der Freiheit des Künstlers mit der Kraft des Philosophen – Diogenes und Dalí als Paten des kreativsten Pantoffelträgers aller Zeiten.

Das Foto zeigt aber auch einen traurigen Narren, der das Spiel seiner Naivität und den Ernst seiner Kindlichkeit nicht mehr zur Deckung bringt, seit durch die Atomblitze von Hiroshima und Nagasaki auf seinen Stern ein Schatten fiel.

Das Jahr 1919 mit dem 7. November als Scheitelpunkt teilt den Lebensfluss Einsteins wie eine Wasserscheide. Im Frühjahr hat er sich nach jahrelangem Gezerre von seiner ersten Frau Mileva scheiden lassen. Damit ist der Abschied von der wilden Vergangenheit offiziell besiegelt und der Traum seiner Jugend vom «Zigeunerleben» endgültig am Ende. Wenige Wochen danach heiratet er seine Cousine Elsa. Der Bohemien kehrt in die Bürgerlichkeit seiner Kindheit zurück.

Ende 1919 zieht die prägende Person seiner ersten Lebenshälfte, seine Mutter Pauline, zu ihrem Sohn in die Haberlandstraße. Krebskrank im Endstadium möchte sie im Kreise der Familie sterben. Den Triumph ihres Sohnes hat sie – «Nahrung für Mamas ohnehin schon gehörigen Mutterstolz» – noch erleben dürfen. Nun darf ihr «Albertle» anfangen, erwachsen zu werden.

Kapitel 2

Wie aus Albert Einstein wurde

Psychogramm eines Genies

«Vor dem unterzeichneten Standesbeamten erschien heute, der Persönlichkeit nach bekannt, der Kaufmann Hermann Einstein, wohnhaft in Ulm, Bahnhofstraße Nr. 135, israelitischer Religion, und zeigte an, dass von der Pauline Einstein, geborene Koch, seiner Ehefrau, israelitischer Religion, wohnhaft bei ihm zu Ulm, in seiner Wohnung am 14. März des Jahres 1879, vormittags ½ 11 Uhr, ein Kind männlichen Geschlechts geboren sei, welches den Vornamen Albert erhalten habe.»

Ein Freitag kurz vor Frühlingsanbruch. Kühler Wind weht durch die Schwabenstadt. Unter strahlend blauem Himmel erreichen die Temperaturen sieben Grad Celsius. In dem gut geheizten Eckhaus am Rande der Altstadt machen sich die aufgestauten Schreie eines frisch entbundenen Babys Luft. Kaum hält die junge Mutter ihren Erstgeborenen in Händen, versetzt sie sein «außergewöhnlich großer eckiger Hinterkopf» in Schrecken. Anfangs glaubt sie «an eine Missgeburt». So jedenfalls will es die Familiensage, die Maja, die zweieinhalb Jahre nach Albert geborene Schwester, als reife Frau zu Papier bringen wird. Es soll nicht die letzte Angst sein, die der kleine Albert seinen Erzeugern einjagt, die sich drei Jahre zuvor in der Synagoge von Cannstatt bei Stuttgart das Jawort gegeben haben. Sein großer Kopf bleibt zeitlebens eines seiner auffälligen äußeren Merkmale.

Nach der Statistik hat er am Tag seiner Geburt eine Lebenserwartung von 35,6 Jahren. Kindersterblichkeit gehört in jenen Tagen noch immer zu den großen Problemen. Eben erst ist es dem Berliner Arzt Robert Koch gelungen, Bakterien in Reinkultur zu züchten. Ein erster Schritt, die Erreger später erfolgreich zu bekämpfen.

Nicht zuletzt dank der ständig verbesserten Hygiene wächst die

Bevölkerung überall in Europa kräftig an. Albert wird in ein Land mit gut 44 Millionen Bewohnern geboren. Als er es mit 15 verlässt, um erst nach Italien und dann in die Schweiz zu ziehen, leben im Deutschen Reich 52, als er 1914 nach Berlin zurückkehrt, knapp 65 Millionen Menschen. Selbst der Erste Weltkrieg wird in der aufsteigenden Kurve nur eine kleine Delle hinterlassen. Als Einstein Ende 1932 Deutschland für immer den Rücken kehren muss und in die USA auswandert, zählt das «Volk ohne Raum» bereits wieder 66 Millionen.

Gründerfieber ausufernder Städte, Umbrüche in der Kunst, Verwerfungen im gesellschaftlichen Miteinander und rascher technischer und wissenschaftlicher Fortschritt – das sind Prägemale Einsteins und seiner Generation. Telephonie, Rohrpost und transatlantische Kabel, Hochhäuser und Fahrstühle, elektrische Straßenbahnen, Schnellzüge, Automobile und Fluggeräte – Mensch und Mentalität, Ware und Information, alles gerät in Bewegung und beschleunigt sich.

An der Schwelle zur Moderne steigert sich schwindelerregend die Bewegungsenergie der gerade entstehenden Kommunikationsgesellschaft. Die damalige Globalisierung im Zeichen der Technik erfordert einheitliche Zeitmessungen. Uhren werden synchronisiert, zuerst in den Städten, dann über Ländergrenzen hinweg und schließlich auf der ganzen Welt. Vom ersten Tag an hört Einstein aus der Ferne die Begleitmusik jener Revolution, die einmal seinen Namen tragen wird.

Das Geburtshaus, 1944 zerstört, steht nur ein paar Schritte vom neuen Bahnhof entfernt. Dort hält seit kurzem der «Blitzexpress» zwischen Paris und Istanbul – Ulm hat Anschluss an die Welt bekommen. Die Eisenbahn hat wesentlich dazu beigetragen, die sprichwörtliche Kleinstaaterei in Deutschland zu überwinden. Acht Jahre vor Einsteins erstem Schrei hat Bismarck unter Wilhelm I. das Deutsche Reich zusammengeschmiedet. Und wie kommt der Mensch zum Bahnhof? Wenn er nicht zu Fuß geht oder mit dem Fahrrad fährt, das gerade in Mode kommt, dann nimmt er Kutsche oder Droschke, nach wie vor die einzigen Verkehrsmittel für den Individualtransport. Pferdeduft und Hufeschlagen neben Kohlenrauch, Petroleumduft und Dampfmaschinengetöse – das ist die Ulmer Geruch- und Geräuschkulisse um Einsteins Geburt.

«Zum Geborenwerden ist das Haus recht hübsch», beschreibt er anlässlich seines 50. Geburtstages den Ort, an dem er das Licht der Welt erblickt hat. «Denn bei dieser Gelegenheit hat man noch keine so grossen Bedürfnisse, sondern man brüllt seine Lieben zunächst einmal an, ohne sich viel um Gründe und Umstände zu kümmern.»

Obwohl er in Ulm nur 15 Monate gelebt hat, reklamieren die Ulmer ihn bis heute für sich. Wer stünde besser für ihr Motto «Ulmenses sunt mathematici», mit dem sie voller ironischem Stolz beanspruchen, allesamt Mathematiker zu sein? Den Ausspruch schreiben sie dem Rechenmeister Johannes Faulhaber zu, der den französischen Gelehrten René Descartes bei einem Besuch Ulms 1620 in die Mathematik eingeführt und bald darauf als Assistent des Astronomen Johannes Kepler gewirkt haben soll.

Einstein hat als Fünfzigjähriger in einem Dankesbrief an die «Ulmer Abendpost» seiner ersten Lebensstätte einen Satz gewidmet, der sich heute in ihren Werbebroschüren findet: «Die Stadt der Geburt hängt dem Leben als etwas ebenso Einzigartiges an wie die Herkunft von der leiblichen Mutter.» Auch wenn das nicht unbedingt seine tatsächliche Haltung widerspiegelt, so enthält es doch mehr als einen Kern Wahrheit. Ebenso wie seine Eltern und seine Schwester bleibt er zeitlebens ein Schwabe, der auch dem Englisch seiner späten Jahre fast melancholisch die Melodie seines Dialekts untermischt und an seiner zweiten Ehefrau Elsa besonders ihre schwäbischen Kochkünste schätzt. Einen Bayern oder Münchner, der er nach dem Umzug der Familie im Sommer 1880 per Anschrift wird, hat die neue Umgebung nicht aus ihm gemacht.

Aus Einsteins Kindheit haben sich nur sehr wenige Quellen erhalten. Erste Fotos zeigen ihn als einen hübschen, etwas pummeligen Jungen, der schüchtern in die Kamera schaut. Seine Großmutter väterlicherseits soll, als sie ihn das erste Mal sah, fortwährend vor sich hin gesagt haben: «Viel zu dick! Viel zu dick!» Diese Schilderung stammt ebenfalls aus zweiter Hand, aus der Erinnerung seiner Schwester. Ihr zufolge soll er nach ihrer Geburt auch gefragt haben, wo denn an dem neuen Spielzeug, das ihm seine Eltern versprochen haben, wo an ihr, dem Baby, die «Rädele» seien. Das widerspricht ein wenig den Schilderungen seiner sprachlichen Spätentwicklung, über die er auch selbst im Rückblick berichtet hat.

«Es ist wahr», schreibt er im Jahr vor seinem Tod, «daß meine Eltern besorgt waren, weil ich verhältnismäßig spät zu sprechen begann, so daß sie deshalb den Arzt konsultierten. Wie alt ich damals war, kann ich nicht sagen, sicher nicht unter 3.» Erst der Schock mit der Schädelform, dann ein Spätzünder – die Zuversicht der Mutter wird arg auf die Probe gestellt. Offenbar legt der kleine Albert ein Verhalten an den Tag wie bisweilen auch autistische Kinder: Er formt in Gedanken zunächst vollständige Sätze, probt sie dann mit verhaltener Stimme, bewegt dabei die Lippen, und erst wenn alles gut zusammenpasst, spricht er sie mit seiner Kinderstimme laut aus.

Bis in die ersten Schuljahre hinein begleitet ihn sein sonderbares Verhalten. Das Hausmädchen nennt ihn deshalb «Depperter». Ein Kind wie Albert, meint der deutschstämmige amerikanische Psychoanalytiker Erik Erikson, «würde heute speziellen Untersuchungen unterzogen und, vielleicht, Behandlungen». Das, gottlob, ist Einstein erspart geblieben.

Dem Jungen wird beängstigender Jähzorn nachgesagt, der sich allerdings im siebten Lebensjahr verflüchtigt. Wenn dem Dreikäsehoch etwas nicht passt, erblasst sein Gesicht, seine Nase wird weiß vor Wut, und dann schlägt er los. Zu seinen Opfern zählt auch eine Hauslehrerin. Der Schwester zufolge «ergriff er einen Stuhl und schlug damit nach der Lehrerin, die darob solchen Schrecken empfand, daß sie entsetzt fortlief und sich nie wieder blicken ließ». Maja hat seine Attacken ebenfalls zu ertragen. Ihr «warf er ein andermal eine große Kegelkugel an den Kopf, und ein drittes Mal diente eine Kinderhacke ihm dazu», ihr «ein Loch in den Kopf zu schlagen».

Noch in dieser Phase erlebt Einstein etwas, das ihm einen «tiefen und bleibenden Eindruck» hinterlässt – den Tag, «als mir mein Vater einen Kompaß zeigte». Er wundert sich, dass sich dessen Zeiger ohne Berührung immer in dieselbe Richtung drehen will. «Da musste etwas hinter den Dingen sein, das tief verborgen war.» Die Initiation eines Genies? Das «Wunder» erhellt das Rätsel seiner Einmaligkeit nur wenig. Über eine zitternde Kompassnadel oder andere verblüffende physikalische Effekte staunt fast jedes Kind.

Die anderen Jungs rufen ihm «Bruder Langweil» nach, weil er sich an ihren groben Spielen und Raufereien nicht beteiligen will. Und wenn, dann nur als Schiedsrichter. Weil sie ihn für übertrieben wahrheits- und gerechtigkeitsliebend halten, geben sie ihm auch den Spitznamen «Biedermeier». Gerechtigkeit und Ausgleich zwischen den Menschen liegen ihm sein Leben lang am Herzen.

Fotografien zeigen ihn nun versonnen, etwas weichlich, steif und sehr ernst – was sich auch aus der damaligen Art des Fotografierens erklärt: Entspannung oder Lachen bekommt die Kamera nicht zu sehen. Die Natur im elterlichen Garten oder bei den Wanderungen der Familie im Voralpenland dient ihm wie seine Musik zum Abschalten und Nachdenken. Statt draußen zu toben, bleibt Albert der Schwester zufolge lieber allein und gibt sich stundenlang Beschäftigungen hin, die Duldsamkeit und Ausdauer verlangen. Er besitzt einen «Anker-Steinbaukasten», der ihn zu waghalsigen Konstruktionen reizt. Mit Vorliebe baut er Kartenhäuser. Noch vor seinem zehnten Geburtstag bewerkstelligt er mit ruhiger Hand 14 Stockwerke. Er vertieft sich in knifflige Laubsägearbeiten. Erste kindliche Einsichten in die Kraft-Wärme-Kopplung verschafft ihm das Spiel mit seinem Dampfmaschinchen, einem Geschenk seines Onkels Cäsar Koch aus Brüssel.

Mutter Pauline soll früh bemerkt haben, dass «aus ihm vielleicht noch einmal ein großer Professor werden» wird. Im überschaubaren Nest ihrer Zwei-Kind-Familie hat sie ihm dazu allerdings auch optimale Förderung angedeihen lassen. Im Vater dagegen hat er einen heiteren genügsamen Gefährten, dem jeder Ehrgeiz fremd ist. «Das Schauen ohne Wünschen war ihm gegeben», schreibt Einstein 1919 seinem Freund Heinrich Zangger.

Von allen Gerüchten, die über Einstein in Umlauf sind, hält sich eines besonders hartnäckig: dass er schlecht in der Schule war. Das scheint einerseits Eltern, deren Kinder nicht die erwünschten Noten erzielen, einen gewissen Trost zu verschaffen nach dem Muster: «Ja, wenn selbst der Einstein ...» Andrerseits trägt es nicht unerheblich zum Mythos bei.

Schon im Jungenalter geben Alberts schulische Leistungen Anlass zu großer Hoffnung. Das erste Schuljahr schließt er als Klassenprimus ab. Während der gesamten Schulzeit gehört er zu den Besseren. Nur im

Sport ist und bleibt er eine Niete. Die Anstrengung, heißt es, mache ihn schnell schwindlig. Außerdem lehnt er alles Wettkämpferische, selbst das Schachspiel, entschieden ab. Vielleicht widert ihn aber auch nur der organisierte Drill der Turnstunden an.

Was den jungen Albert von den meisten anderen Schülern damals wie heute unterscheidet: Er schlägt parallel zur Schule seinen eigenen zweiten Bildungsweg ein und verschafft sich das Rüstzeug für seinen späteren Werdegang im Selbststudium. Er liest und liest und liest. Wenn er studiert, dann kann den kleinen Autodidakten selbst das größte Chaos familiärer Geschwätzigkeit nicht ablenken. «Alles, was ich als junger Mensch vom Leben wünschte und erwartete», sagt er rückblickend im Alter, «war, ruhig in einer Ecke zu sitzen und meine Arbeit zu tun, ohne von den Menschen beachtet zu werden.»

Diesen Charakterzug wird er sich zeitlebens erhalten. «Es vollzieht sich bei ihm eine Trennung des Geistes vom Körper, wie etwa bei der Ekstase der Heiligen», berichtet eine Freundin seiner zweiten Frau Elsa, Antonina Vallentin, die ihn erst in seiner zweiten Lebenshälfte kennen lernt. «Man könnte einen Höllenlärm machen, oder es könnten sich in einer noch viel peinlicheren Stille alle Augen auf ihn heften – er hört und sieht nichts.» Sie beobachtet nicht nur, «daß er in sich selbst wie auf einer unbewohnten Insel isoliert war». Auch «seine Augen mögen noch so weit offen stehen», sie sind «aber so schwarz und glanzlos wie die eines Blinden».

Während seine Altersgenossen draußen Abenteuern hinterherjagen, sucht er drinnen sein «Flow-Erlebnis» im Kopf, wie Psychologen das «vollständige Aufgehen im Gegenstand des Interesses» nennen. Diese Spielart von Sucht, und zwar einer Sucht nach «Erlebnishöhepunkten», teilt er mit fast allen großen Geistern. Einstein giert nach Belohnung durch die fortgesetzte Befriedigung seiner maßlosen Wissbegier. Schon früh trainiert er dazu auch seinen zweitwichtigsten Körperteil – seinen Hintern und dessen Sitzfleisch. Seine überaus lebendigen Verwandten sehen auf dem Sofa einen abwesenden kleinen Buddha sitzen, der über Fragen der Mathematik wie in Trance meditiert.

Onkel Jakob Einstein, Ingenieur und Geschäftspartner seines Vaters, bringt ihm schon während der Volksschulzeit die Grundlagen der Mathematik bei. Offenbar zeigt der Oheim dabei das seltene Talent, einem Kind die abstrakte Welt von Zeichnung und Gleichung auf spielerischem Weg näher zu bringen. «Algebra», macht ihm der Onkel klar, «ist die Kunst der Faulheitsrechnung. Was man nicht kennt, das nennt man x, behandelt es so, als ob es bekannt wäre, schreibt den Zusammenhang hin und bestimmt diese x dann hinterher.» Als Jakob ihm den Satz des Pythagoras vorführt, klemmt sich der Junge «drei Wochen lang mit angestrengtem Nachdenken» dahinter und findet aus eigenem Antrieb ganz auf sich allein gestellt den richtigen Beweis.

Scheint da bereits die Glut durch, die das kreative Feuer entzünden wird? Auch wenn Einstein in seiner Jugend Talente zeigt wie nur wenige seiner Altersgenossen – was macht den Schritt von den Gaben, die er mit anderen teilt, zum Genialen aus, das nur die allerwenigsten erreichen? Wann und wie werden die Weichen gestellt, die Schaffende zu Schöpfern machen? Gibt es Entwicklungsmuster, aus denen sich Prinzipien für außergewöhnliche Kreativität ableiten lassen?

Nach solchen wiederkehrenden Persönlichkeitsmerkmalen sucht die psychobiographische Forschung. Howard Gardner von der amerikanischen Harvard University hat Einstein mit sechs weiteren als genial Gerühmten des 20. Jahrhunderts verglichen, unter anderem mit Picasso, Freud und Gandhi.

Aus seinen Untersuchungen schließt er, dass jeder schöpferische Durchbruch eine Schnittstelle von Kindlichkeit und Reife darstellt. Er geht sogar noch einen Schritt weiter und behauptet: «Die Moderne bezieht ihr kreatives Potential aus der Aktivierung des frühkindlichen Bewusstseins.» Ganz im Sinne von Charles Baudelaire, der Kinder einmal die «Maler des modernen Lebens» genannt hat, schöpft Einstein aus dem fortgesetzten Flow-Erlebnis seiner jungen Jahre als reifender Wissenschaftler seine revolutionäre Kraft.

Ein wesentliches Element in Einsteins besonderer Entwicklung sieht Psychologe Gardner darin, dass dessen Eltern ihn bei seinen Träumereien in Frieden gelassen haben. Das gebe Kindern «die Gelegenheit, sich auf geruhsame Art, der eigenen Neugier folgend, intensiv mit ihrer eigenen Welt vertraut zu machen». Auf diese Weise sammeln sie «Kreativitätskapital» für ihr ganzes Leben. Die Kindheit nennt er daher einen «mächtigen Verbündeten».

Auch Einsteins Geist ist, wie es die Volksweisheit richtig einschätzt, nicht vom Himmel gefallen. In aller Regel gehen spätere Genies durch eine zehnjährige Phase beständiger handwerklicher und theoretischer Arbeit – eine Art Reifezeit. Genau ein Jahrzehnt geistiger Mühsal, tagtägliches Grübeln und Bücherwälzen oft bis tief in die Nacht braucht Einstein vom Abitur bis zu seinen revolutionären Entdeckungen 1905, darunter die Spezielle Relativitätstheorie. Auch Mozart, Einsteins Lieblingskomponist, hat bereits zehn Jahre komponiert, bevor ihm musikalische Dichtungen gelingen, die in die Musikgeschichte eingehen.

Kreativitätsforscher haben überdies herausgefunden, dass ein allzu hoher Intelligenzquotient auf dem Weg zum Genie eher hinderlich als nützlich ist. Die meisten Menschen, denen das Prädikat «Genie» zugedacht wird, liegen zwar deutlich über dem Durchschnitt. Die seltenen Ausreißer nach oben mit den Super-IQs (nach hergebrachter Lesart über 150) entpuppen sich aber fast nie als geniale Schöpfer.

Kreative Menschen treibt überdies ein feinstofflicher Motor an, ihr Wille. Sie wollen unbedingt kreativ sein. Dabei können sie sich durch Zielstrebigkeit und unendliche Sturheit auszeichnen. Einstein bescheinigt sich selber eine «maultierhafte Starrnackigkeit». Wenn es sein muss, dann folgt er der Devise Augen zu und durch: «Gott schuf den Esel und gab ihm ein dickes Fell.» Auch deshalb teilen Hochkreative häufig das Merkmal, zumindest anfänglich starke Ablehnung hervorzurufen.

Einstein, der Außenseiter, überragt allein in Physik und Mathematik, ansonsten ist er ein durchschnittlich guter Schüler – mit dem einen Unterschied: Er ist für die Schule zu schlau. «Albert hat mich von jeher daran gewöhnt, neben sehr guten Noten auch schlechtere zu finden», sagt sein Vater. Das hindert den Jungen nicht daran, sich mit seinen Lehrern anzulegen. Er provoziert sie mit aufmüpfiger Verachtung. In seinen Erinnerungen schiebt er seine Aufsässigkeit auf den Kasernenhofton am Münchner Luitpold-Gymnasium, das er ab 1888 besucht, auf den «Leutnantscharakter» der Lehrer und deren «geistlose und mechanische Lehrmethode». Die habe vor allem seinem «schlechten Wortgedächtnis» zu schaffen gemacht. «Ich ließ also lieber jede Sorte von Bestrafungen über mich ergehen, als daß ich etwas auswendig her-plappern lernte.»

Im Rückblick scheint er das Gymnasium allerdings allzu sehr mit der Kantonsschule im schweizerischen Aarau verglichen zu haben, wo er im liberalen Geist der Reformpädagogik Pestalozzis 1896 sein Abitur gemacht hat. Das «Luitpold» zählt eher zu den fortschrittlicheren Lehranstalten im damaligen Deutschland. Zwar walten Strenge und Disziplin, aber weniger im soldatischen Sinn mit der Absicht, junge Menschen zu brechen. Als sein Münchner Klassenlehrer Dr. Joseph Degenhart ihm nahe legt, die Schule zu verlassen, wehrt sich Albert, er habe sich doch nichts zuschulden kommen lassen. «Ihre bloße Anwesenheit verdirbt mir den Respekt in der Klasse.»

Einzelgängerei und große Selbständigkeit im Denken zeichnen Menschen aus, denen kreative Durchbrüche gelingen. Die Unabhängigkeit wird vielfach als Ungehorsam missdeutet. Sie drückt aber eher ein konsequentes Verhältnis zu Recht und Gerechtigkeit aus – den typischen Willen von Jugendlichen, Widersprüche nicht hinzunehmen, wenn sie ihre Ansichten für richtig halten. Einstein bleibt sich in diesem Punkt lebenslang treu – und weiß ein hehres Motiv auf seiner Seite: «Autoritätsdusel ist der größte Feind der Wahrheit.»

Er lehnt sich gegen jede Art von autoritärer Struktur auf, gegen die starren Gesetze in Schule und Universität, gegen das Regelwerk bürgerlicher Existenz, gegen Konventionen wie Kleiderordnungen, gegen Dogmatismus in Religion und Physik, gegen Militarismus, Nationalismus und Staatsideologie, gegen Chefs und Arbeitgeber. Seine Opposition gegen alle Spielarten des Opportunismus gehört zu den bewundernswertesten Zügen seines Charakters.

«In seinem Aussehen und Auftreten», sagt Gardner, «seiner schlecht verhehlten Gleichgültigkeit gegenüber den Spielregeln der ‹Erwachsenen› behielt er zeitlebens etwas Kindliches. Noch im hohen Alter hatte er die sorglose Art des Kindes.»

Einstein selbst hat «im hohen Alter» genau damit sein Geheimnis zu erklären versucht: «Wenn ich mich frage, woher es kommt, daß gerade ich die Relativitätstheorie gefunden habe, so scheint es an folgendem Umstand zu liegen: Der Erwachsene denkt nicht über die Raum-Zeit-

Probleme nach. Alles, was darüber nachzudenken ist, hat er nach seiner Meinung bereits in seiner frühen Kindheit getan. Ich dagegen habe mich so langsam entwickelt, daß ich erst anfing, mich über Raum und Zeit zu wundern, als ich bereits erwachsen war. Naturgemäß bin ich dann tiefer in die Problematik eingedrungen als ein gewöhnliches Kind.»

Es war Einstein, der dem Kinderpsychologen Jean Piaget vorschlug, Kinder nach ihren intuitiven Vorstellungen von Geschwindigkeit, Raum und Zeit zu befragen. Damit hat er eines der fruchtbarsten Forschungsgebiete des Schweizers angeregt – der das interessanteste Forschungsobjekt seiner Zeit, den kleinen Albert, leider nicht mehr untersuchen konnte. Denn an ihm hätte er ein bemerkenswertes Phänomen beobachten können: So wie der Blechtrommler Oskar Matzerath in Günter Grass' Romanwelt mit drei Jahren beschließt, sein Wachstum einzustellen, so hält der Weltbildhauer Einstein im entscheidenden Moment seiner Entwicklung einen Teil seiner Lebensuhr an. Das geschieht zwar nicht als willentlicher oder bewusster Akt. Aber es führt dazu, dass er sich zeitlebens ein Stück seiner Kindlichkeit bewahrt. Für den Rest seiner Existenz schreibt er sich damit selbst eine Rolle, die auch tragikomische Züge annehmen wird. Er bleibt, wie Gardner sagt, «das ewige Kind». Der Begriff ist auch auf Mozart angewendet worden. Zu einem ähnlichen Urteil kommt Erik Erikson. Er nennt Einstein «das siegreiche Kind».

Während der eine Teil seiner Lebensuhr zurückbleibt, laufen alle anderen Teile unbehelligt weiter. Einstein wächst zum Mann und Vater heran, zu einer überragenden denkenden Persönlichkeit, die Menschen sehen in ihm ein «Symbol der gereiften menschlichen Vernunft». Sein kindlicher Kern aber bleibt ihm fortan erhalten. Dahin zieht er sich immer wieder zurück und errichtet so seine Schutzbehausung gegen die Fährnisse des Lebens. Von nun an lebt Albert Einstein mit zwei Persönlichkeiten im Gewand einer Person.

Das geschieht keineswegs im Verborgenen, im Gegenteil. Seine Umwelt erlebt ihn als ungebrochen jungenhafte Persönlichkeit, die Fremde verzaubern, seine Freunde aber auch zur Verzweiflung treiben kann. Als die ihn 1921 beknien, das Erscheinen einer Biographie über sich wegen des angeblich zu persönlichen Inhalts zu verhindern, schreibt ihm Hedwig, die Frau seines Kameraden und Kollegen Max Born: «Du verstehst das nicht, Du bist ein kleines Kind. Man liebt Dich, und Du musst gehorchen: und zwar einsichtigen Leuten (nicht Deiner Frau).»

Sein bester Freund, Michele Besso, drängt Einstein nach dem Zusammenbruch von dessen Familie 1914 wieder und wieder, sich um seinen kranken Sohn Eduard zu kümmern. Ohne Erfolg. Fassungslos schreibt Besso dem Freund 1932: «Was weißt du weisshaariges Kind von der Last der Suchenden?» Unzählige Berichte legen Zeugnis ab über Einsteins Verspieltheit, seinen unmittelbaren Zugang zu Kindern, sein unbeschwertes Scherzen und seine Lust auf Schabernack, die sich auch in seinen Limericks und ulkigen Versen ausdrückt.

> «Die Pfeif' im Mund, im Kopf die Pflicht
> Das ist der Herr Capten Trauernicht,
> Der lächelnd an der Brüstung steht
> Und dessen Blicken nichts entgeht.
> Er alles sieht in Meer und Schiff,
> Ihm alle folgen auf den Pfiff
> Geruhig stellt er seinen Mann
> Sieht sich die Welt von draussen an.»

Ehefrau Elsa erzählt, seine Persönlichkeit habe sich nicht verändert, seit er mit fünf mit ihr im Sandkasten spielte. Zum Beispiel wird berichtet, wie sie ihren Mann jenseits der 40 noch «füttert», weil er über seiner Arbeit das Essen vergisst, wie sie ihm Taschengeld aushändigt, weil er mit Geld nicht umgehen kann. Auch Schwester Maja «verhielt sich wie eine Mutter, die bei ihrem Sohn zu Besuch ist, um nach dem Rechten zu sehen».

Selbst wenn Freunde und Familienmitglieder mitunter kopfschüttelnd das Ärgste zu verhindern versuchen – das Kindsköpfige in Einsteins Wesen besitzt Charme und steigert sein Charisma. Die atemberaubende Leichtigkeit, mit der er selbst schlimmste Niederlagen, Anfeindungen und Krisen zu nehmen scheint, trägt auch zu seinem übermenschlichen Nimbus bei. «Das Gefühl der Furcht ist ihm fremd», schreibt Elsa an Antonina Vallentin. «Nichts belastet ihn. Keine Rücksicht beherrscht ihn», notiert die Freundin ihrerseits. «Das Alpdrücken, welches die Schüchternen befällt, ist ihm fremd.»

Wo er auch auftritt, immer die gleichen Berichte: Katia Mann, mit ihrem Gatten Thomas Mann im amerikanischen Exil nach 1933 eine Weile Nachbarin der Einsteins in Princeton, bemerkte gereizt, er habe «so große Glupschaugen» und «etwas Kindliches im Wesen». Harry Graf Kessler schildert in seinen Aufzeichnungen einen Abend, «dem dieses wirklich liebe, fast noch kindlich wirkende Ehepaar eine gewisse Naivität verlieh».

Oft lesen sich diese Beschreibungen wie Beobachtungen von etwas Oberflächlichem. In Wahrheit verraten sie Tiefen, aus denen Einstein schöpft: Kindlichkeit als Form von Weisheit, wie auch alle großen Clowns sie besitzen. Denn eines war er auf keinen Fall: nur naiv. «Ich fahre immer mit meiner Harmlosigkeit, die doch zu 20 % bewusst ist, am besten», gesteht er. Anders als seine Naivität, die er sogar strategisch einsetzt, um sich abzuschotten, ist seine Kindlichkeit echt, nicht gespielt. Nicht zuletzt dieser Wesenszug verleiht ihm Kraft und schützt ihn vor allem Dogmatischen – da gibt es nichts, was nicht infrage gestellt werden kann. Kindlichkeit bietet ihm den Schild einer Narrenkappe und verleiht ihm die Aura des reinen, unschuldigen Gotteskindes.

«Er war ein Gott, und er wusste es», hat sein Freund und Arzt Gustav Bucky bemerkt. Eine erstaunliche Einschätzung. Selbst wenn der alte Einstein immer wieder darauf zurückkommt, man habe einen «jüdischen Heiligen» aus ihm gemacht – ein Gott zu sein, wie übertragen auch immer gemeint, ist sicherlich das Letzte, was er wollte. Dass er anderen aber so erscheint, kann er offenbar nicht verhindern.

Der liberale Journalist Isidor F. Stone, den der Physiker Ende der vierziger Jahre nach Princeton in sein Haus einlädt, erinnert sich später an den Besuch: «Das war wie zum Tee zu Gott zu gehen. Nicht zu dem schrecklichen Gott der Bibel, sondern zum himmlischen Vater der kleinen Kinder, sehr freundlich und weise.» Sein Geheimnis ist die Nähe zur Welt der Kleinen. «Es genügt, Albert Einstein mit einem Kinde sprechen zu sehen, um sich klar zu werden, wie sehr er sich im Verkehr mit Erwachsenen mit unübersteigbaren Barrieren umgibt», sagt Antonina Vallentin. «Er steht dem Kinde als Ebenbürtiger gegenüber.»

Umgekehrt zeigt Einstein schon in seiner Jugend Charakterzüge eines vorzeitig Erwachsenen. Denn die Kehrseite des ewigen Kindes, wie Einstein sie selbst beschreibt, ist der «ziemlich frühreife Mensch». Deshalb verdient das «zweite Wunder ganz verschiedener Art» sicherlich mehr Beachtung als die Episode mit dem Kompass.

Geradezu als Meilenstein empfindet Einstein es in seinen Erinnerungen, wie er Anfang des sechsten Schuljahrs ein «Büchlein über Euklidische Geometrie der Ebene» in die Hand bekommt. Er eignet sich dessen Inhalt nicht nur an, er verschlingt es. Und nicht nur das: «Im Alter von 12–16 Jahren machte ich mich mit den Elementen der Mathematik vertraut inklusive der Differential- und Integralrechnung.» Mit 16 beherrscht er die gesamte Schulmathematik. An seine erste Begegnung mit der Rechenkunst wird er sich später als eine fast religiöse Erfahrung erinnern. Deren klare und logische Struktur findet er sonst nur in der Musik – besonders bei Mozart, dessen Violinsonate in e-moll er über alles liebt. Seine Geige, auf der er oft stundenlang improvisiert, wird ihm bis ins Alter eine treue Gefährtin bleiben.

Wenn ihn das alles auch nicht gleich zum «Wunderkind» macht, für das ihn manche schon halten – einer, der überdies schon mit 13 Jahren Kants «Kritik der reinen Vernunft» durchgepaukt hat, gilt nach heutigem Verständnis zumindest als hochbegabt. Er selbst nennt sich mit 16 in einem Brief an seinen Onkel Cäsar «noch ziemlich naiv und unvollkommen». Genau hier beginnt seine zehnjährige Reifezeit, die in seinem «Wunderjahr» 1905 ihre unvergleichlichen Früchte hervorbringt.

Um 1894 hat sich aus dem schüchternen, etwas weichlichen Pubertierenden ein Mädchenschwarm herausgeschält: der schwarze Lockenkopf, der Schwung seiner Lippen, die großen dunklen Augen, nachdenklich und herausfordernd in einem – der Charakter hat sich seinen Ausdruck geformt.

Einsteins Selbstbewusstsein, gepaart mit seinen außergewöhnlichen mathematischen Fähigkeiten, wird zu seinem Rettungsanker. Seinem Klassenlehrer am Luitpold-Gymnasium, Dr. Joseph Degenhart, erfüllt er schließlich auf raffinierte Weise den Wunsch, sich von der Schule zu entfernen. Von Joseph Ducrue, seinem Mathematiklehrer, lässt er sich schriftlich geben, in dessen Fach bereits auf dem Stand eines Abiturienten zu sein. Einen mit der Familie befreundeten Arzt bringt er dazu, ihm in einem Attest «neurasthenische Erschöpfung» zu bescheinigen, seit etwa 1880 die große Modekrankheit in Deutschland: Albert hat «die Nerven». Mit der Bescheinigung beantragt er ohne Wissen seiner Eltern die Entlassung aus der Schule. Sie wird ihm gewährt.

Vater, Mutter und Schwester leben seit über einem Jahr in Mailand. Albert sollte, bei entfernten Verwandten untergebracht, in der bayrischen Hauptstadt das Gymnasium abschließen. Das Motiv seiner mitunter als heroisch gepriesenen Flucht aus den Klauen des schulischen Kasernendrills dürfte nicht zum Geringsten in der Sehnsucht nach seiner Familie zu finden sein. Als der Schulabbrecher kurz vor Weihnachten 1894 völlig überraschend bei seinen Eltern auftaucht, muss er mit ihrem Entsetzen gerechnet haben. Ausgerechnet ihr kleiner, verträumter Sesselgelehrter steht ohne Abitur da. Aber Albert hat noch ein Ass im Ärmel.

Mit dem Schreiben seines Mathematiklehrers kann Einstein sich zwei Jahre vor dem offiziellen Zulassungsalter zur Aufnahmeprüfung am Polytechnikum in Zürich anmelden. Nach ein paar Wochen Schlendrian in Italien mit Wanderungen in den Ligurischen Bergen beginnt die Büffelei. In bewährter autodidaktischer Methode ackert er das dreibändige «Lehrbuch der Physik» von Jules Violle durch. Als Fingerübung schreibt er im Sommer 1895 unter dem Titel «Über die Untersuchung des Ätherzustands im magnetischen Feld» seinen ersten wissenschaftlichen Essay und schickt ihn seinem Onkel Cäsar in Brüssel.

Einstein fällt durch – was er als «voll berechtigt» empfindet. An der Physik hat es nicht gelegen. Schuld sind eher Fächer, die sein «schlechtes Wortgedächtnis» fordern, wie Französisch oder Botanik. Der prüfende Professor Heinrich Friedrich Weber zeigt sich von dessen physikalischen Kenntnissen jedoch so begeistert, dass er ihn gegen alle Regeln in seine Vorlesung im zweiten Studienjahrgang an die Hochschule einlädt. Aber der junge Mann wählt einen anderen Weg.

Die kleine Pleite – Einstein ist erst sechzehneinhalb – erweist sich als großer Glücksfall. Sein Schicksal schenkt ihm das womöglich entscheidende Jahr für die Metamorphose vom frühreifen Jugendlichen zum ausgereiften Mann. Nicht fachlich. Das Physikstudium hätte er vermutlich auch um diese Zeit schon mit links geschafft. Aber menschlich. Im Städtchen Aarau, kaum 20 Kilometer von Zürich entfernt, kann er innerhalb eines Jahres an der Kantonschule seine Matura nachholen. Noch ein Jahr schülerische Freiheit, noch ein Jahr Zeit, seine Rolle zu finden, sich auszuprobieren, sich erstmals zu verlieben, sich vom Elternhaus zu lösen.

Die liberale Schule, das spielerische Lernen in deren «physikalischem Kabinett», Freigeist und politischer Umgang in der zutiefst liberal orientierten Gastfamilie – Albert kann noch einmal unbeschwert Lebensluft tanken, bevor das Erwachsensein auch ihn endgültig ins Rennen um Studium und Karriere, Gehalt und Anerkennung zwingt. Sein Mitschüler Hans Byland erinnert sich: Albert «paßte schon als Jüngling in keine Schablone hinein». Dem «kecken Schwaben» bescheinigt er eine «originelle Selbstherrlichkeit» und eine «überlegene Persönlichkeit», nennt ihn aber auch einen «genialen Spötter, der so viele vor den Kopf stieß».

Dass der selbstherrliche Schwabe nicht nur als Sonnyboy auftritt, sondern durchaus auch unangenehme Eigenschaften zeigt, berichten im Folgenden viele, die ihm nahe gekommen sind. Sein Kollege David Reichinstein schreibt: «Einstein kann eine sehr starke Abneigung äußern, kann sehr heftig werden, unduldsam, sogar ungerecht.» Und sein Freund und Arzt János Plesch warnt: «Es ist schwer, ihn sich zum Feind zu machen, aber wen er einmal aus seinem Herzen gestoßen hat, der ist für ihn auf immer erledigt.»

Albert wohnt im Aargauer «Rössligut», dem Haus des Lehrers Jost Winteler (der ihn nicht unterrichtet), dessen Frau Pauline und ihrer sieben Kinder. Die beiden nehmen ihn auf wie einen Sohn. Schon bald nennt er ihn «Papa» und sie «Mamerl». Dieser familiäre Anschluss bleibt ihm sein Leben lang erhalten, schließlich sogar in direkter Verwandtschaft. Seine Schwester Maja heiratet Paul Winteler, einen Sohn des Hauses, und sein Freund Michele Besso die Tochter Anna. Alberts Techtelmechtel mit einer anderen Tochter, Marie, endet schon bald unglücklich – für die junge Frau. Als er nach Zürich geht, um dort zu studieren, bricht er die Verbindung ab. Der Familie bleibt er herzlich verbunden. Von Zürich aus schreibt er später dem «Mamerl», wie es ihm gefiele, «so recht mit Ihnen zu schwatzen, wenn wir zusammen in der roten Stube säßen, die Kartoffeln vor Eifersucht braun würden, die liebe Sonne & sonst noch was Liebes zum Zimmer hereinguckten».

Er kann so charmant sein wie ein Junge – aber auch so verletzend. Aus dieser Spannung speisen sich seine Überheblichkeit und mitunter schneidende Arroganz, deren Wert er überaus schätzt. «Es lebe die Unverfrorenheit!», freut er sich. «Sie ist mein Schutzengel in dieser Welt.»

Aber selbst wenn er wollte, er könnte nicht mehr heraus aus seiner Haut. Er, der sein Leben lang einem Knaben in seiner verlorenen Traumwelt gleicht, findet sich mit dem Schicksal seines unüberwindlichen Zwiespalts zwischen kindlichem Leichtsinn und überreifer Ernsthaftigkeit ab. Darin besteht seine Art eines faustischen Handels – seine «Flucht vom Ich und vom Wir in das Es», in die rationale Wissenschaft. Er will frei sein von den «Fesseln des Nur-Persönlichen», wie er es selber nennt. Dabei ist er sich, glaubt Psychoanalytiker Erikson, durchaus «einiger seiner interpersonellen Konflikte bewusst, die er zu verdrängen und auch zu sublimieren» lernt.

Dafür bezahlt er, trotz aller Freundschaften und Begegnungen, mit tiefer, zum Lebensende hin erschütternder Einsamkeit – von außen betrachtet. Aus seiner Innensicht sieht er sie nicht nur als Bürde, sondern auch als Bedürfnis. «Ich bin ein richtiger ‹Einspänner›, der dem Staat, der Heimat, dem Freundeskreis, ja selbst der engeren Familie nie mit ganzem Herzen angehört hat, sondern mit allen diesen Bindungen ihnen gegenüber ein sich nie legendes Gefühl der Fremdheit und des Bedürfnisses nach Einsamkeit empfunden hat.» In seiner Tendenz, extreme Pole in sich zu vereinen, findet er eine weitere Rolle seiner Existenz und wird ein eitler Eremit.

In einer denkwürdigen Rede anlässlich des 60. Geburtstags von Max Planck stilisiert Einstein 1918 seinesgleichen als «etwas sonderbare, verschlossene, einsame Kerle». Und was sie antreibt, da «glaube ich mit Schopenhauer, daß eines der stärksten Motive, die zur Kunst und Wissenschaft hinführen, eine Flucht ist aus dem Alltagsleben mit seiner schmerzlichen Rauheit und trostlosen Öde, fort aus den Fesseln der ewig wechselnden eigenen Wünsche».

Jeder entwickelt eigene Mechanismen, biographischen Ballast zu tragen. Einstein macht «einsam» und «Heimat» zu zwei Seiten desselben Lebensgefühls. Er sei, konstatiert er, glücklich, «wenn ich stirnrunzelnd in meiner Bude der goldnen Gelehrsamkeit pflege». Manchmal will es fast scheinen, als verwechsle er sich mit dem Einstein-Bild, das sich die Menschen von ihm machen, und trage so zu dem Bild wiederum bei. Einstein, das einsame Genie, ist auch seine eigene Kreation.

Im Alter von 57 spricht er von «jener Einsamkeit, die in der Jugend schmerzlich, in den Jahren der Reife aber köstlich ist». Da lebt er bereits drei Jahre abgeschnitten von fast allen Kontakten, die ihm besonders wissenschaftlich so wertvoll waren, auf einem fernen Kontinent, in den USA. Er sieht sich als «nirgends wurzelnder Mensch», der «überall ein Fremder» bleibt. Einmal gibt er zu, wie bedrückend diese Bürde sein kann: «Das Alleinsein verträgt man doch nur bis zu einer gewissen Grenze.»

Die Fremdheit, die er selbst seinen nächsten Mitmenschen gegenüber erkennt (aber nicht beklagt), stellt sich von der anderen Seite als Unnahbarkeit dar. Vertraute sprechen von einer «undurchdringlichen Schale», die ihn umgibt. «Es war nicht leicht für ihn», berichtet sein Assistent Leopold Infeld, «seine innere Isolierung zu verlassen und die Art und Weise zu verstehen, in der gewöhnliche Sterbliche sprechen und denken.» Schwiegertochter Frieda sagt: «Eine dünne Wand aus Luft trennt Einstein sogar von seinen nächsten Freunden.» Und Mitschüler Byland glaubt, «er zählte zu jenen Doppelnaturen, welche durch eine stachlige Hülle das zarte Reich ihres intensiven Gefühlslebens zu schützen wissen». Tief in seiner Hülle aber sucht das ewige Kind Zuflucht im Kosmos.

Gerade ihm nahe stehende Menschen erkennen, in welchem Zwiespalt Einstein steckt. «Er wollte selbst geliebt werden», erzählt sein Sohn Hans Albert. «Aber fast im selben Moment, da man die Berührung fühlte, stieß er einen zurück. Er ließ sich nicht gehen. Er drehte seine Gefühle ab wie einen Wasserhahn.» – «Dies gelingt leicht», erklärt der Vater, «wenn man gegen die Gefühle der Mitmenschen genügend gleichgültig ist.»

Bemerkenswerte Einsichten in das Innenleben Einsteins liefert der junge Max Brod. Der Schriftsteller lernt den Physiker 1912 im jüdischen Intellektuellen-Salon kennen, den die kulturell engagierte Apothekeninhaberin Bertha Fanta in Prag betreibt. Gelegentlich begleitet Brod zu den Abenden sein Freund Franz Kafka, der über den Salon allerdings keinerlei Erinnerungen hinterlässt. Brod beobachtet Einstein mit dem unerbittlichen Scharfblick eines Dichters, der sich im Sezieren von Seelen übt. Die «in sich abgeschlossene, fremde Art» des Gegenübers fasziniert ihn schließlich so sehr, dass er nach dessen Vorbild die Figur des Johannes Kepler in seinem Roman «Tycho Brahes Weg zu Gott» formt.

Von einer «Beharrlichkeit sondergleichen» schreibt der Autor darin, «die ihn nach außen hin völlig absperrte, ihn unverletzlich, aber auch für alles, was nicht seine Wissenschaft betraf, aufnahmeunfähig machte». Kepler alias Einstein begegnet den Menschen «mit der ganzen reinen, makellosen Oberfläche seiner Seele, die er geradeaus, unbedenklich, ja mit einer gewissen Härte und Rücksichtslosigkeit der Welt entgegenschwang». Und dann: «Der größere wichtigere Teil seines Lebens spielte sich eben unbewußt ab und war im wahrsten Sinne des Wortes unzugänglich für andere wie für ihn selbst.» Absicht dürfe ihm dabei aber nicht unterstellt werden, war er doch «im strengsten Sinne des Wortes: unzurechnungsfähig, unverantwortlich für all das, was er tat».

Keine zeitgenössische Beschreibung zeichnet Einstein schärfer. Sein späterer Assistent Leopold Infeld macht jedoch eine ähnliche Beobachtung: «Einstein verstand einen jeden ausgezeichnet, wenn es auf Logik und Nachdenken ankam. Viel schwerer wurde es ihm jedoch, Verständnis aufzubringen, wo es sich um Gefühle handelte. Es war schwer für ihn, sich Beweggründe und Gefühle vorzustellen, die nicht zu seinem eigenen Leben gehörten.» Bei genauem Hinsehen liegt Max Brod auch gar nicht so weit neben dem, was Einstein über sich selbst äußert. Der belgischen Königin Elisabeth, mit der ihn in seinen späteren Jahren eine traute Freundschaft verbindet, verrät er: «Da hat sich einer frei gemacht, der es nicht leicht gehabt hat, das schwere Gepäck von Leidenschaft loszuwerden, das ihm die Natur auf den schweren Lebensweg mitgab.»

Das hat mit Stilisierung der eigenen Person nichts zu tun. In einem seiner Reisetagebücher findet sich eine beispiellose Selbstanalyse: «In Gleichgültigkeit verwandelte Hypersensibilität. In Jugend innerlich gehemmt und weltfremd. Glasscheibe zwischen Subjekt und anderen Menschen. Unmotiviertes Mißtrauen. Papierene Ersatzwelt. Asketische Anwandlungen.»

Von einem «Menschen ohne Körpergefühl» spricht gar János Plesch: «Er schläft, bis man ihn weckt; er bleibt wach, bis man ihn zum Schlafengehen ermahnt; er kann hungern, bis man ihm zu essen gibt – und essen, bis man ihn zum Aufhören bringt.» Und an anderer Stelle notiert Plesch: «Er lacht, das ist seltsam, auch wenn andere weinen.»

Damit zeigt Einstein durchaus Züge eines «Savant», eines «Wissenden», wie die Fachwelt Hochbegabte mit Tunnelbewusstsein nennt. Das können intelligente, kognitiv über alle Maße begabte, ja geniale Menschen sein, die nur dadurch auffallen, dass sie maschinenhaft emotionslos ihr Dasein abhandeln. Natürlich ist Einstein weit von dieser Charakterisierung entfernt. Aber die gestörte Emotionalität, womöglich durch ein Zuviel an Empfindungen, eben seine «Hypersensibilität», könnte der Preis für seine oft rasende Rationalität gewesen sein.

«Eine übernatürliche, unheimliche Macht mußte sich in diesem Körper zusammengeballt haben», schreibt Brod über seinen nach Einstein geformten Kepler. «Wirklich war nichts imstande, ihn von dieser einzigen Richtung seines Daseins abzubringen, für die gleichsam all das unendliche Feuer, alles Große und Lebendige seiner Seele aufgespart dalag.» Er «verbrauchte sein ganzes Ich, Kopf und Herz, in wissenschaftlicher Arbeit, und für den menschlichen Umgang blieb nur ein grämlicher, undeutlicher kleiner Schatten seines Wesens übrig.» Dabei zeigt er eine «Unempfindlichkeit für alle persönlichen Gefühle» und eine «glückliche Blindheit für alles, was ihn von seinen wissenschaftlichen Zielen ablenkte».

Wie viele Menschen mögen im Geheimen so über Einstein gedacht haben, wenn er mit seiner hellen Stimme unbekümmert Gespräche unterbrach und an den unpassendsten Stellen seine Witze erzählte? Oder wenn er in Selbstvergessenheit sogar bei öffentlichen Anlässen seine magischen Formeln in sein stets mitgeführtes Notizblöckchen kritzelte? «Wenn er aber zu sprechen aufhört», hat Antonina Vallentin beobachtet, «dann ist es, als fiele hinter ihm wieder eine schwere Tür zu – die Tür eines verlorenen Weltalls.»

Zu ähnlich drastischen Schlüssen kommen Forscher, die Einsteins Lebenslauf und besonders seine kindliche Entwicklung trotz der schlechten Datenlage in posthumer Diagnose zu deuten versuchen. Im Frühjahr 2003 lässt die Meldung das Publikum aufhorchen, Einstein könnte Autist gewesen sein. Die Einschätzung vertritt mit Simon Baron-Cohen von der Universität im englischen Cambridge einer der führenden Autismusforscher.

Eigenschaften wie verspätetes Sprechen, frühes Besessensein von wissenschaftlichen Fragen und Probleme mit sozialen Beziehungen gäben Anlass, bei Einstein das «Asperger-Syndrom» zu vermuten – eine Form des Autismus, die in der Regel nicht mit Lernschwierigkeiten einhergeht.

Thomas Sowell von der Universität Stanford geht sogar so weit, für «intelligente Kinder, die spät sprechen» und ein gewisses Rückzugsverhalten zeigen, eigens ein «Einstein-Syndrom» zu beschreiben. Er will damit allerdings das Gegenteil von Pathologisierung erreichen. Eltern, die Spätzünder wie Einstein zu Kindern haben, will er Mut machen, dass ihre Sprösslinge unter keinerlei Defekten wie etwa Autismus leiden müssen, sondern sich wie der große Physiker ausgezeichnet entwickeln können.

Sowell kristallisiert im Begriff «Einstein-Syndrom» einen Typus von Kindern heraus, die mit dem kleinen Albert einige Gemeinsamkeiten teilen. In seinen Studien findet er in der näheren Verwandtschaft des Auffälligen typischerweise einen oder mehrere Wissenschaftler, Mathematiker oder Ingenieure – wie Alberts Onkel Jakob und auch Vater Hermann, der das Technikum absolviert hat. Sehr häufig spielt ein direkter Verwandter ein Instrument – wie Einsteins Mutter Pauline, die ihn geduldig das Geigespielen erlernen lässt. Oft beobachten Eltern, dass ein bestimmtes Ereignis ihre Kleinen plötzlich zum Sprechen bringt. Was das bei Einstein gewesen sein könnte, ist nicht überliefert. Die betroffenen Kinder sind in überwältigender Zahl männlich, zeigen Tendenzen zu «anti-sozialem» Verhalten, zeichnen sich mehrheitlich durch «starken Willen» oder «Sturheit» aus und werden allesamt während ihrer ersten Jahre als «zurückgeblieben» eingestuft.

Der Ausdruck solcher Wesenszüge ist nicht immer leicht zu ertragen. Gnadenlos geht Max Brod mit der selbstbezogenen Weltfremdheit Einsteins ins Gericht. «Solange er in eine Arbeit vergraben war, hatte er kein Bewußtsein seiner selbst und lebte in der vollkommensten Ruhe.» Diese Ruhe aber besaß «etwas Außermenschliches, unbegreiflich Gefühlloses, aus einer fernen Eisregion Herwehendes».

Selbst wenn dichterischer Drang, die Dinge zuzuspitzen, in Rechnung gestellt wird: So unverhohlen wie Brod hat sich – außer Einstein selbst – niemand, der ihn kannte, über dessen innere Befindlichkeit ausgelassen. «So hat der liebe Gott seine angebliche Lieblingsbestie eben geschaffen», stellt der Physiker trotzig fest. «Es ist das Verhängnis der Menschen, dass sie gezwungen durch angeborene übermächtige Triebe einander das Dasein zur Hölle machen müssen.»

Kein Wunder, wenn er es zeitlebens ablehnt, der Psychoanalyse den Status einer vollwertigen Wissenschaft zuzuerkennen. Erst mit vorrückendem Alter sieht er Sigmund Freud und dessen Erkenntnisse in etwas milderem Licht. «Seitdem aber ist diese Überzeugung anhand kleiner eigener Erfahrungen doch langsam in mir durchgedrungen, wenigstens, was die Hauptthesen anlangt», sagt er 1936, und als Siebzigjähriger räumt er ein: «Dr. Freud hat mit seinem Ödipus-Komplex schon was Richtiges erkannt, wenn er es auch vielleicht masslos übertrieben hat.»

Einstein hat sich, zu Freuds großem Ärger, stets aktiv dagegen gewandt, dass dem Arzt der Nobelpreis zuerkannt würde. Auch wenn er dessen Werk wenigstens in Teilen akzeptierte, sein Werkeln an Patienten lehnte er vehement ab. «Ich bin nicht für eine psychoanalytische Behandlung», schreibt er 1932 seinem gemütskranken Sohn Eduard. «Davon kommen die Menschen nie mehr recht los.» Er selbst wolle daher, teilt er einem Psychoanalytiker mit, der ihn auf seine Couch gebeten hat, «gerne im Dunkel des Nicht-Analysiertseins verbleiben».

Kapitel 3

«Eine neue Zeit!»
Vom Fabrikantensohn
zum Erfinder

Es war ein Moment, der die Gäste die winterliche Kälte vergessen ließ. Erst «stiegen prasselnd Raketen zum Himmel auf», danach «nahm mit einem Kanonenschlag das überaus gelungene Feuerwerk sein Ende». Was dann geschieht, versetzt die Wartenden in der Schwabinger Pfarrstraße in buchstäblich helle Aufregung – ganz persönliche Sekunden einer Sternstunde der Menschheit, Ende Februar 1889.

«Mit einem Male erstrahlte der Festplatz sowie die Straßen Schwabings im hellsten Bogenlampen- und Glühlichte, begrüßt von den Anwesenden durch lebhafte Beifallsbezeugungen. Herr Einstein, Vertreter der Firma Einstein & Cie, welch' letzterer die Straßenbeleuchtung eingerichtet hat, übergab sodann die Anlage der Stadt, für den ehrenvollen Auftrag bestens dankend», berichtet die «Schwabinger Gemeinde Zeitung».

Wie oft mag der kleine Albert das erlebt haben – Höhepunkte im Familienleben, Augenblicke fast biblischer Tiefe: Vater und Onkel bringen den Menschen das Licht. Ein Schalter wird umgelegt, die gezähmte Glut des Feuers elektrischer Lampen vertreibt das Dunkel, das Publikum staunt und applaudiert. Licht verbindet sich mit Wohlgefühl. Der Vater und dessen Bruder als Helden des Abends. Auch eine Form kindlicher Prägung, die Einstein nur mit wenigen teilt.

Kurz vor Alberts zehntem Geburtstag hat sich Schwabing als eine der ersten Gemeinden Bayerns durch «Kraftstrom» erzeugtes Licht genehmigt. Die öffentliche Einweihung gerät zur rauschenden Party. In einer Korsofahrt von 150 Wagen zieht die Festgemeinde durch die neu erleuchteten Straßen zur Salvatorbrauerei. Dort wird bis in die frühen Morgenstunden gefeiert.

Ein bewegender Moment auch für die Gebrüder Hermann und Jakob Einstein. Ihre 200 Glühbirnen und die zehn gleißend hellen Bogenlampen mit einer Leuchtkraft von 1000 «Neuen Kerzen» funktionieren fehlerfrei. Tadellos laufen in der Zentralstation ihre zwei Nebenschlussdynamomaschinen vom Typ G XIV, angetrieben von einem 40-PS-Gasmotor der Firma Deutz. Die elektrische Beleuchtung in der Brauerei und ihren Wirtschaftsräumen haben, im Jahr davor, ebenfalls die Einsteins installiert.

Gerade einmal zehn Jahre vor dem Schwof in Schwabing hat der Amerikaner Thomas Alva Edison die Kohlenfadenglühlampe entwickelt. Die Erfindung, fast auf den Monat so alt wie Albert Einstein, tritt augenblicklich ihren Siegeszug an. 1885 stellen Betriebe in Deutschland knapp 15 000 Glühlampen her, nur sechs Jahre später sind es bereits 2,3 Millionen. Etwa die Hälfte fertigt, nunmehr in Massenproduktion, die Allgemeine Elektrizitäts-Gesellschaft, die AEG in Berlin.

Wie viele andere will auch der quirlige Ingenieur Jakob Einstein an diesem Boom teilhaben. Der Dreißigjährige ist als Überredungskünstler bekannt. Es gelingt ihm, seinen drei Jahre älteren Bruder Hermann zu einer folgenschweren Entscheidung zu bewegen: Im Sommer 1880 gibt der Kaufmann sein gut gehendes Geschäft mit Bettfedern in Ulm auf und damit eine sichere, einträgliche Existenz. Er zieht mit Frau und Sohn nach München. Dort wird er Jakobs Teilhaber und kaufmännischer Leiter in der – nach damaligen Verhältnissen – Hightech-Firma für Elektrotechnik. Für den kleinen Albert ein entscheidender Moment. Wer weiß, ob aus ihm der große Einstein geworden wäre, hätte sein Vater die Sicherheit seiner Ulmer Situation dem Abenteuer vorgezogen?

Alberts Schwester Maja vermutet in ihren Jugenderinnerungen, ein wesentlicher Beweggrund ihres Vaters sei die Finanznot des Onkels gewesen. Ohne seinen Bruder als Teilhaber hätte Jakob seine Firma nicht starten können. Einen guten Unternehmer hat er im entscheidungsschwachen Hermann aber nicht gewonnen. Jakob jedoch sprüht vor Ehrgeiz. Mit der Installation elektrischer Beleuchtung allein will er sich nicht zufrieden geben. «Seine vielgestaltigen u. reichen Ideen hatten ihn unter anderem auch auf die Konstruktion einer Dynamomaschine eigener Erfindung gebracht, die er im Grossen herstellen wollte», berichtet Maja. In der Schwabinger Lichtanlage wird Jakob seine Pläne eindrucksvoll bestätigt sehen.

Einen Großteil des erforderlichen Geldes für die neue Firma schießt Hermanns Schwiegervater Julius Koch zu. Schon in wenigen Jahren kann er seine gutherzige Gabe als Verlust abbuchen. Für Albert aber bedeuten der fatale Entschluss seines Vaters und die Fehlinvestition seines Großvaters einen entscheidenden Schritt auf seinem unvergleichlichen Lebensweg. Der Onkel wird ihn als Lehrer im eigenen Haus in die Grundlagen der Mathematik einführen. Die beiden Familien leben, zunächst in der Müllerstraße 3, unter einem Dach.

Nur wenige theoretische Physiker haben in ihrer Jugend eine solche Nähe zur technischen Praxis erfahren wie Albert Einstein. Werkstatt, Lager und Ladengeschäft befinden sich in dem Haus, wo der Junge aufwächst. Er spricht noch keine zusammenhängenden Sätze, da stellen Vater und Onkel bereits die Wunderwelt ihrer Waren auf der Internationalen Elektrotechnischen Ausstellung im Münchner Glaspalast vor. Der bayrische König Ludwig II. als Schirmherr der Schau lässt sie am 16. September 1882 durch seinen Vertreter Herzog Karl Theodor eröffnen – abends, stilgerecht bei künstlicher Beleuchtung, ein Novum. Gleich von Beginn an sollen die Gäste sinnlich erfahren, was es mit dem Wahlspruch der Ausstellung auf sich hat: «Mehr Licht!»

Die Einsteins führen dynamo-elektrische Lichtmaschinen vor, angetrieben von 22 lokomobilen Dampfmaschinen im nahen botanischen Garten, neuartige Telefone, «System Paterson», sowie zwei Telefonzentralen und acht Mikrophone zur Musikübermittlung. Sie übertragen ein Konzert aus «Kil's Kolosseum» direkt in eigens konstruierte, von Außengeräuschen abgeschirmte Telefonhäuschen auf dem Ausstellungsgelände. In den Zellen leuchten, von Einstein & Cie. installiert, «Glühlampen nach dem System Swan».

Daheim kann Albert täglich hören, wie in der väterlichen Fabrik zum Arbeitsauftakt «die Dampfpfeife schrillte». So schildert in seinen Lebenserinnerungen der Dreher Aloys Höchtl, seit 1886 in der Firma beschäftigt, deren Alltag. «Die Transmission, die sich in einer Länge von ca. 25 Metern durch die Werkstätte zog und von einer Dampfmaschine angetrieben wurde, begann sich zu drehen.»

Der Junge kann das nicht nur in Augenschein nehmen. Er kann auch riechen, wie das Schmieröl aus überhitzten Wellen dampft. Er kann Isolatoren und Ausschalter mit eigenen Fingern umfassen. Anker und Wicklungen – Handschmeichler des Heranwachsenden. Magnetische und elektrische Induktion, wichtige Ausgangspunkte der Speziellen Relativitätstheorie, Selbstverständlichkeiten seiner Jugendzeit. Wer einmal eine solche alte Fertigungsanlage besichtigt hat, wo Mechanik und Elektrodynamik wie im physikalischen Anschauungsunterricht aufeinander treffen, kann die Vorstellungskraft ermessen, die sich aus der Vertrautheit mit Technologie und der dahinter steckenden Theorie speist.

Wie oft mag Werkmeister Kornprobst dem notorisch neugierigen Knaben das Zusammenspiel der thermisch erzeugten Bewegung in Dampfmaschinen und der mechanischen Übertragung über Getriebe mit der elektrischen Kraft aus den Dynamos gezeigt, wie oft Ingenieur Essberger ihm die Zusammenhänge dahinter erläutert haben? Umgekehrt löst der Knabe im Handumdrehen manches Problem, mit dem sich die Fachmänner schon länger herumschlagen. Die Namen der beiden Angestellten tauchen auch auf den Patentschriften der Firma auf. Zwischen 1886 und 1894 erwirbt das Unternehmen mindestens sieben Patente auf Bogenlampen und Messinstrumente.

Der Umgang seiner männlichen Verwandten mit Erfindungen, technischen Neuerungen und Patentanträgen zählt für Albert zur täglichen Erfahrung wie für andere Jungen Ritterspiel und Rauferei. Da wird über die Beleuchtung ganzer Stadtbezirke gesprochen, über Volt, Ampere und Ohm und über die Erzeugung von Licht aus Kraft. Aus dieser Sicht erscheint es weniger überraschend, dass Einstein in der Hochphase seines Schaffens zwischen 1902 und 1909 als Patentbeamter in Bern seinen Lebensunterhalt verdient.

Jahre später, im Dezember 1919, eben erst ist er mit einem Schlag weltberühmt geworden, erinnert er sich in einem Brief an seinen Freund Michele Besso an das Patentamt als das «weltliche Kloster, wo ich meine schönsten Gedanken ausgebrütet habe». In seinem letzten Lebensjahr blickt er noch einmal auf seine Tätigkeit als «Patentierknecht» zurück und betont, dass «die Arbeit an der endgültigen Formulierung technischer Patente ein wahrer Segen für mich» war.

Seine jugendliche Nähe zur Praxis erleichtert es ihm, sich als Gutachter für Erfindungen in die oft verschlungene Welt der Patentanträge für Maschinen oder Messapparaturen hineinzudenken. Dem geborenen Skeptiker verschafft es regelrecht Genuss, sich mit kritischem Blick über die Papiere der Tüftler zu beugen. Vermutlich hat er auch Vorschläge für unsinnige Perpetuum-mobile-Konstruktionen zu prüfen. Umgekehrt findet er in der Arbeit, die ihm «sehr gefällt, da sie ungemein abwechslungsreich ist und mir viel zu denken gibt», ein ideales Trainingsfeld für das geliebte «Gehirn-Turnen».

Aber Einstein bewertet nicht nur Patente und tritt – sogar noch als berühmter Professor – vor Gericht als Sachverständiger auf. Schon während seiner Zeit im Amt betätigt er sich auch selbst als Erfinder. 1908 veröffentlicht er die Grundidee zu einem Apparat, mit dem sich geringste elektrische Spannungen messen lassen. Schon seit einem Jahr bastelt er mit den befreundeten Brüdern Paul und Conrad Habicht an dem Gerät herum. An der Universität Bern verfügt er sogar über «ein kleines Laboratorium für elektrostatische Versuche, das ich mir mit primitiven Mitteln zusammengeschustert habe, um jene elektrotechnische Messmethode auszuarbeiten».

Die Brüder Habicht konstruieren schließlich den «Potentialmultiplikator nach A. Einstein», und Paul führt das «Influenzmaschinchen» bei der Physikalischen Gesellschaft in Berlin vor. Er hat, wie Einstein Freund Besso mitteilt, «einen riesigen Erfolg. Dasselbe ist dem Fadenelektrometer weit überlegen, seine Zukunft ist nun gesichert». Auch wenn «die Kerle» in Berlin «fast auf den Kopf gestanden» sind – von einer gesicherten Zukunft oder gar sicheren Einkünften kann keine Rede sein. Das «Maschinchen» bringt es nie zur Marktreife und wird schon bald von der technischen Entwicklung überholt.

Einstein hat nie großes Aufheben um seine Erfindertätigkeit gemacht. Im Gegenteil: Immer wieder äußert er sich kritisch über den Ingenieursberuf, von dem er später seinem ersten Sohn Hans Albert nachdrücklich abraten wird. «Ich selbst», erzählt er seinem ersten Biographen Alexander Moszkowski 1919, «sollte ursprünglich auf den Wunsch meiner Familie Techniker werden, und dieser Beruf wurde durchaus als Brotstudium und Versorgung verstanden. Allein mir war das im Grunde unsympathisch, da mir in ganz jungen Jahren diese Bemühungen im wesentlichen ‹traurig und gleichgültig› erschienen. [...] Ja, es wurde mir zweifelhaft, ob eine gesteigerte Technik überhaupt imstande sei, das Wohlbefinden der Menschheit zu erhöhen.»

Die Zweifel halten ihn davon nicht ab, sich ein ums andere Mal als Homo faber zu versuchen. 1928 fordert er seinen Berliner Kollegen Rudolf Goldschmidt, einen Professor für Maschinenbau und Elektrotechnik, in gereimter Form zur Zusammenarbeit auf:

> «Ein bisschen Technik dann und wann
> auch Grübler amüsieren kann.
> Drum kühnlich denk ich schon so weit:
> Wir legen noch ein Ei zu zweit.»

Bei dem «Ei» handelt es sich um ein Hörgerät, das Einstein für eine bekannte schwerhörige Sängerin entwickeln möchte. Die gemeinsam entwickelte und auch patentierte Hörhilfe wird in der Literatur zwar als «originell» bezeichnet. Zu einem Prototyp für die Hörgeschädigte oder gar einem Produkt kommt es jedoch nie. Goldschmidts Antwort zeugt denn auch vor allem von dem Spaß, den die beiden Professoren an der Sache haben:

> «Das Legen eines Eis zu zweit
> Das bietet manche Schwierigkeit.
> Die beste Lösung vom Problem
> Wär', wenn sie Ihnen angenehm,
> Wir legen Eier um die Wette
> Und fabrizieren ein Omlette.»

Seinen größten Erfolg als Erfinder feiert Einstein bei der Verbesserung eines Kreisel-Kompasses, der unabhängig von Magnetfeldern auf rein mechanischem Wege funktioniert. Zunächst macht er sich für den Kieler Fabrikanten Hermann Anschütz-Kämpfe nur als Gutachter vor Gericht verdient. Nach dem Ersten Weltkrieg aber hilft er ihm aktiv bei der Konstruktion einer verbesserten Kompassversion und kassiert dafür immerhin 20 000 Mark – in bar, um die Steuer zu umgehen. Sein konstruktiver Beitrag geht in einem Patent der Firma auf und sichert ihm zeitlebens ein Prozent der Einkünfte.

Zu den vielen Widersprüchen im Leben des Pazifisten Einstein gehört, dass sich in den dreißiger Jahren die Kriegsmarinen fast aller Länder (außer den USA und Großbritannien) auch mit Hilfe des von ihm mitkonstruierten Kreiselkompasses auf den Weltmeeren orientieren. Mitten im Ersten Weltkrieg findet der Friedenskämpfer auch nichts dabei, sich Gedanken über die Konstruktion von Flugzeugtragflächen zu machen. Aus rein theoretischen Erwägungen regt er den Bau von Profilen an, die Experten später «Katzenbuckelflügel» taufen. Die Flugversuche mit seinen Tragflächen geraten allerdings zum Desaster. Der Testpilot zeigt sich heilfroh, «als ich nach einem peinlichen Geradeausflug kurz vor dem Flugplatzende am Zaun von Adlershof die Räder wieder auf dem festen Boden hatte».

Nicht besser ergeht es Einstein im Zweiten Weltkrieg bei seinen Versuchen, der amerikanischen Marine bei der Verbesserung ihrer Torpedotechnik zu helfen. Schnell müssen die Militärs einsehen, dass der Theoretiker sie bei ihren praktischen Problemen mit den Magnetzündungen ihrer Torpedoköpfe nicht weiterbringen kann. Am 1. September 1943 räumt Einstein in einem Brief seine Schwäche schließlich ein: «Ich glaube nicht, dass sich in dieser Angelegenheit viel durch mathematische Kalkulation erreichen lässt.»

Nicht nur wegen dieser Misserfolge wäre es verfehlt, Einstein als großen Erfinder hinzustellen. Nennenswerter Erfolg bleibt ihm versagt. Immerhin bringt er es in seiner Laufbahn auf mehr als zwei Dutzend Patente – wenn auch stets in Partnerschaft. Noch 1936 erhält er mit seinem Freund Gustav Bucky das U.S.-Patent No. 2050562 für eine automatische Kamera.

Die meisten Bestallungsurkunden erwirbt er sich gemeinsam mit dem Exil-Ungarn Leo Szilard. Die beiden entwickeln Ende der zwanziger Jahre eine neuartige Pumpe für Kältemaschinen. Da diese nicht mechanisch angetrieben wird, sondern über elektromagnetische Induktion, soll sie Kühlschränke im Prinzip geräuschfrei laufen lassen. «Mit der Eismaschine geht es ganz gut», berichtet Einstein seinem Sohn

Hans Albert 1928. «Die A.E.G. interessiert sich sehr dafür. Wir haben 3 ganz verschiedene Typen ersonnen.» Ihren Verdunstungskühlschrank stellen die beiden Tüftler 1928 auf der Leipziger Messe vor. Unter dem «Betonkühlschrank» sitzt ein Behälter mit Methanol.

Nicht nur das Aggregat beschäftigt die beiden Erfinder, sie befassen sich auch mit scheinbar profanen Problemen wie der Wärmeisolierung. «Szilard und ich haben etwas sehr hübsches zum Patent angemeldet», schreibt Einstein dem Sohn. «Man benutzt teure Platten aus Kork. Wir benutzen wenige parallele Papierwände.» Doch Marktreife erreichen Einsteins Erfindungen nicht – durchaus in der Tradition der Firma von Vater und Onkel, deren Niedergang sich schon bald abzeichnet.

Die Internationale Elektrotechnische Ausstellung in München, wo auch die Gebrüder Einstein erstmals ausstellen, endet am 15. Oktober 1882 als voller Erfolg. Jetzt wollen die Menschen die Produkte auch in ihren Häusern haben. Der Absatz schnellt in die Höhe. Einsteins bekommen 1884 ihren ersten eigenen Telefonanschluss, Nummer 722 – ein Ereignis, das die Stadtchronik noch eigens erwähnt. Seit der Ausstellung hat sich die Zahl der Teilnehmer fast verdoppelt auf 355.

Mit der steigenden Nachfrage wächst die Firma, mit ihr aber auch die Konkurrenz. Einstein & Cie. expandieren. 1885 erwerben die Brüder das Anwesen Rengerstraße 14, später umbenannt in Adlzreiterstraße 14, im Stadtteil Sendling, mit Fabrikgebäude, Magazin, Schmiede, Remise, Stall und Waschhaus. Zum Grundstück gehört auch ein Garten mit «englischen Anlagen», die sich die Kinder in lebendiger Erinnerung bewahren. Doch die Investitionen übersteigen erneut bei weitem die Liquidität des Unternehmens. Wieder muss Julius Koch große Beträge zuschießen. Als er bald darauf zu Tochter, Schwiegersohn und Enkeln nach München zieht, wird es eng. Die Brüder lassen ein weiteres zweistöckiges Wohnhaus auf dem Gelände errichten.

Einstein erlebt Kindheit und Jugend in den gutbürgerlichen Verhältnissen des wohl situierten Mittelstands. Materielle Sorgen dürfte er bis zum Beginn des Studiums nicht gekannt haben. Das Personal der Firma von Vater und Onkel wächst zwischen 1882 und 1892 von 25 auf rund 100 Mitarbeiter. Die Geschäfte laufen ersprießlich. Brauereien zeigen sich als besonders gute Kunden. Georg Pschorr lässt zuerst in seinen Fertigungsanlagen, dann auch in Gastwirtschaft und Privatwohnung eine Lichtanlage einbauen. Dem Beispiel folgt die Bierbrauerei Petuel in Schwabing.

Das «Krankenhaus rechts der Isar» bestellt seine gesamte Beleuchtungsanlage bei Einsteins. Das Exportgeschäft nimmt sich nicht schlecht aus, besonders das mit Italien. Im Sommer 1887 erhält die norditalienische Stadt Varese Stromversorgung und Beleuchtung von Einstein & Cie. Offenbar gibt es aus Susa einen ähnlich großen Auftrag.

Wenn sich überhaupt eine süddeutsche Stadt außer Ulm als Einstein-Stadt hervortun darf, dann München. Hier erlebt Albert die entscheidenden Jahre seiner Kindheit und Jugend. Hier verschafft er sich das Rüstzeug für seinen außergewöhnlichen Werdegang. Hier nimmt auch die Firma seiner Familie öffentlich wahrnehmbar am Wirtschaftsleben teil. 1886 erhält sie einen, wenn auch nicht übermäßig großen, so doch spektakulären Auftrag von der Stadt. Im Herbst meldet das «Centralblatt für Elektrotechnik»: «Während des Oktoberfestes war die Festwiese erstmalig mit 12 Bogenlichtern von J. Einstein & Cie beleuchtet.»

In der Oktoberfest-Zeitung findet sich eine rührend poetische Beschreibung der neuartigen Bestrahlung: «Der milde und doch so intensive Glanz der elektrischen Bogenlampen gießt ein märchenhaftes Licht über den von Tausenden belebten Festplatz aus und gewährt im Gegensatz zu den rotflackernden Pechlaternen und matten Petroleumlichtern jenen eigenartigen Reiz, den der Silberschimmer des Mondes erzeugt, wenn er sich in der grünen Isar badet.»

Einstein & Cie. warten mit einer weiteren Neuerung auf: Den Strom liefert die Firma selber. Dafür verlegen die Brüder eine sechseinhalb Kilometer lange Freileitung von der Fabrik über die Lindwurmstraße bis zur Festwiese. Die Besucher erleben das neue Licht wie heutzutage üblich: Still strahlen die Lampen, fernab wummern die Dampfmaschinen.

Zumindest in den Städten fasst die Elektrizität, damals absolut nicht üblich für eine neue Technologie, in kürzester Zeit Fuß. Innerhalb nur eines Jahrzehnts katapultiert sich die Innovation von unbekannt auf allgegenwärtig – vergleichbar nur dem Internet mehr als 100

Jahre danach. Zwei Entwicklungen gehen dabei Hand in Hand: Die schwachen Ströme in Telegraphie und Telephonie ermöglichen erstmals Kommunikation ohne Zeitverzögerung, wie sie seit Beginn des 20. Jahrhunderts vorherrscht. Entfernung spielt plötzlich keine Rolle mehr.

Auf der anderen Seite sorgt starker Strom aus «Kraftwerken» für neuartige Produkte. Er revolutioniert auch die Produktionsbedingungen und zieht damit einen tief greifenden Wandel im Arbeits- und Alltagsleben nach sich.

Der Fortschritt, wie Einstein ihn als Kind erlebt, zeigt sich janusköpfig wie nie zuvor. Droht auf der einen Seite – Stichwort Fließband – die Versklavung durch die Maschine, so lockt auf der anderen die Befreiung von so manchen Mühen des Alltags durch Technik. Erstmals entsteht so etwas wie eine Freizeitgesellschaft mit Massenmobilität, Breitensport und öffentlichen Vergnügungen für jedermann.

Wie groß sich der Sprung während Alberts ersten zwölf Lebensjahren tatsächlich ausmacht, verrät die Entwicklung zwischen der ersten Internationalen Elektrotechnischen Ausstellung auf deutschem Boden, 1882 im Münchner Glaspalast, und ihrer Nachfolgerin 1891 in Frankfurt am Main. Bei der zweiten Schau zählen die Organisatoren weit mehr als eine Million Besucher in den Messehallen. Die Ausstellung folgt ihrem Wahlspruch: «Eine neue Zeit!» Unter den 21 aufgeführten Firmen in der Broschüre finden sich auch Einstein & Cie. Auf dem Gebiet der Dynamomaschinen halten die Brüder aus München noch wacker mit. Mit ihrer Maschine der Marke G 75 versorgen sie auf der Schau die Pfungstätter Bierhalle, das Café Milani, einen Irrgarten sowie eine Schießstätte mit Licht. Wenn Hermann und Jakob aber genauer hinschauen könnten, dann würden sie sehen, wie der Zug der neuen Zeit ihnen gerade davonfährt.

Auf der Ausstellung soll sich der jahrelang erbittert geführte «Frankfurter Systemstreit» entscheiden: Eignen sich die verbreiteten Gleichstrom-Zentralen, wie sie auch die Einsteins vertreiben, eher für die Versorgung von Städten, oder die neueren, technisch aufwändigeren Wechselstrom-Kraftwerke? Eine Demonstration liefert die wichtigsten Argumente. Der Korrespondent der Londoner «Times» begeistert sich über «das bedeutendste und wichtigste Experiment in der technischen Elektrizität [...], seitdem diese geheimnisvolle Naturkraft dem Menschen dienstbar geworden ist».

Damit hat sich der Wechsel- neben dem Gleichstrom endgültig etabliert. Da jeder in gewissen Bereichen überlegen ist, bieten alle größeren Hersteller fortan beide Systeme an. Einstein & Cie. setzen jedoch weiter allein auf Gleichstrom. Doch nur Wechselstrom lässt sich halbwegs verlustfrei über lange Strecken befördern. Dass sie die Zeichen der Zeit nicht erkennen, ist einer der Gründe für das baldige Scheitern der Firma.

Bislang ist die Pleite in erster Linie darauf zurückgeführt worden, dass Hermann und Jakob 1892 ausgerechnet in ihrer Heimatstadt München beim wichtigsten Projekt leer ausgegangen sind. Den Auftrag, nach Schwabing auch die übrige Stadt mit Elektrizität zu versorgen, erhält nach zähem Ringen die günstigere Konkurrenz. Das allein gibt jedoch nicht den Ausschlag für den Ruin. Durch den Wettbewerb geraten die Preise mehr und mehr unter Druck. Die Elektroindustrie konzentriert ihre Kräfte. Solche Situationen überleben nur Unternehmen, die auch Durststrecken durchstehen können, die über genügend Eigenkapital oder eine ausreichende Kreditlinie bei den Banken verfügen.

«Bei den Einsteins», schreibt Nicolaus Hettler von der Universität Stuttgart in seiner Doktorarbeit über die Firma, «scheint beides nicht vorhanden gewesen zu sein.» Allein mit dem Gesparten vom Schwiegerpapa lässt sich die angespannte Lage nicht durchstehen. Einen weiteren Grund erkennt Hettler im Charakter der Inhaber. Alberts Vater Hermann ist zu entschlossenen unternehmerischen Entscheidungen kaum fähig. Und Onkel Jakob, als streitsüchtig bekannt, legt sich ausgerechnet mit Leuten an, die für das Überleben des Unternehmens eine tragende Rolle spielen. Eine regelrechte Fehde liefert er sich mit dem Leiter der Technischen Versuchsanstalt in München, der die Produkte und Angebote der Firma zu prüfen hat – und folglich äußerst kritisch unter die Lupe nimmt.

Die guten Geschäfte in Italien mögen die Gebrüder schließlich bewogen haben, in München die Pforten zu schließen und zunächst in Mailand, bald darauf in Pavia noch einmal ihr Glück zu versuchen.

Doch auch dort besiegelt schon nach zwei Jahren die endgültige Liquidation ihr geschäftliches Schicksal.

Ihren Sohn Albert lässt die Familie in München zurück. Er soll dort sein Abitur machen und anschließend Elektrotechnik studieren. Doch er durchkreuzt die Pläne, verlässt die Schule und folgt den Eltern nach Italien. Ihr Entsetzen über diesen eigenmächtigen Entschluss ist groß, da sie schon wieder kurz vor der Pleite stehen. Mit Wohlstand und gut gehender mittelständischer Existenz ist es vorbei – auch für Albert. Seine Lektion in Sachen technischer Praxis und Patente hat der Junge aber längst gelernt. Was er im Kopf hat, kann ihm niemand mehr nehmen.

Kapitel 4

Von Zwergen und Riesen

Eine kleine Geschichte der Wissenschaft, wie Einstein sie las

«Gewiss hast auch du, lieber Leser, als Knabe oder Mädchen mit dem stolzen Gebäude der Geometrie Euklids Bekanntschaft gemacht und erinnerst dich vielleicht mit mehr Achtung als Liebe an den stolzen Bau, auf dessen hohen Treppen du von gewissenhaften Fachlehrern in ungezählten Stunden umhergejagt wurdest.»

Einstein im 38. Lebensjahr, auf dem Höhepunkt seiner Schaffenskraft. Mitten im Ersten Weltkrieg übersteigt sein Arbeitspensum alle Vorstellungen. Das hält ihn nicht davon ab, sich 1917 mit einer «gemeinverständlichen» Schrift an die «lieben Leser» zu wenden – 80 Seiten «Über die spezielle und die allgemeine Relativitätstheorie».

Mit Freude gibt er sein Wissen in der gleichen Weise weiter, wie er selbst es als Kind erworben hat: «Hast du schon einmal gedacht, mein freundlicher Leser, wie die Welt uns, den Menschenkindern, vorgekommen wäre, wenn wir ohne Augen geschaffen wären?» So steht es in den «Naturwissenschaftlichen Volksbüchern» von Aaron Bernstein, die der junge Albert zwischen dem zehnten und zwölften Geburtstag in die Hände bekommt – «ein Werk, das ich mit atemloser Spannung las». Bücher wie diese haben den jungen Lesenarr auf seiner Couch im Münchner Elternhaus geprägt. Die 20-bändige Bernstein-Ausgabe gehört zu jener Zeit in den Bücherschrank des aufgeklärten Bildungsbürgers. Seine eigenen verständnisvollen Zeilen ein Vierteljahrhundert später klingen wie das verklärte Echo der vergangenen Jugendlektüre – als wolle Einstein mit gleicher Münze seinen Lesern zurückzahlen, was Albert als Geschenk auf seinen Lebensweg mitbekommen hat.

Hier liegen die Wurzeln seiner späteren Experimente im Kopf, seiner Gedankenreisen in den Mikro- und Makrokosmos. Hier lernt er den Genuss, die Aufregung und die Befriedigung kennen, die das völlige Versinken in wissenschaftliche Materie bringen kann. «Da gab es draußen diese große Welt», beschreibt das ewige Kind Einstein in seinen autobiographischen Notizen das unaufhörliche Staunen während seiner Jugend, «die unabhängig von uns Menschen da ist und vor uns steht wie ein großes, ewiges Rätsel».

Nach den Erinnerungen seiner Schwester Maja hat ihm der Medizinstudent Max Talmud zu dem Lesestoff verholfen. Einmal die Woche darf der mittellose Medicus in spe am Essenstisch der Einsteins in München Platz nehmen und sich gemäß einer alten jüdischen Tradition satt essen. Albert zieht sich mit den Büchern aber nicht nur in seinen Sessel zurück. Er drängt den Älteren, den Inhalt ausführlich mit ihm zu diskutieren.

Durch Talmud kommt Albert auch in Kontakt mit Kants «Kritik der reinen Vernunft» und mit dem internationalen Bestseller «Kraft und Stoff» von Ludwig Büchner. Dessen älterer Bruder Georg hat mit seinen Dramen «Dantons Tod» und «Woyzeck» Weltruhm erlangt. Ludwigs «Grundzüge der natürlichen Weltordnung» zeugen vom radikalen Versuch, «die bisherige theologisch-philosophische Weltanschauung umzugestalten».

Max und Albert lesen und erörtern ebenfalls den «Kosmos» Alexander von Humboldts, fünf Bände eines spannend geschriebenen «Entwurfs einer physischen Weltordnung» – Mitte des 19. Jahrhunderts nach der Bibel das meistgelesene Werk in Deutschland.

Die Lektionen hat Einstein nie vergessen. In einem Alter, in dem Menschen beginnen, sich auf Sinnsuche zu begeben, sich mit Haut und Haaren einer Sache hinzugeben und ihren Charakter zu formen, hat Albert seinen ganz eigenen Weg eingeschlagen. Orientieren sich andere Heranwachsende zunehmend an Freunden, an der Clique, konzentriert sich der junge Einstein auf bedrucktes Papier, das ihm neue Welten eröffnet.

Durch die Bücher erlebt er mit, wie Galilei durchs Fernrohr schaut, wie Newton die Mondbahn beschreibt und wie viele andere große Forscher in vergangenen Jahrhunderten Sterne und Atome, Licht und Elektrizität, Raum und Zeit erkunden und erobern. So wie die Mathematik, die ihm sein Onkel Jakob schon als Volksschüler näher bringt, so wie das Geometriebüchlein, das er später «heilig» erklärt, oder die Nähe zur technischen Praxis mit Erfindungen, Patenten und Konstruktionen, so öffnen dem Gymnasiasten die anschaulichen Darstellungen das Tor in die Welt der Naturforscher und Entdecker.

«Aber, mein verehrter Leser», heißt es bei Bernstein, «wer in solcher großer Zeit lebt, und sich gar keinen Begriff davon machen kann, auf welchem Wege solche Entdeckungen gemacht werden, der verdient fast nicht, ein Genosse dieser Zeit zu sein.»

Albert nimmt das ernst. Die Wälzer erlauben ihm, sich selbständig Bilder von der Welt zu machen, und vermitteln ihm somit eine allgemeine Bildung im besten Sinne des Wortes. Wenn es eine Lehre gibt, die heutige Eltern aus dem Werdegang des jungen Einstein ziehen können, dann ist es vor allem sein umfassender Umgang mit jugendgerechten Werken über das Abenteuer Wissenschaft. Das Staunen steckt in jedem Kind. Es kommt nur darauf an, es frühzeitig und mit den rechten Mitteln zu wecken.

Seine Bücher führen ihm das Rollenmodell seines Lebens vor Augen. Auf dem Abenteuerspielplatz in seinem Kopf kann er sich, lange bevor er tatsächlich einer wird, im «siegreichen Gang der Naturwissenschaft» unter die größten Entdecker des Abendlandes einreihen.

Spielerisch befasst sich Albert mit Fragen von Raum und Zeit, Energie und Materie. Er lernt die Konzepte wissenschaftlichen Arbeitens kennen, liest über Spekulation und Axiom, befasst sich mit Hypothese, Theorie und Gesetz. Er erlebt Experiment, Prognose und Beweis als Elemente des großartigsten Spiels aller Zeiten. Aus Bernsteins Büchern erfährt er auch manches über ganz praktische Dinge wie das Deuten von Wetterkarten, die Funktion von Blitzableitern oder die «Gefahren des Branntweins». Wer weiß, ob seine lebenslange Abneigung gegen Alkohol nicht auch hier ihre Wurzeln hat: Der einzige Rausch, den er sich genehmigt, resultiert aus höchster Konzentration.

Vor allem Büchner singt dem Knaben das Hohelied der Aufklärung im Kampf gegen Aberglaube und Magie: «Wie schnell zerrann unter den Händen der Wissenschaft die Macht der Geister und Götter!» Die Ritter der Vernunft als Retter der Menschheit – welcher kundige Junge wollte sich nicht mit den Taten der geistesmächtigen Heroen identifizieren?

Bei Büchner findet er auch einen politischen Appell ganz nach dem Geschmack eines Heranwachsenden: «Denkende und freiheitsliebende Geister aber werden sich in dem Gedanken gefallen, daß die Welt als solche nicht eine Monarchie, sondern eine Republik ist, und daß sie sich selbst regiert nach ewigen und unabänderlichen Gesetzen.» Was politisch misslang, soll nun auf wissenschaftlichem Wege gelingen: «Die Wahrheit birgt einen inneren Reiz der Anziehung an sich», schreibt Büchner. «Kein Verbot, keine äußere Schwierigkeit kann ihr auf die Dauer einen ernstlichen Damm entgegensetzen.» Freiheit, Aufklärung, ewige Gesetze, Helden der Wahrheit – schon als Schüler findet Einstein wesentliche Wegmarken zur Orientierung in seinem außergewöhnlichen Dasein.

Erst sein autodidaktisches Studium generale vermittelt ihm jenen Überblick über die Tellerränder der Teildisziplinen hinweg, der ihn binnen weniger Jahre seine theoretischen Leistungen vollbringen lässt.

Mit 16 weiß er bereits mehr vom Wesen der Wissenschaft als so mancher ergraute Professor bei seiner Emeritierung. Noch fehlen ihm Einsichten in die aktuellen Probleme der Physik. Die stehen erst im nächsten Jahrzehnt auf seinem persönlichen Lehrplan. Was er aber kennt, ist das Programm der Naturforschung, «nach einer Verallgemeinerung und Vereinfachung der Begriffe zu streben». So schreibt es ihm Humboldt als das «höchste, seltener erreichte Ziel» ins Lebensbuch.

«Das höchste und letzte Ziel *unserer Wissenschaft* wird es stets bleiben», verkündet auch Aaron Bernstein gleich zu Anfang seiner 20 Bände, «eine denkbar einfache Betrachtung für alle Dinge zu gewinnen, auf *eine* Erklärung alle Thatsachen zurückzuführen.» Angesichts der Anziehungskräfte in der Natur fragt sich der Autor zum Beispiel, «ob alle nur herstammen von einer uns völlig unbekannten Naturkraft, von welcher die Anziehung überhaupt nur eine besondere Erscheinung ist». Genau diese Frage soll Einstein in seiner zweiten Lebenshälfte zu einer Art fixen Idee werden. Was Bernstein hier anspricht, ist der ewige Traum von der Weltformel.

Ludwig Büchner, überzeugt vom «letzten Grund des Daseins», gibt Albert mit auf den Weg: «Einfachheit ist bekanntlich das Kennzeichen der Wahrheit.» Es wird Einstein sein, der «Kraft und Stoff», also Energie und Materie, in einer kurzen Formel zusammenbringt, der tiefstgründigen Vereinfachung der Welt: $E = mc^2$.

Früh verinnerlicht der Junge die Grundprinzipien wissenschaftlichen Denkens. Sie gehen auf eine lange Tradition zurück. Vor allen großen vereinenden Theorien steht immer das Beobachten, das Sammeln und Trennen. Naturforscher halten die Dinge auseinander – Sterne, Pflanzen, Krankheiten. Sie zerlegen die Erscheinungen und gliedern die Welt in elementare Vorgänge und Zustände, in reine Stoffe, in immer speziellere Eigenschaften und Sonderheiten. Kaum etwas bestimmt ihr Handwerk mehr als die Fähigkeit, aufgrund sinnlicher Erfahrung zu unterscheiden – den Fixstern vom Planeten, die Kreisbahn von der Ellipse, den Wurf vom Fall, das Eisen vom Erz, das Eiweiß vom Zellsaft oder auch nur das Öl vom Wasser.

Nach dem Trennen kommt das Ordnen der Sinnesempfindungen, nach dem Sammeln die Systematik. Die Antwort auf die Vielfalt der Natur ist die Abstraktion in der Klassifizierung, die unter Umständen schon das Geheimnis gemeinsamer Prinzipien birgt. Das gilt für Pflanzen und Tiere ebenso wie für Kristalle und Steine, für Sonne, Mond und Sterne.

Zu den ersten Dingen, die Menschen in grauer Vorzeit einteilen, gehört die Zeit. Kalender ermöglichen wegen ihrer Voraussagekraft sesshafte Kulturen mit Ackerbau und Viehzucht. Sie entstehen Hand in Hand mit der Entwicklung der Astronomie. Als Mutter aller Disziplinen hat diese nicht nur Mathematik und Geometrie Geburtshilfe geleistet. Sie ist, in den Worten des britischen Wissenschaftshistorikers John Desmond Bernal, «der Schleifstein, auf dem alle Werkzeuge der Wissenschaft geschärft wurden».

Von allen Phänomenen, die der junge Einstein in den Büchern seiner Jugend entdecken kann, gehört die schier unglaubliche Präzision der Himmelsbeobachtung zu den staunenswertesten. Allein schon die Fähigkeit, «die Zahl der dem unbewaffneten Auge deutlich erkennbaren Sternenmenge» zu ermitteln – laut Humboldt sind es allein «über dem Horizont von Berlin 4022 Sterne» –, übersteigt das Fassungsvermögen des gewöhnlichen Guck-in-die-Luft. Innerhalb der kosmischen Konstellationen ohne optische Hilfsmittel auch noch kleinste Veränderungen und Verschiebungen zwischen den Lichtpunkten zu bemerken, verlangt höchste Kunstfertigkeit. Daraus aber ein System zu fabrizieren, das die Bahnen aller Planeten nicht nur beschreibt, sondern auch vorhersagt, grenzt an Zauberei.

Genau das leisten Menschen bereits seit dem Altertum. Bis ins 16. Jahrhundert hält sich das System des Griechen Ptolemäus. In ihm stehen die Planeten schon in der richtigen Anordnung auf ihren Kreisbahnen – mit einem kleinen Schönheitsfehler: Zwischen Venus und Mars zieht statt der Erde die Sonne ihre Kreise. Und statt ihrer steht die Erde im Zentrum. Diese Perspektive endgültig zu korrigieren und die Sonne in den Mittelpunkt des Systems zu rücken ist Nikolaus Kopernikus vorbehalten. Er gehört zu den ersten Helden in der Lektüre des Knaben, der 20 Jahre später von Max Planck selber als «neuer Kopernikus» gefeiert wird.

Erst im Todesjahr des Polen 1543 erscheint sein Werk «De revolutionibus orbium coelestium», ein mathematisch darstellbares Modell des Universums. Einstein lernt die Lektion, dass auch ästhetische und philosophische Gründe für eine Theorie sprechen können. Die Natur erzeuge nichts Überflüssiges, argumentiert Kopernikus. Auch deshalb habe er sich gegen das ptolemäische System mit seiner Unzahl an Hilfskonstruktionen für die «einfachere» Lösung entschieden – einer Erde, die sich um ihre eigene Achse dreht und auf einer Kreisbahn um die Sonne.

Zwar enthält auch sein System noch «Epizyklen», das sind komplizierte Kreisbahnen, deren Mittelpunkte wiederum Kreise beschreiben. Aber darauf kommt es gar nicht so sehr an. Die kopernikanische Wende lebt nicht von kleinen mathematischen oder technischen Details, sondern vom großen Wurf: Mit seinem heliozentrischen System hat Kopernikus nichts Geringeres als ein neues Weltbild geschaffen. Der Mensch auf seiner Erde rückt von der Mitte an den Rand. Das All aber öffnet sich im Prinzip bis in die Unendlichkeit.

Es dauert lange, bis sich die neue Sichtweise des Kopernikus durchsetzt. Einer ihrer Verfechter, der Italiener Giordano Bruno, stirbt im Jahr 1600 sogar noch wegen Ketzerei auf dem Scheiterhaufen der römischen Inquisition. Im gleichen Jahr erscheint das Buch «De Magnete» von William Gilbert. Der Leibarzt der englischen Königin Elisabeth I. macht damit ein halbes Jahrhundert nach der Entdeckung des Kompass-Prinzips die Wirkung des Erdmagnetismus einem breiten Leserkreis bekannt. Der Magnetismus liefert auch eine scheinbar plausible Antwort auf die Frage, was – wenn nicht Gott – die Planeten auf ihren Bahnen hält. Wenn alle Himmelskörper magnetisch wären, könnten sie dann nicht diese bekannteste Art der Anziehung auch auf ihren – nach alter Vorstellung von kosmischer Perfektion – kreisrunden Bahnen halten?

Johannes Kepler, der das Werk des Kopernikus fortführt, wird mit den Kreisbahnen aufräumen. Der Sohn armer Eltern und erste große protestantische Wissenschaftler hat eine Weile als Assistent des Astronomen Tycho Brahe in Prag gewirkt. Kepler kann sich nicht nur auf Brahes exakte Vermessungen der Himmelskörper stützen, die alles bis dahin Gemessene weit übertreffen. In seinem mystischen, beinahe fanatischen Wunsch, die Geheimnisse des Kosmos zu durchdringen, stellt er anhand der Brahe'schen Daten die herrschende Vorstellung von den Planetenbahnen infrage. In endloser Tüftelarbeit – allein für die Bahn des Mars braucht er sechs Jahre und schreibt 900 Seiten mit Kalkulationen voll – findet er die wahren Bahnen heraus: Ellipsen.

Aus Keplers Geschichte kann der junge Einstein nicht nur lernen, wie sich Beharrlichkeit und der Glaube an die richtige Lösung auszahlen. Die Arbeit des Astronomen vermittelt ihm auch einen Einblick in eines der erstaunlichsten Phänomene der Wissenschaft, das ihn später noch beschäftigen wird: die Mathematisierbarkeit der Welt. Wie kann es sein, dass mathematische Formeln und geometrische Figuren, im Prinzip Konstrukte des menschlichen Geistes, diese so exakt abbilden, als ob das Buch der Natur in der Sprache der Mathematik geschrieben wäre?

Im 3. Jahrhundert vor der Zeitenwende hat Archimedes die Methode zum Bestimmen der Kreiszahl Pi auf fünf Stellen hinter dem Komma verbessert. In den Händen Newtons wird aus diesen Anfängen 2000

Jahre später die Infinitesimalrechnung, mit der er die Physik revolutioniert. Archimedes ist es auch, der Formeln zur Berechnung der Oberflächen und Inhalte von komplizierteren Körpern wie Zylindern und Kegeln findet.

Nicht lange nach ihm fängt in Alexandrien Apollonios von Perge damit an, «Kegelschnitte» mathematisch zu untersuchen. Dabei benennt er Hyperbel, Parabel und Ellipse. Darauf kann Kepler, der die Kreisbahnen als unzutreffend erkannt hat, nun zurückgreifen. Er nimmt die Werkzeuge des Apollonios – und siehe da, die Ellipsen passen zu den Bahnen der Planeten, als wären sie dafür gemacht.

Doch auch Keplers Kurven sind nicht bis ins Letzte korrekt. Feste elliptische Bahnen reichen schon bald nicht mehr aus, die immer exakteren Messungen der Astronomen mathematisch darzustellen. Die dazu notwendigen, sehr viel komplizierteren Bahnen entstehen erst 300 Jahre später – aus der Allgemeinen Relativitätstheorie Albert Einsteins.

Ein Zeitgenosse Keplers gewinnt für den lesenden Albert eine nicht minder große Bedeutung. Der Mann stammt aus Pisa und heißt Galileo Galilei. Mit seinen systematischen Versuchen etwa zum freien Fall wird er zu einem der Väter der Experimentalphysik. Dabei verbindet er die Methode des kontrollierten Experiments mit präziser mathematischer Formulierung. Indem er zu erklären versucht, auf welche Weise die Dinge geschehen, begründet er die moderne Naturwissenschaft. Aufgrund seiner Experimente wirft Galilei gängige Vorstellungen über den Haufen. Vom schiefen Turm seiner Heimatstadt soll er gezeigt haben, dass schwere Gegenstände nicht schneller fallen als leichte. Nach seinen berühmten Fallgesetzen nähern sich Feder und Stein mit derselben Geschwindigkeit der Erde, wenn hinderliche Faktoren wie der Luftwiderstand keine Rolle spielen – als würden sie auf gleicher Höhe schweben.

Im Jahr 1633 wird Galilei nach Rom vor die päpstliche Inquisition zitiert, um dem kopernikanischen als einzig wahrem Weltbild abzuschwören. Die Kirche hält den Prozess aus Furcht vor Publizität geheim. Der Angeklagte wird zu einer eher nominellen Freiheitsstrafe verurteilt. Ob er tatsächlich vor der Inquisition über die Erde gesagt hat: «Eppur si muove» – Und sie dreht sich doch!, das gehört in den

Grenzbereich der Legende. Die Strafe darf er im Palast eines Freundes absitzen. Dort schließt er seine Werke über die Verhältnisse von Körpern in Ruhe (über «Statik») und in Bewegung (über «Dynamik») ab. Damit avanciert er zu einem der Begründer wissenschaftlich fundierter Ingenieurskunst.

Galilei hat viele Gründe, seinem Standpunkt treu zu bleiben. Seine Überzeugung stützt sich nicht zuletzt auf eine astronomische Entdeckung, die ihm selbst im Jahr 1609 gelungen ist. In Holland, hört er, habe ein Optiker eine bedeutende Entdeckung gemacht – durch Zufall, als Nebenprodukt bei der Herstellung von Brillengläsern. Dem Mann ist aufgefallen, dass sich durch die Kombination von Linsen ferne Gegenstände näher ins Blickfeld rücken lassen. Galilei baut sich sogleich selber ein primitives «Fernrohr». Nun kann er erstmals mit «bewaffnetem Auge» in den Himmel schauen. Das nächtliche Firmament zeigt sich ihm in nie gesehenen Einzelheiten.

Mit der Erfindung des Teleskops und wenig später des Mikroskops öffnet sich den Naturforschern die Welt des bislang Unsichtbaren. Wie selten zuvor zeigt sich mit den neuen Errungenschaften ein Prinzip des wissenschaftlichen Fortschritts: Neue Werkzeuge ermöglichen neue Erkenntnisse, die wiederum die Grundlage für neuartige Werkzeuge bilden. Die Wissenschaft profitiert von der Technik und vom Alltagswissen. Die Technik ihrerseits wendet die wissenschaftlichen Prinzipien an, wobei bis Ende des 18. Jahrhunderts die Wissenschaft weit mehr von der Industrie profitiert als umgekehrt.

Mit dem erweiterten Sehen durch Teleskop und Mikroskop tritt das Programm des Trennens und Unterscheidens bislang unbekannter Details und Sonderheiten in eine neue Phase. Mit jeder verbesserten Version der optischen Geräte erschließen sich den Naturforschern und dem gebannt lesenden Jungen auf dem heimischen Sofa neue Schichten der Wunderwelt im Kleinen wie im Großen. Auf der einen Seite sind es vor allem die Feinstrukturen des Lebens wie Gewebe, Zellen und deren einzelne Bestandteile. Auf der anderen verlassen die Himmelskundschafter sehenden Auges das Sonnensystem, schließlich auch die Milchstraße und dringen in immer fernere Welten vor.

Galilei entdeckt schon mit seinem ersten Fernrohr, dass den Planeten Jupiter Monde umkreisen. Der Anblick dieses kopernikanischen Systems im Kleinen, in dem einmal mehr nicht die Erde im Zentrum steht, überzeugt ihn endgültig von der Richtigkeit seines Weltbildes.

Seine fundamentalste Entdeckung macht Galilei aber nicht in den Weiten des Sonnensystems, sondern daheim auf der Erde, bei seinen Versuchen mit Wurfgeschossen und Kugeln auf schiefen Ebenen. Scharfsinnig erkennt er, dass sich die «Wurfparabel» eines geschleuderten Gegenstandes, etwa einer Kanonenkugel, aus zwei Komponenten zusammensetzt: der waagerechten durch den Schuss und der senkrechten durch den Fall. Und er macht noch eine weitere grundlegende Entdeckung. Vor allem seine Beobachtungen schwingender Pendel verraten ihm, dass die natürlichen Bewegungen von Körpern gleichförmig und gradlinig verlaufen, solange keine Kräfte auf sie einwirken – eine fundamentale Einsicht gegen das aristotelische Weltbild, dem auch die Kirche anhängt: Um Bewegung aufrechtzuerhalten, braucht es keine Kraft. Damit schafft er einen Grundstock für die kommende Revolution des Briten Isaac Newton.

Der Italiener formuliert einen Grundsatz, der lange nach seinem Tod unter dem Namen «Galileisches Relativitätsprinzip» zusammengefasst wird. Geht der Schaffner in einem Zug, der 100 Kilometer in der Stunde zurücklegt, in Fahrtrichtung mit fünf Stundenkilometern, dann bewegt er sich relativ zum Bahnsteig mit 105 Kilometern in der Stunde. Geht er gegen die Fahrtrichtung, dann kommt er aus Sicht des Beobachters draußen nur auf 95 Stundenkilometer. Er selbst aber geht in seinem «Bezugssystem», dem Zug, weiterhin mit fünf Stundenkilometern, ganz gleich, welche Richtung er einschlägt. Umgekehrt aber rast aus seiner Sicht der Beobachter auf dem Bahnsteig mal mit 95, dann wieder mit 105 Kilometern in der Stunde vorbei.

In der klassischen Mechanik reicht diese Rechenweise vollkommen aus. Den damals noch unvorstellbar schnelleren Bewegungen von Licht und Elektronen aber widerspricht sie. Das wird Einstein 263 Jahre nach Galileis Tod in seiner Speziellen Relativitätstheorie in ein neues Verhältnis bringen.

Wie aufregend muss es für den Oberschüler gewesen sein, als Passagier bei einer Zeitreise durch die Wissenschaftsgeschichte dabei zu sein. Wie muss es ihn in Bann geschlagen haben zu erleben, wie sich Beobachtung auf Beobachtung, Gedanke auf Gedanke, Erkenntnis auf Erkenntnis baut. Und wie mitreißend muss er es erlebt haben, von jenem Mann zu lesen, dem als Begründer der mathematischen Mechanik die erste entscheidende Zusammenführung scheinbar unterschiedlicher physikalischer Welten gelang.

Zwischen den zwei zentralen Figuren der neuzeitlichen und modernen Physik, Newton und Einstein, gibt es interessante Parallelen. Wie Einstein wird auch Newton das autistische Asperger-Syndrom nachgesagt – jene in die Nähe des Autismus gerückte Verhaltensbesonderheit, die sich in verspätetem Sprechen, frühem Besessensein mit Spezialfragen und Problemen in sozialen Beziehungen äußert, aber nicht mit Lernschwierigkeiten einhergeht.

Beide wollen himmlisches und irdisches Geschehen zusammenbringen und das Werk des Schöpfers verstehen. «Gott dauert für immer, auch ist er überall anwesend», sagt Newton. «Indem er immer und überall ist, schafft er Dauer und Raum.» Einstein sagt kurz vor seinem Tod: «Am Anfang (wenn es einen solchen gab), schuf Gott Newtons Bewegungsgesetze samt den notwendigen Massen und Kräften. Dies ist alles.»

Die Spezielle Relativitätstheorie von 1905 geht von einem ehernen Grundsatz Newtons aus. «Körper, die in einem Raum eingeschlossen sind», heißt es in seinem Opus magnum, «Philosophiae naturalis principia mathematica» (Mathematische Prinzipien der Naturlehre), «vollführen dieselben Bewegungen im Verhältnis zueinander, ob nun der Raum selbst unbewegt ist oder sich in einer gleichförmigen und geradlinigen Bewegung befindet.»

Als Einstein stirbt, hat er, wie Newton bei seinem Tod 1727, den Status eines Heiligen erreicht. «Hier ruht, was an Isaac Newton sterblich war», heißt es auf Latein auf dessen Grabstein in der Westminster Abbey. Was an Einstein sterblich war, haben seine Hinterbliebenen, mit Ausnahme von Gehirn und Augen, in alle Winde verstreut – einem Leben gemäß, das nicht an einen Ort gebunden war.

Newton wird wie kein anderer zu Einsteins Vorbild. Es ist Newtons Weltbild, das er revidieren, Newtons Mechanik, die er revolutionieren, es ist aber auch Newton, den er rehabilitieren wird. Und es ist kein anderer als der Brite, dem er noch in späten Jahren in Demut zurufen wird: «Newton, verzeih' mir; du fandst den einzigen Weg, der zu deiner Zeit für einen Menschen von höchster Denk- und Gestaltungskraft eben noch möglich war.»

Neben vielen anderen einzigartigen Entdeckungen kommt Newton das bleibende Verdienst zu, das himmlische Uhrwerk gleichsam auf die Erde geholt zu haben. Nach seinen auf Kepler und Galilei zurückgehenden Formeln lässt sich das Geschehen am Firmament im Prinzip bis in alle Ewigkeit vorausberechnen. Sind die Positionen der Gestirne und ihre Geschwindigkeiten bekannt, können auch ihre zukünftigen Konstellationen vorhergesagt werden.

Der Wissenschaft sind gleichsam prophetische Kräfte zugewachsen – ein Umstand, der Einsteins Werdegang nicht unbeträchtlich beeinflussen wird. Newton und seine Zeitgenossen können bereits prognostizieren, dass in 250 Jahren, am 29. Mai 1919, die Sonne in den Tropen am späten Vormittag für ein paar Minuten hinter dem Mond verschwinden wird. Die totale Sonnenfinsternis, durch die Einstein den ehrfürchtig verehrten Newton endgültig ablösen wird, steht zu dessen Lebzeiten bereits in den Büchern der Astronomie. Einstein würdigt diese Leistung später in den Versen:

«Seht die Sterne, die da lehren,
WIE man soll den Meister ehren,
Jeder folgt nach Newtons Plan
EWIG SCHWEIGEND seiner Bahn!»

Der durchschlagende Erfolg von Newtons neuer Physik beruht auf einer von ihm geschaffenen mathematischen Methode. Jeder Schüler lernt den Infinitesimal-Kalkulus im Rahmen der Differenzial- und Integralrechnung kennen – allerdings in der Schreibweise, die der Mathematiker und Philosoph Gottfried Wilhelm Leibniz etwa zeitgleich mit Newton erfunden hat. Beider Leistung markiert den Höhepunkt einer Entwicklung, die fast bis auf die Anfänge menschlicher Hochzivilisation, bis zu den Babyloniern zurückgeht.

Newtons unbestreitbar alleiniges Verdienst liegt darin, die neue Methode zur Lösung einer Vielzahl physikalischer Probleme eingesetzt zu haben. Mit seinen drei Bewegungsgesetzen kann er praktisch alle mechanischen Vorgänge präzise beschreiben. Auf seine Arbeiten gehen ganze Disziplinen wie die Hydro- und die Aerodynamik zurück. Letztere findet erst in Einsteins Zeiten im Flugzeugbau ihre Anwendung.

Die Masse spielt in Newtons Gesetzen eine doppelte Rolle: Als Trägheit beschreibt sie den Widerstand, den ein Körper gegen eine Beschleunigung setzt. Je größer etwa die träge Masse einer Kutsche, desto mehr Pferdekraft braucht es, sie in Fahrt zu bringen, zu beschleunigen. Auf der anderen Seite sorgt die schwere Masse für die Gravitation, mit der ein Körper andere anzieht. Selbst der Apfel übt eine Schwerkraft auf die Erde aus. Galileis Fallgesetz, nach dem alle Körper unabhängig von ihrer Masse gleich schnell zu Boden sinken, erklärt Newton damit, dass träge und schwere Masse den gleichen Wert besitzen. Mit der Zunahme der Trägheit nimmt die Schwerkraft in gleichem Maß zu. Warum das so ist, kann er aber nicht sagen.

Den Status der Unsterblichkeit verdient sich der Brite damit, dass seine Gesetze die Mechanik des Himmels und der Erde in einem System zusammenfassen: Die Kraft, die den Apfel zur Erde fallen lässt, ist die gleiche wie jene, die den Mond auf seiner Bahn um die Erde und die Erde auf ihrer um die Sonne hält – die Gravitation oder Schwerkraft. Was diese Anziehungskraft ist, bleibt auch Newton ein Rätsel. Diese Frage wird erst Einstein mit seiner Allgemeinen Relativitätstheorie beantworten.

Wie kommt es, dass der Mond nicht auf die Erde fällt, die ihn anzieht? Was fesselt die Himmelskörper auf ihre Bahnen? In Newtons Welt herrscht ein exaktes Gleichgewicht zwischen der Schwerkraft auf der einen und der Fliehkraft durch ihre Bewegung auf der anderen Seite. Würde man vom höchsten Berg der Welt aus einer superstarken Kanone eine Kugel so abfeuern, dass ihre Fliehkraft genau ihrer Schwerkraft entspricht, dann könnte sie im Prinzip wie der Mond (oder ein Satellit) endlos weiter um die Erde fliegen. Bei Aaron Bernstein findet Einstein das entsprechende Kapitel: «Der Lauf des Mondes verglichen mit dem Lauf einer Kanonenkugel.»

In Galileis Welt kommt so etwas noch nicht vor. Da landet die Kugel immer nach derselben Zeit auf dem Boden – ganz gleich, mit welcher Geschwindigkeit sie die Kanone verlässt, ob sie nur fällt oder davonsaust. Allein die Weite ihres Flugs hängt von der Geschwindigkeit ab. Newtons Gesetze, die sämtliche Kräfte berücksichtigen, also auch Anziehungs- und Fliehkraft, bilden die physikalische Wirklichkeit sehr viel genauer ab.

Bleibt aber die Frage, was sich zu wem bewegt – Kugel oder Mond relativ zur Erde oder die Erde zum Mond? Hier führt Newton einen Begriff ein, den andere Denker wie Leibniz heftig kritisieren, den aber erst Einstein richtig einordnen wird: die Absolutheit. Nach Newton sind Raum und Zeit absolut. Wenn sonst nichts existierte, Raum und Zeit wären da.

Der absolute Raum bildet gleichsam das Behältnis für das Weltgeschehen. Nicht nur Erde und Mond, alles bewegt sich in diesem Raum. Der befindet sich, Newtons tiefer Religiosität und Ehrfurcht vor dem Schöpfergott geschuldet, in völliger Ruhe, er ist in sich konstant. Damit aber schafft der Physiker ein bevorzugtes Bezugssystem, sodass Galileis Relativität nicht mehr vollständig gilt: Fährt ein Zug an einem Bahnsteig vorbei, können Wartende und Reisende nicht mehr sagen, der eine bewege sich relativ zum anderen und umgekehrt. Vielmehr ruht der eine, und der andere bewegt sich – gemessen am absoluten Raum.

Der Allmacht des Schöpfers widmet Newton in seinen «Principia» auch sein zweites Absolutum: «Die absolute, wahre und mathematische Zeit verfließt an sich und vermöge ihrer Natur gleichförmig.» Danach gibt es für das gesamte Universum nur eine Uhr. Die Vorstellung von einer absoluten Zeit, die im Gleichtakt dieser Uhr vergeht, entspricht exakt unserer Alltagserfahrung – aber nicht der Wirklichkeit, wie sie seit Einstein verstanden wird. In seiner Relativitätstheorie wird er die scheinbar unumstößliche Idee einer absoluten Zeit ebenfalls aus den Angeln heben.

Auch wenn die Newton'sche Mechanik manches nicht erklären kann, beschreibt sie die physikalische Wirklichkeit annähernd perfekt. Autos und Züge, Schiffe, Flug- und Raumfahrzeuge fahren, schwimmen und fliegen nach wie vor problemlos getreu seiner Gleichungen.

Als überzeugend erweist sie sich von Anfang an vor allem wegen ihrer ungeheuren prognostischen Kraft.

Aaron Bernstein reserviert in seinen «Volksbüchern» viele Seiten einer Himmelserscheinung, die den Menschen immer wieder Angst und Schrecken eingejagt hat: den Kometen. An diesen plötzlich auftauchenden, für eine Weile fest am Firmament stehenden und dann wieder in den Weiten des Alls verschwindenden kosmischen Geschossen mit leuchtendem Schweif lässt sich gut der Übergang vom magisch geprägten Mittelalter zur rational bestimmten Neuzeit festmachen. Bis in Newtons Tage gelten Kometen als mystisches Medium zur Vorhersage des Schicksals, oft auch als Vorboten des Bösen.

Bernstein lädt seine Leser zu einer «Phantasie-Reise im Weltall» ein: «Reisen wir zu Wasser? zu Pferde? per Eisenbahn? Nichts von dem! Wir reisen mit Hilfe eines elektrischen telegraphischen Apparats!» Das muss dem kleinen Einstein geschmeckt haben wie anderen Kindern die erste Schussfahrt auf Skiern: In die Weiten des Alls mit der Geschwindigkeit des elektrischen Stroms! Albert kann nachlesen, wie die Astronomen allmählich lernen, das Erscheinen der geschweiften Himmelskörper vorherzusagen. Wer ihr unerwartetes Auftauchen und Verschwinden aber prophezeien kann, nimmt ihnen das Unheimliche.

Den ersten großen Triumph feiert die nunmehr prophetisch gewordene Physik acht Jahre nach Newtons Tod. Der englische Naturforscher Edmund Halley sagt aufgrund von dessen Gleichungen die Wiederkehr des später nach ihm benannten Kometen präzise voraus. Tatsächlich erscheint er wie berechnet im Herbst 1675 am Himmel.

Auf einmal können die Forscher mit den Mitteln der Mathematik Zeitreisen unternehmen und in die Zukunft blicken. Das Orakel wird rational. Das Schicksal folgt den magisch erscheinenden Formeln der Menschen. Gottes Uhrwerk scheint vollständig durchschaut. Erst Einstein wird zeigen, dass der Schöpfer das Universum sehr viel raffinierter gebaut hat, als Halley und seine Zeitgenossen nach Newtons Werk noch annehmen dürfen.

Eine noch unglaublichere Geschichte astronomischer Hellseherei findet Albert als junger Mann im Band 16 der Bernstein'schen «Volksbücher»: «Im Jahre 1846», ist da zu lesen, «hat ein Pariser Naturforscher,

Leverrier, ohne in den Himmel zu sehen, ohne Beobachtungen anzustellen, rein durch Rechnung herausgebracht, daß 600 Millionen Meilen von uns entfernt ein Planet vorhanden sein muß, den kein Mensch noch gesehen hat; daß dieser Planet in 60 238 Tagen und 11 Stunden seinen Umlauf um die Sonne macht; daß er 24 1/2 mal schwerer ist, als unsere Erde, und zu einer bestimmten Stunde an einer bestimmten Stelle am Himmel aufgefunden werden würde, wenn man nur so gute Fernröhre hätte, um ihn sehen zu können. Ist das nicht staunenswert?»

Am 23. September 1846 erhält der Astronom Johann Galle an der gut gerüsteten Berliner Sternwarte ein Schreiben von Leverrier mit der Aufforderung, «an der genau bezeichneten Stelle am Himmel dem neuen Planeten aufzulauern». Noch am selben Abend richtet Galle sein Fernrohr in die angegebene Richtung. Er findet tatsächlich das Gestirn, das später den Namen Neptun erhält. Ein unglaublicher Triumph der mathematischen Physik, die Kopernikus, Kepler, Galilei und Newton begründet haben.

«Ich will Dich nicht zu einem Astronomen machen», beruhigt Bernstein am Ende des Kapitels seinen Leser, «aber ich hoffe, daß es mir gelingen wird, Dir das Wunder dieser Entdeckung erklären zu können.» Und dann erläutert er, wie Leverrier ganz im Sinne Newtons aufgrund der anderen Planetenbahnen auf das Vorhandensein des Neptun geschlossen hat. «Darum: Ehre dieser Wissenschaft! Ehre den Männern, die sie pflegen. Und Ehre dem Menschengeist, der schärfer blickt, als das Menschenauge!»

Nein, zu einem Astronomen hat Bernstein Einstein nicht gemacht. Aber eben jener «Menschengeist, der schärfer blickt, als das Menschenauge», ist längst in dem Jungen geweckt. Er selber wird später auf Basis seiner eigenen Formeln Vorhersagen machen, die nicht einmal das Newton'sche System hergibt. Vor allem wird er mit seiner Theorie eine Merkwürdigkeit im Sonnensystem erklären können, die nach der Entdeckung des Neptun wie ein letzter kleiner Makel an Newtons perfekter Himmelsmechanik haftet: Der Perihel des Planeten Merkur – das ist die Kurve, die sein sonnennächster Punkt im Laufe der Jahrhunderte beschreibt – weicht pro Jahr um ein winziges Stückchen von der vorausberechneten Bahn ab.

Genau wie im Fall des Neptun haben die damaligen Astronomen lange vermutet, dass ein weiterer, bislang noch nicht entdeckter Planet die Abweichung hervorruft. Sie geben ihm sogar einen Namen: Vulkan. Doch Vulkan wird nie gefunden, kann gar nicht gefunden werden. Denn er existiert nicht. Newtons Gleichungen haben eine Fehlprognose geliefert. Sie können das Verhalten des Merkur nicht erklären. Immer wieder unternehmen Forscher Versuche, diese Ungereimtheit zu beseitigen, ohne dass es dafür eines zusätzlichen Planeten bedarf. Erst Einsteins Allgemeine Relativitätstheorie wird die Merkwürdigkeit des Merkur-Perihels restlos aufklären.

Mit noch größerer Spannung dürfte Schüler Albert verfolgt haben, wie die Astronomie einem Phänomen auf die Spur kommt, das ihn wie kaum ein anderes beschäftigen wird: das Licht, dessen Doppelnatur er 1905 in seiner «Lichtquantenhypothese» erhellen wird, der grundlegenden Arbeit zur Quantentheorie. Bei Aaron Bernstein heißt es: «Das Licht, der Bote, der uns von dem, was in der Ferne vorgeht, Bescheid bringt.» Von «diesem Gesetz des Lichtes», schreibt der Autor, «das durch alle Räume des Weltalls gültig ist, [...] das für jede Art von Licht gilt, es sei fern oder nah, es sei groß oder klein.» Wie einen Krimi beschreiben Alberts Autoren ihm die Suche nach der Lichtgeschwindigkeit.

Ein erster spektakulärer Erfolg gelingt dem Dänen Ole Rømer bereits 1676, keine 70 Jahre nach Erfindung des Teleskops. Er macht sie beim Studium derselben Jupitermonde, die Galilei einst vergewissert haben, dass er mit dem kopernikanischen Weltbild auf das richtige Modell setzt. Die Trabanten des größten Planeten verfinstern sich ebenso wie der irdische Mond, wenn sie in den Schatten des Jupiter treten. Rømer beobachtet besonders Io, den innersten der damals bekannten vier Jupitermonde. Dabei fällt ihm auf, dass, gemessen an den Berechnungen, die Mondfinsternisse am Jupiter regelmäßig verzögert auftreten, und zwar mit einem Unterschied von 22 Minuten.

Diese Verzögerungen, so schließt er richtig, hängen mit der Stellung des Planeten (und seiner Monde) zu Erde und Sonne zusammen: Befindet er sich auf der gleichen Seite der Sonne wie die Erde, dann kommt das Licht (und damit auch die «Botschaft» von der Verdunklung) früher an, steht er auf der sonnenabgewandten Seite, später. Das heißt, dass

Licht einen längeren Weg zurücklegen muss, für den es Zeit braucht. Und aus Weg und Zeit lässt sich die Geschwindigkeit errechnen.

Rømer vermisst sich zunächst um fünf Minuten. Die aus seinen Daten berechnete Lichtgeschwindigkeit liegt bei 210 000 Kilometern in der Sekunde – ein für damalige Verhältnisse ungeheuer großes Tempo. Und eine ungeheuerliche Vorstellung: Vielen seiner Zeitgenossen fällt es schwer zu akzeptieren, dass Licht überhaupt Zeit braucht, also einen Weg zurücklegt und sich bewegt. Spätere Messungen bringen den Dänen näher an den tatsächlichen Wert heran, der heute mit 299 792 Kilometern pro Sekunde angegeben wird.

Verblüffende Ähnlichkeiten zu Einsteins späteren Gedanken finden sich in Bernsteins Büchern zuhauf. Etwa wie der Autor das Phänomen der Aberration erklärt oder, wie er es in schönstem Deutsch nennt, der «Abirrung» des Lichtes durch die Bewegung der Erde: «Denken wir uns, daß Jemand, seitwärts an der Eisenbahn stehend, ein Pistol abschießt auf einen ihm schnell vorüberfahrenden Eisenbahnwagen.»

Die Kugel durchschlägt erst die eine, dann nach ihrem Flug durch den Wagen dessen andere Wand. Da sich der Zug in der Zeit dazwischen aber bewegt hat, wird «Jemand, der im Wagen sitzt, [...] aus den beiden Löchern schließen, daß der Schuß in schiefer Richtung auf den Bahnzug abgefeuert worden sein müsse».

Auf die Situation des Sternenforschers auf der Erde übertragen bedeutet das: Ein Lichtstrahl, der von einem Himmelskörper in sein Fernrohr trifft, beschreibt in dem Rohr – und sogar im Auge des Betrachters – durch die Bewegung der Erde ebenfalls eine leicht schiefe Bahn. «In der kleinen Zeit, die das Licht braucht, um durch das Fernrohr zu gehen, rückt die Erde sammt dem Fernrohr ein Stückchen weiter in der Bahn», erklärt Bernstein. «Will man also einen Fixstern sehen, so muß man das Fernrohr um einen kleinen Winkel verschieben.» Diese Verschiebung gleicht die Aberration des Lichts aus. Das entspricht der Methode des Fußgängers im Regen, der seinen Schirm schräg halten muss, um möglichst wenige Tropfen abzubekommen.

Die erstaunliche Entdeckung geht auf Beobachtungen des englischen Astronomen James Bradley im Jahr 1725 zurück. Der Brite will eigentlich den Abstand von Fixsternen zur Erde messen. Doch dazu reicht die Güte der optischen Instrumente noch nicht aus. «Aber wie so oft auf dem Wege zu einem wichtigen Ziele», schreibt Bernstein, «ward auch in diesem Falle von Bradley statt der vergeblich gesuchten Wahrheit eine andere, nicht minder wichtige gefunden.»

Bradley – und das ist für Bernstein entscheidend – findet heraus, dass die «Abirrung» für alle Sterne dieselbe ist, ganz gleich, wie weit sie weg sind. Und daraus folgert er korrekt, dass sich jedes Licht mit derselben Geschwindigkeit bewegt – eines der zwei Grundprinzipien in Einsteins Spezieller Relativitätstheorie: Die Lichtgeschwindigkeit ist konstant.

Was aber ist eigentlich die Natur des Lichtes? Nach Newtons Vorstellung besteht es aus kleinsten Teilchen, sogenannten Korpuskeln, die wie Projektile durch den Raum sausen. Sein großer Konkurrent, der Holländer Christian Huygens, vertritt dagegen die Ansicht, dass es sich bei Licht um eine Wellenerscheinung handele. Im Jahr 1801 schlägt sich der englische Arzt, Ägyptologe und Physiker Thomas Young auf die Seite des Niederländers. Er argumentiert mit einer Eigenschaft des Lichtes, der Interferenz, nach der sich zwei Lichtstrahlen wie zwei Wellen im Wasser verstärken oder auch auslöschen können.

Da Newton in dieser Zeit noch mehr oder weniger als unfehlbar gilt, kann sich Young anfangs nicht durchsetzen. Doch Versuch um Versuch, besonders solche mit Schattenmustern im Labor des französischen Wissenschaftlers Augustin Fresnel, bestätigt die Wellentheorie des Lichtes. Innerhalb eines Vierteljahrhunderts hat sie sich voll durchgesetzt.

Nun aber fragt sich, was das Trägermedium der Lichtwellen sein könnte. Wenn es nicht das Wasser ist, wie bei den Meereswellen, oder die Luft, wie beim Schall, was ist es dann, das da schwingt? Hier nun verfallen die Physiker im festen Glauben an die Mechanik auf eine Idee, die ein Jahrhundert lang ihr Denken bestimmt. Da es nach ihrer Ansicht ein mechanisch verformbares Etwas geben muss, das die Lichtwellen transportiert, postulieren sie ein hypothetisches Medium: den Äther. Auch wenn diesen Äther niemand wiegen, sehen oder sonst wie messen kann, eignet er sich zunächst hervorragend, um die Welleneigenschaft des Lichtes zu erklären. Bernstein geht davon aus, «daß nunmehr jeder Zweifel über die Existenz eines Aethers grade durch die Erscheinungen der Astronomie als beseitigt zu betrachten ist». Ein Irrtum, den Einstein endgültig korrigieren wird.

In den Büchern findet Albert früh auch schon so etwas wie sein Forschungsprogramm der späteren Jahre. Wie kaum ein anderer wird er – auf theoretischem Wege – zugleich zu beiden extremen Enden des Universums aufbrechen, in die mikroskopische Welt der kleinsten Teilchen und in die makroskopische fernster Galaxien. «Wie nun Lichtzeit für das bisher unermeßlich Große», heißt es fast prophetisch bei Bernstein, «so wird in der Folge wohl die Lichtwellen-Länge ein wissenschaftlicher Maßstab für das bisher unsichtbare und unermeßlich Kleine des Atoms werden.»

Ähnlich wie der Reisende in Jonathan Swifts berühmtem Roman wird Einstein zu den Riesen und zu den Zwergen vordringen. Anders als Gulliver aber unternimmt er die Ausflüge zu beiden Zielen gleichzeitig. Und als er angekommen ist, wird er in beispielloser Art versuchen, die Länder Liliput und Brobdingnag in einer einzigen großen Nation zu vereinen.

Während seiner Leseabenteuer kann Albert fast alles entdecken, was die Naturforschung bis zu seiner Gymnasialzeit herausgefunden hat. Die Chemie macht im 19. Jahrhundert gewaltige Fortschritte – besonders seit der Franzose Antoine Laurent Lavoisier Ordnung in das Chaos der chemischen Elemente gebracht und der Engländer John Dalton die Atomtheorie in die Chemie eingeführt hat. Die Physik braucht noch ein geschlagenes Jahrhundert, bis sie die Existenz der Atome akzeptiert, die schon der Grieche Demokrit vermutet hat. Einstein wird auch dazu in seinem «Wunderjahr» 1905 mit seiner Arbeit zur «Bestimmung der Molekülgröße» einen entscheidenden Beitrag leisten.

Albert findet in seinen Büchern alles, Antworten wie Fragen, was er für den Neubau der Physik brauchen wird. Besonders in den Kapiteln über Magnetismus und Elektrizität, der «Zwillingsschwester des Lichts», öffnet sich ihm die Welt der väterlichen Fabrikantenpraxis von der Seite der Entdeckungen und Theorien her. Bernstein weist immer wieder darauf hin, dass Wörter wie Stoff, Urstoff oder elektrisches Fluidum nur Namen für Dinge sind, deren wahres Wesen noch im Verborgenen liegt. Bei Einstein wird es später heißen: «Physikalische Begriffe sind freie Schöpfungen des menschlichen Geistes.» Gleichwohl äußert Bernstein die sichere Ahnung, «daß die von uns betrachteten geheimen Kräfte der Natur nur die verschiedenen Äußerungen einer einzigen Naturkraft sind».

Noch bis zum Anfang des 19. Jahrhunderts gelten Elektrizität und Magnetismus als zwei unterschiedliche Phänomene. Einen Zusammenhang zwischen beiden lassen allenfalls Naturerscheinungen wie Gewitterblitze vermuten: Sie magnetisieren Eisen und lenken Kompassnadeln ab. 1820 entdeckt der dänische Physiker Hans Christian Ørsted, dass elektrischer Strom, der durch einen Draht fließt, dieselbe Wirkung auf Kompasse hat. Elf Jahre später findet der begnadete Experimentalphysiker Michael Faraday in England heraus, dass der Effekt ebenso umgekehrt funktioniert: Wird ein Magnet an einem elektrischen Leiter entlang bewegt, dann löst er darin elektrische Spannung aus. Diese «magnetische Induktion» bildet in Dynamos und Generatoren bis heute die Grundlage der Stromerzeugung. Damals löst sie eine Welle weiterer Entdeckungen und schließlich auch die elektrotechnische Revolution aus, an der sich Alberts Vater und Onkel mit ihrem Geschäft beteiligen.

Faradays Verdienst betrifft einerseits das Verhältnis der beiden Erscheinungen, die gemeinsam in der neuen Wissenschaft des Elektromagnetismus aufgehen. Mit seinen Arbeiten zeigt er, dass die zwei nicht statisch, sondern dynamisch zusammenhängen, also über Bewegungen. Anhand seines «Induktionsgesetzes» lässt sich Strom nicht nur erzeugen, sondern umgekehrt auch zum Betrieb von Maschinen einsetzen. Auf der anderen Seite spricht der Praktiker Faraday mit Blick auf die magnetischen Effekte – etwa auf Eisenfeilspäne auf einem Blatt Papier über einem Magneten – von Kraftlinien, die zusammen ein «Feld» ergeben.

Mit dem Feld betritt eine völlig neue Denkfigur das Theater der Naturforschung. Sie wird Einstein sein Leben lang nicht mehr loslassen. Nach den Vorstellungen Faradays ist das Feld, zum Beispiel durch einen Magneten erzeugt, eine den Raum erfüllende Eigenschaft – und zwar eine, die auf einen Körper, etwa auf ein Stück Eisen, eine Kraft ausübt. Wie seinerzeit Newton die Vorstellungen Galileis in ein theoretisches Werk von höchster mathematischer Eleganz einbettete, so bringt ein weiterer Brite die intuitiven Ideen Faradays in eine elegante mathematische Struktur. Der Schotte James Clerk Maxwell erschafft in den sechziger Jahren des 19. Jahrhunderts ein System von nie gesehener Kompliziertheit in der Physik – seine Feldgleichungen. Vor allem ein Aspekt in Maxwells Werk fesselt Alberts Phantasie: die Vereinigung zweier unterschiedlicher Gebiete, der Optik (der Lehre vom Licht) und des Elektromagnetismus, in einer Theorie. Denn der Brite hat erkannt, dass auch Licht aus elektromagnetischen Wellen besteht.

Was mag der Knabe gedacht haben, als er vom «Postenlauf des Lichtes» liest, von dem Aaron Bernstein sagt: «Wir sehen in diesem Sinne immer nur die Vergangenheit und niemals die Gegenwart.» Das Licht der verschiedenen Himmelskörper erreicht die Erde entsprechend der Entfernung nach unterschiedlich langen Zeiten. Von der Sonne braucht es acht Minuten, vom Planeten Jupiter schon bis zu 52 Minuten, vom Uranus sogar über zwei Stunden. Völlig neue Dimensionen aber eröffnen die Fixsterne. Das Licht des nächsten, Alpha Centaurus, gelangt an das menschliche Auge erst drei Jahre, nachdem es ausgesandt worden ist, des zweitnächsten, der Wega im Sternbild Leier, sogar erst nach zwölf Jahren und einem Monat.

«Solche Begebenheiten des Weltraums», schreibt Alexander von Humboldt, «sind wie Stimmen der Vergangenheit, die uns erreichen. Man hat mit Recht gesagt, daß wir mit unseren großen Fernrohren gleichzeitig vordringen in den Raum und in die Zeit.» Denn «der Anblick des gestirnten Himmels bietet Ungleichzeitiges dar». Wie auf einem Tablett bekommt der junge Einstein seine Lebensthemen serviert: dass Raum und Zeit innigst miteinander verknüpft sind, dass Licht und Zeit auf sonderbare Weise zusammenhängen, dass die Gleichzeitigkeit von Ereignissen vom Standpunkt des Beschauers abhängt.

Der Berliner Autor Felix Eberty nimmt diese Zusammenhänge zum Anlass für sein Buch «Die Gestirne und die Weltgeschichte», eine in Deutschland erstmals 1846 anonym erschienene, in Europa und den USA damals weit verbreitete Schrift. Als Ebertys Buch 1923 wieder aufgelegt wird, diesmal unter offener Autorschaft, steuert kein Geringerer als Einstein das Geleitwort bei.

Das höchst bemerkenswerte Werk liest sich streckenweise wie Science-Fiction – auch wenn es in seinem Kern auf harten wissenschaftlichen Fakten beruht. Der Autor dreht den Spieß beziehungsweise den Lichtstrahl um und lässt Beobachter von unterschiedlich weit entfernten Sternen auf die Erde blicken. Auf diese Weise imaginiert er eine Art Zeitmaschine, mit der er Zeitreisen zurück in die Vergangenheit unternimmt.

«Bei der unendlich großen im Weltraume ausgestreuten Anzahl von Fixsternen», schreibt er, «wird also unzweifelhaft für jede beliebige Zahl von Jahren, rückwärts gerechnet, sich ein Stern auffinden lassen, der diese vergangene Epoche unserer Erde gerade jetzt als gegenwärtig erblickt.» Die «Allwissenheit Gottes in bezug auf vergangene Dinge» bekommt plötzlich so etwas wie eine natürliche Erklärung. «Denn wenn wir uns das Auge Gottes an jedem Punkte des Raumes anwesend denken, so gelangt zu ihm auch zugleich und auf einmal der ganze Verlauf der Weltgeschichte.»

Von einem «Gemälde» spricht Eberty, «welches Raum und Zeit zugleich umfaßt, und beide so im ganzen und auf einmal darstellt, daß wir räumliche und zeitliche Ausdehnung gar nicht mehr zu trennen und zu unterscheiden vermögen.» Manche seiner Zeilen lesen sich, als habe er selbst eine Zeitreise in die Zukunft unternommen und sich die Welt nach Albert Einstein angeschaut: «Auf diese Weise haben wir die Ausdehnung der Zeit mit der des Raumes zusammenfallend der sinnlichen Anschauung so nahe gebracht, daß Raum und Zeit als gar nicht voneinander verschieden begriffen werden können. Denn: das in der Zeit *nacheinander* folgende liegt hier räumlich gleichzeitig *nebeneinander*.»

Hier findet sich auch ein entscheidender Gedanke zur Speziellen Relativitätstheorie: Der Augenblick reist mit dem Licht. Oder anders herum gesagt: Auf der Höhe des Lichtes ist die Zeit gleichsam eingefroren. Lustvoll spielt Eberty mit dem Gedanken: «Nicht nur auf den Dielen des Zimmers läßt die Mordtat ihre unauslöschlichen Blutspuren zurück, auch in den Räumen des Weltalls spiegelt das Verbrechen sich weiter und weiter.» Würde eine Momentaufnahme der Erde, auf der eine Uhr erkennbar ist, in den Weltraum geschickt, so erreichte das

Bild der (Uhr-)Zeit zusammen mit dem Licht die fernen Beobachter, als würde die Uhr während der Reise stillstehen.

«Vorhanden ist also dieses in den Weltenräumen weiter und weiter auf den Schwingen des Lichtes sich ausbreitende Archiv alles Geschehenen, wirklich und wahrhaftig.» Denn «die Geschichte nicht nur *unseres* Weltkörpers, sondern *aller* Welten liegt wie das Bild einer größesten und wahrhaftigsten Welt- und Weltengeschichte im Raume gegenwärtig ausgebreitet».

Vor diesem Hintergrund erscheint die Welt der tatsächlichen Science-Fiction in einem ganz anderen Licht. «Es ist klar», sagt der Zeitreisende in H. G. Wells' Roman «Die Zeitmaschine» von 1895, «dass jeder tatsächlich vorhandene Körper sich in *vier* Dimensionen ausdehnen muss: in Länge, Breite, Höhe und – in *Dauer*.» Die Idee ist originell, aber alles andere als neu. Zur Vollendung wird sie 1907 der Mathematiker Hermann Minkowski auf Basis von Einsteins Spezieller Relativitätstheorie bringen, in dem er die vier Dimensionen zur Raumzeit verschweißt.

«Die Zeit ist nur der Rhythmus der Weltgeschichte», bekundet Eberty 1846. «Die Dauer der Zeit ist also für das Geschehene nicht notwendig – Anfang und Ende können vielmehr zusammenfallen, und dennoch alles in der Mitte liegende umschließen.» Sein «Mikroskop für die Zeit» dient ihm dazu, in einer Art von kosmischem Kino den Film des Weltgeschehens auf Zeitlupe zu verkürzen oder im Zeitraffer auszudehnen – 50 Jahre, bevor die Bilder laufen lernen.

Der Autor spielt sogar mit verkürztem Raum und beschleunigter Zeit. Was wäre, wenn «das Jahr in sechs Monaten verliefe»? Die Antwort muss seine Zeitgenossen, für die solche Gedankenspiele neu sind, zunächst ziemlich überrascht haben: «Wir würden keine Veränderung gewahr werden», stellt Eberty – auch schon im Sinne der Speziellen Relativitätstheorie – ganz richtig fest, «da wir nämlich den Verlauf der Zeit nur durch Vergleichung oder Messung mit einem anderen Zeitlaufe bestimmen können».

Das Gleiche gilt für den Raum, den Eberty sich verkleinert vorstellt. Würden wir es bemerken? «Wir selbst würden uns, nach einer solchen Verkleinerung mit demselben Rechte wie Gulliver's Liliputaner für vollkommen wohlgewachsene Menschen halten.» Die wissenschaftliche Begründung für derartige Phantastereien hat Einstein später geliefert, als hätte er für jenen imaginären Reisenden geschrieben – einen Reisenden, der sich nahezu mit Lichtgeschwindigkeit bewegt und davon nichts wahrnimmt.

In diesem «Fiktionalen und Imaginären» sieht der Lüneburger Kulturwissenschaftler Karl Clausberg «Brutstätten einer neuartigen Gattung von wissenschaftlicher Phantasie, die im 20. Jahrhundert höchstes Ansehen erlangte: Gedankenexperimente». Der unbestrittene Meister dieser Kunst wird Albert Einstein.

Wenn Einstein grübelt, hat der Konjunktiv Konjunktur. «Wie wäre es, wenn man hinter einem Lichtstrahl herliefe? Wie, wenn man auf ihm ritte?» Diese hypothetischen Überlegungen hat er nach eigenen Angaben mit 16 Jahren angestellt. Dass es für den höchst originellen und scheinbar originären Gedanken eine Quelle gibt, erwähnt er in seinen autobiographischen Notizen nicht. Die Frage findet sich fast wörtlich in Bernsteins Büchern. Ihre Antwort ist, wenn man so will, die Spezielle Relativitätstheorie.

Kapitel 5

Erbe verpflichtet
Einstein-Detektive
im Einsatz

Jeder nimmt Geheimnisse mit in sein Grab, die einen mehr, andere weniger. Was Normalsterbliche hinterlassen, verliert sich im Laufe der Generationen. Einem wie Einstein, schon zu Lebzeiten Legende, bleibt diese Gnade des Vergessens versagt – oder, je nach Sichtweise, auch erspart.

«Bei mir», hat er einmal gesagt, «wird jeder Piepser zum Trompetensolo.» Seit er, in seinen Worten, den «letzten hochgelehrten Schnaufer» tat, folgt dem kurzen Prozess der Obduktion das lange Procedere der Autopsie einer Lichtgestalt auf dem Seziertisch der Wissenschaft.

Jerusalem, Hebrew University. Ein schmuckloses Bibliotheksgebäude. Fernab von Leihbetrieb und studentischer Lebendigkeit – das Einstein-Archiv, der Heilige Gral der Einstein-Forschung. Rund 80 000 Schriftstücke, Kostbarkeiten aus seiner Feder vor allem, Briefe, Zettel, Notizen, Tagebücher, Skizzen, Entwürfe, Nebenrechnungen, Manuskripte, jede Kritzelei, die nicht im Mahlstrom der Geschichte auf der Strecke blieb, aber auch Pässe, Urkunden, Fotos. Alles gegen den Fraß der Zeit in säurefreien Mappen aus grauem Karton in säurefreien Boxen aus ebenso grauer Hartpappe verstaut, Seite an Seite in deckenhohen Regalen, lange Gänge Einstein pur.

Kein Normalsterblicher erhält Zugang zu diesen Kleinodien. Autorisierte Fachleute dürfen die Originale nur unter den eisernen Blicken einer Archivarin in einem fensterlosen Nebenzimmer in Augenschein nehmen. Was man hier in die Hände nimmt, vergilbtes Papier zumeist, würde auf dem freien Markt der Auktionen viele Millionen erzielen. So manches Dokument bleibt aber selbst den Experten verborgen. Nicht nur Kontobücher und Scheidungsunterlagen, auch Privat- und Liebesbriefe befinden sich nach dem Willen strenger Nachlassverwalter oder besorgter Erben bis heute unter Verschluss.

Israels Staatsgäste äußern immer wieder den Wunsch, das Archiv zu besuchen. Sie bekommen dort auch die sorgsam aufgebügelte Abendgarderobe des Physikers zu Gesicht, seine kleine Bibliothek mit der Anmerkung «unglaublich naiv» in einem Buch von Bertrand Russell, ein Schreiben an Bert Brecht zu dessen «Galilei», einen Brief an ein kleines Mädchen, dem er versichert, er habe «auch keine Haare an den Händen wie oft häßliche Männer», und in einem Manuskript von 1912, sorgsam aufbewahrt in einer großen flachen Schachtel, auf Seite 38 die berühmte Formel E-gleich-m-mal-c-Quadrat. So hat der «jüdische Heilige», als der er sich verehrt sah, am Ende doch noch Reliquien hinterlassen, wie er sie sich gewiss nicht hat träumen lassen.

Pasadena bei Los Angeles, «California Institute of Technology». Ein zweistöckiges Haus, nachgeahmter Fachwerkstil, säuberlich geschnittener Rasen. Am Eingang ein blaues Schild mit weißer Aufschrift: «Einstein Papers Project», darunter in der Handschrift des Physikers seine Initialen – die Zentralwerkstatt der Einstein-Forschung. Reihen grüner Hängeordner, beschriftete Reiter, Mappen aus blassgelbem Karton, feuersichere Stahlschränke, Fotokopien der Originale aus Jerusalem, wiederum rund 80 000 Dokumente – eine Art Paralleluniversum zum Einstein-Archiv in Israel, sicher untergebracht im Untergeschoss des Hauses.

Die hier ihrer Arbeit nachgehen, Historiker und Physiker zumeist, geben in einem beispiellosen Unternehmen von 40, womöglich sogar 50 Jahren Dauer Einsteins «Gesammelte Schriften» heraus – schwere Bücher in schwarzem Einband, altmodisch fast in ihrer Aufmachung. Kein Einstein-Forscher oder -biograph, der an diesen Bänden vorbeikäme. Seit ihrem ersten Erscheinen vor über 25 Jahren dienen «The Collected Papers of Albert Einstein» als reichste Quelle dessen, was wir über den Physiker wissen. Ein Teil der abgedruckten Schriften stammt aus seinem Nachlass. Der andere aber – und darauf sind die Leute hier besonders stolz – aus eigenen Recherchen. Sie schwärmen aus und suchen mit detektivischem Spürsinn weltweit in Archiven und Privatbeständen. Und wenn ihre Kombinationsgabe ihnen bislang unbekannte Dokumente zuspielt, «dann schlägt das Historikerherz höher».

Das sagt Anne J. Kox, ein Professor aus Amsterdam, der regelmäßig für ein paar Monate aus den Niederlanden anreist. Eben hat er bei der systematischen Durchsicht von Quellen einen Hinweis auf einen Brief Einsteins an seinen holländischen Kollegen Adriaan D. Fokker gefunden, der bislang noch nicht beachtet worden ist. Kox nimmt die Treppe nach unten zum Allerheiligsten, dem Archiv im Untergeschoss. Die elektronische Datenbank meldet ihm sieben Briefe Einsteins an Fokker, davon ist einer undatiert, Fundort: Schubfach 73, Dokument 264. Das muss er sein. Als er das gesuchte Papier in den Händen hält, macht Kox seiner Freude Luft. «Ich wusste es!» Das Schreiben stammt aus dem Jahr 1919, datiert am 30. Juli in Luzern in der Schweiz. Kein sensationeller Fund, aber wieder ein kleiner Baustein im großen Einstein-Puzzle.

Aus den Zeilen geht hervor, warum Einstein den kranken Fokker im schweizerischen Arosa nicht besucht hat. «Die wenigen Tage, die ich hier erübrigen kann, muss ich bei meiner Mutter verbringen, die hier im Sanatorium liegt.» Ihr Krebsleiden ist in die Endphase getreten. Der Brief liefert einmal mehr ein Beispiel dafür, wie Einstein dem «Nur-Persönlichen» entflieht: «Das Leben fasst uns alle hart an. Aber ein Glück ist es, wenn man gewissermaßen aus der eigenen unbequemen Haut fahren und sich um die objektiven Dinge bemühen kann, zu deren reiner Höhe der Jammer des Lebens nicht hinaufdringen kann.»

Das Schriftstück verrät aber auch etwas über «die deutsche politische Mentalität» in dieser bewegten Zeit und Einsteins Urteil über die Deutschen: «Diese Leute haben keine klare Vorstellung davon, dass sie blinde Werkzeuge einer übermütig gewordenen skrupellosen Minderheit gewesen sind. Deswegen ist ihnen die Entrüstung über den ‹Gewaltfrieden› keine Phrase oder Heuchelei, sondern ein wahrhaftiges Erleben.» Und zur Wissenschaft heißt es zu Beginn: «Es scheint doch, dass bei passender Koordinatenwahl die Massen der Welt nahezu ruhend im statistischen Gleichgewicht sind.»

Die sterbende Mutter, die Flucht aus dem Jammertal persönlichen Erlebens, die Schuldfrage des Ersten Weltkriegs, die physikalischen

Massen des Universums – wie unter einem Brennglas der Einstein jener Zeit. Verfügte die Welt allein über den einen Brief, würden wir viel erfahren über Einsteins Befindlichkeit wenige Monate vor dem Aufbruch in die Säulenhalle der Physik, vor den ersten ernsthaften politischen Anfeindungen und dem Tod seiner Mutter.

80 000 Dokumente, und doch fällt es schwer, sich ein ausgewogenes Urteil zu bilden. Sehr viel stammt *von* Einstein, viel weniger gibt es *an* ihn und viel zu wenig *über* ihn, besonders aus der ersten Lebenshälfte, aus der Zeit vor 1919. Vieles *über* ihn, was danach erscheint, leidet zudem unter Verzerrung durch Verehrung (und nicht selten auch Hass). Der Einstein-Mythos ist größer als Einstein selbst. Die Legende verstellt den Blick auf den Lebendigen. Mit Einsteins plötzlichem Berühmtwerden 1919 ist das Projekt überdies an eine Art Schallmauer geraten. Die schiere Menge an Material lässt sich nicht mehr in der vorher üblichen Weise bewältigen. Ein Schwall von Post und Publikationen, unzählige Artikel in Zeitungen und Zeitschriften markieren überdeutlich die Wasserscheide in Einsteins Leben. Angesichts der neuen Lage ruft Diana Kormos Buchwald, die Leiterin des Projekts, eine Redaktionssitzung zusammen. Um den Konferenztisch nehmen neben der Professorin und dem Niederländer ein Deutscher, eine Iranerin, ein Israeli, ein Ungar und einige Amerikaner Platz.

Die Chefin muss die Lage nicht weiter erläutern. Als Erste auf dem Posten ohne langjährige Einstein-Expertise steht sie in der Fachwelt unter aufmerksamer Beobachtung. Die neue Ausgabe muss um genau zwei Monate Einstein-Leben verkürzt mit dem 30. April 1920 enden. Ob das der Verlag mitträgt? Buchwald zieht sich in ihr Büro zurück und ruft dort an. Die Antwort lässt auf sich warten. Lange bleibt die Tür verschlossen. Dahinter sitzt die Chefin und raucht. Nicht gerade alltäglich auf einem Campus in Kalifornien. Schließlich öffnet sich die Tür. Rauchzeichen. Der Verlag ist einverstanden. Die Ausgabe kann in die letzte Überarbeitung gehen.

Frau Professor lädt ihr Team zum Lunch ins Athenaeum ein. Das ehrwürdige Gästehaus des Cal Tech liegt nur wenige hundert Meter vom Fachwerkhäuschen des Projekts entfernt. Die Mitarbeiter nutzen die Gelegenheit, die so genannte Einstein-Suite im ersten Stock zu besichtigen. Das Doppelzimmer, in dem der Held ihrer Arbeit während seiner Aufenthalte in Pasadena immer genächtigt hat, ist ausnahmsweise nicht belegt. Schon auf dem Weg nach oben begegnen sie ihm. In einer Mauernische auf halber Treppe steht seine Büste aus der Hand der Bildhauerin Helaine Blum. Einstein, wie die Welt ihn sich malt: nachdenklich, ernst, undurchdringbar.

Aus den Fenstern der Suite fällt der Blick über den parkähnlichen Campus mit seinen Palmen und Orangenbäumen, Wasserspielen und Säulengängen. Einstein hat dieses kalifornische Arkadien unter ewig blauem Himmel gefallen. In seinem Reisetagebuch vermerkt er 1930: «Pasadena ist ein Riesengarten mit rechtwinkligen Straßen und Villen in Gärtchen, mit Palmen, kleinblättrigen Eichen, Pfefferbäumen.» Schalkhaft fügt er hinzu: «Letzteren zuliebe verpfeffert man alle Speisen.»

Das Einstein-Team stellt sich im holzgetäfelten Wohnzimmer der Suite zu einem Gruppenfoto auf. Nur einer fehlt auf dem Bild: Professor Robert Schulmann, langjähriger Leiter des Projekts und auf seine Weise über fast ein Vierteljahrhundert dessen Seele. Schnell und pfiffig, kreativ und, wenn es sein muss, auch aggressiv – das sind die Eigenschaften, die ihm seinen Platz in der Einstein-Welt gesichert haben. Er ist das Trüffelschwein unter den Detektiven. Seinem Spürsinn, aber auch seinem Charme und seiner Unnachgiebigkeit verdankt die Forschung entscheidende Einsichten, ja Sensationen. Er lebt fünf Flugstunden und einen Mausklick von Pasadena entfernt.

Bethesda bei Washington, eine geräumige Etagenwohnung. Basis des Meisterdetektivs auf Einsteins Spuren. Es riecht nach Europa, als Schulmann sich mit seiner Frau zum Abendessen setzt. Auf dem Tisch stehen Schüsseln mit Sauerkraut und Fleischklößen. Dazu gibt es Graubrot. Judit stammt aus Ungarn, und so kocht sie auch. Das Los der Exilanten, die Last der Emigranten – die Heimat werden sie nie ganz los.

Schulmann, geboren auf den Philippinen, spricht Deutsch mit einem weichen, das Wienerische streifenden Akzent aus Bayern. Daher stammen seine Eltern. Sein klares, unverblümtes, straßenerprobtes Englisch hat er in Los Angeles gelernt. Dahin verschlug es ihn mit vier

Jahren. Zum Einstein-Projekt stieß der Geschichtsprofessor 1981, sechs Jahre vor Erscheinen des ersten Bandes der Gesammelten Schriften. Vor allem durch seine Beiträge geriet er zum Paukenschlag. Dank seiner Recherchen lernte die Welt auch etliche Schattenseiten und Abgründe in Einsteins Leben kennen, die nach dessen Vorstellungen besser für immer verborgen geblieben wären.

Das hatten sich die von Einstein bestellten Nachlassverwalter einmal ganz anders vorgestellt. Da ist zunächst Helene Dukas. Sie tritt am Freitag, den 13. April 1928, in Einsteins Leben. Er liegt nach einem schweren Zusammenbruch krank im Bett und sucht eine Mitarbeiterin, die ihm während seiner Genesung zur Hand gehen kann. Dukas ist zu dem Zeitpunkt arbeitslos. Das soll sie bis zu ihrem Tod nie wieder sein. Ihr Leben hat an diesem Freitag seine Bestimmung gefunden, und die heißt Albert Einstein. «Das ist Fräulein Dukas, meine treue Helferin», sagt ihr neuer Arbeitgeber. «Ohne sie wüsste keiner, dass ich noch lebe, denn sie schreibt alle Briefe für mich.»

Dukas wird als «große, schlanke und streng aussehende junge Frau» beschrieben, «deren Schüchternheit eine zähe und manchmal boshafte Persönlichkeit verbarg». Sie wird Einsteins Sekretärin, später auch Haushälterin und Köchin, geht mit der Familie in die USA, und nach dem Tod von Einsteins zweiter Frau Elsa 1936 nimmt sie deren Funktion als Zerberus ein, der den mythenumwobenen Mann abschirmt und Journalisten als «natürliche Feinde» bekämpft.

Als sie 87-jährig am 10. Februar 1982 das Zeitliche segnet, sagt ihr Mitstreiter Otto Nathan ihren «Feinden» von der Presse: «Einstein starb ein zweites Mal, als sie starb.» Nathan ist der Zweite im Bunde der Treuhänder. In der Weimarer Zeit ein anerkannter Volkswirt und Berater der Regierung und dann vor den Nazis geflüchtet, hat er die Einsteins schon bald nach deren Emigration kennen gelernt. Er wird ein Freund des Hauses in Princeton und zum Berater in allen wirtschaftlichen Angelegenheiten. Und er macht sich zum engsten Verbündeten von Helene Dukas, die nun Helen heißt.

«Nathan betete den Boden an, über den Einstein ging», sagt Schulmann. «Und er war ein richtiger Terrier, wenn es darum ging, Einstein zu schützen.» Im Interesse des Verehrten, der alles «Nur-Persönliche» aus seinem Bild für die Nachwelt verbannen wollte, sei es nur natürlich gewesen, den beiden im Testament von 1950 den kompletten Nachlass anzuvertrauen. Die zwei, glaubt Schulmann, «hielten Einstein für Gottes Gabe an die Welt».

Nathan nimmt seine neue Rolle schon wenige Stunden nach Einsteins Ableben ein. Er steht dabei, als Thomas Harvey den Körper des Toten öffnet und das Gehirn entnimmt. Er lässt es geschehen, dass Harvey das Organ in Besitz nimmt. Zeit seines Lebens bleibt er mit dem Pathologen in Kontakt, um zu erfahren, ob die Forschung an Einsteins totem Denkorgan Erfolge zeitige. Und wie er sich diese vorstellt, steht außer Zweifel: «Nathan wollte hören, dass die Forschung an dessen Gehirn Einstein als Super-Genie präsentierte», sagt Schulmann.

Helen Dukas bleibt bis zu ihrem Tod in Einsteins Haus in der Mercer Street in Princeton wohnen. Als Sekretärin des Unsterblichen beantwortet sie auch nach 1955 weiter Briefe an ihren Professor. Indirekt wird sie auch weiterhin von ihm bezahlt: Er hat ihr nicht nur seinen persönlichen Besitz und zusätzlich 20 000 Dollar vermacht. Solange sie am Leben ist, stehen ihr die Einkünfte aus seinen Schriften zu.

Treue zahlt sich aus. Allen, die Zugang zu den damals noch rund 42 000 Archivstücken wünschen, machen Nathan und Dukas das Leben schwer. Aber auch ihnen ist klar, dass die Schleusen auf Dauer nicht halten werden. So ist es nicht verwunderlich, dass wie in einem Geheimdienstarchiv mit belastendem Material nach einem Regimewechsel wichtige Papiere verschwinden. Wie viele Dokumente nach Einsteins Tod aus seinem Nachlass beseitigt worden sind, ist unklar. Dass aber Schriftstücke, die Einstein aus Sicht seiner Treuhänder in ungünstigem Licht erscheinen lassen, weggekommen sind, steht außer Frage.

Nach seinem Willen sollten allein seine Werke sein Vermächtnis sein, sein Nachlass an Schriften und Dokumenten, seine Ideen, seine Ideale, sein Weltbild – aber nicht auch jenes Bild, das die Welt sich fortan von ihm machen würde. Doch auch wenn die Nachlassverwalter glauben, ehrlich in diesem Sinn zu handeln – sie versuchen der Nachwelt einen Einstein aufzutischen, den es so nie gegeben hat.

Diese Haltung führt in der Regel genau zum Gegenteil des Gewollten. Je verschlossener die Quellen, desto verbissener die Ermittler, je karger die Auskünfte, desto drängender ihre Fragen, je größer die Verschwiegenheit, desto ausufernder Verdacht und Vermutung.

Es muss noch in den fünfziger Jahren gewesen sein, als der junge Physiker Gerald Holton von der Harvard Universität Helen Dukas in Princeton erstmals besucht. Ursprünglich will er in Vorbereitung eines Symposiums nur ein paar Quellen einsehen. Der Nachlass ist zu diesem Zeitpunkt zweigeteilt: Viele der privaten Briefe befinden sich weiterhin in Einsteins Haus in der Mercer Street, das übrige, vorwiegend wissenschaftliche und politische Material, im Institute for Advanced Study, wo Einstein die letzten 22 Jahre seines Berufslebens verbracht hat. Holton findet die alte Dame auf dem Campus des Instituts, im Keller des Hauptgebäudes, in einem großen begehbaren Tresor. «Ich war nicht darauf vorbereitet, was mich dort erwartete», erzählt er. Ganz allein sitzt Helen Dukas da im Schein einer einzigen Lampe, umgeben von hohen Aktenschränken, versunken in Arbeit. «Die ganze Szene erinnerte mich an Julia in der Grabkammer.»

In den Schränken entdeckt der Physiker ein heilloses Durcheinander von Papieren. Helen Dukas ist offensichtlich mit der Aufgabe überfordert, den ihr unterstellten Nachlass in ein geordnetes Archiv zu überführen. Das übernehmen mit ihrer Zustimmung nun Holton und ein paar Studenten. Damit aber ist der Damm gebrochen. Nach und nach bringt die strenge Nachlasshüterin auch die im Privathaus gebunkerten Schriften in das Institut. Wie viele Dokumente niemals den Weg dorthin finden, zählt zu den Unbekannten der Einstein-Forschung.

Erst 1971 handeln die Hüter des Grals mit der Princeton University Press endlich jenen Vertrag aus, auf dessen Basis die Forscher bis heute arbeiten. Doch das ehrgeizige Projekt geht zunächst nur schleppend los. Nach einigem Hin und Her wird 1976 ein geeigneter Direktor gefunden, John Stachel von der Universität Boston. Der Relativitätstheoretiker zieht 1977 nach Princeton, stellt aber bald fest, dass Frau Dukas die Kontrolle über ihren Schatz nicht so leicht aufgeben wird. «Der Zugang zum Archiv wurde auf einer sehr persönlichen Basis gewährt, ganz danach, wie sich die Beziehung zu ihr herausstellte.»

So kann ein Wissenschaftler nicht arbeiten. Stachel verlangt völlige Freiheit als Herausgeber. Nun macht Otto Nathan nicht mehr mit.

Er weigert sich, den entsprechenden Vertrag zu unterschreiben. Ein Schiedsgericht muss die Sache klären. Es gibt Nathans Widersachern Recht. Der aber lässt nicht locker und ficht das Verfahren durch alle möglichen Instanzen. Erst 1980 hat er alle seine juristischen Möglichkeiten ausgeschöpft. Das Projekt kann starten.

Nathan steht nun zunehmend mit dem Rücken zur Wand. Im Herbst 1981 heuert Robert Schulmann in Princeton an. In dem jungen Historiker findet der alte Volkswirt seinen hartnäckigsten Gegenspieler. Dabei gibt es zwischen beiden durchaus Gemeinsamkeiten. Beide besitzen starke Bindungen zu ihren deutschen Wurzeln. Beide stehen, jeder auf seine Weise, der amerikanischen Regierung sehr kritisch gegenüber. Beide verstehen überhaupt nichts von Physik. Und beide sind besessen von Einstein, wobei der eine schützt, was der andere sucht.

Gleichermaßen getrieben von detektivischer Lust und historischem Interesse geht Schulmann einen neuen Weg: Er sucht nicht mehr allein in Einsteins Hinterlassenschaft nach Hinweisen. Er macht sich auf, reist nach Europa, erkundet unbeachtete Archive, kriecht auf Dachböden herum, sichtet vergessene Nachlässe, sucht Zeitzeugen auf, lernt Nachkommen von Einsteins Freunden kennen, führt Interviews, stellt Fragen und erlangt so allmählich ein Wissen, das ihn auf immer neue Fährten setzt.

Während einer Abendgesellschaft im November 1985 im Haus des Physikers Res Jost in einem Vorort von Zürich kommt die Rede auf Otto Nathan und eine seiner frühesten Taten zum Schutz des verstorbenen Genies. Der Gastgeber hat fast ein Jahrzehnt neben Einstein in Princeton gearbeitet und in Europa Geld für das Papers Project gesammelt. Die verwinkelte Geschichte, die sich Schulmann aufgrund der Erzählung von Jost nach und nach zusammenreimen wird, beginnt noch zu Lebzeiten Einsteins und endet mit einer Sensation.

Mileva, Einsteins erste Frau, ist am 4. August 1948 nach langem Leiden allein in einer Züricher Klinik gestorben. Wie so oft in diesen Fällen kommt der Schwiegertochter die Aufgabe zu, den Haushalt der Verstorbenen aufzulösen – in diesem Fall Frieda, der Ehefrau von Einsteins Sohn Hans Albert. Als sie die Wohnung in der Zürcher Huttenstraße betritt, macht sie sich keine Vorstellung, was ihr wenig später in die Hände fallen wird. Nicht nur findet sie, versteckt unter einer Matratze, 85 000 Schweizer Franken in bar. Das Geld hat Mileva offenbar zur medizinischen Behandlung ihres zweiten Sohnes Eduard aufbewahrt, der in einer nahe gelegenen Nervenheilanstalt das traurige Leben eines Schizophrenen in der Obhut hilfloser Nervenärzte fristet.

Frieda entdeckt auch ein Bündel Briefe, das es in sich hat. Ihre Schwiegermutter hat die Korrespondenz mit ihrem zunächst so geliebten Albert aus den Anfangsjahren ihrer Beziehung aufbewahrt. Frieda nimmt das Bündel an sich und bringt es nach Berkeley in Kalifornien. Dort lebt sie mit ihrem Mann, der an der Universität als Professor für Hydraulik arbeitet.

Fast zehn Jahre passiert nichts. Offenbar wissen aber die Nachlasshüter von der Existenz der Briefe, ohne jedoch deren Inhalt zu kennen. Schon unmittelbar nach Einsteins Tod hat Otto Nathan versucht, von dessen Sohn Hans Albert etwas über diesen Inhalt zu erfahren. Ohne Erfolg. Anfang 1957 verlangt Nathan Kopien der Briefe für das Archiv. Hans Albert mauert. Und zwar aus gutem Grund. Ehefrau Frieda hat beschlossen, die menschliche Seite ihres Schwiegervaters zu schildern und ihren Bericht zusammen mit Auszügen aus den brisanten Briefen im Züricher Origo Verlag zu veröffentlichen. Die Erlöse sollen ihrem kranken Schwager Eduard in der Heilanstalt zugute kommen.

Nun ziehen Nathan und Dukas alle Register. Sie bringen die Sache 1958 vor ein Schweizer Gericht. Es kommt zu einem hässlichen Rechtsstreit. Hans Alberts und Friedas Anwälte vertreten die Ansicht, dass die Schriftstücke Informationen über die Familie enthalten und deshalb von der Familie auch veröffentlicht werden dürfen. Die Gegenseite legt dar, dass die Briefe als literarisches Werk zu Einsteins Nachlass gehören. Dieser Argumentation schließen sich die Richter am Ende an. Frieda ist es nicht mehr vergönnt, gegen das Urteil vorzugehen. Sie stirbt im Oktober 1958.

Von da an verliert sich die Spur der Briefe. Die Einstein-Experten haben weder eine Idee von ihrem Inhalt noch davon, ob sie überhaupt noch existieren.

27 Jahre nach Friedas Tod sitzt Robert Schulmann zum Abendes-

sen im Hause Jost in Zürich, «Einstein liegt in der Luft». Das Gespräch kommt auf die mysteriöse Korrespondenz, und Hilda Jost, die Dame des Hauses, erzählt fast beiläufig: Vor gut sechs Jahren, 1979, als alle Welt Einsteins 100. Geburtstag mit Feiern, Kongressen und Ausstellungen beging, sei ihr die Schwiegertochter von Hans Albert und Frieda über den Weg gelaufen. Und die habe ihr erzählt, die Briefe seien wunderschön, und sie befänden sich noch im Besitz der Familie.

In Schulmanns Kopf überschlagen sich die Gedanken. Gerade aus der Zeit der Briefe, 1897 bis 1903, in der Einstein privat und wissenschaftlich Umbrüche erlebt und Durchbrüche erzielt hat, ist so gut wie nichts bekannt. Schulmann teilt der Runde seine Erregung mit. Wie sehr er sich wünscht, dieser Manuskripte habhaft zu werden. Was sie für die Einstein-Forschung bedeuten würden. Doch noch hat er nicht genug Indizien zusammen.

Da trifft es sich, dass er wenige Tage später noch einmal zum Abendessen bei den Jostens eingeladen wird. Diesmal ist auch die Tochter von Einsteins langjährigem Freund Heinrich Zangger, Gina, eingeladen. Schulmann erinnert sich gut an «die zähe alte Dame, die manchmal Sachen ausplauderte». Gina Zangger, die ihn schon öfter mit Informationen versorgt hat, will in dieser Nacht etwas loswerden. «Die Sache ist aber die», sagt der Detektiv: «Sie wollen dir was erzählen und gleichzeitig auch nicht.»

Bei solchen Geschichten über Verwandte und deren Verwandte, über Freunde und Bekannte geht es oft um ein paar Ecken, die Schilderung kriecht wie die Glut auf einer Zündschnur, und am Ende kommt der große Knall.

Gina Zangger also hat ihr Abitur auf demselben Schweizer Internat gemacht, in dem in den fünfziger Jahren die Adoptivtochter von Einstein-Sohn Hans Albert und seiner Frau Frieda, Evelyn Einstein, lebte. Nun fügt es sich, dass Gina mit der Frau des Internatsdirektors gut befreundet ist. Dieser Frau Direktor wiederum hat Frieda anvertraut, sie und ihr Mann würden Evelyn nur aus Gefälligkeit für Einstein aufziehen. Mehr gibt die alte Dame nicht preis. Sie reagiert auch nicht auf Schulmanns intensives Nachbohren. Aber auch ohne weitere Auskünfte muss er nicht lange rechnen, um eins und eins zusammenzubringen:

Die Andeutung besagt nichts anderes, als dass Evelyn Einsteins leibliche Tochter sein könnte.

Unter vier Augen fragt Schulmann später Gastgeber Jost, was er von dieser Geschichte halte. Der Physiker bestätigt nicht nur, dass auch ihm das Gerücht schon zu Ohren gekommen ist. Ohne seine Quelle zu verraten, sagt er, Evelyn sei 1940 aus einer Affäre Einsteins mit einer New Yorker Tänzerin hervorgegangen. Schulmann hat Mühe, seine Erregung zu verbergen. Nicht nur die Aussicht, womöglich auf ein uneheliches Kind des Physikers gestoßen zu sein, verschlägt ihm den Atem. Plötzlich ist ihm, wie er sagt, «ein glücklicher Kombinationseinfall» gekommen: Könnte nicht Evelyn Einstein in Berkeley um das Schicksal der verschollenen Briefe wissen?

Im Januar 1986 ruft Schulmann Einsteins Adoptivenkelin an. Sie vereinbaren ein Treffen. Er gehört zu jener erstaunlichen Sorte Mensch, irgendwo zwischen unnachgiebig freundlichem Beichtvater und väterlich fragendem Kriminalbeamten, dem fast jeder schon nach kurzer Zeit seine Lebensgeschichte anvertrauen möchte. Evelyn erzählt ihm, wie sie «als ungeliebtes Kind in einer kaputten Familie» aufwachsen musste und wie ihre Verwandtschaft sie nach dem Tod ihres Adoptivvaters Hans Albert im Sommer 1973 links liegen ließ.

Als sie zu jener Zeit einmal ohne Geld dastand, hatte sie bei Otto Nathan angerufen und ihn um etwas Unterstützung gebeten. Immerhin bringen die Hinterlassenschaften ihres Adoptivgroßvaters über Abdruck-, Bild- und Werberechte Millionen ein. Doch Nathan ließ sie abblitzen. Schulmann seinerseits beschreibt ihr die Probleme mit den Gesammelten Schriften. Vor allem den Nachlassverwaltern sei es anzulasten, dass auch 31 Jahre nach Einsteins Tod noch kein Band erschienen ist.

Die Frage nach der möglichen Vaterschaft wagt Schulmann bei diesem ersten Treffen nicht anzusprechen. Erst bei einem späteren Besuch im selben Jahr wird er ihr sein Geheimnis anvertrauen. Evelyn ist schockiert. Doch je länger sie über die Idee nachdenkt, desto mehr leuchtet sie ihr ein. Viele Fragen, auf die sie bislang keine Antworten wusste, scheinen sich plötzlich zu klären. Allmählich freundet sie sich sogar mit dem Gedanken an, Einsteins leibliche Tochter zu sein.

Sie wäre nicht die Erste, die gerüchteweise als ein uneheliches Kind des Physikers gehandelt wird. Im Sommer 1993 meldet sich der tschechische Physiker Ludek Zakel bei der «New York Times» und behauptet, als Einsteins unehelicher Sohn in Prag geboren zu sein. Beweisen kann er es nicht. In einem Fall hat Einstein sogar ein Detektivbüro beauftragt, den Verdächtigungen nachzugehen – ohne Ergebnis. Offenbar beschäftigt das Thema, er könnte «Eier seitwärts» gelegt haben, auch seinen Bekanntenkreis. An den befreundeten Arzt János Plesch schickt er 1932 dazu einen seiner Verse:

«Meine Freunde all mich foppen,
Helft mir die Familie stoppen!
Hab vom Wirklichen genug
das ich lang und ehrlich trug.
Doch dass ich noch unentwegt
Eier seitwärts hätt' gelegt
Wär zwar niedlich anzuhören
Täts nicht andre Leute stören.»
Gezeichnet: «Einstein, Stiefvater.»

Bis in die Sache mit Evelyn wieder Bewegung kommt, vergehen sechs Jahre. Robert Schulmann hat die Spekulation einstweilen auf sich beruhen lassen. «Als Historiker brauche ich harte Fakten.» Doch plötzlich eröffnet sich ihm eine Gelegenheit, genau diese «hard facts» zu bekommen, und zwar versehen mit dem Stempel exakter Wissenschaft. Der Genetiker Charles Boyd von der Rutgers University in New Brunswick, New Jersey, plant eine genetische Untersuchung über Gefäßerkrankungen. Als mögliche Kandidaten für seine Studie schwebt ihm die Familie Einstein vor. In der haben auffällig häufig gefäßbedingte Krankheiten zum Tode geführt oder zur Todesursache beigetragen.

Kollegen haben Boyd geraten, sich an Schulmann zu wenden. Der könne die Krankengeschichten der Einsteins aus dem Kopf hersagen. Und er wisse womöglich, wo sich eine wichtige Gewebeprobe für die genetische Untersuchung befindet: Einsteins Gehirn. Nein, sagt Schulmann, da müsse er leider passen. Wo sich das Gehirn befinde, das wisse er nicht. Aber es lebten noch zwei Enkel Einsteins, Bernhard Cäsar, der leibliche Sohn von Hans Albert, und Evelyn, die Adoptivtochter.

In dem Augenblick, als er Einsteins Hirn und Adoptivenkelin Evelyn im selben Atemzug nennt, erkennt Schulmann eine Chance: Könnte das Gewebe am Ende doch noch für etwas nützlich sein – für einen Vaterschaftstest? Der sicherste Weg, sagt er Boyd, das erhalten gebliebene Organ zu finden, sei wohl der, jenen Mann dingfest zu machen, der es nach dem Tod Einsteins an sich genommen hat: Dr. Thomas Harvey.

Boyd macht den Pathologen in Lawrence, Kansas, 1993 tatsächlich ausfindig. Freigiebig wie schon in anderen Fällen überlässt Harvey ihm einen seiner Gewebewürfel: das Stück mit der Nummer 47 aus dem hinteren Bereich des rechten Frontallappens. Evelyn Einstein, neugierig auf ihre genetische Herkunft, lässt sich von einem Hautarzt eine Gewebeprobe entnehmen und sie Boyd zukommen.

Der Genetiker macht sich an die Arbeit. Teil 47 von Einsteins Gehirn landet in einem Mixer. Aus dem Brei extrahiert Boyd das genetische Material und färbt es mit einem Spezialfarbstoff an. Aber die Untersuchung verläuft enttäuschend. Die Substanz ist so vollständig degeneriert, in kleine und kleinste Stücke zerfallen, dass an eine genetische Analyse nicht mehr zu denken ist. So verliert sich nach mehr als sieben Jahren der eine Strang von Schulmanns Nachforschungen, die mit einem Gerücht während eines Abendessens in einem Vorort von Zürich begannen.

Die Adoptivenkelin und mögliche Tochter Einsteins lebt in einem bedauernswerten Zustand in ihrem Apartment in der Nähe von Berkeley. Sie ist schwer krank – Leberleiden, Lupus, Krebs – und kann sich ohne ihren Motorrollstuhl kaum vom Fleck rühren. Die Bürde des großen Namens ist durch die ungeklärte Vaterschaft für sie zu einer noch größeren Last geworden. Nein, sagt sie, darüber wolle sie nicht mehr reden. «Was würde es mir helfen, es zu wissen?» In ihrer Familie sei das zwar nach wie vor «ein offenes Geheimnis». Aber die habe sie verstoßen. Und auch dafür will sie die Gründe nicht nennen.

Schulmann hat die Sache aufgegeben. Er glaubt auch nicht, dass eine Antwort auf die Vaterschaftsfrage in irgendwelchen Briefen steckt, die versiegelt im Einstein-Archiv in Jerusalem liegen.

Bleibt noch das andere Gerücht, das den Detektiv ungleich intensiver umtreibt als die mögliche Korrektur des Einstein'schen Stammbaumes. Was ist mit den Briefen? Schon bei der ersten Begegnung, als die beiden beginnen, ein gegenseitiges Vertrauen zu fassen, hat er Evelyn gefragt, ob sie irgendetwas über deren Verbleib wisse. Nein, sagt die Enkelin, es tue ihr Leid. Was sie aber noch besitze, sei ein Manuskript in der Handschrift ihrer Adoptivmutter Frieda – die Einleitung zu dem Buch, dessen Erscheinen 1958 durch das Einschreiten von Otto Nathan verhindert wurde.

Das müsse er unbedingt sehen, macht Schulmann Evelyn deutlich. Sie verspricht, ihm eine Kopie zukommen zu lassen. Er hat die Stadt noch nicht verlassen, als ihn ein Anruf erreicht, den er nie mehr vergessen wird. Als Evelyn, zurück in ihrer Wohnung, das Manuskript ihrer Adoptivmutter aus seiner Plastikhülle gezogen hat, sind ihr einige Blätter Papier aufgefallen, die dahinter stecken und die sie vorher noch nicht bemerkt hat. Und nach allem, was sie erkennen kann, sind es Abschriften von Briefen. Schulmann macht sich sofort auf den Weg.

In dem Moment, da er die Blätter in Händen hält, ist dem Kenner sofort klar, was Evelyn über all die Jahre ohne ihr Wissen verwahrt hat: Zum einen schaut er auf Abschriften von Briefen, die Einstein zwischen 1914 und 1955 seinem Sohn Hans Albert geschrieben hat. Dann aber fällt sein Blick erstmals auf Kopien der so lange gesuchten Liebesbriefe zwischen Albert und Mileva.

Augenblicklich erkennt Robert Schulmann seine Chance, auch an die Originale zu kommen. Schon bald treten die Leute vom Einstein Papers Project und die Hebräische Universität in Verhandlungen mit den Treuhändern der Familie Hans Alberts. Otto Nathan hat in dieser Sache nichts mehr zu melden. Am Abend des 18. April 1986, genau an Einsteins 31. Todestag, ist endlich das Ziel erreicht: Der Rechtsanwalt der Familie holt die Originalbriefe höchstpersönlich aus einem Schließfach und fertigt noch in der Bank von jedem Exemplar zwei Fotokopien an – eine für die Hebräische Universität, eine weitere für die Forscher um Schulmann. Die Originale bleiben im Besitz der Familie.

1996 kommen sie bei Christie's in Manhattan für 442 500 Dollar unter den Hammer.

In Boston, wohin das Einstein Papers Project 1984 verlegt worden ist, brechen hektische Monate an. Gleichsam im letzten Augenblick kann die Korrespondenz noch in den ersten Band aufgenommen werden – dessen Erscheinen sich damit abermals verzögert. Hunderte von Details gibt es zu klären. Wieder reisen Schulmann und Kollegen nach Europa, um in Bibliotheken und Zeitungsarchiven Einzelheiten zu bestimmten Ereignissen in dem Briefwechsel zu recherchieren. Wobei im Verhältnis der aufgefundenen Blätter von einem ausgewogenen Hin und Her keine Rede mehr sein kann. Nur elf der 54 Briefe tragen ihre Handschrift, der Rest stammt aus seiner Hand. Sie hat gesammelt und aufbewahrt, er aber verloren und weggeworfen – nicht selten, nachdem ihm die Rückseiten als Schmierpapier für Kalkulationen oder Notizen dienten.

Einstein ist in seinem Leben mehr als 25-mal umgezogen. Allein in seiner Schweizer Zeit zwischen 1895 und 1911 hat er über 15-mal den Wohnsitz gewechselt. In Bern waren Albert und Mileva unter sechs verschiedenen Adressen zu Hause. Das hält den Hausstand in Grenzen. Sogar etliche Briefe des weltberühmten Max Planck an den damals noch unbekannten Patentbeamten fielen dem Zwang zu ständigem Ausmisten zum Opfer.

Otto Nathan stirbt mit 87 Jahren am 27. Januar 1987. Er erlebt nicht mehr, wie der erste Band der Gesammelten Schriften Albert Einsteins wenige Monate später erscheint. Um viele Jahre hat er dessen Veröffentlichung verzögert. Nun enthält dieser Band 1 dank der Verzögerung genau jenen Schlüssel zum Verständnis von Einsteins Persönlichkeit, den der Nachlassverwalter um jeden Preis im Verborgenen halten wollte.

Plötzlich lernt die Welt einen anderen Einstein kennen, Genie und Liebhaber, grandios und grausam. Und sie erfährt von einem Geheimnis, das sich Albert und Mileva auch später nach Trennung und Ehekrieg gemeinsam bewahrt haben und das jeder von ihnen mit in sein Grab nimmt.

Kapitel 6

«Else oder Ilse»
Der Physiker und
die Frauen

Er war ein Mann der Extreme. Kaum jemand hat das so deutlich zu spüren bekommen wie die Frauen in Einsteins Leben. Mal zieht er sie an, mal stößt er sie ab. Einmal brennt sein Verlangen, «ich vermisse zwei Ärmchen und das glühende Mäulchen voll Zärtlichkeit und Puzerline», und er findet Befriedigung: «Wie schön war es das letzte Mal, als ich Dein Persönchen an mich drücken durfte, wie die Natur es gegeben.» Dann wieder lodert seine Schmäh: «Das einzige, was ihr fehlt, ist einer, der über sie herrscht.» Oder er pocht auf seinen Eigensinn: «Wäre ich so wie du mich haben willst, dann wär ich eben nicht der Albert Einstein.»

Kompliziert wird die Sache vor allem dadurch, dass sich Einsteins Persönlichkeit schon in jungen Jahren gleichsam aufgespalten hat. Auf der einen Seite bewahrt er sich einen Teil seiner Kindlichkeit und Unschuld im Denken – womöglich die entscheidende Voraussetzung für seine ungeheure wissenschaftliche Leistung. Auf der anderen wächst da ein junger Mann mit gesunder Libido heran: sehnsüchtig und verträumt, lüstern, verspielt, neugierig, auch gierig, ein werbender, werdender Liebhaber. Die Zeilen in seinen Liebesbriefen sprechen die Sprache des verknallten Eroberers im knisternden Spannungsfeld erster Erotik.

«Vielen, vielen Dank Schatzerl für Ihr herziges Brieferl, das mich unendlich beglückt hat. Es ist wunderbar, so ein Papierchen ans Herz drücken zu können, auf das zwei so liebe Äuglein liebend gesehen, auf dem die zierlichen Händchen lieblich herumgerutscht sind. Ich habe jetzt im vollsten Maaße einsehen müssen, mein Engelchen, was Heimweh und Sehnsucht bedeutet. Doch die Liebe beglückt wieviel mehr, als die Sehnsucht schmerzt. [...] Sie sind meiner Seele mehr als früher die ganze Welt.»

«Nun aber kommst nochmal extra Du dran, Liebe! Sei mir geküßt, verdrückt und geliebt, wie es Deine Treue verdient. Ich denke so oft dran im Tag. Jetzt strebt das liebe Miezchen wieder fest drauf los, doch abends denk ich, jetzt denkts in Liebe an mich und küßt im Bett sein Kissen. Ich weiß schon, wie mans macht!»

«Ich habe jetzt jemand, an den ich mit ungetrübtem Vergnügen denken und für den ich leben kann. Wenn ich es nicht sonst schon gefühlt hätte, hätte mirs Dein Brief gesagt, der mich hier schon erwartete. Wir werden beide aneinander haben, was uns so arg fehlte, und uns gegenseitig das Gleichgewicht und den frohen Blick in die Welt schenken.»

Interessanterweise stammen die Auszüge aus Briefen an drei verschiedene Adressatinnen. Der erste ging 1896 an Marie Winteler, vermutlich Einsteins erste Flamme, der dritte 1913 an seine Cousine und spätere zweite Frau Elsa Löwenthal. Nur der zweite Brief aus dem Jahr 1900 ist an Mileva Marić gerichtet, seine Geliebte seit dem Studium, erste Ehefrau und Mutter seiner Kinder.

Der frühe Briefwechsel mit Mileva hat der Welt erstmals den anderen Einstein vor Augen geführt, im Guten wie im Bösen. Plötzlich, nach der Veröffentlichung der Briefe, erregt sein Liebesleben die Phantasie des Publikums mehr als sein wissenschaftliches Schaffen und politisches Engagement. Die Dramaturgie der Enthüllungen heizt die Neugier an. Immer neue folgen. Als Nächstes gerät, veröffentlicht in Band 5 und 8 der Gesammelten Schriften, das Verhältnis zu Cousine Elsa ins Visier. Die Reaktion, wie immer, wenn die private Seite von Prominenten über Gebühr ins Rampenlicht rückt: lustvolle Empörung. Wie kann man das einem so großartigen Menschen antun – aber bitte gebt uns mehr davon. Übermenschlicher Mythos reizt zum Denkmalsturz.

In seiner Korrespondenz mit dem anderen Geschlecht zeigt sich immer wieder zweierlei: Einerseits begehrt er die Frauen beinahe wie Spielzeuge, die er unbedingt haben will. In dem Augenblick, da er sie besitzt, neigt sich die Kurve des Begehrens nach unten. Andererseits wird deutlich, dass er seine Frauen am zärtlichsten aus der Ferne behandelt. «Ich kanns gar nicht erwarten, bis ich Dich wieder hab, mein

Alles, mein Lüderchen, mein Gassenbub, mein Frätzchen», schreibt er im September 1900 an Mileva.

Über die Affäre mit Marie Winteler hat sich zum Leidwesen der Einstein-Forscher fast nichts erhalten. In reiferen Jahren hat sie angegeben, die beiden hätten einander rein platonisch geliebt. Vielleicht ist auch das ein Grund dafür, dass die Beziehung nur eine Episode bleibt. Einstein geht auf die 18 zu und sieht die Zeit gekommen, sich auszuprobieren. Er will Sex, und zwar ohne Ehe, oder jedenfalls vor einer möglichen Heirat. Den hat er mit Mileva, einer fortschrittlichen Frau, und später auch mit Elsa. Vor der brüstet er sich in der Phase des ersten Flirtens: «Ich versichere Dir mit aller Überzeugung, dass ich mich für ein vollwertiges Mannsbild halte. Vielleicht gibts einmal die Gelegenheit Dirs zu beweisen.»

Mit der Eheschließung ist häufig der Höhepunkt des Liebeslebens überschritten, da bilden Einstein und seine zwei Gattinnen keine Ausnahme. Im Falle Elsa, sagt Einstein-Experte Robert Schulmann, «ist es sogar fraglich, ob Einstein ab 1920 überhaupt noch mit ihr geschlafen hat». Nicht fraglich ist dagegen, dass er seine Sexualität nach der großen Wende in seinem Leben im Jahr 1919 in etlichen Affären außerhalb der Ehe ausgelebt hat. Erste Anzeichen für sein manchmal rücksichtsloses Verhalten gegenüber seinen Partnerinnen zeigen sich bereits im Verhältnis zu Marie Winteler.

Albert und Marie lernen einander im Hause der Eltern des Mädchens im schweizerischen Aarau kennen. Jost und Pauline Winteler haben den Schüler, der an der Kantonsschule sein Abitur nachholt, wie einen Sohn in ihre Familie aufgenommen. Das dankt er ihnen, indem er ihrer Tochter das Herz bricht. Albert ist für Marie, was sie nie für ihn werden soll: die große Liebe.

«Sie wissen ja gut, was drinn bei mir im Herzen für Sie ganz allein alles wohnt und lebt und fühlt», schreibt die junge Frau ihrem Angebeteten in einem von zwei erhaltenen Briefen, als für ihn die Sache offenbar schon erledigt ist, «und daß es so schön ist, seit Ihre liebe Seele in meiner webt und lebt, ich könnts ja nie sagen, weils keine Worte dafür gibt, ich kann ja nur sagen, ich hab sie in alle Ewigkeit lieb, Schatzi und Gott behüte und beschütze sie».

Das Techtelmechtel mit Marie dient Einstein vor allem dazu, mit seinen erotischen Gefühlen zu spielen. Als das «Schatzerl» diesen Zweck erfüllt hat, lässt er es fallen, ohne sie davon zunächst in Kenntnis zu setzen. Seine Wäsche darf sie weiter waschen – und dabei wohl auch das eine oder andere Fünkchen Hoffnung aufscheinen sehen. Im nur 20 Kilometer von Aarau entfernten Zürich besuchen darf sie ihn nicht.

Dort hat er inzwischen sein Physikstudium aufgenommen und Mileva Marić kennen gelernt. Diese Kommilitonin, die einzige Frau in seiner Klasse, hat all das, was Marie ihm nie bieten kann: Als Freigeist teilt sie seinen jugendlichen Drang nach einem «Zigeunerleben» in der seligen Schlichtheit studentischer Boheme. Sie ist ihm geistig halbwegs ebenbürtig. Und wie ihn fesseln sie die Grundlagen der Physik. «Wenn ich wieder in Zürich bin», schreibt er ihr 1899, «dann fangen wir gleich mit Helmholtz' elektromagnetischer Lichttheorie an.»

Mileva kommt Ende 1875 in der Provinz Vojvodina im heutigen Serbien als erste Tochter des wohlhabenden Ehepaars Milos und Marija Marić zur Welt. Damals gehört das Gebiet noch zum Österreich-Ungarischen Reich, in dessen militärischen Diensten ihr Vater sein Deutsch gelernt hat. Mileva wird zweisprachig erzogen. Die Sprache, in der sie später studiert, bekommt sie im Elternhaus mit.

Ihrem Eifer und ihrer exzellenten schulischen Leistung verdankt sie den Spitznamen «Heilige». Dank einer Sondergenehmigung darf sie als eines der ersten Mädchen in Österreich-Ungarn ein reines Jungen-Obergymnasium besuchen. Ihre Abschlussprüfung besteht sie 1894 mit Bestnoten in Mathematik und Physik. Mit ihrem glänzenden Zeugnis geht sie in die in Fragen der Frauenbildung liberale Schweiz und macht an der Höheren Töchterschule in Zürich ihr Abitur. Diese Matura berechtigt sie zum Hochschulstudium.

Im Wintersemester 1896 nimmt sie als einzige Frau ihr Physikstudium in jener Sektion VI a der Eidgenössischen Polytechnischen Schule auf, in die sich auch der Mädchenschwarm Albert Einstein eingeschrieben hat. Schon bald freunden sich die beiden an. Welch Geistes Kind Mileva ist, verrät ein ziemlich selbstbewusster Brief, den sie ihm im Oktober 1897 aus Heidelberg schickt. Dort verbringt sie ein Semester als Gasthörerin.

«Ich glaube nicht daran dass der Bau des Menschlichen Schädels schuld ist, dass der Mensch dass Unendliche nicht fassen kann das könnte er gewiss auch, wenn man nicht nur den kleinen Mann in seinen jungen Tagen, wo er das Begreifen lernt nicht so grausam an die Erde, oder gar an ein Nest, in die engen 4 Wände einsperren würde, sondern ihn ein bissel spazieren liesse in's Weltall hinaus. Ein unendliches Glück kann sich der Mensch so gut denken, und das unendliche des Raums sollte er fassen können, ich glaub das müsste noch viel leichter sein.»

Dieses erste erhaltene Schreiben ihres Briefwechsels belegt auch die Seelenverwandtschaft zwischen den beiden. «Wie glücklich bin ich, daß ich in Dir eine ebenbürtige Kreatur gefunden habe, die gleich kräftig und selbständig ist wie ich selbst!», jubelt er ihr zu. Mit ihrer Unabhängigkeit und ihrem, wie Robert Schulmann sagt, «gesunden Maß an Unverschämtheit» erobert sie das Herz des Querkopfes, dessen Sehnsüchte sich in ihr bündeln.

«Meine einzige Hoffnung bist Du, meine liebe, treue Seele», schreibt er ihr im Spätsommer 1900. «Ohne den Gedanken an Dich möchte ich gar nicht mehr leben im traurigen Menschengewühl. Doch Dein Besitz macht mich stolz & Deine Liebe macht mich glücklich. Doppelt seelig werde ich sein, wenn ich Dich wieder ans Herz drücken kann und Deine liebenden Augen sehe, die nur mir leuchten und Deinen lieben Mund küsse, der nur mir in Wonne zittert.» Wenig später heißt es: «Ich finde immer, daß ich allein in der besten Gesellschaft bin, außer wenn ich mit Dir zusammen bin.»

Während die gemeinsame Liebe Formen annimmt, erobert sich Einstein voller Tatendrang auch seine zweite Geliebte, die er nie wieder verstoßen wird: seine Wissenschaft. Mileva schätzt er dabei zunächst als einzig passende Partnerin. In einer bemerkenswert klaren Selbstanalyse legt er der Mutter der verlassenen Marie, die er liebevoll «Mamerl» nennt, seinen Wandel dar: «Es erfüllt mich mit einer Art seltsamer Genugthuung, jetzt auch einen Teil des Schmerzes durchkosten zu müssen, den mein Leichtsinn & meine Unkenntnis einer so zarten Natur dem lieben Mädchen bereitet haben. Die angestrengte geistige Arbeit & das Anschauen von Gottes Natur sind die Engel, welche mich versöhnend, stärkend & und doch unerbittlich streng durch alle Wirren dieses Lebens führen werden. Wenn ich nur dem guten Kind auch etwas davon geben könnte! Und doch, welch seltsame Art ist das, um die Stürme des Lebens zu ertragen – in mancher klaren Stunde komme ich mir vor wie der Vogel Strauß, welcher seinen Kopf in den Wüstensand steckt, um die Gefahr nicht zu sehen. Man schafft sich da selbst so ein Weltchen, wie kläglich unbedeutend es auch immer sei, gegen die ewig wechselnde Größe des wahren Seins.»

Marie hat ihm, wie er ihr, vermutlich sogar viel bedeutet – vor allem als «Weib», das ihn anzieht und wohl auch erregt, wenn er sich vorstellt, wie ihre «zierlichen Händchen lieblich» auf dem Briefpapier «herumgerutscht» sind. Was sie in seinem Herzen angerichtet haben mag, lässt sich aus einem bemerkenswerten Absatz in einem frühen Brief an Mileva ablesen: «Daß ich so oft jetzt nach Aarau gehe, brauchen Sie gar keine Angst zu haben. Denn das kritische Töchterlein kommt nachhause in das ich mich vor 4 Jahren so schrecklich verliebt habe. Ich fühle mich zwar sonst ziemlich sicher auf meinem hohen Schloß Seelenruhe. Aber wenn ich das Mädchen wieder ein paarmal sähe, wär ich gewiß verrückt, das weiß ich & fürcht ich wie das Feuer.»

Das soll Mileva wohl beruhigen. Aber bei einer empfindlichen Natur wie der ihren, in der sich Verlustangst mit Eifersucht paart, dürften solche Zeilen eher Alarm ausgelöst haben. Aufschrecken könnte sie auch ein Wesenszug ihres Geliebten, den er ihr hier zum ersten und nicht zum letzten Mal vor Augen führt: Einsteins brutale Offenheit.

Ein halbes Jahr später kommt es noch herber für Mileva. Zwischen den beiden herrscht jetzt größere Vertrautheit. Das höfliche Sie hat dem vertrauten Du Platz gemacht. Er nennt sie nun neckisch «Doxerl» oder «Miezchen», sie ihn «Johonesl» oder «Johannzel». Einstein verlebt mit seiner Mutter und seiner Schwester Ferien in Melchtal. Von dort schildert er Mileva schonungslos eine «Szene», die ihm seine Mutter wegen ihr gemacht hat.

«Wir kommen heim, ich auf Mamas Zimmer (Unter 4 Augen). Zuerst muß ich ihr vom Examen erzählen, dann frägt sie mich so recht harmlos: ‹Nun, und was wird denn nun aus Dockerl?› ‹Meine Frau›, sag ich ebenso harmlos, doch auf eine gehörige ‹Szene› gefasst. Die kam auch gleich. Mama warf sich auf ihr Bett, verbarg den Kopf in den Kissen und weinte wie ein Kind. Als sie sich von dem ersten Schock erholt hatte, ging sie sofort zu einer verzweifelten Offensive über: ‹Du vermöbelst dir deine Zukunft und versperrst dir deinen Lebensweg›. ‹Die kann ja in gar keine anständige Familie›. ‹Wenn sie ein Kind bekommt, dann hast du die Bescherung›.»

Warum erzählt er Mileva das so ausführlich? Will er ihr zeigen, wie gnädig er ist, sie trotz der heftigen Gegenwehr seiner Mutter ehelichen zu wollen? Will er sie quälen? Oder drückt sich in seiner unbarmherzigen Ehrlichkeit nichts anderes aus als sein kindliches Gemüt, und er erkennt gar nicht, wie verletzend er ist?

Über seine Liebe zu Marie ist Einsteins strenge Mama noch so glücklich gewesen, dass sie der Verbindung in regelmäßigem Briefkontakt mit Pauline Winteler fast so etwas wie ihren mütterlichen Segen gegeben hat. Nun aber stemmt sie sich mit aller Macht gegen sein neues Verhältnis mit Mileva: «Diese Frln. Marić bereitet mir die bittersten Stunden meines Lebens», schreibt sie ihrer Namensvetterin, «läge es in meiner Macht, ich würde alles aufbieten sie aus unserem Gesichtskreis zu bannen, sie ist mir förmlich antipathisch.»

Albert gibt die Aversion der Mutter fast ungefiltert weiter an seine Braut. Er berichtet Mileva in seinem Brief über die «Szene» zwar, wie er «den Verdacht, daß wir unsittlich zusammen gelebt hätten, mit aller Energie» zurückweist. Dann aber verschont er sie nicht mit weiteren Tiraden seiner «Mama»: «‹Sie ist ein Buch wie du – du solltest aber eine Frau haben›. ‹Bis du 30 bist, ist sie eine alte Hex›.»

Zur Quälerei kommt die Prophezeiung. Von nun an lastet ein mütterlicher Fluch auf der jungen Beziehung. Wenige Monate später muss Mileva lesen: «Meine Eltern sind sehr bekümmert wegen meiner Liebe zu Dir, Mama weint oft bittere Thränen & kein ungestörtes Augenblickchen wird mir hier zu teil. Meine Eltern beweinen mich fast, wie wenn ich gestorben wäre. Immer wieder jammern sie mir vor, daß ich mich durch mein Versprechen mit Dir ins Unglück gestürzt hätte, dass sie glaubten, Du seist nicht gesund. [...] o Doxerl, es ist zum närrisch werden! Du glaubst nicht, wie ich leide, wenn ich sehe, wie sie mich beide lieb haben und so trostlos sind, wie wenn ich das größte Verbrechen begangen hätte & nicht das gethan, was Herz und Gewissen mir unwiderstehlich eingaben.»

Er leidet. Und hält ihr durch die Blume elterlicher Sorge ihre gesundheitliche Schwäche vor, die ihr gewiss auch ohne seine offenen Worte genug zu schaffen macht. Sie ist zwar nicht krank, aber sie hinkt seit ihrer Kindheit, vermutlich aufgrund einer Knochentuberkulose. Als ein Freund ihn einmal auf ihre Behinderung anspricht und fragt, wie er es mit solch einer hässlichen Person aushält, entgegnet er: «Warum nicht. Sie hat eine liebe Stimme.»

In Mileva hat Vagabund Albert seine Zigeunerin gefunden, ein exotisches Wesen mit südländischem Teint – einmal nennt er sie «mein Negermädel» – und slawischer Tiefe, zugleich Physikerin und «wüste Hex», eine stille, feurige Liebhaberin, die er «am Abend und in der Nacht wieder einmal nach Herzenslust verbusseln und verdrücken» kann.

Wer sie ablehnt, stachelt ihn an. Seine Mutter hätte das Verhältnis, wenn überhaupt, eher durch Zustimmung verhindern können als durch Gegenwehr. So aber wird auch Mileva zum Gegenstand in seinem lebenslangen Kampf gegen jede Form von Autorität. Sie dient ihm dabei, ob sie will oder nicht, sich von seiner starken «Mama» zu lösen. Sie bietet ihm das Maß an Mütterlichkeit, das er im kindlichen Teil seines Wesens braucht. Sie führt ihm den Haushalt, auch wenn sie verglichen mit ihren spießigen Schweizer Nachbarinnen alles andere als die perfekte Hausfrau herauskehrt. Sie bekocht ihn, kümmert sich um seine Wäsche und sorgt weitgehend für Ordnung in seinem dauernden Durcheinander. «Die gute Hausfrau», stellt er zufrieden fest, «ist die, die in der Mitte steht zwischen der Drecksau und dem Putzteufel.»

Schließlich bedeutet sie ihm zumindest in der ersten Zeit etwas, das nur wenige Menschen in seinem Leben erreichen: Er macht sein «einziges süßes Weiberl» zu seiner Vertrauten, die seinen Schutzschild durchstoßen darf. «Alle Menschen außer Dir kommen mir so fremd vor, wie wenn sie durch eine unsichtbare Wand von mir getrennt wären.» Mileva bleibt die einzige wirkliche Gefährtin in seinem Leben. Niemand nach ihr wird wie sie auch seine dunkelsten Seiten durchschauen. Allen anderen Beziehungen, seinen späteren Liebschaften ohnehin, aber auch seiner zweiten Ehe mit Elsa, fehlen das Maß an Vertrautheit, Achtung und Gemeinsamkeit, wie er sie wenigstens eine Zeit lang mit seinem «Miezchen» erlebt.

Die Einstein-Literatur malt von Mileva fast einhellig ein anderes Bild. Von der schwierigen, misslaunigen, schwermütigen, verschlossenen, depressiven, krankhaft eifersüchtigen Partnerin ist da die Rede, die dem witzigen, fröhlichen, unbeschwerten, herzensguten Zeitgenossen das Leben versauert. Möglicherweise lief es aber genau anders herum, und er hat kräftig dazu beigetragen, dass sie allmählich verkümmert, den Mut sinken lässt und «leicht düster, wortkarg und mißtrauisch» wird. In den frühen Briefen finden sich Andeutungen, dass er alles andere war als nur der umgängliche, liebenswerte Mann an ihrer Seite.

«Wenn ich jetzt an Dich denk», schreibt er im September 1900, «mein' ich grad, ich wollt Dich nie mehr ärgern & aufziehen, sondern immer sein wie ein Engel! O schöne Illusion! Aber gelt, Du hast mich sonst auch gern, wenn ich schon wieder der alte Lump bin voll von Kapricen, Teufeleien, und launisch wie stets!»

Knapp zwei Jahre später schreibt er: «Wenn ich nicht bei Dir bin, dann denke ich immer mit solcher Zärtlichkeit an Dich, als Du Dirs kaum einbilden kannst, wenn ich auch immer ein beeser Kerl bin, wenn ich bei Dir bin.» Ein andermal entschuldigt er sich: «Ich war nur aus Nervosität immer so wüst mit Dir.»

Mileva weiß, woran sie bei ihm ist. Er selbst hat jedenfalls keine Zweifel über sich und sein Verhalten als Mann. Als ihn Julia Niggli, eine gute Bekannte aus Aarauer Zeiten, um Rat wegen ihrer Beziehung zu einem älteren Mann bittet, antwortet er ihr 1899: «O, ich kenne diese Tierchen persönlich aus eigner Anschauung, da ich doch selbst eins bin. Von denen ist nicht so sehr viel zu hoffen, das weiß ich ganz genau. Wir sind heut mürrisch, morgen übermütig, übermorgen kalt, dann wieder gereizt & halb lebensüberdrüssig … so gehts weiter, doch hätt ich fast noch die Untreue & Undankbarkeit & Selbstsucht vergessen.»

Mileva dürfte auch nicht entgangen sein, wie kompromisslos er seine Prioritäten setzt. An oberster Stelle steht seine andere Liebschaft, die Physik, aus der sie sich mehr und mehr ausgeschlossen sieht. Schon

1900 schreibt sie an ihre Freundin Helene Savić: «Es ist so besser für seine Carrière und ich kann mich dieser ja nicht in den Weg stellen dazu habe ich ihn viel zu lieb, aber was ich dabei leide weiss nur ich.»

Bald wird es einen anderen Grund für ihr Leiden geben. Die 1986 von Robert Schulmann aufgestöberten Liebesbriefe enthüllen, dass Mileva etwa im Mai 1901 schwanger geworden und im Spätsommer zu ihren Eltern nach Serbien gereist ist, dass sie im Winter ein «Lieserl» zur Welt gebracht hat, dass sie ohne das unehelich geborene Mädchen nach einem Jahr in die Schweiz zurückkehrt ist und dass Einstein seine Tochter wohl nie zu Gesicht bekommen hat. Rätselhaft bleibt, was aus dem Kind geworden ist.

Nach Bekanntwerden der sensationellen Neuigkeit schießen Spekulationen ins Kraut. Die amerikanische Autorin Michele Zackheim vertritt die Ansicht, die Kleine sei behindert gewesen. Ihre Vermutung stützt sich allerdings vor allem auf Anstreichungen, die Mileva in einem Buch über «Die sexuelle Frage» und in einer Broschüre über «Alkoholvergiftung und Degeneration» gemacht hat. Zackheim zieht daraus den gewagten Schluss, Einstein (der sich zeitlebens vom Alkohol fern gehalten hat) habe womöglich an Syphilis gelitten. Schließlich werde schon lange vermutet, er habe mit Milevas Wissen regelmäßig Prostituierte aufgesucht. Hat nicht Einsteins Berliner Arzt, János Plesch, nach dessen Tod verkündet, der Bruch seiner erweiterten Bauchaorta sei eine Spätfolge einer nicht behandelten Syphilis gewesen? So geht es immer wieder bei Einstein: Mutmaßungen werden zu Geschichten verdichtet und dann in gewichtigen Büchern wie Zackheims «Einsteins Tochter» verbreitet.

Dennoch bleibt es bemerkenswert, dass der Erzeuger sein erstes Kind nie gesehen und seine spätere Ehefrau auch nach der Entbindung nicht einmal besucht hat. Unmöglich wäre das keineswegs gewesen. Eine Zugreise von der Schweiz nach Serbien dauerte damals weniger als einen Tag. Die Zeit hatte er allemal. Gewiss wäre es zu einfach, das Versäumnis auf Einsteins an Schopenhauer angelehnte Verachtung der «Weiber» zu schieben. Der Ehefrau eines Kollegen wirft er einmal an den Kopf: «Bei Euch Weibern liegt das Produktionszentrum nicht im Gehirn.» Und über «das Frauenstimmrecht» schreibt er seinem zweiten Sohn Eduard 1928: «Dafür kämpfen unter den Weibern nur solche mit männlichem Einschlag.» Doch wie hätte er sich wohl bei einem erstgeborenen Knaben verhalten?

Das Schicksal des Lieserl lässt die Neugier nicht ruhen. Mehrfach setzen sich Rechercheure auf seine Spur. Haben Albert und Mileva das Kind weggegeben? Dann müsste es womöglich noch Adoptionsunterlagen geben. Die Nachforschungen bleiben erfolglos. Einmal ist von Scharlach die Rede. Ist das Kind vielleicht schon in jungen Jahren gestorben? Dann könnte irgendwo in Milevas Heimat noch sein Grab existieren. Auch Robert Schulmann geht den Hinweisen nach und macht sich auf die Suche. Bis heute vergebens.

Hinter all den Bemühungen steckt auch der Versuch, den späteren Zusammenbruch der Ehe zwischen Albert und Mileva besser zu verstehen. In der Literatur gibt es einen einzigen, indirekten Hinweis auf das Drama mit Lieserl, der bis zum Auffinden der Liebesbriefe rätselhaft geblieben ist. Er findet sich in der ersten größeren Biographie nach Einsteins Tod, die 1962 erschien. Autor Peter Michelmore war von der Nachlassverwalterin Helen Dukas nur mit Quellen versorgt worden, die Einstein in günstigem Licht erscheinen lassen sollten. Von der zerrütteten Ehe konnte er ebenso wenig wissen wie von Einsteins schon bestehendem Verhältnis zu seiner Cousine Elsa.

Aber Michelmore hatte noch Gelegenheit zu ausführlichen Gesprächen mit Hans Albert, dem 1904 geborenen ersten Sohn des Paares, der 1973 verstarb. Der muss ihm Hinweise auf eine dunkle Seite im Verhältnis seiner Eltern gegeben haben, die sich offenbar auf einen «Vorfall» noch vor seiner Geburt bezogen. «Freunde hatten bemerkt», notiert der Biograph, «daß Milevas Haltung sich verändert hatte und meinten schon, die Beziehung zu Albert sei zu Ende. Etwas war zwischen den beiden vorgefallen, doch Mileva sagte nur, es sei ‹äußerst persönlich›. Was immer es auch sein mochte, sie brütete darüber, und irgendwie schien Albert die Schuld zu tragen.»

Was könnte seine «Schuld» gewesen sein? Hat er sie 1902 gezwungen, ihr Kind aufzugeben? Oder vor die Alternative gestellt: Lieserl oder ich? Immerhin stand der bescheidene Anfang seiner beruflichen Karriere auf dem Spiel. Mit einem unehelichen Kind hätte er seine

Stelle am Berner Patentamt vermutlich nicht bekommen. «Ihre Freunde meinten, sie solle sich aussprechen und so ihr Herz erleichtern», schreibt Michelmore weiter. «Sie aber blieb dabei, daß es zu persönlich sei und behielt es ihr Leben lang für sich.»

Warum hat sie dann die Briefe aufbewahrt, und zwar auch die wenigen, in denen von Lieserl die Rede ist? Hat sie in Kauf genommen oder vielleicht sogar gehofft, dass sie nach ihrem Tod gefunden und womöglich gar veröffentlicht werden? Und wenn ja, worum ging es ihr dabei? Um eine posthume Beichte? Oder etwa um die späte Rache an ihrem berühmten Ex-Mann? Jedenfalls konnte sie kaum einen Zweifel haben, dass der brisante Inhalt, würde er bekannt, eher ihn als sie belasten, eher ihm die Rolle des Täters, ihr aber die des Opfers zuweisen würde.

Als Mileva ihrem Albert am 3. Januar 1903 nach fünfjähriger Beziehung das Jawort gibt, ist bei ihm das Feuer womöglich schon weitgehend erloschen. Sie dagegen hat sich in eine Abhängigkeit von ihm manövriert, der er sich verschließt. Kurz nach der Hochzeit schreibt sie an ihre Freundin Helene: «Ich fühle mich, falls das überhaupt möglich ist, meinem lieben Schatz noch enger verbunden als in der Züricher Zeit. Er ist meine einzige Begleitung und Gesellschaft, und ich bin am glücklichsten, wenn er neben mir ist.»

Schon bald bricht Albert das Versprechen ihrer Liebe und gibt die gemeinsame Traumwelt auf, in der nur sie beide leben. Noch tröstet er sie und schreibt: «Ich hab jeden Tag Sehnsucht nach Dir, aber ich thu nicht dergleichen, weil das nun einmal nicht männlich ist.» Je intensiver er sich aber mit Freunden, Kommilitonen und Kollegen abgibt, allesamt Männer, desto mehr vernachlässigt er seine Frau.

Als sie 1904 den gemeinsamen Sohn Hans Albert auf die Welt bringt, erleidet ihr Leben bei allem Glück über den Nachwuchs einen entscheidenden Knacks. Sie, die einst aufgebrochen ist, als eine der wenigen Frauen ihrer Zeit in den Naturwissenschaften Karriere zu machen, die dann unter der Belastung einer verheimlichten Schwangerschaft ihr Diplom nicht schafft, sie erlebt das Ende ihrer Selbstbefreiung wie Millionen vor und nach ihr: in der klassischen Rolle der Hausfrau und Mutter, deren Mann seiner Wege geht.

«Der eine bekommt die Perlen, der andere die Schachtel», schreibt sie resigniert an Helene. «Ich bin sehr hungrig nach Liebe und würde vor Freude, ein Ja zu hören, so außer mir sein, daß ich fast glaube, die böse Wissenschaft ist schuld, und ich nehme das Gelächter gern in Kauf.»

Die Freundin erhält diese Zeilen im Jahr 1909. Die «böse Wissenschaft», von der sich Mileva nun ausgeschlossen sieht, hat Albert inzwischen fast völlig von seiner Frau entfernt. Zumindest in Fachkreisen hat er es inzwischen zu einiger Berühmtheit gebracht. Im gleichen Jahr 1909 verlässt er das Patentamt und wird Professor an der Universität Zürich – der erste Schritt in seiner verzögerten akademischen «Carrière».

Aus dieser Zeit wird über eine Episode berichtet, in der Mileva ihre Eifersucht offenbar nicht zügeln kann. Eine Frau, der Einstein während der Ferien mit Mutter und Schwester zehn Jahre zuvor ein paar zärtliche, aber harmlose Zeilen ins Poesiealbum geschrieben hat, schickt ihm Glückwünsche zu seiner Berufung. Sie hat davon aus der lokalen Presse erfahren. Die Zeilen hat Anna Schmidt ihr Leben lang aufbewahrt.

«Du Mädel klein und fein
was schreib ich Dir hinein?
Wüßte Dir gar mancherlei
Ein Kuß ist auch dabei
Aufs Mündchen klein.

Wenn Du drum böse bist
Mußt nit gleich greinen
Die beste Strafe ist –
Gibst mir auch einen.»

Einstein antwortet der inzwischen verheirateten Frau äußerst herzlich auf ihr Schreiben und lädt sie nach Zürich ein. Die Rückantwort gerät offenbar Mileva in die Hände, die eine Affäre vermutet. Wutentbrannt protestiert sie bei dem Ehemann der Absenderin. Einstein sieht sich gezwungen einzugreifen. Er entschuldigt sich bei dem Mann für das «nur durch starke Eifersucht entschuldbare Unrecht meiner Frau» und verspricht, dass sie «nichts mehr thun werde, was zu neuen Störungen ihres Glückes Anlass geben könnte». Diese Sache kann er Mileva lange nicht verzeihen. Noch fünf Monate später schreibt er seinem Freund Besso: «Seelisches Gleichgewicht, das wegen M. verloren, nicht wieder gewonnen.»

Mileva erleidet das Schicksal von unzähligen anderen Frauen. Als die Ehe bereits mehr oder weniger am Boden ist, erwartet sie ein weiteres Kind. Sohn Eduard kommt 1910 zur Welt. Er ist noch ein Baby, als Alberts Karriere Mileva weiteres Unglück bereitet. Gegen ihren Willen nimmt er einen Ruf an die Universität Prag an. Sie lebt dort zurückgezogen, hat keine Freunde, wird in den 16 Monaten des beruflichen Intermezzos ihres Mannes nie heimisch, während er sich immer weiter von ihr entfernt. Wochenlang lässt er sie allein, reist zu Vorträgen und Konferenzen. Im Oktober 1911 erhält er einen tieftraurigen Brief von ihr. «Ich hätte gar zu gerne auch ein wenig zugehört, und alle diese feinen Leute gesehen», schreibt sie. «Es ist jetzt schon eine Ewigkeit dass wir uns nicht gesehen haben, ob Du mich wohl noch erkennen wirst?»

Sohn Hans Albert wird sich später erinnern, dass es um seinen achten Geburtstag im Mai 1912 herum in der Ehe seiner Eltern wahrnehmbar kriselte. Kein Zufall. Genau zu dieser Zeit hat Einstein eine alte Verbindung aus seiner Kindheit wieder belebt – zu seiner Cousine Elsa, die geschieden mit ihren zwei Töchtern Margot und Ilse in Berlin lebt. Bis in die neunziger Jahre des 20. Jahrhunderts blieb der Anfang dieser Liaison ein Geheimnis. Das spricht, in den Worten der Autoren Roger Highfield und Paul Carter, «sowohl für Einsteins Geschick, seine Spuren zu verwischen, wie für die Bewunderung, die er in den Menschen seiner Umgebung auslöste».

Wieder sind es Briefe, diesmal von Albert an Elsa, die sich erhalten haben und der Nachwelt ein spätes Zeugnis der Affäre liefern. Einsteins Schwiegersohn Dimitri Marianoff, der Stieftochter Margot heiraten und ab 1930 mit ihr im Haushalt in der Haberlandstraße wohnen wird, hat sie offenbar gekannt. In seiner Biographie über den Schwiegervater schreibt er: «Seine Briefe an sie erhielten, würden sie je veröffentlicht, einen Platz unter den großen Liebesbriefen der Welt.» Das ist sicherlich übertrieben. Aber als die Collected Papers die Korrespondenz 1993 veröffentlichen, zeigt sich, dass Einstein als werbender Liebhaber seinem Verhaltensmuster treu bleibt.

«Jemand lieb haben muss ich aber», schreibt er am 30. April 1912 an Elsa, «sonst ist es erbärmlich zu existieren. Und dieser Jemand bist Du; Du kannst ja nichts dagegen machen, ich frage Dich nicht um Erlaubnis. Ich herrsche absolut im Schattenreich meiner Vorstellungen, oder bilde mirs jedenfalls ein.»

Zwar macht er noch einmal einen Rückzieher und erklärt den geheimen Briefwechsel für beendet. Doch um seinen 34. Geburtstag herum flammt er wieder auf. «Ich würde etwas drum geben, wenn ich einige Tage mit Dir verbringen könnte, aber ohne [...] mein Kreuz», heißt es in einem der erhaltenen Schreiben. Sein «Kreuz» aber, die einst umworbene Mileva, schöpft noch einmal Hoffnung: Nach dem kurzen Intervall in Prag lebt Familie Einstein zu ihrer großen Freude wieder in Zürich, wo Albert an der Eidgenössischen Technischen Hochschule, dem früheren Polytechnikum, zum Ordentlichen Professor ernannt worden ist. Könnten sie nicht vielleicht anknüpfen an bessere Zeiten?

Die Rückkehr in die Stadt ihrer jungen Liebe hat die Ehe nicht retten können. «Er arbeitet unermüdlich an seinen Problemen, man kann ruhig sagen, dass er nur für sie lebt», berichtet eine enttäuschte Mileva ihrer Freundin Helene. Aus Tagebucheintragungen einer Freundin der Familie lässt sich schließen, dass Einstein seine Frau sogar schlägt. Dass er zu prügeln imstande gewesen sein könnte, geht aus Berichten des älteren Sohns Hans Albert hervor. Angeblich ist auch in den Scheidungspapieren – die in Jerusalem unter Verschluss gehalten werden – von Gewalt in der Ehe die Rede.

Seiner Cousine stellt Albert – «fahrendes Volk, das wir beide sind» – wie einst Mileva ein Leben in studentischer Freizügigkeit in Aussicht: «Wie hübsch wäre es, wenn wir einmal zusammen eine kleine Zigeunerwirtschaft betreiben könnten.» Schon bald soll sich dazu die Gelegenheit bieten. Einstein hat ein lukratives Angebot der Preußischen Akademie in Berlin erhalten. Dass Elsa dort wohnt, mit der ihn «unsere Zusammenkünfte auf Deinem Zimmerchen» verbinden, wird seine Entscheidung nicht erschwert haben.

«Ich lebe ganz zurückgezogen und doch nicht einsam dank der Fürsorge einer Cousine, die mich ja überhaupt nach Berlin zog», gesteht er später seinem Freund Heinrich Zangger. Schon nennt er Elsas Töchter «meine Schwiegerkinderchen». Das Ende seiner Ehe mit Mileva hat er offenbar fest ins Auge gefasst.

Für die bedeutet der angekündigte Wohnortwechsel eine schreckliche Neuigkeit. Gerade erst hat sie es sich und ihrer Familie in ihrem geliebten Zürich wieder häuslich gemacht, schon steht erneut der Abschied bevor. Und dann soll sie auch noch in die Nähe seiner Verwandten in Berlin, die sie so hassen. Genüsslich, beinahe sadistisch schildert Einstein seiner neuen Geliebten den erbarmungswürdigen Zustand seiner Angetrauten:

«Meine Frau heult mir unausgesetzt vor von Berlin und ihrer Angst vor den Verwandten. Sie fühlt sich verfolgt und hat Angst, Ende März habe ihre letzte Stunde geschlagen. Nun, etwas Wahres ist dabei. Meine Mutter ist sonst gutmütig, aber als Schwiegermutter ein wahrer Teufel. Wenn sie bei uns ist, dann ist alles wie von Sprengstoff erfüllt.»

Vielleicht hat Elsa an diesen Zeilen ihre Freude gehabt, vielleicht aber auch Mitleid mit Mileva empfunden. Erst vor kurzem hat Albert ihr mitgeteilt: «Es graut mir davor, sie und *Dich* beisammen zu sehen. Wie wird sie sich wie ein Wurm krümmen, wenn sie Dich nur von ferne sieht!» Sollte Elsa das nicht vor allem eine Warnung sein, worauf sie sich einlässt? Inzwischen, schreibt ihr Liebhaber, «behandle ich meine Frau wie eine Angestellte, der ich allerdings nicht kündigen kann. Ich habe mein eigenes Schlafzimmer und vermeide es, mit ihr allein zu sein.» Keine zehn Jahre später wird es Elsa ähnlich ergehen.

Ob Mileva weiß, dass in dem Moment ihre Ehe bereits zerrüttet ist? Kurz vor dem Umzug nach Deutschland berichtet Einstein Elsa, dass seine Frau in ihr «eine Gefahr wittert». Beinahe perfide erkennt er Milevas Verzweiflung an: «Bis jetzt hat sie sozusagen nie mit anderen als mit mir armen Teufel zu thun gehabt.» Im April 1914 kommt die Betrogene mit den Söhnen in Berlin an. Albert stellt ihr für ein mögliches Zusammenleben «Bedingungen», die sie eigentlich niemals annehmen kann, wenn sie noch einen Rest an Stolz besitzt:

«A. Du sorgst dafür

1) dass meine Kleider und Wäsche ordentlich im Stand gehalten werden

2) dass ich die drei Mahlzeiten IM ZIMMER ordnungsgemäß vorgesetzt bekomme

3) Dass mein Schlafzimmer und Arbeitszimmer stets in guter Ordnung gehalten sind, insbesondere, dass der Schreibtisch MIR ALLEIN zur Verfügung steht.

B. Du verzichtest auf alle persönlichen Beziehungen zu mir, soweit deren Aufrechterhaltung aus gesellschaftlichen Gründen nicht unbedingt geboten ist. Insbesondere verzichtest Du darauf

1) dass ich zuhause bei Dir sitze

2) dass ich zusammen mit Dir ausgehe oder verreise

C. Du verpflichtest Dich ausdrücklich, im Verkehr mit mir folgende Punkte zu beachten:

1) Du hast weder Zärtlichkeiten von mir zu erwarten noch mir irgendwelche Vorwürfe zu machen.

2) Du hast eine an mich gerichtete Rede sofort zu sistieren, wenn ich darum ersuche.

3) Du hast mein Schlaf- bzw. Arbeitszimmer sofort und ohne Widerrede zu verlassen, wenn ich darum ersuche.

D. Du verpflichtest Dich, weder durch Worte noch durch Handlungen mich in den Augen meiner Kinder herabzusetzen.»

In ihrer Verzweiflung stimmt Mileva zuerst sogar zu. Aber er legt noch einmal nach und teilt ihr mit, es gehe ihm nur um die Söhne. Kameradschaft zwischen ihnen sei ausgeschlossen, und wenn sie sich nicht an die Geschäftsbedingungen halte, werde er sich sofort von ihr trennen. Schließlich schlägt er ihr die formale Trennung vor, bietet ihr an, sie könne die Kinder behalten, er werde ihr 5600 Mark im Jahr schicken – fast die Hälfte seines Einkommens.

Mileva hat keine Wahl. Sie wirft das Handtuch. Am 29. Juli 1914 reist sie wieder ab – für immer. Albert bringt sie zum Anhalter Bahnhof, küsst die Jungen, und als sie abfahren, weint er heftig. Am nächsten Tag lässt er die gemeinsamen Möbel zusammenpacken und schickt sie ihr hinterher. Bis zur formellen Scheidung werden noch fast fünf Jahre vergehen.

Nach Milevas Abschied genießt er, wie er seinem Freund Michele Besso schreibt, «das äusserst wohlthuende, wirklich hübsche Verhältnis zu meiner Cousine, dessen Dauercharakter durch die Unterlassung einer Ehe garantiert ist». Gleichwohl hat er Elsa genau dies bereits wieder versprochen – die Ehe.

«Wir Männer sind jämmerliche, unselbständige Geschöpfe, das gebe ich jedem mit Freuden zu», gesteht er Freund Besso 1916. «Aber verglichen mit diesen Weibern ist jeder von uns ein König; denn er steht halbwegs auf eigenen Füssen, ohne immer auf etwas ausser ihm zu warten, um sich daran zu klammern. Jene aber warten immer, bis einer kommt, um nach Gutdünken über sie zu verfügen. Geschieht dies nicht, so klappen sie einfach zusammen.»

In Elsa findet Albert das Gegenstück zu Mileva, eine Wiedergängerin seiner Mutter und ein passendes Pendant als Kumpel – aber nicht die Partnerin für eine echte Ehe. Die beiden haben als Kinder in München zusammen gespielt und teilen die Art von lebenslanger Vertrautheit, wie sie nur im Sandkasten entsteht. Sie spricht den gleichen Dialekt wie er, versteht seinen derben schwäbischen Humor, liebt dieselben deftigen Leibspeisen, und mit ihrer Körperfülle kommt sie Mama Pauline ziemlich nahe. Nichts von der Zerbrechlichkeit und Exotik ihrer Vorgängerin, kein wissenschaftlicher Ehrgeiz auch, dagegen eine offenherzige, willensstarke Frau, die sich gern mit Menschen umgibt, die sie bekochen und mit jener Form von Behaglichkeit versorgen kann, die als deutsche Gemütlichkeit bekannt ist.

In ihrer lebensklugen Schlichtheit überlässt Elsa ihrem Albert seine Wissenschaft und versucht erst gar nicht, hinter die Geheimnisse seines Denkens zu kommen. «Wenn sie auch manchmal auf die Nerven gehen mag und kein grosses Geisteskind ist», schreibt Einstein später anerkennend seinem Sohn Hans Albert, «so zeichnet sie sich doch durch Gutherzigkeit aus.»

Als sie ihn kennen lernt, verdient sich die gut versorgt geschiedene Mutter und ausgebildete Schauspielerin etwas dazu mit Sprechunterricht. Gelegentlich begeistert sie mit ihrer Kunst ein größeres Publikum bei öffentlichen Dichterlesungen. Sie erfreut sich einiger Bekanntheit in den besseren Kreisen Berlins und führt ihren Mann später in diese

Gesellschaft ein. Sie gibt sich alle Mühe, aus ihm den Herrn an ihrer Seite zu machen – mit allerdings nur mäßigem Erfolg.

Im Laufe der Jahre werden die beiden sich immer ähnlicher. Auf manchen Fotografien wirken sie wie Geschwister. «Sie hatte sich, entweder aus Trägheit oder Müdigkeit, vorzeitig alt werden lassen», schreibt ihre Freundin Antonina Vallentin. «Ihr Gesicht war schwammig geworden, ihr Haar vor der Zeit ergraut. Sie, die ihrem Manne vorwarf, dass er sein Äußeres vernachlässige, ließ sich ebenso gehen.» Irgendwann hat sich sogar ihre Unterschrift der seinen angepasst. Sie malt das E in Elsa nicht mehr offen wie früher, sondern mit dem Schnörkel im oberen Bogen wie Albert das E in Einstein.

Obwohl sie das eigene Äußere vernachlässigt, als wolle sie es ihm gleichtun, verbietet ihr die Eitelkeit, ihre schönen blauen Augen durch eine Brille zu verschandeln. Sie ist aber so kurzsichtig, dass sie sich einmal bei einem Bankett sogar die Blumen vom Tisch auf den Teller geschaufelt haben soll. Ausgerechnet sie, die kaum weiter als eine Handbreit klar sehen kann, schneidet ihm, der sich jeglichem Friseurbesuch verweigert, die Haare und zeichnet damit womöglich verantwortlich für den berühmten Einstein-Look der wirren, wehenden Mähne.

An der Seite ihres berühmten Mannes im Licht der Öffentlichkeit stehen zu dürfen, lässt sie, die Gesellschaftssüchtige, auch den bitteren Alltag ertragen. «Zum Schicksal meiner Mutter gehörte es», erinnert sich Tochter Margot, «daß sie bei Albert mit allen Dingen aufpassen musste – von seinem heimlichen Rauchen, das ihm verboten war, bis zum Essen oder Segeln. Er war, wenn ich das so formulieren darf, ein Kind geblieben. Zum Beispiel entsinne ich mich, dass meine Mutter beim Mittagessen oft sagte: ‹Albert, iß, träume nicht!›»

Sie sorgt für ihn, füttert ihn, schützt ihn vor zudringlichen Journalisten und Bittstellern, kleidet ihn, der am liebsten immer in denselben Klamotten herumläuft, kümmert sich um sein Aussehen, wenn es um Auftritte in der Öffentlichkeit geht. «Sie hat sich in seinen Schatten geduckt und fühlte sich dabei restlos zufrieden», sagt Antonina Vallentin. «Ihr Mitgefühl machte es ihr zur Aufgabe, die Folgen von Albert Einsteins Starrsinn zu vertuschen.»

In gewissem Maße erfüllt sie genau die «Bedingungen», die er Mileva gestellt hat. Zwar reist sie mit ihm, geht mit ihm aus und «sitzt mit ihm zuhause». Er hat aber sein eigenes Schlafzimmer in dem Teil der Wohnung, der ihrem am weitesten entfernt liegt. Sein Arbeitszimmer unter dem Dach darf sie nur mit seiner Erlaubnis betreten. Als sie einmal einen Gast nach oben führt, sich nach dessen Wohlergehen erkundigt und ihn fragt, wie seine Anreise war, fährt ihr Gatte sie an: «Du störst. Du weißt gar nicht, wie du störst.» Wenn sie, wie wohl jede Ehefrau, ihn einschließt in die Gemeinsamkeit des «Wir», fährt er zornig aus der Haut: «Sprich von dir oder mir, aber niemals von uns.»

Der «neue Kopernikus», wie Max Planck Einstein einmal genannt hat, kann durchaus ein Kotzbrocken sein. Darüber hinaus besitzt er Eigenschaften, die ein Zusammenleben nicht nur versüßen: «Mein Mann schnarcht unglaublich laut», gesteht Elsa einem Bekannten, «man kann nicht neben ihm schlafen.» Er wäscht und frisiert sich nicht richtig, hat Schweißfüße, und als Elsa am Anfang ihrer Beziehung seine mangelnde Reinlichkeit einmal zaghaft moniert, schreibt er ihr, wenn ihr das nicht passe, solle sie sich gleich «einen für weibliche Geschmäcker geniessbareren Freund» suchen. Und schließt: «Also mit kräftigem Fluch und einer Kusshand aus appetitlicher Distanz Dein ehrlich dreckiger Albert.» Vielleicht hat ihr zumindest die Idee des getrennten Schlafzimmers am Ende gar nicht so schlecht gefallen.

Kurz zuvor hat er mit teuflischem Vergnügen Zeugnis von seiner Unabhängigkeit abgelegt: «Dienstliches: Haarbürste wird regelmässig verwendet, auch sonst verhältnismässig ordentliche Reinigung. Sonstiger Lebenswandel so so la la. Zahnbürste aus ächt wissenschaftlichen Erwägungen in Ruhestand versetzt: Schweinsborste bohrt Diamanten durch; wie sollten also meine Zähne ihr widerstehen?»

Als es dann 1919, kurz nach der Scheidung von Mileva, zur Heirat zwischen den beiden kommt, ist die Leidenschaft längst erloschen – zumindest auf seiner Seite. Elsa – ihre Mitgift beträgt 100 000 Mark – muss mit ansehen, wie er die Freuden der Liebe außerhalb ihres Haushalts sucht.

Über seinen Geschmack bezüglich des anderen Geschlechts gehen die Meinungen weit auseinander. «In der Wahl seiner Liebespartner war er nicht zu wählerisch», berichtet János Plesch, «jedoch fühlte er sich mehr zum derben Naturkind als zu der raffinierten Gesellschaftsdame hingezogen.» Pleschs Sohn drückt es noch herber aus: «Einstein liebte Frauen, und je gewöhnlicher und verschwitzter sie waren, umso besser gefielen sie ihm.» Schwiegersohn Dimitri Marianoff sagt: «Ich habe immer gefühlt, dass Einstein nur wegen seines großen Mitleids von der Hässlichkeit der Frauen angezogen war.» Haushälterin Herta Waldow hat sich dagegen andere Erinnerungen bewahrt: «Für schöne Frauen hatte er eine Schwäche, und sie für ihn.»

Einige seiner Affären während der Berliner Zeit sprechen dafür, dass Einstein «der raffinierten Gesellschaftsdame» durchaus nicht abgeneigt war. Zumindest lässt er sich von reichen, eleganten Damen in ihren chauffierten Limousinen zu Hause abholen und zu Konzerten oder Theaterbesuchen einladen. Elsa muss ihm, der nicht mit Geld umgehen kann, wenigstens so viel Taschengeld aushändigen, dass er seine Garderobenmarke selbst bezahlen kann.

Häufig trifft er die mondäne Estella Katzenbogen, die in Berlin eine Reihe von Blumengeschäften betreibt. Bei Toni Mendel, einer wohlhabenden Witwe, bleibt er regelmäßig über Nacht in ihrer Villa am Wannsee. Herta Waldow berichtet, Toni habe Elsa, die eine bekannte Schwäche für Süßigkeiten besaß, zur Besänftigung immer wieder Pralinen mitgebracht. Die wichtigste Quelle über Details dieser Beziehung ist indes verloren gegangen. Auf Einsteins ausdrücklichen Wunsch haben ihre Erben nach ihrem Tod alle seine Briefe an sie vernichtet.

Die Korrespondenz mit Betty Neumann, die kurz für ihn als Sekretärin gearbeitet hat, wird im Einstein-Archiv in Jerusalem unter Verschluss gehalten. Dem Historiker Fritz Stern ist «der primitiv verpackte (aber geschlossene) Ordner» einmal aus Versehen in die Hände geraten. «Bevor ich auch nur versucht gewesen sein könnte, zu schnüffeln, wurde mir der Ordner entrissen.» Die Liebschaft hat laut Stern mehr als zehn Jahre gewährt.

Einmal die Woche kommt Margarete Lebach ins Sommerhaus nach Caputh. Auch sie versucht, die Gehörnte mit Süßspeisen zu besänftigen, und bringt Elsa selbstgebackene Vanillekipferl mit. «Die Österreicherin», erinnert sich Herta Waldow, «war jünger als Frau Professor, sah sehr gut aus, war lustig, hat viel und gern gelacht, wie Herr Professor ja auch.» Die Haushälterin berichtet, dass Elsa an den Tagen der Lebach-Besuche «sozusagen das Feld geräumt» hat: «Wenn sie kam, fuhr Frau Professor immer nach Berlin, um Bestellungen und andere Besorgungen zu machen. Sie ist da immer gleich früh am Morgen in die Stadt gefahren und kam erst spät am Abend zurück.» Unbestätigten Gerüchten zufolge soll auch Lebach ein uneheliches Kind mit Einstein zur Welt gebracht haben.

Als Elsa ihrem Ärger schließlich den Töchtern gegenüber Luft macht, erklären ihr Margot und Ilse, sie habe nur die Wahl, sich von «Vater Albert» zu trennen oder seine Liebschaften hinzunehmen. Weinend entscheidet sich die Mutter dafür, dann doch lieber an den Besuchstagen der Lebach weiter ihre Besorgungstouren zu unternehmen. «Ihre Liebe war unteilbar», glaubt Konrad Wachsmann, der Architekt des Sommerhauses in Caputh und Freund der Familie. «Sie verstand einfach nicht, dass ihr Mann sich gelegentlich für andere Frauen interessierte.»

«Er wirkte auf Frauen etwa so wie ein Magnet auf Eisenpulver», berichtet Wachsmann. «Aber er fühlte sich in der Umgebung von Frauen auch sehr wohl und interessierte sich für alles Weibliche. Jedenfalls begann der Ärger zwischen den Eheleuten gewöhnlich durch eine Eifersuchtsszene Elsas. [...] Einstein sah sich das ein paar Tage an und wurde schließlich böse, weil er dergleichen Verhalten als kindisch betrachtete. Das war dann meist der Punkt, an dem beide von Scheidung sprachen.»

«Die Ehe ist der erfolglose Versuch einem Zufall etwas Dauerhaftes zu geben», hat Einstein einmal gesagt, «eine Sklaverei in einem kulturellen Gewande.» In reiferem Alter stellt er fest: «Die Ehe ist bestimmt von einem phantasielosen Schwein erfunden worden.» Sie sei, räumt er kurz vor seinem Tod ein, «ein Unterfangen, in dem ich zweimal ziemlich schmählich gescheitert bin».

Einsteins Charakter wird, wenn es um seinen Umgang mit Frauen geht, mitunter an einem moralischen Leisten gemessen, der an vergleichbare Lichtgestalten in Literatur, Musik, Kunst oder Politik nie angelegt würde. Ob Kennedy oder Picasso, Mozart oder Brecht – Amoral hat ihren Ruf eher befördert als beschädigt. Zu Einstein aber scheint die Vorstellung eines kindhaften Weltweisen ohne Sexualität besser zu passen als die eines geilen Aufreißers und Schürzenjägers. Als Gandhi der Naturforschung oder Moses der Moderne soll er die Reinheit des Propheten mit der Unschuld des Pazifisten verbinden. Er selbst begegnete solcherlei moralischem Imperativ mit humorvollem Pragmatismus: «Dem Reinen ist alles rein, dem Schwein ist alles schwein.»

Elsa hatte schon vor ihrer Eheschließung auf eine der erniedrigendsten Arten im Umgang von Männern mit Frauen erfahren müssen, wie grausam ihr «Alter» sich ihr gegenüber verhalten konnte. Im Mai 1918 stellte er sie und ihre Tochter Ilse vor eine ungeheuerliche Wahl.

Diese Geschichte ist erst vor wenigen Jahren ans Licht gekommen, weil der Empfänger intimer Zeilen dem dringenden Wunsch der Schreiberin – «Vernichten Sie bitte diesen Brief sofort nach dem Lesen!» – nicht nachgekommen ist. Im Nachlass des Medizinerprofessors Georg Nicolai fand sich ein Schreiben von Ilse Einstein, die mit dem stadtbekannten Bonvivant Nicolai einmal ein Verhältnis gehabt haben soll.

«Gestern plötzlich wurde die Frage gestellt, ob A. Mama oder mich heiraten wolle. [...] Albert selbst lehnt jede Entscheidung ab, er ist bereit mich oder Mama zu heiraten. Daß A. mich sehr lieb hat, vielleicht so lieb wie mich nie mehr ein Mann haben wird, weiß ich, hat er mir auch selbst gestern gesagt. [...] Ich habe nie den Wunsch oder die geringste Lust verspürt, ihm körperlich nahe zu sein. Anders bei ihm – wenigstens in letzter Zeit. – Er hat mir selbst einmal zugegeben, wie schwer es ihm fällt, sich zu beherrschen. [...] Helfen Sie mir!»

Nicolais Antwort ist nicht bekannt. Ilse jedenfalls entzieht sich dem Ansinnen. Ihre Mutter willigt ein Jahr später trotz des Vorfalls in ihre Ehe mit Albert ein. Der ist zwar nicht zum Zug gekommen bei der zerbrechlichen mondänen Tochter, die sich immer nach der neuesten Mode kleidet und Stunden in Schönheitssalons verbringt. Seine Andeutungen lassen aber vermuten, dass sein Feuer noch nicht erloschen ist. Im August 1919 teilt er Ilse mit, sie könne seine Sekretärin werden – aber nur, wenn sie ihre Halbtagsstelle als Laborkraft an der Universität aufgibt. «Grund: Erhaltung und womöglich Erhöhung der jungfräulichen Reize.» Und 1920, als er sich auf eine Reise nach Norwegen vorbereitet, schreibt er an seinen Freund und Kollegen Fritz Haber: «Von den Frauen werde ich nur eine mitnehmen, Else oder Ilse. Letztere eignet sich am besten, da sie gesünder und praktischer ist.»

Kapitel 7

Vom Wunderkind zum Wunderjahr
Einsteins Engel

Hat sie oder hat sie nicht? Kaum eine Frage hat die Einstein-Forschung mehr in die Schlagzeilen gebracht: Hat Mileva ihrem geliebten Albert auf die Sprünge geholfen und ihn auf den Weg zum Erfolg geführt? Hat sie bedeutende Beiträge zu seinen epochalen Arbeiten von 1905 geliefert? Hat sie ihn mit ihren Ideen womöglich erst zu dem Star der Physik gemacht, den die Welt später kennen lernt – gleichsam als «Mutter der Relativitätstheorie», wie die Zeitschrift «Emma» sie in einem Aufsehen erregenden Artikel im Oktober 1983 nennt? Hätte sie demnach einen anderen Platz in seiner Biographie verdient als nur den einer physikalisch beschlagenen Lebensabschnittspartnerin mit Trauschein und Kindern, die er auf dem heiligen Altar der Wissenschaft opfern muss? Oder wäre er, ein Genius sui generis, auch ohne ihr Zutun ans selbe Ziel gelangt?

Der «Emma»-Artikel beruft sich im Wesentlichen auf eine einzige Quelle, eine Biographie über Mileva. Darin schreibt die serbische Autorin Desanka Trbuhovic-Gjuric im Zusammenhang mit der 1905 veröffentlichten Speziellen Relativitätstheorie: «Wir können nicht umhin, stolz darauf zu sein, dass an ihrem Entstehen und an ihrer Redaktion unsere grosse Serbin Mileva Marić beteiligt war.»

Zu Milevas Vater soll Einstein einmal gesagt haben: «Alles was ich geschaffen und erreicht habe, habe ich Mileva zu danken. Sie ist mein genialer Inspirator, mein Schutzengel gegen Versündigungen im Leben und noch mehr in der Wissenschaft. Ohne sie hätte ich mein Werk nie begonnen, noch vollendet.» Und in einem viel zitierten Brief Einsteins an Mileva vom 27. März 1901 heißt es: «Wie glücklich und stolz werde ich sein, wenn wir beide zusammen unsere Arbeit über die Relativbewegung siegreich zu Ende geführt haben!»

Die «seriöse» Forschung reagiert auf die weltweit aufgegriffene Geschichte. Seine Untersuchung, schließt John Stachel, erster Direktor am Einstein Papers Project, «führt zur Schlussfolgerung, dass sie [Mileva] eine kleine, aber signifikante Rolle dabei gespielt hat».

Was könnte diese gewesen sein? In seinen Briefen an sie steht zwar sehr viel häufiger «ich» und «mein» als «wir» und «unser», wenn es um die Wissenschaft geht. Gleichwohl heißt es dann auch wieder Ende April 1901: «Sehr neugierig bin ich, ob sich unsere konservativen Molekularkräfte auch für Gase bewähren werden.» Und kurz darauf über Professor Gustav Weber vom Technikum Winterthur: «Ich hab ihm unsere Abhandlung gegeben. Wenn wir nur bald das Glück hätten, zusammen auf dieser schönen Bahn weiter zu streben.»

Möglicherweise ist hier das Ende der gemeinsamen «schönen Bahn» bereits erreicht. Denn Mileva ist schwanger – der Wendepunkt in ihrer wissenschaftlichen Karriere. Anfangs hat sie womöglich noch das Bild vom glorreichen Forscherpaar nach dem Vorbild der Eheleute Curie vor Augen gehabt. Nun wird sie nicht Mutter der Relativitätstheorie, sondern fühlt Einsteins Sprössling aus Fleisch und Blut in sich.

Und was ist vorher passiert? Jeder kreativ Schaffende weiß, dass es neben Vorschlägen, Anregungen und anderen harten Beiträgen auch weiche, mittelbare gibt, Hinweise auf Schwächen und Widersprüche etwa und klärende Fragen oder auch nur freie Assoziationen beim Brainstorming am gemeinsamen Küchentisch. Auf seinem Weg zum Gipfel ist Mileva für Einstein die wichtigste Begleiterin. Auch wenn sie ihn mit voller Kraft nur bis zum Basislager begleiten kann, hat sie dem Himmelstürmer womöglich wegweisende Hilfestellungen gegeben.

Von Einstein dazu kein Wort. Wie auch anders? Als er die Entstehungsgeschichte der Relativitätstheorie erstmals schildert, hat er sich längst von Mileva abgewandt. Bis ins hohe Alter bringt er immer neue Versionen hervor. Milevas Name taucht nicht auf. Aber nicht nur der ihre fehlt. Andere wichtige Weggefährten finden ebenfalls keine Erwähnung.

Als Mensch des 19. Jahrhunderts, beseelt vom romantischen Genie-Kult seiner Jugendlektüre mit dem Entdecker als einsamem Helden, hat sich Einstein nie als Teil eines Teams verstanden. Die Beiträge seiner Zuträger nimmt er, durchaus freundlich und oft lebenslang dankbar, ohne weitere Würdigung in sein Gesamtkunstwerk auf – als seien sie dem Genie gleichsam naturgesetzlich zugefallen.

Das Bild vom einsamen Genie gehört ohnehin in die Mottenkiste verklärter Vorstellungen. Die scheinbar übermenschlichen Fähigkeiten eines Individuums haben mit der Wirklichkeit in den komplexen Systemen menschlichen Miteinanders nicht viel zu tun. Da sich jeder Lebenslauf aus Gewinnen und Verlusten in der Entwicklung zusammensetzt, müsse der Begriff der Genialität von der Person weg auf das System hin gerichtet werden, sagt die Psychologin und Lebenslaufforscherin Ursula Staudinger von der International University in Bremen. Ein Einzelner wie Einstein verkörpert demnach eine Art von kreativem Schmelztiegel, in dem sich die unterschiedlichen Elemente zu einer völlig neuen Qualität verbinden. «Genialität» besteht letztlich darin, mit unbestechlichem Instinkt alle Versatzstücke, Ideen und Verbindungsteile zu erkennen, aufzunehmen und zum größeren Ganzen zu verschweißen. Umgekehrt beginnt das Genie gleichsam als ein roher Diamant, den viele zu schleifen helfen.

So gesehen bildet die Frage nach Milevas Beitrag zu Alberts Werk nur einen Teil des sehr viel umfangreicheren Komplexes, wer im System Einstein an welcher Stelle welche Elemente beigesteuert hat. Vor, neben und nach ihr säumen Menschen seinen Lebensweg, die quasi wie Engel im Drama seines Daseins immer wieder genau zum richtigen Zeitpunkt seine Bühne betreten und ihm zur Seite stehen. Ohne ihre Mitwirkung stellt sich in der Tat die Frage, ob Einstein bei aller Liebe zur Einsamkeit zu dem geworden wäre, den die Welt bis heute feiert.

Überdies hat er das Glück, sich von Anfang an in weltoffenen fortschrittlichen Umgebungen entfalten zu können. Als sich das «Wunderkind» – er ist immer noch erst siebzehneinhalb – im Oktober 1896 am Züricher Polytechnikum einschreibt, kommt er in die größte Stadt der Schweiz – Bankenmetropole, internationaler Finanzplatz, Rückgrat der Schweizer Industrialisierung. Ingenieure und Naturwissenschaftler werden gebraucht. Spezielle Hochschulen wie das «Poly» bilden sie aus. Bei Einsteins Eintritt zählt es gerade mal 1000 Studenten – nicht mehr, als sein Münchner Gymnasium Schüler hatte. Alberts nächste

Bezugspersonen in der «Schule für Fachlehrer mathematischen und naturwissenschaftlicher Richtung»: neben Mileva, der einzigen Frau in der Abteilung VI A, Jakob Ehrat, Louis Kollros und Marcel Grossmann. Grossmann wird sein erster echter Freund und einer der hilfreichsten Engel seines Lebens. «Dieser Einstein», soll Marcel seinen Eltern schon bald nach der ersten Begegnung gesagt haben, «wird einmal etwas ganz Großes werden.»

Alberts Studentenbuden – er wohnt zur Untermiete und in Pension an drei verschiedenen Adressen – liegen alle im gutbürgerlichen Stadtteil Hottingen, nur einen kurzen Fußweg vom «Poly» entfernt. Für seinen Unterhalt sorgt mit monatlich 100 Franken die reiche Verwandtschaft in Italien. Die väterliche Firma hat erneut Konkurs gemacht, und die Eltern stecken – vorübergehend – finanziell in der Klemme. Zwar «drückt mich natürlich das Unglück meiner armen Eltern», schreibt er seiner Schwester Maja. «Ich bin ja eine Last für meine Angehörigen. [...] Es wäre wahrlich besser, wenn ich gar nicht lebte.» Doch «als lustiger Fink», der ich «ohne einen verdorbenen Magen oder so etwas ähnliches gar kein Talent habe zu melancholischen Stimmungen», kann er seine Studienjahre im Rahmen seines Budgets weitgehend sorgenfrei verleben. Musizieren, die Geige ist immer dabei, Wandern, Nächte in verrauchten Kneipen, studentischer Schabernack, da bildet Einstein keine Ausnahme – nur dass er keinen Alkohol anrührt.

Einmal die Woche darf er sich – wie einst der Gaststudent Max Talmud in seinem Elternhaus – am Tisch der Familie Fleischmann satt essen, Geschäftspartnern seiner Genueser Verwandtschaft. Durch Vermittlung von Bekannten seiner Eltern findet er Aufnahme in der Familie von Alfred Stern. Der weit über Zürichs Grenzen bekannte Geschichtsprofessor steht ihm «in väterlicher Freundschaft» zur Seite, und Einstein erinnert sich später dankbar, dass «ich mehr als einmal in trauriger oder bitterer Stimmung zu Ihnen ging und dort stets Freudigkeit und inneres Gleichgewicht wiederfand».

Seiner Stimmung bitter aufgestoßen haben könnte sein Studium. «Für Menschen meiner Art von grüblerischem Interesse ist das Universitätsstudium nicht unbedingt segensreich», schreibt er kurz vor seinem Tod. «So lernte ich allmählich mit einem einigermaßen schlechten

Gewissen in Frieden zu leben.» Schon bald habe er sich damit abgefunden, nur «ein mittelmäßiger Student zu sein». Wie schon in Schulzeiten reibt er sich an Ausbildern und der Qualität ihrer Angebote. «Es ist eigentlich ein Wunder», sagt er im Rückblick, «daß der moderne Lehrbetrieb die heilige Neugier des Forschens noch nicht ganz erdrosselt hat.»

Der eigenwillige Student macht es sich aber auch nicht leicht. In Mathematik könnte er durch die Professoren Hermann Minkowski und Adolf Hurwitz eine der besten Ausbildungen in ganz Europa bekommen. Er lässt die Chance fast ungenutzt verstreichen. «Ich sah, daß die Mathematik in viele Spezialgebiete gespalten war, deren jedes diese kurze uns vergönnte Lebenszeit wegnehmen konnte», schreibt er im Alter. «So sah ich mich in der Lage von Buridans Esel, der sich nicht für ein besonderes Bündel Heu entschließen konnte.» Seine Nachlässigkeit wird sich rächen. Ausgerechnet Minkowski, der Einsteins Schlendrian im Studium mehrfach bemängelt, wird sich als einer der Engel auf seinem Lebensweg entpuppen. 1908 liefert er eine mathematische Formulierung der Speziellen Relativitätstheorie, die nicht unwesentlich den Weg zur Allgemeinen Relativitätstheorie ebnet.

Doch als Erster muss Marcel Grossmann seinem Freund Albert einen «Rettungsanker» zuwerfen. Als die Prüfungen in Mathematik anstehen und Einstein sich ungenügend vorbereitet weiß, überlässt ihm der ein Jahr Ältere seine Hefte mit den peniblen Mitschriften zum Nachpauken. Mit Grossmann bereitet er sich auch auf die Zwischenprüfung vor, die er dann sogar als Bester noch vor dem Freund besteht. Und eben dieser Freund wird ihm bei der Allgemeinen Relativitätstheorie aus der Patsche helfen.

Da ihm das «Physikalische Praktikum für Anfänger» nicht passt und er häufig fernbleibt, erhält er einen schriftlichen Verweis und einmal sogar die schlechteste Note. Der Physikprofessor Heinrich Friedrich Weber, der ihn seinerzeit nach der verpatzten Aufnahmeprüfung zum Polytechnikum gegen die Regeln in seine Vorlesungen eingeladen hat, liest dagegen «mit großer Meisterschaft», wie Albert seiner Freundin berichtet.

Seine Mitschrift von dessen Grundvorlesung hat sich als eines der wenigen Dokumente aus dieser Zeit erhalten. Aus den Randbemerkungen lässt sich auch ein erstes Interesse Alberts an den Kräften erkennen, die zwischen den Molekülen herrschen. In Webers bestens ausgestattetem Laboratorium bekommt er, wiederum «mit Fleiß und Eifer», besonders in der Elektrotechnik «direkte Berührung mit der Erfahrung». Sie knüpft fast nahtlos an seine hautnahe Bekanntschaft mit der Materie in der Fabrik von Vater und Onkel an.

Da aber Weber die neuesten Entwicklungen in seinem Leib- und Magenfach ausklammert, «‹schwänzte› ich viel und studierte zu Hause die Meister der theoretischen Physik mit heiligem Eifer». Wieder auf die Rolle des Autodidakten zurückgeworfen, erschließt er sich die moderne Physik auf dem einprägsamsten Weg. Zumindest an diesem Abenteuer der Einsicht ist Mileva noch mit vollem Herzen beteiligt. Und der Tisch der Physik ist reich gedeckt.

Zu Einsteins Pensum gehören insbesondere die Arbeiten zum Elektromagnetismus von James Clerk Maxwell und Heinrich Hertz sowie die neuen Werke von Ludwig Boltzmann und Hermann von Helmholtz. Boltzmann hat über die statistische Theorie der Mechanik die Grundgesetze der Wärmelehre abgeleitet, Helmholtz sie mit seinen Hauptsätzen der Thermodynamik auf ein neues Fundament gestellt.

Wie ein Vorbild steht dessen unumstößlicher Satz von der Erhaltung der Energie vor ihm. Er besagt, «daß alle Naturkräfte, die bisher getrennt voneinander untersucht worden waren, [...] in denselben Einheiten gemessen werden können, nämlich in Einheiten der Energie, deren Gesamtmenge im Weltall weder zu- noch abnimmt». Anklänge an Einsteins Jugendlektüre sind unübersehbar.

Bei der Abschlussprüfung im Frühjahr 1900 landet Albert von fünf Kandidaten der Abteilung VI A nur auf dem vierten Platz. In der Notenskala von 1 bis 6 mit 6 als bester Zensur erreicht er einen Durchschnitt von 4,91. Mileva aber, so streng sind die Regeln, fällt mit 4,0 knapp durch. Hier trennen sich ihre beruflichen Werdegänge. Albert geht seinen Weg mit der unschuldigen Rücksichtslosigkeit eines willensstarken Kindes. Mileva aber muss die Prüfung wiederholen und bleibt zwangsläufig zurück.

Das offizielle Studium bringt Einstein mehr oder weniger routiniert hinter sich. Ganz anders sein Privatstudium, das er in geübter Manier daheim im Sessel oder Pfeife rauchend im Caféhaus absolviert. Er liest auch erkenntnistheoretische Schriften, und hier besonders die Bücher des Österreichers Ernst Mach. Auf die hat ihn zur rechten Zeit ein weiterer Engel in seinem Leben hingewiesen, der sechs Jahre ältere Ingenieur Michele Besso.

Intellektuell und auch von dessen Lebensführung findet Albert in dem unsystematischen, spontanen, sporadisch genialischen Denker Michele das passende Gegenmodell zum disziplinierten, hoch konzentrierten, überragenden Mathematiker Marcel. Kommilitone Grossmann, mit dem er «jede Woche einmal feierlich ins Café ‹Metropol› am Limmatquai» geht, ist «nicht so ein Vagabund und Eigenbrödler wie ich». In Freund Besso dagegen sieht er den «Schlemihl», einen Kerl irgendwo zwischen Pechvogel und Taugenichts. «Er ist zwar ein arger Schwächling ohne einen Funken gesunde Menschlichkeit, der sich zu keiner That im Leben und wissenschaftlichen Schaffen aufraffen kann», vertraut Albert Mileva an, «aber ein überaus feiner Kopf, in dessen allerdings unordentlichen Betrieb ich mit großem Genuß hineinsehe.»

Auch äußerlich unterscheiden sich Grossmann und Besso stark. Auf der einen Seite mit seinem hohen Gesicht, seiner langen Nase und breiten Stirn der nordisch strenge Grossmann, auf der anderen Besso, ein südländischer Typ mit dunklen Locken und vollem Bart. Und dazwischen Einstein. Während der Studienjahre verwandelt er sich vom unfertigen Burschen mit Flaum um die Lippen und scheuem Blick in einen selbstbewussten jungen Mann, der mit festen Zügen und ersten Ansätzen des für ihn so typischen Schnauzbartes herausfordernd kess in die Kamera schaut.

Ernst Machs Ideen, die Einstein mit Besso eingehend erörtert, schulen sein philosophisches Denken gerade in jener Phase, da er sich im Selbststudium mit den begrifflichen Grundlagen der Wissenschaft befasst. Der Wiener Physiker und Philosoph setzt sich für «ökonomische» wissenschaftliche Gedankenmodelle ein, in denen unbelegte Hypothesen und Hilfskonstruktionen keinen Platz haben. Physikalische Begriffe wie Geschwindigkeit, Kraft oder Energie müssen nach Mach eindeutig mit sinnlicher Erfahrung verbunden sein. Aus diesem Grundsatz leitet sich das spätere erkenntnistheoretische Glaubensbekenntnis Einsteins ab: «Ich halte es nicht für berechtigt, die logische Unabhängigkeit des Begriffs von den Sinneserfahrungen zu verschleiern», sagt er. «Die Beziehung entspricht nicht jener von Suppe zu Rindfleisch, sondern besser der von Garderobennummer zu Mantel.»

Vorstellungen von absolutem Raum und absoluter Zeit, wie sie seit Newton fast unumstritten gelten, sind nach Mach nichts als Behauptungen. Sie entbehren jeder Erfahrung. Eine Uhr, die dem Weltgeschehen den Takt vorgibt, hat nie jemand zu Gesicht bekommen oder ticken gehört – weil sie gar nicht existiert. Der ominöse Äther, eine Hilfskonstruktion zum Verständnis des Lichtes, lässt sich ebenso wenig beobachten oder messen.

Mach widerspricht aber auch heftig der Idee von Atomen, auf deren Existenz nur indirekt geschlossen werden kann. Nie hat sie jemand direkt nachgewiesen. In diesem Punkt aber entzieht sich Einstein seinem Einfluss. Fasziniert blickt er stattdessen auf die Entdeckung immer neuer Strahlungsarten, besonders auf jene in der Elektrizität, die ihm seit seiner Kindheit vertraut ist. Kathodenstrahlen etwa entstehen, wenn sich zwischen zwei Polen, einer Kathode und einer Anode, durch Anlegen einer elektrischen Spannung ein Lichtbogen aufbaut.

Dem Franzosen Jean-Baptiste Perrin gelingt 1895 der Nachweis, dass Kathodenstrahlen aus Partikeln bestehen. 1897 beschreibt der Brite Joseph John Thomson die winzigen negativ geladenen Teilchen als «Elektronen». Damit sind die ersten Bausteine der Atome der Unsichtbarkeit entrissen – ohne dass sie zu jenem Zeitpunkt allerdings schon als solche erkannt worden wären.

1895 beobachtet der Deutsche Wilhelm Conrad Röntgen bei Versuchen mit Kathodenstrahlen zufällig die später nach ihm benannten energiereichen Strahlen. Sie können sogar feste Substanzen durchdringen. 1901 erhält er den ersten Nobelpreis der Geschichte.

Nachdem der Franzose Antoine-Henri Becquerel 1896 die natürlichen «Uranstrahlen» entdeckt hat, erkennen seine Landsleute Marie und Pierre Curie zwei Jahre später das allgemeinere Phänomen der Radioaktivität. Und 1897 gelingt dem Briten Ernest Rutherford der Nachweis, dass es sich dabei um mindestens zwei Strahlungsarten handelt, die er Alpha- und Betastrahlen nennt.

Wiederum Becquerel stellt drei Jahre später fest, dass die Betastrahlen nichts anderes als Elektronen sind. Damit treten die winzigen Ladungsträger erstmals als Bestandteile von Atomen auf, die sie abstrahlen. Unter dem Eindruck der vielen Entdeckungen wird Einstein früh zum Atomisten. In seinem «Wunderjahr» 1905 entwickelt er nicht nur die Relativitätstheorie. Mit drei weniger bekannten, doch ebenfalls bedeutenden Arbeiten legt er auch Grundlagen für eine atomistische Theorie der Materie.

Die Straße zum Erfolg zeigt sich dem frisch Diplomierten zunächst ziemlich steinig. Womöglich liegt in den Hindernissen eines der Geheimnisse seines Wirkens. Wieder gibt ihm das Leben, wenn auch unter materiell schwierigen Bedingungen und belastet durch berufliche Ungewissheit, Raum und Zeit, sich zu entfalten. Statt sich sofort in die Karrieremühle zu begeben, nimmt Einstein zunächst den Weg durch eher abseitige Institutionen.

Wichtigste Stütze in jener Zeit, von seinen Eltern heftig bekämpft, bleibt Mileva. Besso geht mit seiner Frau Anna als technischer Experte für elektrotechnische Unternehmen 1900 nach Mailand, Grossmann 1901 als Lehrer an die Thurgauer Kantonsschule in Frauenfeld.

Einstein erfährt bei seiner Rückkehr von einem Besuch in Mailand, dass er als einziger Absolvent seiner Abteilung keine Assistentenstelle erhalten hat. Zu verdanken hat er das vermutlich auch seinem nachlässigen und aufmüpfigen Verhalten im Studium. Einem, der seinen Hochschullehrer gegen alle Grundsätze fortgesetzt mit «Herr Weber» statt mit «Herr Professor» anredet, fühlt sich der Angesprochene eben weniger verpflichtet als den Regeltreuen.

Unverdrossen macht er sich daran, einen anderen Weg ins wissenschaftliche Establishment zu finden: Er veröffentlicht Artikel in Fachzeitschriften. Seine ersten beiden Publikationen verraten indes, wie unsicher er auf dem Terrain noch umhertastet. Andrerseits zeugen sie von einem unbekümmerten Selbstbewusstsein. Immerhin hat er nun etwas zum Vorzeigen – auch wenn es sich, wie er später einräumt, nur um «meine zwei wertlosen Erstlingsarbeiten» handelt.

«Kannst Dir vorstellen, wie stolz ich auf mein Schatzerl bin», schreibt Mileva, deren Ehrgeiz in Alberts aufzugehen beginnt, ihrer Freundin Helene. «Es ist nämlich keine alltägliche Arbeit, sondern sehr bedeutend, aus der Theorie der Flüssigkeiten. Wir haben sie auch privatim dem Boltzmann eingeschickt, und möchten gerne wissen, was er darüber meint, hoffentlich schreibt er uns.»

Von einer Antwort Ludwig Boltzmanns ist nichts bekannt. Aber allein die Tatsache, dass der frisch Diplomierte zusammen mit seiner Freundin seine Hervorbringungen einem der bedeutendsten Physiker zusendet, zeugt von einem gesunden Selbstwertgefühl. Davon legt er einmal mehr Zeugnis ab, als er in seinem kaum zu bremsenden Übermut nicht davor zurückschreckt, den bekannten Gießener Physiker Paul Drude «auf seine Irrtümer aufmerksam zu machen».

Zwei Monate später berichtet er Mileva wutentbrannt vom Antwortbrief Drudes, «der für die Erbärmlichkeit seines Schreibers ein so untrüglicher Beweis ist, daß ich keine Erklärung hinzufügen brauche. Ich werde mich von nun an an keinen solchen Kerl mehr wenden, sondern ihn rücksichtslos in Zeitschriften angreifen, wie ers verdient.»

Autorität und Hierarchie sind Einstein einerlei, wenn es um Wahrheit und Richtigkeit geht. «Der wackre Schwabe forcht sich nit», zitiert er unentwegt den ihm landsmännisch verbundenen Dichter Ludwig Uhland.

Nachdem er sich gleich beim ersten Versuch einer Doktorarbeit offenbar mit Professor Weber überworfen hat, startet er einen erneuten Anlauf bei dessen Kollegen Alfred Kleiner. Doch nach Lage der Quellen bleibt er wieder ohne Erfolg. Nur eine Quittung über 230 Franken, die Einstein nach Zurückziehen der Arbeit erhält, ist als Zeugnis seines erneuten Scheiterns erhalten geblieben. «Was diese Philister einem, der nicht von ihrer Sorte ist, alles in den Weg legen, ist wirklich schauderhaft», schäumt der Abgewiesene in einem Brief an die Freundin. «So einer betrachtet jeden jungen intelligenten Kopf instinktiv als eine Gefahr für seine morsche Würde.»

Den Plan mit der Dissertation gibt er vorerst auf, «da mir das doch wenig hilft und die ganze Komödie mir langweilig geworden ist». Stattdessen schickt er jede Menge Bewerbungen um eine Assistentenstelle hinaus. «Bald werde ich alle Physiker von der Nordsee bis an Italiens Südspitze mit meinem Offert beehrt haben!», meldet er Mileva. Doch auch dieses Unterfangen gestaltet sich äußerst unerfreulich. Außer gelegentlichen Eingangsbestätigungen erhält er keine Antworten.

Trotzig schreibt er Mileva im Dezember 1901: «Wir bleiben Student und Studentin (horribile dictu) solange wir leben und kümmern uns einen Dreck um die Welt.» Als «wieder einige Stellenjägereien nicht vorwärts gehen», vermutet er schließlich seinen alten Professor hinter dem Misserfolg. «Ich hätte auch längst eine solche gefunden, wenn Weber nicht ein falsches Spiel gegen mich spielte», mutmaßt er in einem Brief an Grossmann. «Trotzdem lasse ich kein Mittel unversucht und laß mir auch den Humor nicht verderben.»

In tiefer Sorge um die Zukunft seines Filius schaltet sich sogar Hermann Einstein ein. «Verzeihen Sie gütig einem Vater, der es wagt, im Interesse seines Sohnes sich an Sie, geehrter Herr Professor, zu wenden», schreibt er an den berühmten Physiker Wilhelm Ostwald in Leipzig. «Mein Sohn fühlt sich nun in seiner gegenwärtigen Stellenlosigkeit tief unglücklich & täglich setzt sich die Idee stärker in ihm fest, daß er mit seiner Carriere entgleist sei & keinen Anschluß mehr finde.»

Nachdem mit seinem Fachlehrerdiplom die wohlhabende Verwandtschaft ihre Zahlungen eingestellt hat und auch die Eltern seinen Lebensunterhalt nicht finanzieren können, gerät der junge Mann allmählich in Geldnöte. Als Mileva schwanger ist, fasst er einen «unwiderruflichen Entschluß»: «Ich suche mir eine, wenn auch noch so ärmliche Stelle *sofort*», teilt er ihr mit. «Sobald ich eine solche erhalten habe, verheirate ich mich mit Dir und nehme Dich zu mir.»

Nach mindestens einem bekannten Fehlversuch – «teilen wir Ihnen mit, daß die Wahl nicht auf Sie gefallen ist» – schlüpft er für ein paar Wochen als Aushilfslehrer in Winterthur unter. Anfang September 1901 erhält er schließlich eine Anstellung als Privatlehrer in Schaffhausen. Dort soll er unter den Fittichen des Mathematiklehrers Jakob Nüesch einen jungen Engländer auf das Abitur vorbereiten. Mit dem Schüler versteht er sich bestens, aber mit seiner Gastfamilie hat er sich bald überworfen. Als er verlangt, seine Mahlzeiten vom Arbeitgeber bezahlt außer Haus einnehmen zu können, weil ihn die Gespräche am heimischen Tisch anöden, kommt es zum Krach. «Gut, wie sie wollen», schreibt Albert Mileva am 12. Dezember, «für den Augenblick muß ich nachgeben – ich werde schon Existenzbedingungen zu finden wissen, die mir besser passen. (Denk wie frech, in meiner Lage!)»

Als er sich mit seiner Sturheit am Ende doch durchsetzt und «meinen Zweck erreicht» sieht, hat er Nüesch vollends aufgebracht. «Die Leute sind nun schäumend vor Wut gegen mich, aber ich bin jetzt eben so frei wie jeder andere Mensch.» Lange geht die Sache ohnehin nicht mehr gut. Am 4. Februar 1902 berichtet er seinem neuen Freund Conrad Habicht, den er in Schaffhausen kennen gelernt hat: «Ich bin von N mit Knalleffekt abgesegelt.»

Im rechten Licht entpuppt sich das Absegeln als nicht ganz so draufgängerisch, wie es vielleicht auf den ersten Blick erscheinen mag. Habicht erhält die Karte aus Bern, und zwar nicht ohne Grund. Marcel Grossmann hat im Hintergrund die Strippen für den «alten Freund und Pechvogel» gezogen und seinem eigenen Vater dessen Lage geschildert. Der ist mit Friedrich Haller befreundet, dem Direktor des Schweizer Patentamts in Bern, und empfiehlt den jungen Fachlehrer für die nächste offene Stelle im «Eidgenössischen Amt für geistiges Eigentum». Einstein glaubt die kommende Anstellung fest in seinen Händen. Er zieht in die Hauptstadt und sucht sich eine Wohnung.

Im Dezember 1901 hat er sich um den Posten beworben. Das dazu erforderliche Schweizer Bürgerrecht ist ihm schon am 21. Februar desselben Jahres nach längerem Hin und Her zuerkannt worden. Der Züricher Stadtrat hat sogar einen Privatdetektiv auf ihn angesetzt. Der bescheinigt ihm mit dem Zusatz «Abstinent», ein «sehr eifriger, fleißiger und äußerst solider Mann» zu sein. Schließlich ist Albert zur Befragung vor die zuständige Sektion des Stadtrats geladen worden, die ihn anstandslos als Neubürger akzeptiert. Von seiner Liebschaft und deren Schwangerschaft dürfen die Schweizermacher natürlich nichts wissen. Seine mögliche Furcht, nun in der Schweiz Militärdienst leisten zu müssen, erweist sich als unbegründet: Wegen Krampfadern, Plattfüßen und Fußschweiß wird auf sein Mitwirken verzichtet.

Mileva, die im Juli 1901 endgültig durchs Examen gefallen ist, wohnt seit Ende des Jahres vorübergehend bei ihren Eltern im serbischen Neusatz. Dort bringt sie nach zuletzt leidvoller Schwangerschaft im Januar 1902 ihr «Lieserl» zur Welt.

«Ist es auch gesund und schreit schon gehörig?», erkundigt sich der junge Papa prompt. «Was hat es denn für Augen? Wem von uns sieht es denn mehr ähnlich?» In seinem kindlichen Forscherdrang schreibt er vergnügt: «Ich möchte auch einmal selber ein Lieserl machen, es muss doch zu interessant sein! Es kann gewiß schon weinen, aber lachen lernt es erst viel später. Darin liegt eine tiefe Wahrheit.»

Gleich nach seiner Ankunft in Bern, der «altertümlichen, urgemüt-lichen Stadt, in der man genau ebenso leben kann wie in Zürich», hat er «schon dafür gesorgt, daß ich im hiesigen Anzeigerblatt ausgeschrieben werde». Die Anzeige, die für seinen nun beginnenden Lebensabschnitt Folgen haben wird, erscheint am nächsten Tag:

«Privatstunden in Mathematik u. Physik für Studierende und Schü-ler erteilt gründlichst Albert Einstein, Inhaber des eidgen. polyt. Fach-lehrerdiploms, Gerechtigkeitsgasse 32, 1. Stock. Probestunden gratis.»

Die Not, die ihn diese Annonce aufgeben lässt, treibt ihm seine nächs-ten Engel zu. Zunächst meldet sich der aus Rumänien stammende Jude Maurice Solovine, ein groß gewachsener Mann, vier Jahre älter als Ein-stein, der aus seinen kleinen Augen unter hoher Stirn ein wenig finster dreinschaut. Als Student an der Berner Universität, eingeschrieben für Physik und Philosophie, sucht er einen Gesprächspartner über Grund-fragen im Grenzbereich zwischen seinen beiden Fächern – Fragen wie die, ob es eine reale Welt gibt, und wenn ja, ob wir es wissen können.

Kurz darauf stößt Conrad Habicht zu dem Duo. Der zarte, scharfsin-nige Schweizer, drei Jahre älter als Einstein, macht mit seiner feinrandi-gen Brille und dem schwungvoll aus der Stirn nach hinten gekämmten Haar am meisten von den dreien den Eindruck eines jungen Intellektu-ellen. Doch statt sich von dem arbeitslosen Fachlehrer Einstein unter-richten zu lassen und ihm ein kleines Einkommen zu sichern, schlie-ßen sich die drei Schnauzbärte zu einem Diskussionskreis zusammen, der sich regelmäßig trifft und übermütig «Akademie Olympia» nennt. Ob die beiden tatsächlich nur als Einsteins «Resonanzboden» gedient oder entscheidende Ideen aktiv beigetragen haben, ist aus heutiger Sicht nicht mehr zu klären.

Was die drei in ihren abendlichen Sitzungen bei «Schlackwurst, Schweizer Käse, Obst, etwas Honig und ein bis zwei Tassen Tee», bei Mokka, hart gekochten Eiern und viel «Heiterkeit» mit großem Ernst zusammen lesen, was sie in Fortsetzung der nächtlichen Treffen tags darauf oft im Café Bollwerk, einer dunklen verrauchten Höhle, weiter erörtern, fügt sich in das werdende Weltbild, mit dem Einstein ab 1905 die traditionellen Vorstellungen von Raum, Zeit und Materie über den Haufen werfen wird. Eine bessere Fortsetzung seiner jugendlichen Lektüre hätte er nicht finden können.

Welchen Spaß die drei an ihrem Clübchen haben, verrät die Inschrift auf einem Zinnteller, den Habicht für Einstein gravieren lässt: «Albert Ritter von Steissbein, Präsident der Akademie Olympia.» Auf dem eindrucksvollen Arbeitsprogramm des Trios stehen neben den Büchern von Ernst Mach – «Analyse der Empfindungen» und «Die Mechanik in ihrer Entwicklung» – weitere Werke, die sich im Sinne des Positivismus des ausgehenden 19. Jahrhunderts mit Reformeifer gegen jede metaphysische Absolutheit von Religion oder Magie stellen. Sie sehen das «Positive» im Sicheren und zweifellos Gegebenen und Tatsächlichen – in Erfahrung und Empirie.

«Die Grammatik der Wissenschaft» von Karl Pearson und die «Kritik der reinen Erfahrung» von Richard Avenarius schärfen Einsteins Verständnis der empirisch erfahrbaren Welt. Im «System der deduktiven und induktiven Logik» des Briten John Stuart Mill finden die Olympier die vielleicht tief schürfendste Untersuchung über die wissenschaftlichen Verfahrensweisen – vom Messen und Experimentieren bis zu den Theorien der allgemeinsten Naturgesetze.

Den prägendsten Eindruck im Leseprogramm der dreiköpfigen Akademie hinterlassen neben den Werken Ernst Machs die Bücher von David Hume und Henri Poincaré. Der Schotte Hume stellt vor allem das Prinzip von Ursache und Wirkung und damit die Allgemeingültigkeit des Kausalgesetzes infrage. «Daß die Sonne morgen nicht aufgehen wird, ist ein nicht minder verständlicher Satz und nicht widerspruchsvoller, als die Behauptung, daß sie aufgehen wird.» Die Sicherheit, dass sie aufgehen wird, so Hume, beruht nur auf Erfahrung. Es wird so kommen, weil es immer so war. Das Kausalgesetz gilt nach Hume aber nur innerhalb des bekannten Erfahrungsbereiches – in anderen könnten die Dinge ganz anders aussehen.

Gewissheit besteht nur in den Beziehungen, wie sie die Mathematik beschreibt. Dass drei mal vier zwölf ergibt, beruht letztlich auf einer Festlegung, die auch anders möglich wäre. Dass drei mal vier innerhalb dieser Festlegung aber das Gleiche ergibt wie zwei mal sechs, ist als logische Folge unumstößlich. Deshalb betrachtet es Hume als oberstes Ziel menschlicher Erkenntnis, die Erfahrungen mit den empirisch aufgefundenen Ursachen zusammenzubringen. Genau das steckt im Kern von Einsteins Relativitätstheorie. Sie macht keine Aussagen darüber, was Raum und Zeit sind, aber sie beschreibt, wie sie sich zueinander verhalten.

Zentrale Ideen dazu finden die drei von der Akademie schließlich im Werk des Mathematikers und Philosophen Henri Poincaré, besonders in «Wissenschaft und Hypothese». Im Jahr 1900 fasst der Franzose seine Überlegungen auf einem großen Philosophen-Kongress zusammen: «Es gibt keinen absoluten Raum, und wir begreifen nur relative Bewegungen», verkündet er und steht damit selber nur einen Schritt vor dem Durchbruch. Er geht so weit, selbst Raum und Zeit Formen der Anschauung zu nennen – also nicht wie Kant als gegebenen Rahmen der Dinge und Ereignisse. «Es gibt keine absolute Zeit», verkündet er, «wenn man sagt, dass zwei Zeiten gleich sind, so ist das eine Behauptung. [...] Wir haben nicht nur keine direkte Anschauung von der Gleichheit zweier Zeiten, sondern wir haben nicht einmal diejenige von der Gleichzeitigkeit zweier Ereignisse, welche auf verschiedenen Schauplätzen vor sich gehen.» Einstein hätte es kaum schöner sagen können.

Zusammen mit Habicht und Solovine dringt er bis zum Kern der wichtigsten erkenntnistheoretischen Probleme seiner Zeit vor. Zwischendurch nehmen die drei Werke der Weltliteratur in ihr Programm, die «Antigone» von Sophokles etwa oder Cervantes' «Don Quijote», eins von Einsteins Lieblingsbüchern, dann wieder Platons Dialoge und die Ethik des Baruch Spinoza, später ein zentraler Text in Einsteins «kosmischer Religion».

Welcher Physiker seiner Zeit hat so viele Voraussetzungen in sich vereint, zum Gipfel aufzubrechen? Albert ist jung und unabhängig von verfestigten Lehrmeinungen. Er verfügt über eine glänzende Übersicht über Physik und Philosophie. Er hat praktische Anschauung genommen im heimischen Betrieb und im Labor an Schule und Hochschule. Und er besitzt jene Mischung aus Egozentrik, Instinkt und Intuition, die ihn sicher seinen Weg finden lässt.

Und dann kommt auch noch eine Lerneinheit in wissenschaftlich-technischer Vorstellungskunst hinzu. Ende Mai 1902 absolviert Einstein sein Vorstellungsgespräch am Patentamt. Ende Juni tritt er, Grossmann sei Dank, seinen Job als «Technischer Experte III. Klasse» an. Neben ihm arbeiten dort zwölf weitere Fachmänner unter den insgesamt 29 Beamten. Sein Jahresgehalt: 3500 Franken; die Wochenarbeitszeit: 48 Stunden, jeweils acht Stunden an sechs Tagen; Arbeitsantritt: 8 Uhr in der Früh. Meist trägt er seinen karierten Anzug, den er sich auf Wunsch des Amtsleiters Friedrich Haller hat schneidern lassen.

Das bildliche und kritisch-analytische Denken, das die Bearbeitung von Patentgesuchen mit sich bringt, schärft den Geist dessen, der sich dem Theoretischen in sehr realitätsnahen Gedankenexperimenten nähern will. Zum wissenschaftlichen Arbeiten bleibt Einstein nur die Freizeit der Abende und Wochenenden. Das Amt mit der dazugehörigen finanziellen Sorgenfreiheit erweist sich gleichwohl als Segen – in seinen eigenen Worten sogar als «eine Art Lebensrettung». Die akademische Erfolglosigkeit verwandelt sich in sein Erfolgsgeheimnis.

Nebenher unterrichtet er weiter nach Dienstschluss einen Privatschüler, den um neun Jahre älteren Westschweizer Lucien Chavan. In dessen Notizbüchern findet sich nach seinem Tod 1942 ein Foto und dazu eine genaue Beschreibung des Lehrers: «Einstein ist 1,76 Meter groß, breitschultrig und etwas nach vorn gebeugt. Sein kurzer Schädel wirkt ungemein breit. Der Teint ist von mattem Hellbraun. Über dem großen sinnlichen Mund sprosst ein schmächtiger, schwarzer Schnurrbart. Die Nase hat leichte Adlerform. Die sehr braunen Augen strahlen tief und weich. Die Stimme ist einnehmend, wie ein vibrierender Celloton.»

Und Mileva? Sie lebt mit der Tochter weiter bei ihren Eltern. Insgesamt bleibt sie mehr als ein Jahr lang von Albert getrennt. In dieser Zeit zerbricht nicht nur endgültig ihre berufliche Karriere. Die wissenschaftlich-intellektuelle Partnerschaft mit ihrem Freund zerbröckelt ebenfalls. Als sie kurz vor dem Jahreswechsel von 1902 auf 1903 in die Schweiz zurückkehrt, hat sich ihre Welt von Grund auf verändert. Hat allein schon der Abschied von ihrem Kind, den Albert aus weiter Ferne verfolgt hat, sie tief verwundet, sieht sie sich nun auch noch aus dem geistigen Leben des Freundes verdrängt. Die Sitzungen der Akademie Olympia in den heimischen vier Wänden verfolgt sie zwar aufmerksam, aber zumeist schweigend und in sich gekehrt. Hier könnte ein Keim ihres wachsenden Grolls liegen.

Einstein macht sein Versprechen wahr und heiratet Mileva wenige Tage nach ihrer Rückkehr, am 6. Januar 1903. Trauzeugen: Conrad Habicht und Maurice Solovine. Später wird er vom «Pflichtgefühl» sprechen, das ihn bei allem «inneren Widerstreben» zu diesem Schritt bewegt habe. Allerdings unternimmt er ihn nicht ohne das väterliche Plazet. Im Oktober eilt er nach Mailand, um gerade noch rechtzeitig Abschied von seinem Erzeuger zu nehmen. Auf dem Sterbebett erklärt sich Hermann Einstein mit der Ehe des Sohnes einverstanden.

«Als das Ende kam, bat Hermann alle, den Raum zu verlassen, so daß er allein sterben konnte», hat Helen Dukas Einsteins Biographen Abraham Pais erzählt. «An diesen Augenblick erinnerte sich sein Sohn niemals ohne Schuldgefühle.»

Mit der Eheschließung ist die typische Aufgabenteilung vollzogen und der Traum vom gemeinsamen Streben erloschen. «Ich bin also jetzt ein verheirateter Ehemann und führe mit meiner Frau ein sehr nettes behagliches Leben», berichtet Einstein Besso wenige Tage nach der Heirat. «Sie sorgt ausgezeichnet für alles, kocht gut und ist immer vergnügt.» Ob Mileva das so unterschrieben hätte?

Als sie im Sommer 1903 wieder in ihre serbische Heimat reist, um sich um die Tochter zu kümmern, trägt sie erneut ein Kind ihres Mannes im Bauch. «Brüte recht sorgsam, daß was Gutes zustande kommt», ermuntert Albert sie und erkundigt sich: «Als was ist denn das Lieserl eingetragen? Wir müssen sehr Sorge haben, daß dem Kinde nicht später Schwierigkeiten erwachsen.» Das lässt sich mit Blick auf das unbekannte Schicksal der Kleinen als Hinweis darauf lesen, dass sie womöglich zur Adoption freigegeben worden ist. Am 14. Mai 1904 kommt in der Kramgasse 49 in Bern nach zuletzt erneut schwerer Schwangerschaft Sohn Hans Albert zur Welt.

Im November 1903 ist das Ehepaar in die kleine Wohnung in der Berner Altstadt ein paar Schritte vom berühmten Zeitglockenturm gezogen. Diese Wohnung dient heute entgegen Einsteins erklärtem Willen, nach seinem Tod keine Weihestätten in seinem Andenken zu schaffen, als kleines Museum zu seinen Ehren. Täglich steigen Touristen aus aller Welt von der Einkaufsstraße die Stufen der schmalen Treppe hinauf und tragen sich ins Gästebuch ein. Sie fotografieren einander wie Pilger am Ziel ihrer Sehnsüchte vor dem Schreibtisch aus den Beständen des Berner Patentamtes oder vor dem Original-Stehpult. Mögen Raum und Zeit auch relativ sein – in diesen absoluten vier Wänden hat das Genie im realen Frühjahr 1905 den Text seiner Speziellen Relativitätstheorie zu Papier gebracht. An dem Stehpult hat sich auch Einstein im schicken Glencheck ablichten lassen, um das Bild an alle möglichen Adressaten zu schicken.

Als Conrad Habicht nach seiner Promotion im Sommer 1904 Bern verlässt, schläft die schöne Tradition der «akademischen Sitzungen unserer löblichen Akademie» ziemlich rasch ein.

Fast zeitgleich kehrt Michele Besso in die Stadt zurück und nimmt, auf Einsteins Rat hin, seine Arbeit als Experte II. Klasse am selben Patentamt auf, wo der Freund seit zwei Jahren beschäftigt ist. Täglich sieht man die beiden nun in Diskussionen vertieft Seite an Seite durch die arkadengesäumten Gassen der Berner Altstadt zur Arbeit gehen und abends nach Hause zurückkehren. Es sind diese Gespräche, in denen die letzten Bausteine zur Relativitätstheorie zusammenkommen. Und es ist Besso, dem Einstein am Ende der Publikation als Einzigem unter all seinen Helfern danken wird. Ansonsten lässt er zum Befremden der Fachkollegen jeglichen Hinweis auf Quellen fehlen.

Zwischendurch hat er dreist erwogen, von einer Sonderregelung für herausragende Forscher Gebrauch zu machen und sich an der Universität Bern ohne Promotion direkt zu habilitieren. Die beiden Arbeiten, die er bisher in den «Annalen» veröffentlicht hat, reichen dazu allerdings keineswegs aus. Erneut scheitert sein Versuch, seine akademische Karriere zu starten. Die drei nächsten Publikationen, die er in der Zeitschrift veröffentlicht, zeugen jedoch von deutlich gewachsener wissenschaftlicher Reife.

Ob Mileva daran noch irgendwie beteiligt ist, lässt sich nicht mehr feststellen. Nichts deutet aber darauf hin. Vermutlich besteht ihr Beitrag darin, ihm so gut es geht den Rücken frei zu halten und sich um Haushalt und Kind zu kümmern. Im November 1904 geht eine Nachricht um die Welt, die ihr einen weiteren, vielleicht den schlimmsten Stich versetzt haben könnte: Den diesjährigen Nobelpreis für Physik erhalten Pierre und Marie Curie. Damit bekommt auch zum ersten Mal eine Frau die höchste naturwissenschaftliche Auszeichnung.

Noch vor Ende 1904 wird Einstein zum freien Mitarbeiter der «Beiblätter zu den Annalen der Physik» berufen. In denen werden vor allem Bücher und Artikel aus anderen Fachblättern besprochen. So kann er seinen Schreibstil weiterentwickeln und sich, sonst notorisch schlecht versorgt mit wissenschaftlicher Literatur, auf den aktuellen Stand der Forschung bringen. Von den 23 Texten, die er in den «Beiblättern» veröffentlicht, erscheinen 21 im Jahr 1905, das sein «Wunderjahr» genannt wird.

Diesen Namen trägt das Jahr aber nicht wegen der Besprechungen, die er in seiner beispiellosen Produktivität fast nebenbei abliefert, sondern wegen seiner Serie von fünf Publikationen im Hauptblatt, den «Annalen». Nach ihnen wird die Physik nicht mehr sein, was sie war. Ende Mai 1905 kündigt er Conrad Habicht vier der fünf Arbeiten in einem Brief an, der als Dokument eines einzigartigen Moments in die Wissenschaftsgeschichte eingeht:

«Lieber Habicht!

Es herrscht ein weihevolles Stillschweigen zwischen uns, so daß es mir fast wie eine sündige Entweihung vorkommt, wenn ich es jetzt durch ein wenig bedeutsames Gepappel unterbreche. Aber geht es dem Erhabenen in dieser Welt nicht stets so?

Was machen Sie denn, Sie eingefrorener Walfisch, Sie geräuchertes, getrocknetes eingebüchstes Stück Seele, oder was ich sonst noch, gefüllt mit 70 % Zorn und 30 % Mitleid, Ihnen an den Kopf werfen möchte! Nur letzteren 30 % haben Sie es zu verdanken, daß ich Ihnen neulich, nachdem Sie Ostern so sang- und klanglos nicht erschienen waren, nicht eine Blechbüchse voll aufgeschnittenen Zwiebeln und Knobläuchern zuschickte. Aber warum haben Sie mir Ihre Dissertation immer noch nicht geschickt? Wissen Sie denn nicht, daß ich einer von den $1^1/_2$ Kerlen sein würde, der dieselbe mit Interesse und Vergnügen durchliest, Sie Miserabler? Ich verspreche Ihnen vier Arbeiten dafür. [...]

Die vierte Arbeit liegt erst im Konzept vor und ist eine Elektrodynamik bewegter Körper unter Benützung einer Modifikation der Lehre von Raum und Zeit; der rein kinematische Teil dieser Arbeit wird Sie sicher interessieren.»

Gemeint ist damit nichts anderes als die Spezielle Relativitätstheorie.

Kapitel 8

Die Quadratur des Lichtes
Warum Einstein die Relativitätstheorie entdecken musste

Diese Nacht im Mai 1905, vielleicht die wichtigste in seinem Leben. Genaues Datum unbekannt. Auch sonst keine Einzelheiten. Keine Zeugnisse oder Zeugen, nur ein Hörensagen vom Davor und Danach. Ein Zuhörer hat mitgeschrieben, Ende 1922 im japanischen Kyoto. Dort schildert Einstein, inzwischen weltbekannt, in deutscher Sprache jene Stunden, die ihm den Durchbruch brachten. Die einzige Quelle.

In der Erinnerung geht ein «wunderschöner Tag» voraus. Einstein hockt mit seinem Freund und Patentamtskollegen Michele Besso zusammen. Wie üblich diskutieren sie ein physikalisches Problem. Nicht irgendeins, sondern das ganz große: Wie lassen sich die Widersprüche überwinden, die das herrschende physikalische Weltbild in den letzten Jahren so grundlegend erschüttert haben? Alle Koryphäen sind an dieser Frage gescheitert – nun kapituliert auch Einstein: «Ich gebe auf», teilt er dem Kameraden mit.

Dann die Nacht. Wie hat er sie verbracht? Sicher wieder viel geraucht, Pfeife, Zigarren. Unzählige Zettel voll gekritzelt, Rückseiten von Briefen, Rechnungen, egal was. Hauptsache, die Gedanken finden das Papier. Kann er schlafen? Hält ihn die Erregung wach? Schreit Hans Albert, das einjährige Baby? Berät er sich mit Mileva? Hilft sie ihm beim Rechnen? Oder arbeitet er allein, und sie stellt ihm einmal mehr das Essen vor die Tür?

Irgendetwas muss passiert sein im Gespräch mit Besso. Womöglich hat ihm der Freund den entscheidenden Tipp gegeben. Oder auch nur zur rechten Zeit die rettende Frage gestellt. «Plötzlich verstand ich, wo der Schlüssel zu diesem Problem lag.» Sagt Einstein, gut 17 Jahre später in Japan.

Am Morgen trifft er Besso wieder. Er ruft ihm – «bevor ich ihn über-haupt begrüßt hatte» – die großartige Neuigkeit zu: «Danke dir, ich habe mein Problem vollständig gelöst.» Die Lösung erhält ihren Na-men erst einige Jahre später: Spezielle Relativitätstheorie. Wie Einstein diese Theorie gefunden hat, die mit seinem Namen verschweißt ist wie Evolution und Psychoanalyse mit Darwin und Freud, weiß niemand. Wie ihm die Erleuchtung gekommen ist, welche Synapsen in seinem Gehirn gezündet haben, welche logischen Schritte sich vollzogen, wel-che Bilder zusammengeflossen sind, wie er sein Heureka erlebt hat, den Höhepunkt nach jahrelanger Grübelei – versunken. Ein Rätsel ge-knackt, ein neues hinterlassen. Typisch Einstein.

Was aber davor geschah, was er gewusst, worauf er reagiert, was ihn getrieben hat, warum Einstein die Relativitätstheorie finden mus-te, davon können wir uns ein Bild machen. Nicht der Wahnsinn, das Glück steht dem Genie am treuesten zur Seite. Aus heutiger Sicht ist der Patentbeamte ein Auserwählter – der richtige Mensch am richtigen Ort zur richtigen Zeit.

Die Wurzeln der Revolution reichen tief. Im Rückblick wirkt alles wie perfekt zusammengepasst. Die Jugendlektüre, das Selbststudium, die Physikergefährtin, die Akademie Olympia, die Gespräche mit Besso. Und die Zeit ist reif für seine Entdeckung, durch die der Raum und die Zeit zum vierdimensionalen Gebilde der Raumzeit verschmel-zen.

Schon als Schüler hat Albert in Alexander von Humboldts «Kos-mos» nachlesen können, «daß wir mit unseren großen Fernrohren gleichzeitig vordringen in den Raum und in die Zeit». Und bei Felix Eberty heißt es: «Auf diese Weise haben wir die Ausdehnung der Zeit mit der des Raumes zusammenfallend der sinnlichen Anschauung so nahe gebracht, daß Raum und Zeit als gar nicht voneinander verschie-den begriffen werden können.»

Humboldt und Eberty beschreiben ein heiß diskutiertes Thema in Einsteins Jugend: die Zeit als vierte Dimension, eng mit den drei Di-mensionen des Raumes verknüpft. Gemeinsam sind sie als Einheit auf-zufassen. Das muss er nicht erst herausfinden.

Genau diese Idee aber bildet ein Grundelement zum Verständnis der

Relativitätstheorie – auch wenn Einstein sie nach allem, was bekannt ist, auf einem anderen Weg gefunden hat. Er muss sich erst durch einen Irrgarten theoretischer Widersprüche arbeiten. Heute können wir das Labyrinth von oben betrachten und Einstein mit dem Plan in der Hand bei seinen tastenden Schritten begleiten. Und wenn es etwas gab, das ihn geführt hat bei seiner Odyssee, dann ist es sein Lebensthema – das Licht.

Was erblicken wir, wenn «wir mit unseren großen Fernrohren gleichzeitig vordringen in den Raum und in die Zeit»? Wir sehen Licht – und zwar Licht, das von entfernten Quellen zu uns dringt. Von dort ist es eine Zeit lang unterwegs gewesen. Licht braucht Zeit. Ganz gleich, ob es von den Zeilen dieses Buches zur Netzhaut unserer Augen gelangt oder einem fernen Stern: Auf dem Weg vom Sender zum Empfänger, von der Quelle zum Ziel, legt das Licht eine Strecke durch den Raum zurück, für die es Zeit benötigt.

Dabei verhält es sich wie jeder Reisende, der sich mit gleich bleibender Geschwindigkeit fortbewegt: Je weiter sein Weg, desto länger ist es unterwegs, desto mehr Zeit verstreicht. Seine Geschwindigkeit ist zwar fast unvorstellbar groß. Aber sie ist nicht unendlich, sondern endlich. Licht legt in einer Sekunde rund 300 000 Kilometer zurück. Kilometer lassen sich daher auch in Jahren messen und Jahre in Kilometern. Ein Lichtjahr entspricht knapp zehn Billionen Kilometern. Das ist eine Eins mit 13 Nullen.

Raum, Zeit und Licht sind somit aufs engste miteinander verbunden. Das hat, wie Einstein in seiner Jugendlektüre lernen konnte, der Däne Ole Rømer bereits im 18. Jahrhundert beim Betrachten des Jupitermondes Io bemerkt. Mondfinsternisse treten dort später auf, wenn sich der Planet weiter von der Erde weg befindet, und früher, wenn er erdnäher steht.

Doch wie nah oder weit auch immer etwas entfernt ist: Da Licht Zeit braucht, bevor uns sein Bild erreicht, ist ein Ereignis immer schon geschehen. «Wir sehen», schreibt Aaron Bernstein in seinen «Naturwissenschaftlichen Volksbüchern», «in diesem Sinne immer nur die Vergangenheit und niemals die Gegenwart.» Das Licht der Sonne zum Beispiel braucht etwa acht Minuten, bis es auf der Erde ankommt. Das heißt, wir Irdischen erblicken die Sonne, wie sie vor acht Minuten ausgesehen hat. Würde sie plötzlich erlöschen, dann träte erst acht Minuten später auf der Erde Dunkelheit ein. Eine Selbstverständlichkeit schon in Einsteins Jugend.

Angenommen, die Sonne zeigte sich uns als Uhr mit Zifferblatt und Zeigern, die wir an heiteren Tagen bequem von der Erde aus ablesen könnten. Nehmen wir weiterhin an, diese Sonnenuhr liefe vollkommen im Takt mit einer irdischen Uhr am Ort des Betrachters. Sie bräuchte für einen Erdentag ebenfalls genau 24 Stunden. Ein Blick zum Himmel, und wir wüssten, wie spät es ist.

Was aber sähen wir, wenn uns die Sonne die aktuelle Uhrzeit anzeigte? Da das Licht von der Sonne zur Erde, also auch das Bild von der Sonnenuhr, acht Minuten zu uns unterwegs ist, sähen wir nicht die Uhrzeit, welche die himmlischen Zeiger gerade eingenommen haben, sondern diejenige Stellung, die sie vor acht Minuten hatten. In dem Moment, da wir auf der Uhr am Himmel Schlag zwölf erkennen, sind deren Zeiger bereits acht Minuten lang weitergerückt. Das heißt, auf der Sonne ist es bereits acht nach zwölf. Um uns also die korrekte Zeit zu zeigen, muss die Sonnenuhr aus irdischer Sicht acht Minuten vorgehen. Eine scheinbar einfache Rechnung, die auch schon lange vor Einstein galt.

Entscheidend für das Grundverständnis der Relativitätstheorie: Das Bild der Uhr und ihrer Zeigerstellung haben sich während der Reise mit dem Licht nicht verändert. Es scheint, als reise der Moment, also die Zeit, wie eingefroren mit dem Licht. Anders gesagt: Die Zeit befindet sich auf Augenhöhe mit dem Licht und umgekehrt das Licht mit der Zeit. Die Uhr als reisendes Bild steht still wie auf einem Foto. Irgendetwas Seltsames passiert da mit Zeit und Raum. Und das hat offenbar mit dem Licht zu tun, das gewissermaßen mit der Zeit durch den Raum eilt.

Dass die Geschwindigkeit des Lichtes endlich ist, hängt damit zusammen, dass es die Zeit nicht überholen kann. Denn wäre es dazu imstande, dann könnten wir in die Zukunft schauen und Ereignisse sehen, die noch gar nicht stattgefunden haben. Dagegen wehrt sich der gesunde Menschenverstand (auch wenn in der sonderbaren Welt der Quanten solche Vorgänge scheinbar vorkommen). Da nichts die Zeit überholen kann, die mit dem Licht reist, kann sich auch nichts anderes schneller bewegen als Licht. Die Lichtgeschwindigkeit ist das höchstmögliche Tempo für Bewegungen im Universum. Einstein wird sie als eine Art absolute, konstante Geschwindigkeit zum Maß aller Dinge erklären.

Wer sich das klar macht, hat die wichtigste Grundidee der Speziellen Relativitätstheorie schon verstanden. Sie ist zwar nicht über diesen Gedankengang, aber mit diesem Hintergrundwissen entstanden. Eine ihrer merkwürdigsten Aussagen lautet: Uhren gehen langsamer, je schneller sie sich einem Beobachter gegenüber bewegen. Je näher sie in ihrer Bewegung der Lichtgeschwindigkeit kommen, desto mehr verlangsamt sich ihr Gang – bis zum Stillstand, so wie das Bild von der Sonnenuhr.

Schon als Schüler hat Einstein, vermutlich ausgelöst durch eine vergleichbare Idee in Bernsteins Büchern, nach eigenen Angaben ein Gedankenexperiment angestellt, das er später als wesentlich auf dem Weg zur Relativitätstheorie beschreibt: Wie sähe die Welt aus, wenn man auf einem Lichtstrahl reiten könnte? Dahinter steckt die (im Grunde unsinnige) Frage, ob man das Licht einholen kann und was dann zu sehen wäre. Würde die Welt zum feststehenden Bild erstarren? Oder sieht sie immer gleich aus, egal, wie schnell wir selber uns bewegen?

Auf seinem langen Weg zur Relativitätstheorie macht Einstein zwei Grundannahmen, die ihm ungemein wichtig sind. Die Lichtgeschwindigkeit ist (im Vakuum) konstant. So lautet das eine der zwei unumstößlichen Prinzipien, auf denen die Spezielle Relativitätstheorie fußen wird wie auf zwei Säulen. Solange das Licht durch nichts aufgehalten wird, bleibt sein Tempo unverändert. Das andere ist das so genannte klassische Relativitätsprinzip, das auf Galilei und in dessen Folge auf Newton zurückgeht.

Wer oder was «bewegt» sich eigentlich, wenn wir davon sprechen, ein Ding bewege sich gegenüber einem anderen? Die kurze Antwort nach Galilei lautet: Beide bewegen sich immer «relativ» zueinander. Fährt ein Zug an einem Bahnsteig vorüber, dann bewegt sich für die Wartenden dort der Zug. Umgekehrt bewegt sich für die Reisenden im Zug der Bahnsteig mit den Wartenden an ihnen vorbei.

Diese nur auf den ersten Blick triviale Aussage ist von großer Tragweite. Sie heißt anders gelesen: Es gibt keinen bevorzugten Betrachter. Jede Seite kann mit gleichem Recht behaupten, sie selber ruhe und die andere bewege sich relativ zu ihr. Auch der zweite Punkt des Galilei'schen Relativitätsprinzips scheint simpel. Er betont die Addierbarkeit von Geschwindigkeiten. Das «Additionsprinzip» entspricht dem gesunden Alltagsverständnis. Fahren ein Zug mit 50 und ein anderer mit 100 Stundenkilometern in Gegenrichtung aneinander vorbei, dann lassen sich ihre Geschwindigkeiten zusammenzählen. Beide bewegen sich relativ zum anderen mit 150 Stundenkilometern. Geht ein Schaffner in Fahrtrichtung mit fünf Stundenkilometern in dem Zug, der 100 fährt, dann bewegt er sich von außen gesehen mit 105. Dieses einleuchtende Rechenverfahren ist als Galilei-Transformation bekannt.

Dort, wo das klassische Relativitätsprinzip gilt, befindet sich innerhalb seiner eigenen Welt jeder Körper im Ruhezustand. Von dem aus gemessen bewegen sich die anderen Körper. So dient uns Irdischen die Erde als perfektes ruhendes Bezugssystem, obwohl sie sich in Wahrheit dreht und zusätzlich mit beträchtlicher Eile durchs All saust. Der fahrende Zug ruht ebenfalls gleichsam in sich. In dem Sinne sind nach Galilei alle Bezugssysteme gleichberechtigt.

In keinem der gleichförmig bewegten Fahrzeuge, das ist der zentrale Aspekt, lässt sich ihre Bewegung durch mechanische Experimente feststellen. Ein Apfel fällt im gleichmäßig fahrenden Zug ebenso gerade zu Boden wie auf dem Bahnsteig. Auf der Erde fallen Dinge senkrecht nach unten, obwohl sie sich dreht. Das erscheint uns selbstverständlich. Zu Galileis Zeiten war es das nicht. Die Naturgesetze sind also zumindest in der Mechanik vom Zustand der Bewegung unabhängig, solange diese gleichförmig bleibt. Sind sie es auch, so das große Rätsel der damaligen Wissenschaft, in der Elektrodynamik, wo es um extrem schnelle Bewegungen wie die von Elektronen oder Licht geht?

Das ist eine Kernfrage der Speziellen Relativitätstheorie. Um sie zu beantworten, hat Einstein einen langen Weg zurücklegen müssen. Er hat sich nicht von vornherein darangemacht, wofür er heute berühmt ist: Begriffe wie Zeit und Raum neu zu bestimmen und ein neues Weltbild zu erschaffen. Dahin gelangt er erst gegen Ende seiner Reise, die ihn über Klippen eingefahrener Denkmuster, durch Dickichte physikalischer Widersprüche und die weiten Ebenen vorwissenschaftlicher Gewissheiten schließlich zu seiner Revolution führt. Sie bleibt ihm als allerletzte Möglichkeit, die Ungereimtheiten zu beseitigen, die sich in der klassischen Physik zu seiner Zeit aufgetürmt haben.

Der eklatanteste Widerspruch wird im Gegeneinander der beiden Prinzipien deutlich, die Einstein zu Säulen seiner Theorie machen wird, der Konstanz der Lichtgeschwindigkeit und des klassischen Relativitätsprinzips: Mit welcher Geschwindigkeit bewegen sich zwei Systeme relativ zueinander, die mit jeweils 75 Prozent Lichtgeschwindigkeit am anderen vorbeisausen? Nach der Additionsregel von Galilei müsste sich ein Wert von 150 Prozent, also 1,5-fache Lichtgeschwindigkeit ergeben. Das aber ist unmöglich, wenn nichts schneller sein kann als Licht. Relativitätsprinzip und Konstanz der Lichtgeschwindigkeit, wie Einstein sie kennen lernt, schließen einander aus. Seine geniale Einsicht besteht darin, dass mit diesem auch viele weitere Widersprüche zusammenhängen und dass sie sich womöglich allesamt mit einer neuen Theorie ausräumen lassen.

Nach allem, was wir wissen, geht Einstein von Anfang an vor wie der Mitarbeiter einer großen Gerichtsbehörde – etwa ein aufmerksamer Volontär, der sich in allen Abteilungen gleichermaßen auskennt, ohne in irgendeiner etwas zu sagen zu haben. Während die einen Drogen- und andere Verkehrsdelikte, dritte Wirtschafts- und wieder andere Gewaltverbrechen untersuchen, erkennt er als Einziger, dass die Fälle aller seiner wahrheitsuchenden Kollegen zusammenhängen.

In der klassischen Physik heißen die Abteilungen Mechanik, Wärmelehre und Elektromagnetismus. Jede versucht, die Wirklichkeit jeweils mit ihren eigenen Methoden und Theorien am besten zu beschreiben. Mehr als 200 Jahre lang beherrscht die Mechanik, wie Isaac Newton sie formuliert hat, fast unangefochten das Geschehen. Seine Gesetze für Kräfte und Bewegungen können lange Zeit den Anspruch alleiniger Gültigkeit bis in alle Ewigkeit erheben.

Doch im 19. Jahrhundert beginnt ihre Deutungshoheit zu bröckeln. Zum einen bekommt das mechanistische Weltbild Konkurrenz durch die Wärmelehre. Die Vertreter dieser Abteilung mit dem Namen Thermodynamik glauben, alles mit Begriffen wie dem der Energie erklären zu können. Zum anderen beansprucht auch die Abteilung Elektrodynamik zunehmend Mitspracherecht. Sie will das physikalische Weltgeschehen mit der Theorie des Elektromagnetismus und den darin vorkommenden Feldern deuten.

In der Behörde, die nur der Volontär Einstein durch seine Botengänge vollständig kennt, herrscht um die Jahrhundertwende ein babylonisches Durcheinander der Daten und Deutungen. Nicht Mangel, eher Überfluss an Ergebnissen, die nicht recht zusammenpassen wollen, prägt das Bild. Wie kein anderer Mitarbeiter im Wahrheitsamt sieht der junge Bote vor lauter Wald noch die Bäume. Einstein erkennt, dass die Fälle besser zu bearbeiten wären, gingen die Kollegen gemeinsam vor. Genau das macht seinen späteren Triumph aus: Statt sich mit den Abteilungen anzulegen, die wie Fürstentümer geführt ihre Teilweltbilder verteidigen, kümmert er sich um die weniger befestigten Grenzbezirke.

Alle Arbeiten, die er in seinem «Wunderjahr» 1905 veröffentlicht, behandeln Probleme aus den Grenzbereichen zwischen den Abteilungen. Jede führt zu einer Verschmelzung von Theorien in der Physik – so wie es ihm die Autoren seiner Jugendbücher als höchstes Ziel gepriesen haben. Schon 1901 vertraut Einstein seinem Freund Grossmann an: «Es ist ein herrliches Gefühl, die Einheitlichkeit eines Komplexes von Erscheinungen zu erkennen, die der direkten sinnlichen Wahrnehmung als ganz getrennte Dinge erscheinen.»

Er ist natürlich nicht der Einzige, dem die eklatanten Widersprüche in der physikalischen Theorie aufgefallen sind – wie der zwischen Galileis Relativitätsprinzip und der Konstanz der Lichtgeschwindigkeit. Doch statt die gesamte Behörde einer Revision zu unterziehen, räumen die Fürsten der Physik immer nur in ihren Abteilungen auf. Eine dieser Durchlauchten verehrt Einstein Zeit seines Lebens glühend: den Niederländer Hendrik Lorentz. «Ich bewundere diesen Mann wie keinen anderen», schreibt er 1909, «ich möchte sagen, ich liebe ihn.»

Lorentz hat ab 1895 die Theorie des Elektromagnetismus von James Clerk Maxwell erweitert, die alle magnetischen, elektrischen und optischen Erscheinungen einheitlich erklärt. Wie Maxwell und fast alle Zeitgenossen geht Lorentz dabei von jenem merkwürdigen Medium aus, das schon seit den Zeiten René Descartes' durch die physikalische Theorie geistert: dem Äther. Diese ominöse Substanz hat nie jemand gesehen, geschweige denn direkt gemessen oder sonst wie erfasst. Die Physiker haben sie dennoch als Hilfskonstruktion in ihre Theorien eingeführt, um die Bewegung des Lichtes und anderer elektromagnetischer Wellen als mechanischen Vorgang zu erklären. Sie stellen sie sich als einen masselosen, starren Stoff vor, der das gesamte Weltall erfüllt und dabei auch alle Körper durchdringt. Die Lichtwellen sollen sich in dem festen Medium etwa so fortpflanzen wie die Stoßwellen eines Erdbebens in der Erdkruste.

Die mysteriöse Substanz hat es Einstein bereits in seiner Jugend angetan. Im Sommer 1895 verfasst er als Geschenk an seinen spendablen Onkel Cäsar in Brüssel unter dem Titel «Über die Untersuchung des Ätherzustandes im magnetischen Felde» seinen ersten wissenschaftlichen Essay. Im August 1899, als Zwanzigjähriger, schreibt er Mileva: «Es wird mir immer mehr zur Überzeugung, daß die Elektrodynamik bewegter Körper, wie sie sich gegenwärtig darstellt, nicht der Wirklichkeit entspricht, sondern sich einfacher wird darstellen lassen. Die Einführung des Namens ‹Äther› in die elektrischen Theorien hat zur Vorstellung eines Mediums geführt, von dessen Bewegung man sprechen könne, ohne daß man wie ich glaube, mit dieser Aussage einen physikalischen Sinn verbinden kann.» Demnach hat er bereits begonnen, sich auch die Probleme bewusst zu machen, die mit der Vorstellung eines solchen «Lichtmediums» einhergehen.

Einstein nimmt das Problem sehr ernst. Anfangs plant er sogar eigene Experimente zusammen mit seinem ehemaligen Lehrer Konrad Wüest. «In Aarau», schreibt er im September 1899 an Mileva, «ist mir eine gute Idee gekommen zur Untersuchung, welchen Einfluß die Relativbewegung der Körper gegen den Lichtäther auf die Fortpflanzungsgeschwindigkeit des Lichtes in durchsichtigen Körpern hat.» Noch glaubt er also an die geheimnisvolle Substanz. Das wird sich bald ändern.

An deren Existenz knüpft sich eine zentrale Frage: Ruht der Äther im Universum als vollständig stationäres Medium, durch das alle Himmelskörper hindurchfliegen, also auch die Erde? Oder ist er beweglich und wird von den Himmelskörpern mitgerissen, sodass er auf der Erde womöglich sogar stillsteht wie die Luft an einem windfreien Tag? Im Lehrbuch von August Föppl, das Einstein als Studierender liest, wird die Beantwortung dieser Frage als «vielleicht wichtigste Aufgabe der heutigen Forschung» bezeichnet.

Die Maxwell-Lorentz-Theorie geht von einem Lichtmedium aus, das sich sozusagen durch nichts aus der Ruhe bringen lässt. Wie viele andere helle Geister seiner Zeit treibt Einstein nun eine entscheidende Frage um: Wenn der Äther den gesamten Weltraum als unbewegliches Medium erfüllt, müsste sich die Bewegung der Erde durch den Äther dann nicht irgendwie nachweisen lassen? Unser Planet kreist immerhin mit 30 Kilometern pro Sekunde um die Sonne. Das heißt, der stillstehende Äther müsste auf der Erde, die sich durch ihn bewegt, einen «Wind» der gleichen Größe erzeugen. Selbst wenn er alles durchdringt, also auch uns selbst, ohne dass wir es registrieren, müsste er sich für das Licht bemerkbar machen – als eine Art Rücken- oder Gegenwind, je nachdem, ob das Licht mit der Erdbewegung ausgesandt wird oder gegen sie. Die Lichtgeschwindigkeit müsste also zunehmen oder sich verlangsamen so wie das Tempo eines Schwimmers, der mit dem Strom schwimmt oder dagegen. Das zumindest fordert das klassische Relativitätsprinzip, nach dem sich Geschwindigkeiten addieren.

Als aus seinen Experimenten mit seinem Lehrer nichts wird, macht sich Einstein an seine Lieblingsbeschäftigung: Er liest eine umfangreiche Abhandlung über verschiedenste Versuche, die Effekte des Äthers nachzuweisen. Den wichtigsten haben die Amerikaner Albert Michelson und Edward Morley 1887 angestellt. Sie haben dafür eigens ein neues Messgerät konstruiert, das «Interferometer». In dem Apparat, der bis heute Anwendung findet, wird Licht geteilt und so zwischen Spiegeln hin- und hergeschickt, dass sich selbst winzigste Unterschiede in der Geschwindigkeit feststellen lassen – je nachdem, ob es sich in Richtung des Äthers oder quer zu ihm bewegt.

Zu ihrem großen Erstaunen können Michelson und Morley aber keinen Effekt feststellen. Wie sie ihren Apparat auch drehen und wenden, die Lichtgeschwindigkeit bleibt stets dieselbe. «Auch diese allerfeinste Äther-Windfahne», schreibt Einstein rückblickend 1920, «spürte den Äther nicht.» Die Erde scheint sich demnach im Verhältnis zum Äther nicht zu bewegen. Beobachtungen und optische Experimente besagen aber das genaue Gegenteil. Ein handfester Widerspruch, den Einstein nicht hinnehmen kann.

Hendrik Lorentz, der fest an das Lichtmedium glaubt, findet einen eleganten Ausweg. Ohne dass es dafür die Spur eines experimentellen Beweises gäbe, nimmt er an, dass sich Gegenstände bei hohen Geschwindigkeiten durch die Wirkung des Ätherwindes mechanisch zusammenziehen. Mit dieser «Kontraktionshypothese» kann er die Ergebnisse aller Versuche einwandfrei erklären, auch die von Michelson und Morley: Das Interferometer verkürzt sich danach in Richtung des Ätherstroms genau um den Betrag, den die Erhöhung der Lichtgeschwindigkeit durch die Addition mit dem Strom wettmacht. Also kann das Gerät gar keine Abweichung messen. Dank der Tat des Niederländers scheint das Ätherkonzept gerettet.

Doch der junge Heißsporn in der Schweiz lässt nicht locker: «Sollte Gott [...] uns wirklich in einen Äthersturm gesetzt haben», fragt sich Einstein, «und sollte er [...] dabei andererseits die Naturgesetze accurat so eingerichtet haben, dass wir von diesem Sturme nichts bemerken?» Seine Antwort lässt keinen Zweifel: «In Wahrheit sind es doch wir selbst, die den Äther samt dem Ätherwind erfunden haben.»

Robert Rynasiewicz, Philosoph und Relativitätsexperte an der Johns Hopkins University im amerikanischen Baltimore, weist auf einen weiteren Widerspruch hin, in den sich Lorentz verstrickt hat. Mit seinem ruhenden Äther bevorzugt er ein Bezugssystem, gegenüber dem sich alles andere bewegt. Dies sei, so der Physikhistoriker, durchaus vergleichbar mit Newtons Idee vom absoluten Raum, der den Rahmen aller Bewegungen bildet. Danach spielt sich – wie es der gesunde Menschenverstand täglich erlebt – das gesamte Weltgeschehen auf einer Art festen Bühne ab, die sich in Ruhe befindet.

Alle Bewegungen, also auch die des Lichtes, finden relativ zu diesem absoluten Raum statt. Solch ein ruhendes Bezugssystem widerspricht jedoch dem Prinzip der Relativität, wie Galilei es für mechanische Bewegungen beschrieben hat. Danach bewegt sich nicht nur alles relativ zu allem anderen. Auch der Ruhezustand, den der Reisende im Zug ebenso wie der Wartende auf dem Bahnsteig zu Recht reklamiert, ist nur relativ. Kein Bezugssystem ist bevorzugt oder absolut, jede Warte ist gleichberechtigt.

Damit enthält das klassische Relativitätsprinzip ein Moment von Symmetrie, das für Einsteins Entdeckungen und für die gesamte moderne Physik bis zum heutigen Tag von enormer Wichtigkeit ist: Von welchem Standpunkt aus auch betrachtet, die Verhältnisse zwischen zwei bewegten Systemen sind gleich.

Diese Symmetrie wird durch die Vorstellung eines stationären Äthers verletzt. Während sich nach Lorentz im bewegten System, etwa auf der Erde im vermuteten Ätherwind, die Längen und Maßstäbe verkürzen, bleiben sie im ruhenden System gleich. Da Geschwindigkeiten aber als Länge pro Zeit angegeben werden, zum Beispiel als Kilometer pro Stunde, messen die beiden jeweils aus ihrer Sicht nicht mehr dieselbe Zeit. Lorentz hilft sich gegen die Folgen der Asymmetrie mit einer Krücke weiter, die er «lokale» Zeit nennt. Einstein wird sich auch damit nicht abfinden.

Der Volontär im Wahrheitsamt hat nun eine Reihe von Ungereimtheiten für den Fall Physik zusammen. Jetzt kommt es ihm wesentlich darauf an, ob sich tatsächlich beide Aspekte des mechanischen Relativitätsprinzips auf die elektrodynamische Welt anwenden lassen. So wie er die Maxwell-Lorentz-Theorie des Elektromagnetismus kennen lernt, scheint sie zum Prinzip der Relativität im Widerspruch zu stehen. Nicht nur bevorzugt sie mit dem Äther ein fiktives Bezugssystem. Sie beinhaltet einen weiteren Symmetriebruch, der Einstein widersinnig erscheint. So kommt es, dass der Sohn und Neffe der Elektrotechnikfabrikanten Einstein & Cie. seine legendäre Arbeit über die Relativitätstheorie 1905 mit einer Klarstellung beginnt:

«Daß die Elektrodynamik Maxwells – wie dieselbe gegenwärtig aufgefaßt zu werden pflegt – in ihrer Anwendung auf bewegte Körper zu Asymmetrien führt, welche den Phänomenen nicht anzuhaften scheint, ist bekannt. Man denke z. B. an die elektrodynamische Wechselwirkung zwischen einem Magneten und einem Leiter.» Unter einem

Leiter versteht Einstein etwa ein Kabel in der Wicklung von Dynamos, wie sie zur Stromerzeugung verwendet werden. Durch die Bewegung des Leiters gegenüber dem Magneten entsteht elektrischer Strom.

In der Maxwell'schen Theorie besteht jedoch ein Unterschied, ob sich der Magnet mit seinem magnetischen Feld gegenüber dem stromlosen und damit feldfreien Leiter bewegt oder umgekehrt der stromdurchflossene Leiter mit seinem elektrischen Feld gegenüber dem Magneten. Einstein fragt sich, vereinfacht gesagt, woher der Magnet oder der elektrische Leiter eigentlich «wissen» sollen, wer sich bewegt und wer nicht. Müsste es nicht vollkommen egal sein, welcher Bestandteil eines Dynamos sich gegenüber dem anderen dreht – ähnlich der Situation beim fahrenden Zug zwischen Reisenden und Wartenden?

Die Grundidee zu dieser Einsicht verdankt Einstein vermutlich August Föppl, der in seinem Lehrbuch ein vergleichbares Gedankenexperiment beschreibt: Wenn ein Magnet und ein Leiter sich zusammen mit gleicher Geschwindigkeit durch den Äther bewegen, entsteht kein elektrischer Strom. Es kommt also nicht auf die absolute Bewegung gegen den Äther an, sondern auf die relative der beiden zueinander. Damit aber, sagt schon Föppl, erscheint auch der Äther überflüssig – genauso, wie es Einstein am Ende formulieren wird.

Im Frühjahr 1905 hat er im Grunde alle Indizien zusammen. Allein schon erkannt zu haben, dass alle Steinchen zum selben Puzzle gehören, stellt eine großartige Leistung dar. Noch fehlt ihm aber die Schlüsselidee, wie sich die Indizien sinnvoll in einer nahtlosen Beweiskette verbinden lassen. Immerhin will er nicht nur in einer Abteilung aufräumen, sondern den gesamten Gerichtshof zum Schwur zwingen. Verzweifelt sucht er einen Weg, die vielen unterschiedlichen Bausteine zu einem Bild zusammenzusetzen. Doch es will nicht gelingen. Widersprüche zu finden ist die eine, sie aufzulösen eine ganz andere Sache. Als er sich mit seinem Latein am Ende sieht, eröffnet er seinem Freund Besso frustriert: «Ich gebe auf.»

Gefangen in einem «Kreis von Ideen» sei Einstein in diesem Moment gewesen, sagt Philosoph Rynasiewicz. Und daraus gibt es auf den ersten Blick kein Entrinnen. Als habe er in einem dunklen Verlies gesteckt, spricht Einstein selbst später vom «jahrelangen Tasten» bis zu jenem Tag im Mai 1905, an dem er bereit ist aufzugeben. Rückblickend schreibt er 1932: «Ich gewann früh die Überzeugung, dass dies in einer tiefen Unvollkommenheit des theoretischen Systems seinen Grund habe. Der Wunsch, diese aufzufinden und zu beheben, erzeugte einen Zustand psychischer Spannung in mir.» Nur, wie kann der Sechsund-zwanzigjährige diese Spannung «nach sieben Jahren vergeblichen Su-chens» auflösen?

Eines hat Einstein in all den Jahren gelernt: Theorien, die sich auf unbewiesene Hypothesen wie die eines nicht messbaren Lichtäthers oder die mechanische Kontraktion durch den Ätherstrom beziehen, sind schwache Theorien. Deshalb vollzieht er nun einen radikalen Schritt. Er wirft, aller Verehrung zum Trotz, Lorentz' unbewiesene An-nahmen über Bord und erklärt den hypothetischen Äther für überflüs-sig. Er vertraut der Empirie und nimmt die experimentellen Befunde für bare Münze.

Da «weder die Mechanik noch die Elektrodynamik», wie Einstein sich später erinnert, «exakte Gültigkeit beanspruchen können», sieht er sich gezwungen, den Schritt ins Leere zu wagen. Die Lichtgeschwin-digkeit, entscheidet er – und das ist sein mutiger, visionärer Schritt –, ist tatsächlich unabhängig von der Bewegung der Quelle oder des Emp-fängers. Sie ist konstant, so wie es die Maxwell-Lorentz-Theorie vorher-sagt. Michelson, Morley und all die anderen haben richtig gemessen. Andrerseits muss aber das Relativitätsprinzip gelten. Daran glaubt er fest, weil sonst Asymmetrien aufträten, welche die Physik in ihre Stein-zeit vor Galilei zurückbefördern würden.

Nun sieht er sich in einer Art finalem Widerspruch feststecken: Muss er nicht entweder das klassische Relativitätsprinzip aufgeben oder die Konstanz der Lichtgeschwindigkeit? Beides kann er innerhalb der bis dahin geltenden Physik nicht haben. Möglicherweise hat ihm das Loslassen, als er Besso seine Niederlage eingesteht, so viel Entspan-nung verschafft, dass er urplötzlich so klar zu sehen vermag wie keiner außer ihm. Was ihn das Kunstwerk vollenden lässt, ist die Einsicht in die innige Verbindung zwischen Raum, Zeit und Licht.

Einstein betritt als Erster einen neuen Kontinent des Denkens. Er will diesen Schritt nicht tun, er sieht sich dazu gezwungen. Denn nur so kann er alle Widersprüche beseitigen, alle Indizien zu einem Bild zusammenfügen und den Fall lösen, den ihm die Wahrheitssuche aufgegeben hat.

Und wie hat er das gemacht? Dass er schon früh den Äther infrage stellt, ist ein brillantes, aber keineswegs unverwechselbares Unterfangen, haben doch auch andere daran schon gedacht. Das wirklich Einzigartige in Einsteins Denken verrät er in jenem Vortrag 1922 in Kyoto, dessen Mitschrift als einziges indirektes Zeugnis jener dramatischen Tage erhalten ist: «Meine Lösung war eine Analyse des Begriffs der Zeit.»

Einstein hinterfragt den Zeitbegriff nicht nur physikalisch, sondern auch philosophisch. Was ist Zeit als solche, wenn kein Mensch sie misst? Was macht man eigentlich, wenn man die Zeit misst? Was bedeutet es, wenn zwei Ereignisse gleich-zeitig passieren? Es muss ein ungeheuer erhebender Augenblick gewesen sein, als er sich plötzlich auf der richtigen Fährte weiß: Von einer Sekunde auf die andere erkennt er das Problem praktisch als «vollständig gelöst».

Einstein stellt nun alles infrage, auch Grundbegriffe wie den Raum, die eigentlich gar nicht hinterfragbar sind, bilden sie doch nach herkömmlicher Vorstellung den Rahmen des Weltgeschehens. Zu Beginn der Aufklärung hat Immanuel Kant dem Raum alles Reale genommen und ihn zur Form erklärt, in der wir die Dinge wahrnehmen. Der Raum existiert danach a priori, vor aller Erfahrung, und er existiert auch ohne die Dinge. Einstein schlägt den Raum dem Bereich des Wahrnehmbaren zu, das sich vom Menschen erfahren lässt.

In seiner Hellsicht hat er schon früh erkannt, «daß nur die Auffindung eines allgemeinen formalen Prinzips uns zu gesicherten Ergebnissen führen könnte». Ein unumstößliches Prinzip wie das von der Unmöglichkeit eines Perpetuum mobile zum Beispiel, nach dem Energie nicht aus dem Nichts entstehen kann. Um der Wissenschaft einen Weg aus ihrer Sackgasse weisen zu können, das ist ihm urplötzlich klar geworden, muss er Newtons Kosmos gleichsam auf den Kopf stellen: Er erhebt die Lichtgeschwindigkeit zur Naturkonstante und das Licht – fast biblisch – zum Absolutum. Dafür muss er Raum und Zeit ihre Absolutheit nehmen. Er «relativiert» sie – und plötzlich sind alle Widersprüche verschwunden, lassen sich alle bekannten gleichförmigen Bewegungen, von Elektronen bis zu fernen Sternen, innerhalb eines Weltbildes erklären. Mit seinen Einsichten macht Einstein aus einem Phantom ein Phänomen, das sich physikalisch objektivieren lässt. Relativität ist Realität.

Woher nimmt er die Forschheit, Prinzipien aufzustellen, deren universelle Grundlage eigentlich pure Behauptungen darstellen? Sie rührt allein aus seinem intuitiven Verständnis der Grundprobleme. Erst die Theorie, die er daraus ableitet und die alles widerspruchsfrei erklärt, verleiht den Prinzipien dann ihren festen Grund. Weil Einstein unbedingt am Prinzip der Relativität und am Prinzip der konstanten Lichtgeschwindigkeit festhalten will, stellt er sich in seiner Arbeit die Frage, «was hier unter ‹Zeit› verstanden wird». Und er fährt fort: «Wir haben zu berücksichtigen, daß alle unsere Urteile, in welchen die Zeit eine Rolle spielt, immer Urteile über gleichzeitige Ereignisse sind. Wenn ich z. B. sage: ‹Jener Zug kommt hier um 7 Uhr an›, so heißt dies etwa: ‹Das Zeigen des kleinen Zeigers meiner Uhr auf 7 und das Ankommen des Zuges sind gleichzeitige Ereignisse.›»

Nie zuvor und seitdem nie wieder haben solch einfache Sätze ein Werk von solcher Tiefe geziert. Einstein macht die Selbstverständlichkeit zur Sensation. Seine Theorie wird nicht nur zu einer Grundlage der gesamten modernen Physik. Sie erschüttert tief greifend unser Verständnis von Natur und Welt.

Dabei sind die Zusammenhänge von erhabener Schlichtheit. Sie lassen sich anhand von Gedankenexperimenten mit Beobachtern am Bahnsteig und im Zug verdeutlichen, dem schnellsten Fortbewegungsmittel zu Einsteins Zeit. Er stellt sich zum Beispiel vor, entlang der Bahnstrecke seien in gleicher Entfernung zum Beobachter auf dem Bahnsteig rechts und links zwei Blitzlichter aufgestellt. Sieht der Beobachter beide im selben Moment blitzen, dann passieren die Blitze für ihn gleichzeitig. Anders für den Reisenden im Zug. Er bewegt sich während des Zeitraums, bis ihn die Blitze erreichen, ein Stück weiter. Da er von dem einen Blitzlicht wegfährt und auf das andere zu, erscheint ihm der Blitz, auf den er sich zubewegt, früher als der, von dem er sich wegbewegt. Aus seiner Sicht sagt er mit gleichem Recht, die Blitze hätten nicht gleichzeitig aufgeleuchtet.

Umgekehrt ergibt sich das gleiche Bild: Sind die Blitzlichter am vorderen und hinteren Ende des Zuges angebracht und blitzen für den Beobachter in der Zugmitte gleichzeitig, dann zünden sie vom Bahnsteig aus betrachtet zeitlich versetzt. Die beiden hätten demnach keine Möglichkeit, sich über die Zeit zu einigen. Was der eine als Zeitspanne zwischen den Blitzen misst, stellt der andere als ein und denselben Moment fest.

Das Schwert, mit dem Einstein den Gordischen Knoten der jahrelang zergrübelten Widersprüche schließlich durchschlägt, sein Heureka, das ihn alle Indizien als Teile eines großen Falls zusammenschließen lässt, erweist sich als Gedanke von durchschlagender Kraft: Die Gleichzeitigkeit ist relativ. Es gibt keinen Augenblick für die ganze Welt, der «Jetzt» genannt werden könnte.

Aber damit ist das Gedankenexperiment noch lange nicht zu Ende. Angenommen, ein Basketballspieler fährt in dem Zug und lässt einen Ball aufprellen, sodass er zwischen seiner Hand und dem Boden hin- und herfliegt. Aus Sicht des Beobachters im Zug springt der Ball senkrecht auf und ab. Wer aber vom Bahnsteig aus die Position des Balles im vorbeirasenden Zug verfolgt, für den beschreibt sie eine Zickzacklinie. Der Ball fliegt nicht nur auf und ab, sondern auch seitwärts mit dem Zug. Von außen gesehen, und das ist der erste wichtige Punkt, legt der Ball eine längere Strecke zurück als von innen betrachtet.

Man stelle sich statt Basketballer und Ball nun mit Einstein eine Vorrichtung im fahrenden Zug vor, in der ein Lichtpunkt zwischen zwei Spiegeln hinauf- und hinabrast. Es ergibt sich das gleiche Bild: Für den Reisenden springt der Lichtpunkt senkrecht auf und ab. Vom Bahnsteig aus gesehen beschreibt er, wenn der Zug schnell genug fährt, eine Zickzacklinie.

Was nun folgt, ist einer der entscheidenden Gedanken der Speziellen Relativitätstheorie: Von innen betrachtet bleibt alles ganz einfach. Der Lichtpunkt hüpft mit Lichtgeschwindigkeit auf und ab. Von außen betrachtet legt das Licht aber eine längere Strecke zurück als von innen gesehen. Daraus könnte der Beobachter am Bahnsteig folgern, im Zug sei die Lichtgeschwindigkeit größer. Das aber schließt Einstein kategorisch aus. Aus dieser Lage gibt es nur einen Ausweg: Da das Licht für eine längere Strecke mehr Zeit braucht, müssen aus Sicht des Bahnsteigs die Uhren im Zug zurückbleiben. Die Zeit vergeht im bewegten System gemessen am ruhenden langsamer. Dieses Phänomen wird als «Zeitdilatation» bezeichnet.

Je schneller der Zug fährt, desto länger gestreckt erscheint von außen die Zickzacklinie, desto langsamer gehen die Uhren. Bei Erreichen der Lichtgeschwindigkeit hört der Lichtpunkt vollständig auf zu hüpfen – die Uhr im Zug steht vom Bahnsteig aus betrachtet still. Das entspricht exakt der Situation mit der Sonne, die wir als Uhr sehen. Ihr Bild erreicht uns mit Lichtgeschwindigkeit und steht still. All das funktioniert natürlich nur im Gedankenexperiment. Keine wirkliche Uhr und kein wirklicher Zug können sich mit Lichtgeschwindigkeit bewegen.

Das Verrückte daran ist nun das Relativitätsprinzip, wie es Einstein aus Galileis Vorlage weiterentwickelt hat. Aus Sicht des Betrachters im Zug hat sich nichts verändert. Für ihn springt der Lichtstrahl nach wie vor senkrecht auf und ab. Für ihn geht auch seine Uhr weiterhin normal. Denn er kann aus seiner Sicht den fahrenden Zug, sein Bezugssystem, mit Fug und Recht als ruhend annehmen. Sieht er aber nun draußen auf dem Bahnsteig einen Basketball hüpfen oder einen Lichtstrahl zwischen zwei Spiegeln auf- und abrasen, so tritt genau der umgekehrte Effekt ein: Der Reisende registriert eine Zickzacklinie, und da die Lichtgeschwindigkeit konstant sein muss, gehen aus seiner Sicht die Uhren am Bahnsteig langsamer.

Entscheidend ist, dass die Zeitdilatation in beiden Richtungen gilt. Damit bleibt die Symmetrie gewahrt. Für den Fahrenden gehen die Uhren des Stehenden mit zunehmender Geschwindigkeit im gleichen Maß langsamer wie umgekehrt für den Wartenden am Bahnsteig die des Reisenden. Diese Relativierung ist Einsteins große Tat: Ein Zeitabschnitt kann danach je nach dem Bewegungszustand eines Beobachters unterschiedlich lang sein, und zwar nicht subjektiv, sondern objektiv mit Uhren messbar.

Newton war von einer absoluten Zeit ausgegangen, einer Art Einheitsuhr für die ganze Welt. Die Zeit, nahm er an, «verfließt an sich und vermöge ihrer Natur gleichförmig». Erlebt es der Mensch nicht genauso von der Wiege bis zur Bahre? Einstein erhebt das Licht gleichsam zum Herrscher über die Zeit. Und über den Raum. Denn mit der verlangsamten Uhr im bewegten System verändern sich auch die Strecken im Raum. Je näher der Zug der Lichtgeschwindigkeit kommt, desto kürzer werden sie.

Dieses «Längenkontraktion» genannte Phänomen lässt sich ebenfalls aus der Bewegung erklären. Bewegung heißt Strecke pro Zeit, in einer üblichen Maßeinheit Meter pro Sekunde. Wenn im bewegten Zug von außen gemessen die Uhren langsamer gehen, also die Sekunde länger dauert, dann verkürzt sich entsprechend der Meter. Der Betrachter im Zug sieht es wiederum anders herum: Für ihn bleibt der Meter ein Meter. Er jedoch beobachtet die Längenkontraktion auf dem Bahnsteig. Kurz vor Erreichen der Lichtgeschwindigkeit misst er den Meter dort nur noch als einen Zentimeter.

Die Längenverkürzung gilt nur in Bewegungsrichtung, in der dazu Senkrechten aber nicht. Ein Quadrat in einem bewegten Fahrzeug schrumpft mit zunehmender Geschwindigkeit von außen betrachtet zum immer schmaleren Rechteck zusammen – bei gleich bleibender Höhe. Bei Lichtgeschwindigkeit wird es zum stehenden Strich, als hätte es eine Dimension verloren. Diese Kontraktion kann man sich auch als perspektivischen Effekt vorstellen: Aus Sicht des ruhenden Betrachters erscheint der bewegte wie in einem gekrümmten Spiegel, der sich mit zunehmender Geschwindigkeit immer weiter zum Zylinder verbiegt. Darin werden alle Dinge schmaler, aber nicht kürzer.

Aber hat nicht Hendrik Lorentz das Gleiche angenommen, als er seine «Kontraktionshypothese» aufgestellt hat? Genau dieser Umstand sorgt bis heute für Verwirrung. Lorentz glaubt, die Gegenstände verkürzen sich, weil sie im Ätherstrom zusammengedrückt werden. Einstein sagt, «die Einführung eines ‹Lichtäthers›» werde sich «als überflüssig erweisen». Zeitverkürzung und Längenkontraktion rühren nicht von einer mechanischen Veränderung von Uhr oder Meterstab, wie Lorentz sie annimmt. Vielmehr spiegeln sie wirkliche Eigenschaften der Zeit und des Raumes wider.

Lorentz' Hilfskonstruktion zur Rettung der Ätheridee verwandelt sich in Einsteins Theorie zu einer realen Erscheinung: In jedem System herrscht eine «Eigenzeit». Das bedeutet, dass die Zeit, wie die Physik sie seit Newton (und der laienhafte Menschenverstand so oder ähnlich schon immer) sieht, als einheitliche Gesamterscheinung nicht existiert. Nach der alten Vorstellung, wie sie auch das Bild von Humboldt oder Eberty bestimmt, haben alle Teile des Raums gleichzeitig dieselbe Zeit, ganz gleich, was sich wie bewegt. Nach Einsteins neuer Lesart existiert eine solche Uhr für die Welt nicht. Insofern taugt auch das Bild von der Sonnenuhr, die sich von der Erde ablesen lässt, nur unter der Annahme, dass Erde und Sonne gemeinsam ein festes Bezugssystem darstellen.

Einstein gibt keine Erklärungen für die Phänomene. Niemand weiß, was Licht oder Zeit tatsächlich sind. Wir wissen überhaupt nicht, was etwas ist. Die Spezielle Relativitätstheorie liefert lediglich eine neue Messvorschrift für die Welt – ein vollkommen logisches Gebäude, das die Widersprüche überwindet, die bis dahin geherrscht haben.

Doch selbst wenn wir über das Wesen der Dinge nichts wissen können, so lässt sich über ihr Verhältnis zueinander und ihr Verhalten miteinander sehr wohl etwas aussagen. Die Theorie liefert Formeln, mit denen wir das merkwürdige Verhalten in «relativistischen» Systemen exakt berechnen können. Ist zum Beispiel die Geschwindigkeit eines bewegten Gegenstandes bekannt, dann lässt sich seine Länge im Ruhezustand kalkulieren. Würde ein Raumschiff mit 90 Prozent Lichtgeschwindigkeit an uns vorbeifliegen und nach unseren Maßstäben fünf Meter lang sein, dann ergäbe sich für die Astronauten darin eine Länge von etwa elf Metern.

Die dafür verwendeten Gleichungen sind identisch mit den «Lorentz-Transformationen». Das ist kein Zufall. Es hat auch nichts damit zu tun, dass Einstein sich bei dem verehrten Niederländer bedient hätte. Es liegt in der mathematischen Struktur des Systems, sodass auch Henri Poincaré und einige andere Forscher vor Einstein zu exakt denselben Formeln gekommen sind. Aber nur er macht den entscheidenden Schritt.

Im Originalton seiner Arbeit liest sich das so: «Die zu entwickelnde Theorie stützt sich – wie jede andere Elektrodynamik – auf die Kinematik des starren Körpers, da die Aussagen einer jeden Theorie Beziehungen zwischen starren Körpern (Koordinatensystemen), Uhren und elektromagnetischen Prozessen betreffen. Die nicht genügende Berücksichtigung dieses Umstandes ist die Wurzel der Schwierigkeiten, mit denen die Elektrodynamik bewegter Körper gegenwärtig zu kämpfen hat.»

Im Klartext verknüpft Einstein hier virtuos vier Elemente: die Kinematik (das ist die Lehre von den Bewegungen), den starren Körper (also das Koordinaten- oder auch Bezugssystem), die Uhren (und damit die Zeit) und elektromagnetische Prozesse (wie das Aussenden und Empfangen von Licht). Damit beschreibt er genau die Schnittstelle, an der sich die Probleme der klassischen Physik treffen – und auflösen.

Innerhalb eines «starren Körpers», also etwa eines Zuges oder eines Raumschiffs, herrscht in Einsteins Sprache «die Zeit des ruhenden Systems». Ganz gleich, ob sich das Fahrzeug von außen betrachtet bewegt – von innen gesehen ruht es. Und innerhalb des ruhenden Systems herrscht Gleichzeitigkeit. Deshalb können wir auf unserem Raumschiff Erde auch eine «Weltzeit» definieren und alle Uhren rund um den Globus synchronisieren. Sobald sich zwei starre Körper aber gegeneinander bewegen, hat jeder seine Eigenzeit, sein eigenes Jetzt. Allein über diesen genialen Kunstgriff kann Einstein alle Widersprüche beseitigen.

Bleibt die spannende Frage: Wie ist ihm dieser Einfall gekommen? Um das Werden seiner rettenden, Weltbild formenden Idee zu verstehen, reicht das Gespräch mit Freund Besso nicht aus. Einstein gelangt an sein Ziel über eine Straße, die mit tiefen philosophischen und erkenntnistheoretischen, aber auch praktischen Einsichten gepflastert ist.

Jürgen Renn vom Max-Planck-Institut für Wissenschaftsgeschichte in Berlin spricht in dem Zusammenhang von verschiedenen «Schichten des Wissens», auf die Einstein zurückgegriffen habe. Wissenschaft lasse sich nicht aus Einstein verstehen, sondern umgekehrt nur Einstein aus der wissenschaftlichen Entwicklung. Diese im Rahmen einer Geschichte des Wissens zu begreifen ist das Ziel seiner Berliner Forschergruppe. In welcher Weise spielt das Denken des Einzelnen mit herrschenden Lehrmeinungen und festgefügten Weltbildern zusammen? Wie verlaufen Prozesse, die zu wissenschaftlichen Revolutionen führen? Welche Bedeutung hat das Erfahrungswissen, welche das kulturelle Umfeld?

Neben dem wissenschaftlichen zähle auch «das intuitive Wissen, das unser Alltagsdenken prägt», sagt Renn.

Sein Kollege Peter Galison von der Harvard University weist auf einen möglichen Alltagszusammenhang hin: Um die Jahrhundertwende gehört die Gleichzeitigkeit zu den beherrschenden technischen Themen. Von der Pünktlichkeit der Züge über die Koordination des Schiffsverkehrs bis zum fein abgestimmten militärischen Vorgehen sei es immer entscheidender darauf angekommen, präzise aufeinander abgestimmte Uhren zu besitzen.

In den Patentämtern gehen regelmäßig neue Anträge in Sachen Synchronisation ein. Als Patentexperte sitzt Einstein somit buchstäblich am Puls der Zeit. Mit hohem technischem Aufwand werden überall Uhren gleichgeschaltet, erst in den Städten, später auch landes- und am Ende sogar weltweit. Zahlreiche Bücher, Zeitungen und Fachzeitschriften widmen sich ausführlich dem Thema. Das alles, so glaubt Galison, habe bei Einsteins Durchbruch eine wichtige Rolle gespielt.

«Seine Innovation», sagt Psychologe Howard Gardner, der Einstein als «ewiges Kind» beschrieben hat, «entsprang der Fähigkeit, räumliche Bilder, mathematische Formelhaftigkeit, empirische Erscheinungen und elementare philosophische Probleme zusammen zu denken.»

Ihre endgültige Eleganz bekommt die Spezielle Relativitätstheorie jedoch nicht aus Einsteins Hand, sondern durch seinen ehemaligen Lehrer Hermann Minkowski. Der gibt ihr die mathematische Form, die sie bis heute im Prinzip besitzt. «Von Stund an sollen Raum für sich und Zeit für sich völlig zu Schatten herabsinken und nur noch eine Art Union der beiden soll Selbständigkeit bewahren», verkündet der Mathematiker im September 1908. Indem er das Prinzip der Relativität zum «Postulat der absoluten Welt» weiterführt, schafft er Begrifflichkeiten, wie sie kein Science-Fiction-Autor besser hätte erfinden können: Die Ereignisse im Weltgeschehen liegen als «Weltpunkte» auf «Weltlinien», die gemeinsam die «Welt» bilden. Erst in Minkowskis mathematischer Formulierung erhält Einsteins Theorie jenes Maß an Klarheit, mit dem sich auch ihre geradezu aberwitzig erscheinenden Konsequenzen verstehen lassen – wie etwa das Zwillingsparadox.

Bei diesem Gedankenexperiment nehmen zwei Zwillinge – sagen

wir: Tim und Tom – unterschiedliche Wege durch die Raumzeit. Tim macht sich auf die Reise und bewegt sich fast mit Lichtgeschwindigkeit von der Erde weg. Tom bleibt daheim auf der Erde. Für ihn gehen Tims Uhren nun sehr viel langsamer. Das bedeutet, Tim altert auch deutlich langsamer. Nach einen Jahr kehrt Tim um, und nach einem weiteren Jahr landet er wieder auf der Erde. Zu seinem Erstaunen stellt er fest, dass Bruder Tom nicht wie er um zwei, sondern um 20 Jahre gealtert ist. Das Paradox scheint darin zu bestehen, dass nach dem Relativitäts-prinzip für Tim umgekehrt auch Toms Uhren langsamer gelaufen sein müssten und somit Tom ebenfalls viel jünger sein müsste als Tim. Dass aber beide jünger sind als der jeweils andere, das erlaubt auch Einsteins Relativitätstheorie nicht. Wie lässt sich der sonderbare Widerspruch er-klären?

Einstein selbst hat lange Zeit Mühe, das Paradox aufzulösen. Noch 1919 tut er sich schwer, es in der eleganten Form zu versuchen, die Min-kowskis mathematischer Formalismus problemlos zulässt. Der Mathe-matiker hat auch rechnerisch ernst gemacht mit der vierten Dimension, von der Einstein schon in seiner Jugend bei Felix Eberty lesen kann, «daß Raum und Zeit als gar nicht voneinander verschieden begriffen werden können».

Minkowskis Idee und die Lösung des Zwillingsparadoxons er-schließen sich am besten durch eine Analogie zwischen Raum und Raumzeit, also zwischen drei- und vierdimensionaler Welt: Angenom-men, ein Ballon legt genau einen Meter durch ein Zimmer zurück. Er kann sich in den drei Richtungen – Höhe, Länge und Breite – bewegen. Je höher er fliegt, desto weniger hat sich sein Standort nach vorne oder hinten, nach rechts oder links verschoben. Steigt er nur in die Höhe, dann macht er den Meter allein in der einen Dimension. Da er in der Senkrechten sein gesamtes Guthaben an Strecke «verbraucht», schafft er kein Stück in den beiden Dimensionen der Fläche. Bewegt sich der Ballon umgekehrt nur in der Fläche, rollt er also nur auf dem Fußbo-den, so legt er nach oben keine Distanz zurück. Der Betrag in der Senk-rechten ist null.

Diese Verhältnisse auf Bewegungen in den vier Dimensionen der Raumzeit zu übertragen übersteigt das normale Vorstellungsvermögen. Es reicht aber zu wissen: Vier Dimensionen haben vier Achsen, wie der Raum drei hat. Die Zeit als vierte Dimension steht senkrecht auf den drei übrigen – so wie im Raum die Senkrechte als dritte Dimension aus der zweidimensionalen Fläche ragt. Entfernungen durch die Raumzeit setzen sich aus vier Dimensionen zusammen so wie die im Raum aus dreien. Je mehr man sich zu der einen neigt, desto weniger hat man für die anderen.

Wenn ein «starrer Körper» ruht, sich also in keiner der drei Dimensionen des Raums bewegt, dann findet seine gesamte Bewegung auf der Zeitachse statt. Er wird älter und nichts anderes. So ergeht es uns allen, auch dem kleinen Albert in seinem Sessel. Sobald der Junge aufsteht und durch das Zimmer geht oder eine Treppe hinaufsteigt, verändert sich seine Position im Raum. Je schneller er sich – gemessen am elterlichen Haus oder der Erde, also an seinem Bezugssystem – von seinem Standpunkt entfernt, also je mehr Strecke er in den drei räumlichen Dimensionen zurücklegt, desto weniger Anteil der gesamten Bewegung durch die Raumzeit bleibt für die zeitliche Dimension übrig. Denn die Gesamtstrecke setzt sich jetzt aus Länge, Breite, Höhe und Zeit zusammen. Was in den Raum geht, fehlt an der Zeit, so wie im dreidimensionalen Zimmer der Senkrechten fehlt, was in die zwei Dimensionen der Fläche geht.

Für Einstein und alle anderen Menschen in ihren Bewegungen, ja für das ganze menschliche Alltagsgeschehen macht das keinen Unterschied. Gemessen an den Strecken des Lichtes sind alle Distanzen in den räumlichen Dimensionen, selbst bei Reisen im Flugzeug, so verschwindend gering, dass wir uns praktisch nur auf der Zeitachse bewegen. Wir altern kontinuierlich. Nur wenn wir uns sehr schnell aus unserem Bezugssystem wegbewegen könnten wie der reisende Zwilling Tim, würde die Zeit, die dabei vergeht, schrumpfen – bei annähernder Lichtgeschwindigkeit gen null.

Das Licht selbst, das sich gleichsam auf der Höhe der Zeit bewegt, legt seine gesamte Strecke durch die Raumzeit wiederum nur in den drei räumlichen Dimensionen zurück – wie der Ballon im Zimmer, der auf dem Boden rollt, sich nur in den zwei Dimensionen der Fläche bewegt. Für die zusätzliche Dimension – die senkrechte beim Ballon, die zeitliche beim Licht – bleibt nichts übrig. Weil sich Lichtteilchen nicht in der Zeit, sondern mit der Zeit bewegen, darf gesagt werden, dass sie nicht altern. Für sie bedeutet «jetzt» das Gleiche wie «ewig». Sie «leben» für immer in ihrem Augenblick. Die Sonnenuhr steht still.

Da wir uns umgekehrt praktisch nicht in den Raumdimensionen bewegen, sondern uns räumlich in Ruhe befinden, bewegen wir uns allein auf der Zeitachse. Genau das ist der Grund, warum wir eins zu eins fühlen, wie die Zeit verstreicht. Sie klebt förmlich an uns.

Mit diesem Rüstzeug lässt sich auch das Zwillingsparadox verstehen, das nach der Relativitätstheorie kein Paradoxon mehr darstellt. Tom auf der Erde ist tatsächlich älter als der superschnell reisende Tim. Dieser Effekt hat mit der Raumzeit zu tun. Tom hat sich wie der Sesselhocker nur durch die Zeit bewegt. Seine Weltlinie verläuft auf der Zeitachse. Tim aber, der mit sehr hoher Geschwindigkeit gereist ist, hat einen beträchtlichen Teil seiner Strecke durch die Raumzeit in den Dimensionen des Raums zurückgelegt. Seine Weltlinie ist weit von der Zeitachse abgewichen. Entsprechend weniger Zeit hat er «verbrauchen» können. Deshalb ist er, gemessen am gemeinsamen Bezugssystem Erde, tatsächlich jünger. Wäre er mit Lichtgeschwindigkeit gereist, dann hätte er – wie das Bild von der Sonnenuhr – überhaupt keine Zeit verbraucht und wäre wie das Licht nicht gealtert. «In der Raumzeit», schreibt Einsteins späterer Assistent Banesh Hoffmann, «liegen Vergangenheit, Gegenwart und Zukunft ausgebreitet vor uns, bewegungslos, wie die Worte in einem Buch.»

Die Tatsache, dass sich Körper durch die Raumzeit bewegen, hat verblüffende Folgen: Ein Raumschiff, das durch den Weltraum rast, hat mehr Sterne vor sich als hinter sich. Das ist vergleichbar mit dem Halten eines Regenschirms: Je schneller sich der Beschirmte bewegt, desto weiter muss er seinen Schirm in die Waagerechte senken. Bei hohem Tempo kommen praktisch alle Tropfen von vorn und keiner von hinten. Da sich die Erde nur mit einem Bruchteil der Lichtgeschwindigkeit bewegt, sehen wir in beiden Richtungen gleich viele Sterne am Himmel. Würde sich ein Raumschiff aber der Lichtgeschwindigkeit nähern, käme das Licht aller Sterne von vorn, und hinter sich sähen die Raumfahrer keinen Stern am Himmel. Denn deren Licht kann auch «nur» mit Lichtgeschwindigkeit reisen, es kann das Raumschiff kaum einholen.

Das macht deutlich, wie tief greifend, auf Basis einfachster kinematischer Betrachtungen, Einstein die Vorstellungen von Raum und Zeit revidiert hat. Daran liegt es auch, dass manche seiner Kollegen davon sprechen, er habe eine Pandora-Büchse geöffnet. Denn die Zeit spielt in jeder physikalischen Theorie eine Rolle. Das bedeutet, dass sie alle der Relativitätstheorie angepasst werden müssen. Einstein hat mit der Raumzeit einen neuen Kontinent gefunden. Andere folgen ihm und machen dort viele bedeutsame Entdeckungen.

Einstein selbst hat in seiner Arbeit von 1905 bereits einen Anfang gemacht und die Gesetze von Optik und Elektrodynamik nach der Relativitätstheorie modifiziert. So gelingt es ihm auch, die lange beklagte Asymmetrie zwischen den Bewegungen eines Magneten und eines Leiters aufzulösen. Er begreift magnetisches und elektrisches Feld in der Raumzeit als zwei Seiten einer Medaille und vereint sie im elektromagnetischen Feld. Dieses Feld erzeugen gegenseitig beide, Magnet und Leiter, wenn sie sich relativ zueinander bewegen.

Scharen von Physikern machen sich in den folgenden Jahren daran, alle physikalischen Gesetze zu untersuchen und so umzubauen, dass sie der Speziellen Relativitätstheorie genügen. Sie besitzt bis heute – und nach Meinung fast aller Physiker auch für alle Zeiten – allgemeine Gültigkeit in der gesamten Natur. Alle Abteilungen in der Wahrheitsbehörde der Naturwissenschaft arbeiten mit dem neuen Grundgesetz, das ihnen der junge Volontär 1905 beschert hat. Es ist, als habe Einstein der Natur eine neue Optik verpasst, sodass alle Naturgesetze nun durch die Brille der Relativitätstheorie gelesen werden müssen.

Eine entscheidende Folge aus seiner Speziellen Relativitätstheorie erkennt Einstein indes erst ein paar Wochen, nachdem er die Arbeit bereits abgeschickt hat. Im September reicht er einen dreiseitigen Text nach, das fünfte Wunderwerk in seinem Wunderjahr 1905. «Eine Konsequenz der elektrodynamischen Arbeit ist mir noch in den Sinn gekommen», berichtet er dem abtrünnigen Olympia-Mitglied Conrad Habicht. «Das Relativitätsprinzip im Zusammenhang mit den Maxwellschen Grundgleichungen verlangt nämlich, daß die Masse direkt ein Maß für die im Körper enthaltene Energie ist; das Licht überträgt Masse.»

Dahinter verbirgt sich nichts Geringeres als die berühmteste Formel der Welt: $E = mc^2$ – Energie ist gleich Masse mal Lichtgeschwindigkeit zum Quadrat. In dieser Gleichung steckt buchstäblich Zündstoff. Sie beschreibt das ungeheure energetische Potenzial der Kernspaltung, die 1939 Otto Hahn gelingen und Lise Meitner ihm erklären wird – und die in Hiroshima 1945 ihre erste grausame Anwendung findet. «Eine merkliche Abnahme der Masse müsste beim Radium erfolgen», fügt Einstein in seinem Brief an Habicht hinzu. Radium ist zu jener Zeit einer der wenigen bekannten radioaktiven Stoffe, die energiereiche Strahlen absondern.

Die Äquivalenz von Energie und Materie entdeckt Einstein nicht, weil er intensiv über die Verbindungen zwischen den beiden nachdenkt. Sie ergibt sich, und das ist das Bemerkenswerte, rein logisch aus der Speziellen Relativitätstheorie. Um eine Masse zu beschleunigen, muss Energie aufgewendet werden. Je schneller die Masse bereits ist, desto größer muss die Energie sein, sie noch weiter in Fahrt zu bringen. Um sie auf Lichtgeschwindigkeit zu katapultieren, müsste unendlich viel Energie aufgewendet werden. Deshalb kann sich kein Gegenstand, der «Ruhemasse» (oder Trägheit) besitzt, mit Lichtgeschwindigkeit bewegen. Das geht nur im Gedankenexperiment. Photonen auf der anderen Seite besitzen keine Ruhemasse. Ihre gesamte Masse steckt in ihrer Bewegungsenergie. Nur Partikel wie sie können mit der höchstmöglichen Geschwindigkeit reisen – auf Augenhöhe mit der Zeit.

Durch die Formel $E = mc^2$ wird die Spezielle Relativitätstheorie, wenn man so will, zur kompliziertesten Vereinfachung der Welt. «War so wenig nötig, einen Weltraum zu erschüttern?», fragt der französische Wissenschaftspsychologe Gaston Bachelard. «Ein einziger großer Gedanke sollte genügt haben, um zwei bis drei Jahrhunderte rationalistischen Denkens aufzuheben?»

Mit der Vereinigung von Energie und Materie ist Einstein so etwas wie die Quadratur des Lichtes gelungen. Sie zeigt, welch ungeheure Menge an Energie in Masse steckt. Dass diese Beziehung bis dahin nie jemand festgestellt hat, hat einen einfachen Grund: Die Energie verbirgt sich so tief in der Materie, dass sie nicht messbar ist. «Es ist genau so», sagt Einstein, «als ob ein Mann, der märchenhaft reich ist, niemals einen Pfennig ausgibt oder verbraucht; da kann niemand wissen, wie reich er ist.» Die Masse, die eine Glühbirne mit 100 Watt Leistung 100 Jahre lang ausstrahlt, liegt unter drei tausendstel Gramm.

Daraus lässt sich umgekehrt die ungeheure Energie erahnen, die auch in kleinen Materiemengen steckt. «Die Überlegung ist lustig und bestechend», schließt Einstein sein Schreiben an Habicht, «aber ob der Herrgott nicht darüber lacht und mich an der Nase herumgeführt hat, das kann ich nicht wissen.»

Eine eindrucksvolle Demonstration für die Umwandlung von Masse in Energie liefert täglich die Sonne: Millionen Tonnen Materie verwandeln sich in dem glühenden Feuerball jede Sekunde in gigantische Mengen an Strahlungsenergie, die Leben auf dem blauen Planeten Erde erst möglich macht.

Die Eheleute Einstein feiern den Durchbruch am 20. Juli 1905 in ungewöhnlicher Form. Sie betrinken sich – der einzige bekannte Fall, in dem Albert dem Alkohol über Gebühr zuspricht. Conrad Habicht erhält eine Postkarte von historischem Wert: «Total besoffen leider beide unterm Tisch. Ihr armer Steisbein & Frau.»

Kapitel 9

Warum ist der Himmel blau?

Einstein – eine Karriere

«Das ewig Unbegreifliche an der Welt ist ihre Begreiflichkeit.» Einstein aphoristisch, 1936, ein Zeugnis des Staunens, mit Kusshand an Kant. Die Welt vor uns, ein geöffnetes Buch. Wenn wir es nur lesen können. Nur wenige haben so viele Zeilen entziffert wie er. Gut 30 Berufsjahre als Forscher liegen hinter ihm. Nie hat er den geringsten Widerstand gesucht, im Gegenteil. Denn er übt keinen Beruf aus, sondern folgt einer Berufung. Damit verkörpert Einstein wie nur wenige den Typus des Künstlers der Wissenschaft.

So hat er im Jahr zuvor mit zwei Kollegen die Quantenmechanik provoziert, das Rätsel der modernen Physik. Das so genannte «Einstein-Podolsky-Rosen-Paradoxon», über das noch zu reden sein wird, stellt Theoretiker bis heute vor Rätsel. Im Rückblick ist es seine letzte wissenschaftliche Niederschrift von bleibender Bedeutung. Nicht jedoch das Ende seiner Arbeit. Unverdrossen werkelt er weiter bis zu seinem letzten Tag. Allein, seine nachhaltig produktive Phase ist 1935 vorbei.

Was er aber in den drei Jahrzehnten bis dahin zustande bringt, kennt keinen Vergleich. Nicht nur tragen die beiden großen physikalischen Revolutionen des 20. Jahrhunderts seine Unterschrift – die Relativitätstheorie ganz und die Quantentheorie halb. Neben seinem Anteil an den Grundlagen der modernen Physik leistet er wesentliche Beiträge zur Chemie, liefert die theoretische Basis für die Entwicklung des Lasers, beantwortet in seiner unstillbaren Neugier aber auch Fragen wie die, warum Flüsse mäandern oder warum der Himmel blau ist. In seinem «tiefen Glauben an die Vernunft des Weltenbaues» ist kaum ein physikalisches Problem vor ihm sicher.

Seine Laufbahn beginnt mit einer Ungleichzeitigkeit. Sein beruflicher Werdegang hinkt seinem wissenschaftlichen mächtig hinterher. Jahrelang leistet er sein wissenschaftliches Pensum als Freizeitforscher neben seiner 48-Stunden-Woche im Patentamt. Noch Anfang 1908 schreibt ihm sein Würzburger Kollege Jakob Laub: «Ich muss Ihnen offen sagen, dass ich mit Staunen gelesen habe, dass Sie 8 Stunden am Tag in einem Bureau sitzen müssen.»

Wie wenige seines Schlages steht Einstein für das Sprichwort vom guten Ding, das Weile haben will. Schon seit seiner Jugend ist ihm das Gefühl der zwei Lebensuhren vertraut, die in ihm schlagen. Wissenschaftlich weiß er sich den anderen weit voraus, in seiner Karriere liegt er deutlich zurück. Seine Laufbahn als Physiker beginnt schon vor seinem «Wunderjahr» 1905, sein Werdegang als Professor erst im Herbst 1909 – 13 Jahre, nachdem er in seinem französischen Abituraufsatz zum Thema «Meine zukünftigen Pläne» das Ziel genannt hat, Professor für «Theoretische Naturwissenschaften» zu werden. Als er es erreicht, ist er bereits erstmals für den Nobelpreis vorgeschlagen worden. Den bekommt er aber erst 1922. Da ist seine dritte Karriere als Weltstar der Wissenschaft und Homo politicus schon voll im Gange.

Wohl oder übel fügt sich Einstein in seinen Rhythmus. Er hat Frau und Kind zu versorgen. Physik ohne Anstellung bleibt eine brotlose Kunst. Beim Patentamt verdient er mehr als das Doppelte eines Universitätsassistenten. Im September 1904 wandelt die Behörde seinen Zeitvertrag in eine Festanstellung um und erhöht sein Jahresgehalt von 3500 auf 3900 Franken.

Die materielle Sicherheit dient dem aufstrebenden Physiker nach den traumatischen Erfahrungen plötzlicher Mittellosigkeit im Anschluss an sein Studium als tragende Stütze im psychischen Korsett. Die Zeit neben dem Job muss einfach reichen für seine eigentlichen Interessen. «Bedenken Sie», schreibt er Conrad Habicht, dem alten Freund von der Akademie Olympia, «daß es im Tag neben acht Stunden Arbeit noch acht Stunden Allotria und noch einen Sonntag gibt.»

Noch bevor er die Spezielle Relativitätstheorie abschließt, stellt er am 30. April 1905 eine Arbeit unter dem Titel «Eine neue Bestimmung der Moleküldimensionen» fertig. Darin zeigt er, dass sich aus messbaren Eigenschaften von Flüssigkeiten und Lösungen wie etwa der Zähigkeit von Zuckerwasser Größe und Anzahl der gelösten Zuckermoleküle präzise berechnen lassen. Ohne dass sie sichtbar wären, werden Moleküle und Atome einmal mehr zur physikalischen Realität. Ein wichtiger Beitrag in einer Zeit, als sich die hellsten Köpfe unter den Physikern noch an der Existenz von Atomen stoßen. Und die Grundlage der so genannten «Kolloidchemie», die zur Erschaffung von Werkstoffen unersetzlich geworden ist.

Nur neun Tage später hat Einstein das nächste Werk fertig. Auch hier geht es um Atome und Moleküle, und zwar um deren Bewegungen in Flüssigkeiten. Schon 1827 hat der englische Botaniker Robert Brown bemerkt, dass winzige Partikel wie etwa Pollenkörner, aber auch Rauchteilchen unter dem Mikroskop deutlich sichtbare Zitterbewegungen vollführen. Viele Vorgänger Einsteins haben diese «Brownsche Bewegung» zu deuten versucht. Manche sehen darin die Wirkung direkter Stöße einzelner Flüssigkeitsmoleküle gegen die suspendierten Partikel. Einstein erkennt, dass solche einzelnen Stöße viel zu schwach und zu kurz wären, erkennbare Bewegungen der Pollen auszulösen. Das wäre, als wollte man mit einem Staubkorn eine Billardkugel anschieben. Er kann dagegen zeigen, dass die Stöße in ihrer zigmilliardenfachen Summe – rein statistisch betrachtet – zu Verschiebungen der Partikel führen müssen. Damit findet er eine Verbindung zwischen makroskopischen Eigenschaften wie der Temperatur und mikroskopischen wie der Molekülmasse, die zum wesentlichen Werkzeug in der pharmazeutischen Forschung wird. Er hat dazu nicht ins Mikroskop schauen müssen. Er stellt Gleichungen auf und rechnet. Sein Mikroskop ist die Theorie.

Ein Grundmuster seines Schaffens: Er experimentiert nicht, macht aber Vorhersagen für Experimente und Beobachtungen, deren Bestätigungen die Forscher zum Teil bis heute in Atem halten. Mit seinen Formeln zur Brownschen Bewegung regt er ein Schlüsselexperiment an – ein «experimentum crucis». Das wird Jean-Baptiste Perrin 1909 gelingen, weitere Zweifel an der Realität von Atomen und Molekülen ausräumen und dem Franzosen den Nobelpreis bringen. Die von Einstein prognostizierte «exakte Bestimmung der wahren Atomgröße» ist in den Bereich des Möglichen gerückt. Ein Meilenstein in der Physik – im Schatten von Quanten- und Relativitätstheorie.

In diesem Moment fasst Freizeitforscher Einstein einen wichtigen Entschluss. Da er beruflich weiterkommen will, reicht er am 20. Juli 1905, wenige Wochen nach Absenden der Relativitätstheorie, den 17-seitigen Text über die «Bestimmung der Moleküldimensionen» bei der Universität Zürich als Doktorarbeit ein. Mit der Relativitätstheorie hätte er sich niemals promovieren können. Dazu ist sie viel zu gewagt und spekulativ. Die Dissertation hat als Hauptgutachter jener Professor Kleiner zu bewerten, an dem Einstein ein paar Jahre zuvor mit demselben Versuch gescheitert ist. Doch diesmal geht alles gut. Kleiner bescheinigt dem Bewerber, er habe den «Beweis erbracht, daß er sich mit Erfolg mit der Behandlung wissenschaftlicher Probleme zu befassen befähigt» sei.

Die Arbeit wird angenommen. Einstein lässt sie mit dem Zusatz «Meinem Freunde Herrn Dr. Marcel Grossmann gewidmet» vorschriftgemäß drucken. Sie zählt bis heute zu den meistzitierten Publikationen der Physik. Nach Abgabe der Pflichtexemplare darf er nun als «Herr Doktor Einstein» abwarten, wie die wissenschaftliche Welt auf die anderen Ausgeburten seines kreativen Schubes im Frühjahr 1905 reagieren wird – darunter auch die «Lichtquantenhypothese», mit der er die Quantentheorie begründet und über die noch zu berichten ist.

Seine Lage gleicht der eines Revolutionärs, der in das Innerste der Physik vorgedrungen ist und dort mehrere Bomben gezündet hat. Seine Sprengsätze sind die vier Aufsätze in den «Annalen», der bedeutendsten physikalischen Zeitschrift seiner Tage. Doch zunächst sieht Einstein die Wissenschaft wie einen trägen Dampfer in vollem Tempo weiter geradeaus fahren. Ungeduldig wartet er auf Reaktionen aus der Fachwelt. Er rechnet eher mit Kritik als mit Lob. Lange hört er jedoch nichts. Keine Zustimmung oder Ablehnung, nichts.

Karriere macht der junge Doktor vorerst nur im Patentamt. Im März 1906 steigt er zum «Experten II. Klasse» auf und erhält fortan 4500 Franken im Jahr. Erstmals leistet sich die junge Familie in der Aergertenstraße 53 eine Wohnung mit eigenen Möbeln. Die liegt allerdings nicht mehr in der Nähe von Bessos Adresse, sodass Einstein seinen Weg zur Arbeit nun für sich gehen muss. Auch ansonsten fühlt er sich ziemlich allein gelassen. Am 27. April 1906 schreibt er Freund

Solovine: «Seit Sie fort sind, verkehre ich privatim mit keinem Menschen mehr. Nun haben sogar die Heimweg-Gespräche mit Besso aufgehört, von Habicht habe ich absolut nichts mehr gehört.»

Doch immerhin gibt es auch Positives zu berichten: «Meine Arbeiten finden viel Würdigung und geben Anlass zu weiteren Untersuchungen. Professor Planck (Berlin) schrieb mir neulich darüber.» Der Brief von Planck bedeutet Einstein so viel, dass sich seine Schwester Maja fast 20 Jahre später noch daran erinnert: «Nach der langen Wartezeit war dies das erste Zeichen, dass seine Arbeit überhaupt gelesen worden war. Die Freude des jungen Gelehrten war umso grösser, da die Anerkennung seiner Leistung von einem der größten Physiker der Gegenwart herrührte. [...] In jenem Zeitpunkt bedeutete das Interesse Plancks in moralischer Beziehung unendlich viel für den jungen Physiker.»

Der berühmte Kollege gehört zu den Ersten, die das Jahrhundertwerk Relativitätstheorie zu schätzen wissen. Bis sie zum Allgemeingut der Physik gehört, vergehen viele Jahre. Noch im Juli 1907 schreibt Planck an Einstein: «So lange die Vertreter des Relativitätsprinzips noch so ein bescheidenes Häuflein bilden wie es jetzt der Fall ist, ist es von doppelter Wichtigkeit, daß sie untereinander übereinstimmen.»

Im September 1907 bietet der Greifswalder Professor Johannes Stark Einstein an, in dem von ihm gegründeten «Jahrbuch der Radioaktivität und Elektronik» einen umfassenden Übersichtsartikel über die Relativitätstheorie zu schreiben. Ausgerechnet dieser Stark wird nach 1919 zu einem der erbittertsten Gegner Einsteins und seiner Relativitätstheorie.

Einstein sagt zu. Er entschuldigt sich aber gleichzeitig dafür, «dass ich leider nicht in der Lage bin, mich über *alles* in der Sache Erschienene zu orientieren, weil in meiner freien Zeit die Bibliothek geschlossen ist». Schicksal eines Freizeitforschers. Am 1. Oktober schreibt er Stark: «Den ersten Teil der Arbeit für Ihr Jahrbuch habe ich nun fertig; an dem zweiten arbeite ich eifrig in meiner recht spärlich bemessenen freien Zeit.»

In diesem zweiten Teil, den er Ende November abschließt, genauer gesagt in Kapitel 5, beweist Einstein unter der Überschrift «Relativitätsprinzip und Gravitation», zu was er in seiner «recht spärlich bemessenen freien Zeit» imstande ist. In einem an Kühnheit kaum zu übertreffenden Entwurf macht er sich bereits zu den nächsten Ufern auf. «Bisher haben wir das Prinzip der Relativität, d. h. die Voraussetzung der Unabhängigkeit der Naturgesetze vom Bewegungszustande des Bezugssystems, nur auf beschleunigungsfreie Bezugssysteme angewendet. Ist es denkbar, daß das Prinzip der Relativität auch für Systeme gilt, welche relativ zueinander beschleunigt sind?»

Was sich in dieser Nüchternheit vielleicht harmlos liest, ist in Wahrheit ein Paukenschlag, dessen Nachhall bis heute in den Forschungsinstituten der Physik zu hören ist. Einstein hat die Grundlage zu seinem Hauptwerk gelegt, seiner acht Jahre später vollendeten Allgemeinen Relativitätstheorie. Wie lange er schon über diese Verallgemeinerung seiner Speziellen Relativitätstheorie nachgedacht hat, ist nicht bekannt. Seine Ausführungen zeigen aber, dass er das Problem schon sehr weit durchdrungen hat. Er sagt bereits voraus, dass Schwerkraft (wie Bewegung) Uhren langsamer gehen lässt. Und er nimmt jenen Effekt vorweg, dessen Nachweis während einer Sonnenfinsternis 1919 seinen Weltruhm begründen wird: «Es folgt hieraus, daß die Lichtstrahlen [...] durch das Gravitationsfeld gekrümmt werden.»

Einstein kreist in Gedanken schon um die Allgemeine Relativitätstheorie, als sich die Spezielle noch längst nicht etabliert hat. Ein Problem besteht darin, dass die Physiker sie erst allmählich zu verstehen beginnen, ein anderes, dass viele noch an der bewährten elektromagnetischen Theorie von Hendrik Lorentz hängen und nicht vom Konzept des Äthers abrücken wollen.

Der Franzose Henri Poincaré, der selber nur einen kleinen, aber entscheidenden Schritt von der Speziellen Relativitätstheorie entfernt war, schenkt dem Werk des Unbekannten aus Bern bis zu seinem Tod 1912 so gut wie keine Beachtung. Nach der einzigen Begegnung der beiden im Herbst 1911 in Brüssel schreibt Einstein an Zangger: «Poincaré war einfach allgemein ablehnend, zeigte bei allem Scharfsinn wenig Verständnis für die Situation.»

Andererseits muss sich Einstein sagen lassen, dass er die Wirkung von Poincarés Werk auf die Entwicklung seiner Theorie nie auch nur mit einem Wort gewürdigt hat. Nur einmal, in einem Brief an seinen

Freund Michele Besso 1952, erwähnt er neben Ernst Mach und David Hume auch den Franzosen, der von «ziemlichem Einfluss» gewesen sei. Reichlich wenig für einen der vermutlich entscheidenden Ideengeber.

Ähnlich obskur verhält es sich mit dem Experiment der beiden Amerikaner Michelson und Morley, die 1887 mit ihrem «Interferometer» die Konstanz der Lichtgeschwindigkeit untermauert haben – immerhin eine der beiden Säulen von Einsteins Spezieller Relativitätstheorie. In der Arbeit von 1905 wird es mit keinem Satz erwähnt. Doch auch später schafft er in diesem Punkt keine Klarheit. Er widerspricht sich, sagt einmal, er habe von dem Experiment nichts gewusst, ein andermal, er sei sich, falls er es gekannt hat, «nicht bewusst, dass es mich direkt beeinflusst hätte». Dass er es gekannt hat, zumindest in der Zusammenfassung, die er während seines Selbststudiums 1899 gelesen hat, steht außer Frage.

So zögerlich sich die Relativitätstheorie durchsetzt, so unzufrieden zeigt sich Einstein allmählich auch mit seinem merkwürdigen Zwitterdasein zwischen Patentamt und gehobener Hobbyforschung. Anfang 1908 bittet er – «auf die Gefahr hin von Dir fein sachte ausgelacht zu werden» – Freund Marcel Grossmann um Rat: «Ich möchte gern ein Attentat machen auf eine Lehrerstelle am Technikum Winterthur», schreibt er. «Glaube nicht, dass ich von Grössewahn oder sonst einer bedenklichen Leidenschaft auf derartige Streberpfade getrieben werde; ich komme vielmehr auf solche Gelüste nur durch den sehnlichen Wunsch, meine private wissenschaftliche Beschäftigung unter weniger ungünstigen Bedingungen fortsetzen zu können.»

Der in Fachkreisen immer berühmter werdende Physiker als Lehrer? Im Januar 1908, kurz nach Fertigstellung der Arbeit für Johannes Starks Jahrbuch, hat er sich bereits am Züricher Gymnasium auf eine Lehramtstelle in Mathematik beworben, «indem ich hinzufüge, dass ich auch bereit wäre, in Physik zu unterrichten». Unter 21 eingegangenen Bewerbungen kommt seine nicht einmal in die engere Auswahl.

Seinen «Gelüsten» ist ein weiterer Fehlversuch vorangegangen, endlich eine akademische Karriere zu starten. Wie schon 1903 hat Einstein im Juni 1907, nun aber mit «17 Arbeiten aus der theoretischen Physik» im Rücken, ein zweites Mal versucht, sich an der Universität

Bern direkt zu habilitieren. Ende Oktober beschließen die Ordentlichen Professoren auf ihrer Fakultätssitzung, «das Gesuch abzuweisen, bis Hr. Einstein eine Habilitationsschrift eingereicht habe».

Dem Abgewiesenen bleibt nichts anderes übrig, als sich den Regularien zu fügen und die verlangte Arbeit zu verfassen. Am 24. Februar 1908 beschließt die Fakultät, «die Habilitationsschrift anzunehmen und Herrn Einstein zur Probevorlesung einzuladen». Vier Tage später findet sich der Geladene zu Vorlesung und Kolloquium ein, einen Tag später wird ihm die Lehrerlaubnis – die «venia docendi» – erteilt. Einstein ist Privatdozent.

Sein Weg durch die akademische Tretmühle ist damit aber noch lange nicht zu Ende. Im Sommersemester 1908 bietet er erstmals an der Universität Bern ein Kolleg an – dienstags und samstags jeweils um sieben Uhr in der Früh, damit er pünktlich um acht zur Arbeit kommt. Nur drei Hörer finden sich ein: seine zwei Freunde Michele Besso und Heinrich Schenk vom Patentamt und sein inzwischen berufstätiger Schüler Lucien Chavan. Im Wintersemester, als er sein Kolleg in die Abendstunden verlegt hat, gesellt sich als einziger echter Student Max Stern zu der kleinen Runde. Als aber im Sommersemester die drei alten Bekannten fortbleiben und nur noch Stern übrig bleibt, sagt Einstein die Vorlesung ab.

Im September 1908 versäumt der junge Privatdozent die erste öffentliche Würdigung seiner Relativitätstheorie bei der Versammlung der Deutschen Naturforscher in Köln. Obwohl er eigentlich teilnehmen wollte, entscheidet er sich schließlich dagegen, denn «es war dringend notwendig, dass ich meine kurzen Amtsferien zur Erholung benutzte». Er hätte fahren sollen. Sein alter Mathematikprofessor am «Poly», Hermann Minkowski, inzwischen Professor in Göttingen, stellt in Köln die mathematische Formulierung der Theorie mit seinem berühmten Ausspruch vor: «Von Stund an sollen Raum für sich und Zeit für sich völlig zu Schatten herabsinken.»

Der Inspirator dieser mächtigen Worte fristet weiter sein Dasein als «Patentierknecht». Seine Hoffnung auf einen Ruf an eine Universität hat er vorerst aufgegeben: «Die Geschichte mit der Professur ist ins Wasser gefallen, was mir aber ganz gleich ist», schreibt er an Jakob

Laub. «Es gibt ohne mich auch schon Schulmeister genug.» Doch dann kommt alles anders.

Hintergrund der Geschichte: In Zürich soll eine Außerordentliche Professur für Physik eingerichtet werden, weil der bislang einzige Physikprofessor, Einsteins alter Bekannter Alfred Kleiner, zum Rektor der Universität gewählt worden ist. Im Frühsommer 1908 fährt Kleiner, der Einstein als Kandidat in Betracht zieht, nach Bern. Er setzt sich in dessen Kolleg, «um das Tier zu visitieren», wie Einstein später Laub berichtet.

Die Visite fällt denkbar schlecht aus. «Damals habe ich wirklich nicht himmlisch gelesen – teils, weil ich nicht sehr gut vorbereitet war, teils, weil mir der Zustand des Ergründet-Werden-Sollens etwas auf die Nerven ging.» Die Geschichte macht in Physikerkreisen die Runde, und Einstein, furchtlos wie immer, beklagt sich schriftlich bei Kleiner, «dass er ungünstige Gerüchte über mich ausstreue und dadurch meine ohnehin so mühevolle Position zu einer definitiven mache. Denn ein derartiges Gerücht macht jegliche Hoffnung, in das Lehrfach überzugehen, zunichte.»

Kleiner beschließt, Einstein eine zweite Chance zu geben. Der Kandidat soll einen Vortrag in Zürich halten. Mitte Februar ist es so weit. Diesmal «hatte ich Glück. Ganz gegen meine sonstige Gewohnheit trug ich damals gut vor.» In seinem Gutachten bescheinigt ihm Kleiner nun «eine ungewöhnliche Schärfe in der Fassung und Verfolgung von Ideen und eine auf das Elementare dringende Tiefe». Einer seiner wärmsten Unterstützer im Verfahren ist der Dekan der medizinischen Fakultät, sein Freund Heinrich Zangger. Den Posten bekommt Einstein dann aber nur, weil der eigentlich bevorzugte Konkurrent unheilbar an Tuberkulose erkrankt ist. Anfang Mai meldet er Laub: «Nun bin ich also auch ein offizieller von der Gilde der Huren etc.»

Bei den Verhandlungen um sein Gehalt bleibt er hart. Sie bieten ihm viel weniger, als ihm das Patentamt bezahlt, «aber für diesen Fall hatte ich abgewunken». Schließlich bekommt er die verlangten 4500 Franken pro Jahr plus Hörer- und Prüfungsgebühren. Dienstantritt: 15. Oktober. Noch bevor Professor Einstein erstmals vor seine Studenten tritt, verleiht ihm die Universität Genf am 8. Juli den Titel eines

Ehrendoktors. Zwei Tage vorher hat er beim Patentamt zu Mitte Oktober gekündigt. Er ist jetzt 30 Jahre alt.

Am 21. September hat der frisch gekürte Professor als Ehrengast bei der Versammlung der Naturforscher in Salzburg Gelegenheit, die führenden deutschen Wissenschaftler kennen zu lernen. Sein gut besuchter Vortrag über die Natur des Lichtes wird Jahrzehnte später als Wendepunkt der theoretischen Physik eingestuft.

Der neue Job mit acht Stunden Lehrverpflichtung pro Woche nimmt seine Zeit mehr in Anspruch als die Amtstätigkeit. Einstein muss seine Vorlesungen erst entwickeln und sich auf jede Einheit stundenlang vorbereiten. Zur Freude seiner Studenten führt er einen neuen Stil ein. Er pflegt zu ihnen ein kameradschaftliches Verhältnis, wie es erst ab den siebziger Jahren des 20. Jahrhunderts gang und gäbe wird. «In den Pausen», erinnert sich einer seiner Hörer, «war er oft von Studenten und Studentinnen umringt, die Fragen stellen wollten. Geduldig und freundlich versuchte er sie zu beantworten.» Nach dem abendlichen Seminar geht er mit den jungen Leuten oft ins «Café Terrasse» und diskutiert mit ihnen bis zum Zapfenstreich weiter.

Im Sommer 1910 beschäftigt sich Einstein mit dem Blau des Himmels – rein theoretisch, versteht sich. Er bezieht sich auf die kurz zuvor entdeckte «Opaleszenz», eine durch Dichteschwankungen verursachte starke Lichtstreuung in Flüssigkeiten und Dämpfen. Eigentlich zielt er als eine Art Fortsetzung seiner zwei Arbeiten von 1905 über Atome und Moleküle darauf ab, die Größe von Molekülen noch einmal auf eine ganz neue Weise zu bestimmen. Gleichsam nebenher erklärt er mit seiner Formel, warum der Himmel tagsüber blau opalesziert und in der Dämmerung rot leuchtet: Das Sonnenlicht setzt sich aus allen Spektralfarben zusammen und ist dadurch weiß. Trifft es auf die Atmosphäre der Erde, wird es dort an kleinen Teilchen gestreut, und zwar das kürzerwellige blaue Licht sehr viel effektiver als das längerwellige rote. Beim Blick in den Himmel sehen wir das blaue Streulicht. Die Sonne aber erscheint gelb, nicht weiß, weil ihrem Spektrum ein Teil des Blaus fehlt. Je tiefer die Sonne am Himmel steht, desto länger wird der Weg ihres Lichts durch die Atmosphäre, desto mehr Blau geht ihm verloren, desto mehr erscheint es somit rot.

Im März 1910 folgt die nächste Stufe der Karriereleiter: Die Universität Prag lockt mit einer Ordentlichen Professur und «deutlich besserem Gehalt». Mit großen Schritten holt seine berufliche nun seine wissenschaftliche Karriere ein.

Die Prager wissen genau, wen sie da an Land zu ziehen versuchen. Gerade erst ist ein Buch von Max Planck erschienen, in dem er die Relativitätstheorie in ihrer historischen Dimension würdigt: «Mit der durch das Prinzip im Bereiche der physikalischen Weltanschauung hervorgerufenen Umwälzung ist an Ausdehnung und Tiefe wohl nur noch die durch die Einführung des Copernikanischen Weltsystems bedingte zu vergleichen.»

Nach einer Petition seiner Züricher Studenten, den beliebten Professor unbedingt zu halten, bietet die Universität Einstein eine Gehaltserhöhung auf 5500 Franken im Jahr an. Doch im September reist er nach Wien, der Hauptstadt Österreich-Ungarns, in dessen Gebiet auch Prag liegt. Die kaiserlichen Beamten bieten ihm umgerechnet etwas über 9000 Franken. Er schlägt ein. Am 6. Januar 1911 unterschreibt der Kaiser seine Ernennung. Drei Monate später trifft Familie Einstein, inzwischen um Sohn Eduard auf vier Personen angewachsen, in der Stadt an der Moldau ein. In der Nähe der Palacky-Brücke beziehen sie eine geräumige Neubauwohnung. Ein Hausmädchen, Fanni, kümmert sich um den nunmehr gutbürgerlichen Haushalt.

Mit seinen Arbeitsbedingungen zeigt sich Einstein vollauf zufrieden. «Ich habe hier ein prächtiges Institut», schreibt er Grossmann, und zwar, wie er seinen (lebenslang einzigen) Doktoranden Hans Tanner in der Schweiz wissen lässt, «mit ziemlich guter Bibliothek und wenig Berufspflichten, [...] wenn auch Prag kein Zürich ist». Einzig die Bürokratie geht ihm wider den Strich. «Die Tintenscheisserei im Amte ist endlos.» Und die sanitären Verhältnisse lassen Prag erscheinen wie den Vorhof zum Orient. Das Wasser aus den Leitungen ist braun und gesundheitsschädlich.

Die Stadt macht ihm weniger Probleme als die Leute. «Prag ist übrigens wundervoll, so schön, dass sie allein schon eine grössere Reise lohnen würde», versucht er Besso zu locken. «Nur die Menschen sind mir so fremd. Das sind gar keine Menschen mit natürlichem Empfin-

den; gemütslos und ein eigentümliches Gemisch von standesdünkel-
haft und servil, ohne irgend welches Wohlwollen gegen die Menschen.
Protzenhafter Luxus und daneben schleichendes Elend auf der Straße.
Gedankenöde ohne Glauben.»

Er fühlt sich von Freunden und Kollegen abgeschnitten. Von Beginn an dürfte mehr oder weniger klar gewesen sein, dass Prag nur eine
Episode bleiben würde. In seinem Werdegang dennoch ein wichtiger
Schritt: Endlich findet er passende Arbeitsbedingungen und wird so
bezahlt, wie es ihm zusteht.

Der Höhepunkt von Einsteins Prager Zeit findet – eine Konsequenz
seiner dortigen Isolation – nicht in Prag, sondern in Brüssel statt. Der
belgische Industrielle Ernest Solvay lädt die 18 bedeutendsten Physiker
zu einem Gipfeltreffen ein, auf dem sie die drängendsten wissenschaftlichen Probleme erörtern sollen. Aus dieser ersten Zusammenkunft
Ende Oktober 1911 entsteht die Tradition der Solvay-Konferenzen.
Einstein trifft mit den Größten seiner Zunft zusammen. Unter Vorsitz
des Niederländers Lorentz, den Einstein «ein lebendiges Kunstwerk»
nennt, sprechen und diskutieren im mondänen Brüsseler «Grand Hotel Metropole» neben ihm unter anderen Max Planck und Marie Curie,
Ernest Rutherford und Henri Poincaré.

Wissenschaftlich bringt der Kongress keine nennenswerten Fortschritte. «Positives kam nicht zustande», resümiert Einstein. In seiner
Karriere aber markiert er einen entscheidenden Durchbruch. Mit seinen 32 Jahren sieht er sich auf dem Olymp der Physik angekommen,
eingereiht in die Götterriege der Wissenschaft. Hier gelten keine nationalen Grenzen mehr. Auf dem höchsten Niveau können weltweit kaum
mehr als zwei Hand voll Forscher miteinander sprechen.

Schon vor dem Treffen hat er begonnen, seinen Abgang aus Prag
vorzubereiten. Nur einen Tag, nachdem er am 23. August 1911 seinen
Amtseid geleistet hat, tritt er mit der Universität Utrecht in Verhandlungen über einen Ruf. Im September besucht ihn Heinrich Zangger
aus Zürich und berät sich mit ihm über die Möglichkeit, ihn an das
gerade zur Eidgenössischen Technischen Hochschule (ETH) mit allen
akademischen Privilegien beförderte ehemalige «Poly» zu holen.

Gegenüber seinen Schweizer Kollegen versucht Zangger, etwaige

Zweifel an Einsteins Lehrbefähigung zu zerstreuen. «Er ist kein Lehrer für denkfaule Herrn, die nur ein Heft voll schreiben wollen und es auswendig lernen wollen für das Examen, er ist kein Schönredner, aber wer lernen will ehrlich, tief innerlich seine physikalischen Gedanken aufzubauen, alle Prämissen umsichtig zu prüfen, die Klippen u. Probleme zu sehen, die Zuverlässigkeitsgrenzen seiner Überlegung zu übersehen, der findet in Einstein einen erstklassigen Lehrer, denn alles kommt im Vortrag zum suggestiven Ausdruck, der zum Mitdenken zwingt und die Weite des Problems aufrollt.»

Noch vor Weihnachten reist der Prager Professor in die Schweiz. Er verlässt sie wenig später mit der mündlichen Zusage auf einen Ruf. Am 22. Januar 1912 empfiehlt der Schulrat dem Bundesrat die Berufung, und schon Anfang Februar kann Einstein jubilieren: «Vor zwei Tagen wurde ich (haleluia!) an das Polytechnikum in Zürich berufen.» Im Sommer soll er den Dienst aufnehmen. Die Lehrverpflichtungen sind gering, das Jahresgehalt beträgt 10 000 Franken plus 1000 Franken als Sonderzulage durch die Bundesregierung.

Zum «Fachsimpeln», zu dem ihm in Prag die Partner fehlen, fährt Einstein kurz nach Ostern 1912 in die deutsche Reichshauptstadt Berlin. Dort trifft er neben den Teilnehmern an der Solvay-Konferenz, Max Planck und Walther Nernst, auch den weltberühmten Chemiker Fritz Haber sowie den jungen Astronomen Erwin Freundlich von der Sternwarte in Babelsberg bei Potsdam. Haber wird neben Planck zur treibenden Kraft, Einstein nach Berlin zu holen. Und Freundlich hat sich vorgenommen, die von Einstein – zu diesem Zeitpunkt allerdings noch nicht korrekt – vorhergesagte Lichtablenkung durch Gravitation in der Nähe der Sonne zu überprüfen. Nach 1920 betreibt er den Bau des «Einstein-Turms» bei Potsdam durch den Architekten Erich Mendelsohn. Er wird das Sonnenobservatorium, mit dessen Hilfe die Allgemeine Relativitätstheorie bestätigt werden soll, später selbst leiten. Aller Wahrscheinlichkeit nach hat Einstein während des Berlinbesuchs noch ein weiteres, sein Leben veränderndes Tête-à-Tête gehabt: Er trifft die Tochter seines Onkels Rudolph, seine (geschiedene) Cousine Elsa Löwenthal geborene Einstein.

So wie Prag in die Logik seiner Biographie passt, so fügt sich auch die dritte Zeit in Zürich in den Rhythmus seiner Entwicklung. Er kehrt als berühmter Physiker mit Ordentlicher Professur und prächtigem Gehalt an die Hochschule seiner Studentenjahre zurück. Bevor ihn sein Karriereweg nach Berlin und damit endgültig auf den Gipfel seiner Laufbahn bringt, hat er in Zürich noch etwas zu erledigen: Die Arbeit an seinem Hauptwerk, der Allgemeinen Relativitätstheorie, tritt in die entscheidende Phase. Und dabei erweisen sich sein vertrautes Umfeld, seine Freunde, allen voran Marcel Grossmann, als unersetzlich.

Obwohl sich Einstein in Zürich rundum wohl fühlt, wiederholt sich schon bald, nun zum dritten Mal, das bekannte Muster: Er tritt erneut in Verhandlungen um einen noch besseren Job ein. Am 12. Juli 1913 besuchen ihn Planck und Nernst aus Berlin und machen ihm ein Angebot, das er nicht ablehnen kann. Einstein wusste, dass die Berliner früher oder später die Hände nach ihm ausstrecken würden. Die Offerte der beiden Emissäre kommt dennoch überraschend für ihn. Die ehrwürdige Preußische Akademie der Wissenschaften hat am 3. Juli abschließend den Vorschlag erörtert, Einstein zu einem der ihren zu machen. «Zusammenfassend kann man sagen», heißt es im Vorschlagspapier, «daß es unter den großen Problemen, an denen die moderne Physik so reich ist, kaum eines gibt, zu dem nicht Einstein in bemerkenswerter Weise Stellung genommen hat.»

Nach alter Sitte haben die Mitglieder der «physikalisch-mathematischen Klasse» mit weißen und schwarzen Kugeln über ihn abgestimmt. Das Ergebnis ist überwältigend. Auf den Kandidaten entfallen 21 weiße Kugeln bei nur einer ablehnenden schwarzen. Von wem die kommt, ist unbekannt. Sein Gehalt soll 12 000 Mark pro Jahr betragen, zur Hälfte aus Mitteln der Akademie finanziert, zur anderen durch den Industriellen Leopold Koppel. Damit nicht genug. Falls er annimmt, bekommt er eine Ordentliche Professur an der Friedrich-Wilhelm-Universität ohne jegliche Lehrverpflichtung. Ob und wann er Vorlesungen oder Seminare abhält, entscheidet er ganz allein. Schließlich soll er im Rahmen der gerade erst gegründeten Kaiser-Wilhelm-Gesellschaft, Vorläuferin der Max-Planck-Gesellschaft, ein eigens zu gründendes Institut für theoretische Physik leiten.

Trotz dieser «Sinekure» (einer Apanage «ohne Sorge», also im Prinzip ohne Pflichten), trotz Nernsts Beschreibung Berlins als «dem Ort, an dem acht von den zwölf Leuten arbeiten, die Ihre Relativitätstheorie verstanden haben», erbittet sich Einstein Bedenkzeit. Erst am nächsten Tag will er Nernst und Planck seine Entscheidung mitteilen. Wenn sie von ihrem Ausflug auf den Berg Rigi zurückkehren, will er sie am Bahnhof erwarten und im Falle eines Ja ein weißes Tuch schwenken. Was in seinem Kopf vorgegangen ist, als er seine Entscheidung eine Nacht überschläft, hat er nicht hinterlassen. Die Aussicht, seiner Cousine Elsa näher zu kommen, hat in seinen Überlegungen aber gewiss eine Rolle gespielt. Am nächsten Tag erwartet er am Bahnhof seine neuen Akademiekollegen winkend mit weißem Tuch.

Nur seine nächsten Vertrauten lässt er zunächst von der Sache wissen. Als Erstes taucht sie in den Gesammelten Schriften in einem Brief an Elsa auf: «Längstens nächstes Frühjahr komme ich also für immer nach Berlin.» Ein paar Tage später heißt es: «Der regelmässige Verkehr mit Dir wird mir das Schönste sein, was meiner dort wartet!» Dem Kollegen Jakob Laub, inzwischen Physikprofessor in Argentinien, vertraut er an: «Ostern gehe ich nämlich nach Berlin als Akademie-Mensch ohne Verpflichtung, quasi als lebendige Mumie. Ich freue mich sehr auf diesen schwierigen Beruf!»

Nachdem die Preußische Akademie seine Wahl zu ihrem Mitglied am 22. November 1913 offiziell angezeigt hat, übt er sich in seinem Dankesbrief in Bescheidenheit: «Wenn ich daran denke, dass mir jeder Arbeitstag die Schwäche meines Denkens darthut, kann ich die hohe, mir zugedachte Auszeichnung nur mit einer gewissen Bangigkeit hinnehmen.» Beim Abschied aus Zürich vertraut er seinem ehemaligen Kommilitonen Louis Kollros an: «Die Herren Berliner spekulieren mit mir wie mit einem prämiierten Leghuhn; aber ich weiß nicht, ob ich noch Eier legen kann.»

Die Aussicht, ohne offizielle Pflichten an seiner Allgemeinen Relativitätstheorie weiterarbeiten zu können, dürfte seine Zusage erleichtert haben. Allein, deshalb haben ihn die Berliner nicht geholt. Die neuen Kollegen erwarten von Einstein wichtige Beiträge zur Atomtheorie. Der schreiben sie in kluger Voraussicht schon zu diesem sehr frühen Zeitpunkt ein großes Potenzial in der Wissenschaft zu, aber auch in der

Technik, in der Industrie und in neuen Produkten. Sie erhoffen sich von Einstein, dass er ein interdisziplinäres Forschungsprojekt ins Leben ruft und Beiträge zur theoretischen Begründung der Chemie liefert. Doch aus dieser Kooperation über die Fächergrenzen hinweg ist nie etwas geworden. Nachdem Einstein in seiner Antrittrede im eben erst fertig gestellten Neubau der Akademie Unter den Linden am 2. Juli 1914 entgegen den Erwartungen seine Relativitätstheorie in den Mittelpunkt gestellt hat, kann Max Planck «der Versuchung nicht widerstehen, meinen Einspruch anzumelden».

Als Einstein im April 1914 in Berlin eintrifft, muss er feststellen, dass er sich in gewisser Weise selber überholt hat: Mit seinen gerade 35 Jahren sieht sich in der Akademie umgeben von älteren Herren, denen Etikette und Kleiderordnung wichtiger zu sein scheinen als alles andere. Am 4. Mai schreibt er seinem alten Mathematikprofessor Adolf Hurwitz: «Die Akademie erinnert in ihrem Habitus ganz an irgendeine Fakultät. Es scheint, dass die meisten Mitglieder sich darauf beschränken eine gewisse pfauenhafte Grandezza *schriftlich* zur Schau zu tragen.» Doch «das Einleben hier gelingt wider Erwarten gut; nur ein gewisser Drill inbezug auf Kleider etc. dem ich mich auf Befehl einiger Onkel unterziehen muss, um nicht dem Auswurf der hiesigen Menschheit zugezählt zu werden, stört etwas die Gemütsruhe.»

Nun hat er jene Position inne, in der er weltberühmt wird und die er erst nach 19 Jahren – gezwungenermaßen – wieder aufgeben wird. Weiter aufsteigen kann er kaum noch. Am 1. Oktober wird er vereinbarungsgemäß Direktor des Kaiser-Wilhelm-Instituts für Physik. Das verfügt allerdings über kein Gebäude und residiert deshalb im Stil einer Briefkastenfirma in seiner Wohnung. Immerhin erhält er eine jährliche Entschädigung von 5000 Mark und eine Stelle für eine Sekretärin. Bis er Berlin verlässt, wird sich an dem Zustand nichts ändern, dass «sein» Institut ohne weitere Mitarbeiter hauptsächlich zur Vergabe von Forschungsmitteln existiert.

Weitere Rufe, etwa ein äußerst großzügiges gemeinsames Angebot der ETH und der Universität Zürich, lehnt er 1918 ab. Stattdessen einigt er sich mit den Schweizern auf einen Lehrauftrag, der ihn pro Jahr vier bis sechs Wochen nach Zürich bringen soll. Lediglich eine Gastprofessur in Leiden 1920 und eine vergleichbare Verpflichtung am Christ Church College in Oxford 1930 nimmt er an.

Seine dritte, nicht eigentlich angestrebte Karriere als politisch aktiver Star der Wissenschaft hat begonnen. Welche Folgen sie für Einstein ab seinem 40. Lebensjahr hat, fasst er 1929 in einem seiner Knittelverse zusammen:

«Wo ich geh und wo ich steh
Stets ein Bild von mir ich seh,
Auf dem Schreibtisch, an der Wand
Um den Hals am schwarzen Band.

Männlein, Weiblein wundersam
Holen sich ein Autogramm,
Jeder muss ein Kritzel haben
von dem hochgelehrten Knaben.

Manchmal frag in all dem Glück
Ich im lichten Augenblick:
Bist verrückt du etwa selber
Oder sind die andern Kälber?»

Nun erlebt er die Zeit der Preise und Auszeichnungen. Am 31. Dezember 1920 wird er als dessen jüngstes Mitglied in die «Friedensklasse» des Ordens «Pour le Mérite» gewählt. Am 9. November 1922 bekommt er den Nobelpreis für Physik für das Jahr 1921 zuerkannt. Bei seinem verspäteten Nobel-Vortrag im Juli 1923 vor der Nordischen Naturforscherversammlung in Göteborg wiederholt sich das Muster seiner Antrittsvorlesung in Berlin. Einstein spricht nicht über die Quantentheorie, für deren Beitrag er den Preis erhalten hat, sondern trägt über «Grundgedanken und Probleme der Relativitätstheorie» vor.

Eine letzte berufliche Entscheidung fällt im August 1932. Einstein nimmt die Berufung an das neue «Institute for Advanced Study» im amerikanischen Princeton an, wo er im Wechsel mit Berlin jeweils ein halbes Jahr forschen will. Als er nicht mehr nach Deutschland zurückkehren kann, wählt er Princeton zum Daueraufenthaltsort – seine letzte Karrierestation. Andere Angebote, etwa aus England oder Frankreich, lehnt er ab.

Die Amerikaner bekommen den berühmten Professor nun tatsächlich «quasi als lebendige Mumie», der wissenschaftlich außer seinem Beitrag zum «Einstein-Podolsky-Rosen-Paradoxon» nichts mehr von Bestand hervorbringt. Mehr als drei Jahrzehnte lang hat er erfahren, dass «die Welt unserer Sinneserlebnisse begreifbar» ist. «Und daß sie es ist, ist ein Wunder.»

Und der Preis seiner Karriere? Den haben andere bezahlt. Die traurigsten Opfer lässt er in Europa zurück: seine beiden Söhne Hans Albert und Eduard und deren Mutter Mileva. Ihre Welt bleibt seinen Sinnen für immer verschlossen.

Kapitel 10

«Liebe Buben ... Euer Papa»

Das Drama des genialen Vaters

Berlin, Anhalter Bahnhof, 29. Juli 1914, Mittwochabend gegen neun Uhr. Ein ungemütlicher Sommertag geht zu Ende. Am Nachmittag haben die Thermometer unter regnerisch trübem Himmel gerade einmal 16 Grad erreicht. Der Wind weht frisch aus Nordwest. Am Kiosk auf dem Vorplatz flattern die Titelseiten der festgeklemmten Zeitungen.

«Die Gefahr des Weltkrieges» schreien draußen die Schlagzeilen und drinnen im Bahnhof die Handverkäufer. «Der Kampf um Serbien!» Nach mehr als 40 weitgehend friedlichen Jahren steht Europa am Rande des schlimmsten Waffengangs seiner Geschichte. Und auf dem Bahnsteig, am Nachtzug Richtung Süden, steht der fünfunddreißigjährige Albert Einstein und erlebt eine der bittersten Niederlagen seines Lebens.

Vor ihm seine Familie, die er zum Abschied gezwungen hat. Sein Freund Michele Besso an ihrer Seite. Besso ist eigens aus der Schweiz gekommen, Mileva und die Kinder abzuholen. Es ist noch taghell. Ein Blick hinüber zur Frau – «wir gingen im Groll auseinander» –, dann beugt sich der Vater zu seinen Jungen hinunter, zu Hans Albert, Adu gerufen, zehn Jahre alt, und zu dem kleinen Eduard, Tete oder Teddy genannt, tags zuvor vier geworden. Er gibt jedem «den letzten Kuss».

Fauchend setzt sich die schwarze Lokomotive in Bewegung, bis sich der Zug mit Freund und Familie schließlich in der Ferne verliert. Am Bahnsteig zurück bleibt der junge Superstar der deutschen Physik, gerade erst vier Monate in der Reichshauptstadt, begleitet von seinem neuen Kollegen, dem Chemiker Fritz Haber. Der hat in den letzten Tagen noch vergebens versucht, zwischen den Eheleuten zu vermitteln.

Als die beiden Wissenschaftler das imposante Empfangsgebäude des Bahnhofs verlassen und in den Wind auf den Askanischen Platz hinaustreten, bricht Einstein in Tränen aus. «Ich habe gestern geweint», schreibt er tags drauf Cousine Elsa, seiner Geliebten, die mit ihren beiden Töchtern im Alpenurlaub weilt und deretwegen er seine Familie ziehen lässt, «geheult wie ein kleiner Junge, gestern Nachmittag und gestern Abend, nachdem sie weg waren».

Vier Tage zuvor hat er ihr von der «Unterredung bei Haber» berichtet: «Drei Stunden hat es gedauert. Auch die Wege für eine Scheidung sind geebnet. Nun hast Du den Beweis, dass ich ein Opfer für Dich bringen kann.» Und als habe es noch eines weiteren Belegs für seine Entscheidung zwischen den Frauen bedurft, ist er nach der «letzten Unterredung» in Elsas Wohnung gefahren: «Heute Nacht ruhe ich in Deinem Bett! Sonderbar, wie verworren man empfindet. Es ist doch ein Bett wie ein anderes, wie wenn Du noch nie darin geschlafen hättest. Und doch empfinde ich es als eine Wohltat, dass ich mich hineinlegen darf, so etwas wie zarte Vertraulichkeit.»

Einstein weint um seine «Buben». Und er weint um sich. Tränen des Verlustes und der Schuld. «So eine Sache hat eine kleine Ähnlichkeit mit einem Mord!», hat er Elsa drei Tage vor dem Abschied am Anhalter Bahnhof reuig geschrieben. Mileva «empfindet meine Handlungsweise als ein Verbrechen an ihr und den Kindern». Doch «Du l. Elschen wirst nun meine Frau werden und Dich überzeugen, dass es gar nicht hart ist, neben mir zu leben.»

Ein Mann verlässt seine Frau und geht zu einer anderen. Ein Allerweltsvorgang. Die Verlassene trägt die alleinige Schuld. So will Einstein es seine «Nebenmenschen» wissen lassen. Allen Freunden tischt er die gleiche Version auf: Es war unerträglich mit ihr, deshalb musste er gehen. «Das Leben ohne meine Frau ist für mich persönlich eine wahre Wiedergeburt», schreibt er seinem Züricher Freund Heinrich Zangger im Frühjahr 1915. «Es ist mir zu Mute, wie wenn ich zehn Jahre Zuchthaus hinter mir hätte.»

Zwei Wochen vor dem Abschied, nachdem er bereits aus der gemeinsamen Wohnung ausgezogen ist, hat er Mileva mitgeteilt: «Von einem kameradschaftlichen Verhältnis zu Dir kann nach allem Vorgefallenen keine Rede mehr sein.» Er sichert ihr «ein korrektes Benehmen von meiner Seite zu, wie ich es einer fremden Frau gegenüber üben würde.» Was genau vorgefallen ist, entzieht sich unserer Kenntnis. Mit den Details behelligt er seine Freunde nicht. Auch Mileva hüllt sich in Schweigen – uns stehen nur zwei Briefe, die sie ihm zwischen Anfang 1914 und Ende 1918 geschrieben hat, als Quellen zur Verfügung.

Kein einziger Brief von Elsa an Albert, die es seinen Antworten zufolge zuhauf geben muss, findet sich in den Gesammelten Schriften. Inwiefern war sie aktiv beteiligt, seine Ehe zu zerstören? Wie weit hat sich ihr Cousin von ihr und ihrer Familie beeinflussen, drängen lassen? Es ist, als lausche man einem Dialog, bei dem man nur eine der beiden Stimmen hören kann und sich den Rest denken muss. So muss auch die Geschichte von Albert, Mileva und ihren Söhnen nach der Trennung allein aus seinen Schreiben und aus wenigen Stellen seiner übrigen Korrespondenz rekonstruiert werden, die ihre Beziehung betreffen.

Kollege Haber, schreibt er Elsa, «begreift auch vollkommen, dass ich mit Miza nicht leben konnte. Nicht ihre Hässlichkeit, sondern Starrheit, Mangel an Anpassung und Schmiegsamkeit und Weichheit, das hätte eine Verschmelzung verunmöglicht. Er hält mich für keinen harten Unmenschen, sondern liebt mich ebenso wie früher.» Er wendet sich sogar an Milevas Freundin Helene Savić, um seinen Standpunkt zu rechtfertigen: «Die Trennung von Miza war für mich eine Frage des Überlebens. Unser gemeinsames Leben war unmöglich geworden», schreibt er im September 1916. «Sie ist und bleibt für mich immer ein amputiertes Glied.»

Was heißt das? Fühlt er Phantomschmerzen? Über Milevas Empfindungen verliert er keine Zeile. Und auch kein Wort der Selbstkritik. Stattdessen kommt die gesamte Beziehung von ihren Anfängen an in Verruf. Die einst Umgarnte wird zur «lebendigen Plage» erklärt, «die mir seit meiner Jünglingszeit das Leben so schwer machte». Allein, die Liebesbriefe, die Robert Schulmann vom Einstein Papers Project in den achtziger Jahren aufgespürt hat, erzählen eine andere Geschichte aus den ersten Jahren der Beziehung.

Was auch immer «vorgefallen» ist und so «hart» daran war, neben ihm zu leben, fällt nicht ins Gewicht. Das muss Elsa selber herausfinden. Doch zunächst wird sie «Wunder an Takt und Zurückhaltung thun müssen, dass man Dich nicht wie eine Art Mörderin ansieht; der Schein ist schwer gegen uns». Und am selben Tag: «Nun werde ich nach aller Grübelei und Arbeit zuhause ein liebes Weibchen finden, das mir glücklich und zufrieden entgegen lacht.» Diese sorg- und kritiklose Unbekümmertheit, mit der er sich den Rücken für seine Wissenschaft freihalten will, hat ihm die Mutter seiner Söhne und nicht zuletzt wegen der Mutterschaft beruflich gescheiterte Gefährtin nicht bieten können.

Schon vier Tage später macht Einstein Elsa gegenüber den ersten Rückzieher und zieht sein Heiratsversprechen zurück. «Es ist nicht Mangel an echter Zuneigung, was mir immer aufs Neue den Schreck gegen das Heiraten einflösst. Ist es die Furcht vor dem bequemen Leben, vor den guten Möbeln, vor dem Odium, das ich auf mich lade, oder gar davor, eine Art behaglicher Spiessbürger zu werden?» Ein letztes Mal bäumt sich der jugendliche Rebell in ihm vor dem Unvermeidlichen auf. Als Postskriptum schickt er «Beste Grüsse an die Ex-Stiefkinder!»

Einstein lebt erstmals in einer Metropole. Deren Treiben mitten im Krieg versucht er weitgehend aus seinem Dasein auszuklammern. Im Mai 1915 gesteht er Zangger, dass «mein Leben hier ideal schön ist, bis auf Dinge, die mich nichts angehen». Und auch ein Jahr später teilt er mit, «lebe ich ruhig und zufrieden in meiner stillen Klause, in die keine Zeitung dringt.» Gottlob sitzen seine wichtigsten Freunde weit weg. So entsteht durch die Korrespondenz überhaupt so etwas wie eine Kette von Lebenszeichen, die eine Ahnung von Einsteins privatem Sein in diesen Jahren vermittelt. In seinen Briefen führt er schriftlich Selbstgespräche in Fortsetzungen. «Ich döse ruhig hin meinen friedlichen Grübeleien», lässt er seinen Freund Paul Ehrenfest wissen.

Er hat kein Institut, kaum Pflichten, auch keine ehelichen, und wenig Kontakt nach außen. Er bunkert sich ein, lebt in kärglichen Verhältnissen, ernährt sich aus Konserven, versenkt sich in die Wissenschaft und arbeitet oft die Nächte durch. Jede Störung ist eine zu viel. Immerhin steht er kurz davor, mit seiner Allgemeinen Relativitätstheorie die physikalische Welt noch einmal auf den Kopf zu stellen. In den letzten Wochen, bevor er sie endgültig fertig stellt, zwischen Ende September und Anfang November 1915, durchlebt er die intensivste Arbeitsphase seines Lebens. Wer ihm in die Quere kommt, droht seine Rücksichtslosigkeit kennen zu lernen. Viel Porzellan wird in dieser Zeit zerschlagen. Das Verhältnis zu seinen Söhnen, besonders zu dem schon bewusst denkenden Hans Albert, bekommt einen dauerhaften Knacks. «Der emotionale Preis, den Einstein für seine kreative Isolation bezahlt, ist in der Tat hoch», stellen die Herausgeber seiner Gesammelten Schriften fest.

Ende 1914 ist er aus der Wohnung im Vorort Dahlem, die Mileva für die Familie angemietet hat, in die Wittelsbacherstraße im westlichen Zentrum gezogen. Von dort sind es nur ein paar Gehminuten zu Elsa, ihren Töchtern und ihren Eltern (seinem Onkel und seiner Tante). Die Haberlandstraße 5 wird knapp drei Jahre später seine eigene Adresse. Der Junggeselle auf Zeit gibt sich eine Gnadenfrist, bevor er die Kunst fertig bringt, sich von den Annehmlichkeiten eines bequemen bürgerlichen Lebens einfangen zu lassen, ohne selber ein Spießer zu werden.

Mileva hat er am 18. August 1914 mitgeteilt, dass «ich nicht beabsichtige, die Scheidung von Dir zu verlangen, sondern nur, dass Du mit den Kindern in der Schweiz bleibst». Elsa wird sich damit nicht zufrieden geben. Sie will ihre Eroberung ganz für sich. Fünf Jahre lang kämpft sie darum, Albert zu ihrem Ehemann zu machen, fünf Jahre des Vor und Zurück zwischen Scheidungsandrohungen, Eheversprechen und Rückziehern.

Immerhin weiß Einstein Frau und Söhne jetzt in Sicherheit. Am 2. August 1914 hat mit Deutschlands Kriegserklärung an Russland der Erste Weltkrieg seinen unheilvollen Ausgang genommen. Fast zeitgleich ist Einstein in jenen Privatkrieg eingetreten, wie ihn unzählige Männer nach Verlassen ihrer Familien führen: in den Kampf ums Geld und um die Kinder. «Ich habe», schreibt er Mileva, «nur ganz wenig für mich behalten, nämlich das blaue Sofa, den Bauerntisch, zwei Betten (aus dem Haushalt meiner Mutter stammend), den Schreibtisch, die kleine Kommode aus dem Haushalt meiner Grosseltern, leider auch die von Dir gewünschte elektrische Lampe, von der ich nicht wusste, dass Du an ihr hängst.» Wenn es zum Schwur kommt, bekommen auch bei den Großen die kleinen Dinge einen Namen.

Die Unterhaltspflichten bringen Einstein, den Gutverdiener, an den Rand der Pleite. «Ich hätte Dir noch mehr Geld überwiesen, aber *ich habe selbst gar nichts mehr,* sodass ich ohne Hilfe gar nicht durchkäme.» Wie so viele seiner Geschlechtsgenossen muss er feststellen, dass eine Ehe in Trennung teurer sein kann als in Gemeinschaft und dass ein Freikauf durch Scheidung, wie er ihn 1919 schließlich bewerkstelligt, in die Nähe des Ruins führen kann.

Doch der Kampf ums Geld ist nichts gegen den Kampf ums Kind. Von jenem tränenreichen 29. Juli 1914 an werden sich Einstein und seine Söhne gegenseitig einem Wechselbad von Gefühlen aussetzen, einem Auf und Ab zwischen herzlicher Zuneigung und scharfer Ablehnung, und die Schuld daran sucht der Vater allein bei der Verflossenen. «Meine Kinder hast Du mir weg genommen und sorgst dafür, dass ihre Gesinnung dem Vater gegenüber vergiftet wird.» Hat er das verdient?

«Ich habe diese Kinder unzählige Male Tag und Nacht herumgetragen, im Kinderwagen herumgefahren, habe mit ihnen gespielt, geturnt, gescherzt», schwärmt er Elsa vor. «Früher jubelten sie, wenn ich kam.» Und jetzt? «Grüsse von mir an Kinder scheinen nicht ausgerichtet zu werden», hält er Mileva am 12. Dezember 1914 vor, «sonst würden sie mich in der langen Zeit auch einmal haben grüssen lassen.» Wie viele Väter, die ihre Familien verlassen, durchleben dieses Wirrwarr aus Vorwurf und Furcht, Ratlosigkeit und Rechthaberei.

«Für Euren Unterhalt ist reichlich gesorgt», muss Mileva lesen, «und ich finde Deine unablässigen Versuche, alles in meiner Hand befindliche an Dich zu reissen, höchst unwürdig. Hätte ich Dich vor 12 Jahren so gekannt wie ich Dich jetzt kenne, so hätte ich meine Pflichten gegen Dich ganz anders beurteilt als damals.»

Kind und Geld, Geld und Kinder – ein ewiges Hin und Her. Im selben Schreiben verlangt er, «dass keine Einflüsse auf das Kind ausgeübt werden, die darauf hinzielen, mich dem Kinde in verzerrtem Bilde erscheinen zu lassen». Und schließlich: «Wenn ich aber sehe, dass Albertlis Briefe suggeriert sind, dann werde ich es aus Rücksicht für die Kinder unterlassen, eine regelmässige Korrespondenz zu unterhalten.» Er sieht nicht, dass er mit solchen Drohungen alles nur immer schlimmer macht. Die latente Angst, seine Söhne zu verlieren, verwandelt sich wie bei vielen Vätern in leidenschaftlichen Hass gegen die unkontrollierbare, zum Alleinerziehen gezwungene Mutter. Auf der anderen Seite dieser unheilvollen Verstrickung in der Vater-Sohn-Beziehung steht das ewige Buhlen der Söhne um die Liebe des Übervaters.

Im Sommer 1915 verbringt Einstein mit Elsa und ihren Töchtern einen achtwöchigen Urlaub im Örtchen Sellin auf der Insel Rügen. Der Vagabund sieht erstmals das Meer. «Hier ist es wundervoll», schreibt er an Freund Zangger. «Ich konnte mich so schön ausruhen, wie noch nie, seit ich erwachsen bin.» Derart gefestigt, begibt er sich Anfang September nach Zürich, um zum ersten Mal seine verlassene Familie wiederzusehen. Vorausgegangen ist eine Krise, wie sie sich nun noch häufiger wiederholen wird.

«Mein Junge schrieb mir nämlich eine sehr brüske Karte, in der er eine Tour mit mir entschieden ablehnt», hat er sich noch im Juli gegenüber Zangger entrüstet. Die Karte hätte man gern gekannt – wie auch die übrige Post, die Einstein von seinen Söhnen erhalten hat. Hier nimmt das Versteckspiel um Einsteins Privatleben einmal mehr abstruse Züge an: Das bis zu seinem Tod schwierige, schuldbehaftete Verhältnis zu seinen Kindern erschließt sich allenfalls bruchstückhaft aus dem Monolog seiner Briefe an den «lieben Adu», den «lieben Tete», an die «lieben Kinder» oder «lieben Buben». Was «euer Papa» zu lesen bekommen hat, lässt sich nur bis zu einem gewissen Grad aus dessen Antworten folgern.

Erhalten hat sich Einsteins an Hans Albert gerichtete Ankündigung der «Reise von 14 Tagen oder drei Wochen ganz allein mit Dir» vom April 1915. «Da werde ich Dir auch viel Schönes und Interessantes erzählen von Wissenschaft und vielem anderen», heißt es darin. Ganz so harmonisch verlief die Reise dann offenbar nicht. «Ich war zweimal mit den Kindern zusammen», schreibt er Elsa. «Darauf Stockung. Ursache: Angst der Mutter vor zu großer Anlehnung der Kleinen an mich.» Und zwei Tage später: «Die Kinder sah ich nur zweimal; *sie* scheint dann Misstrauen geschöpft zu haben.»

Immerhin weiß Einstein nun, dass sich Freund Zangger «meiner Kinder annehmen» wird. Im Oktober freut er sich, «dass mein Junge zu Ihnen gekommen ist. Fragen Sie ihn doch, ob er meinen ausführlichen Brief nicht erhalten hat.» Weder Brief noch mögliche Antwort sind bekannt. «Wenn ich aber sehe, dass die Frau alle meine Bemühungen, mit dem Jungen in Fühlung zu bleiben, vereitelt, werde ich doch auf dem rechtlichen Wege erzwingen, dass der Junge jedes Jahr einen Ferienmonat bei mir zubringt.» Aber er sieht auch, wo ein Teil des Problems liegt: «Ich habe deutlich gemerkt, dass es Albert und seiner Mutter vor anderen unangenehm war, dass ich in Zürich war und nicht bei ihnen gewohnt habe. Das begreife ich.»

Anfang November dann die Erleichterung: Der Sohn hat sich gemeldet. «Ich fürchtete schon, du wolltest mir überhaupt nicht mehr schreiben», gesteht er Hans Albert. Der Dammbruch verdankt sich dem Vermittlungsversuch seiner Freunde Anna und Michele Besso, die sich liebevoll für Mileva und die Kinder einsetzen. «Wir erkennen an die Berechtigung Deines Wunsches», schreiben sie ihm am 30. Oktober, «mit Deinen Kindern ungestört zu verkehren, die Berechtigung der Bedenken Deiner Frau dagegen, daß dieser Verkehr in der Nähe Deiner berliner Verwandten sich abwickle.» In der Trennungsvereinbarung ist Mileva zugesichert worden, «daß Frau E. die Kinder *nie* an die Verwandten E. abgeben müsse».

Die Bessos sehen Mileva im Recht und folgern: «Die *daraus* sich ergebende Zwiespältigkeit kann für die Harmonie der Seele des Kindes nur gefährlich werden. Wenn Du es durchsetzt, so käme nach unser beider Ansicht unfehlbar die Zeit, wo die Leiden daraus, auch für Dich, die jetzigen Annehmlichkeiten weitaus überwiegen würden. Besser als ein Verkehr *in Berlin* wäre für *die Kinder*, ohne Zweifel, kein Verkehr.»

Ferner verlangen die Freunde «eine schriftliche Bestätigung», damit «es ausgeschlossen bleibt, dass im Finanziellen ein Druckmittel zur Erzielung irgend welcher nicht vorgesehenen Zwecke tätig bleibe». Das sitzt. Einstein hört wie ein Knabe auf die Erwachsenen. Er gibt klein bei und schaltet von Dur auf Moll. «Dein Brief hat mich aufrichtig gefreut», teilt er Mileva am 15. November 1915 mit, «weil ich aus demselben ersehe, dass Du meine Beziehungen zu den Buben nicht hintertreiben willst.» Ihrem Einfluss auf «seine» Jungen, die er wie viele Väter gern nach seinem Vorbild gedeihen sehen will, gilt seine größte Sorge.

Der Brief, auf den Einstein unter anderen Vorzeichen wohl um einiges ungehaltener reagiert hätte, eines der zwei erhaltenen Schreiben Milevas zwischen 1914 und 1918, gibt einen Einblick, wie klug und geduldig sie ihrem «lieben Albert» die Verhältnisse zurechtzurücken versucht. Sie bittet ihn, keine Verabredungen mit den Kleinen zu treffen, sondern «Sachen die sich auf die Kinder beziehen, *mit mir* abzumachen». Denn «glaube mir, dass wenn Albert das Gefühl hätte, dass das, was man von ihm verlangt, im Einvernehmen der beiden Eltern geschehe, er viel eher dazu gelangen würde, sich mit Dir ruhig freuen zu können, als in der Empfindung, Du handelst als Feind gegen diese kleine Welt, die ich den Kindern hier aufgebaut habe, in der sie leben und die sie lieben.»

Einsteins Reaktion an Hans Albert: «Ich will um Neujahr in die Schweiz kommen.» Es dauert keine drei Wochen, da haben sich die Verhältnisse schon wieder eingetrübt. Der Vater verhält sich dem Jungen gegenüber wie gegen einen Erwachsenen. Er droht, er tadelt, er straft, reagiert mimosenhaft, eingeschnappt, beleidigt – wie ein Kind, aber für Kinder nicht verständlich. «Ich sehe aus Deiner langen Wartezeit und aus der Unfreundlichkeit Deines Briefes, dass Dir mein Besuch wenig Freude machen würde. Ich halte es deshalb nicht für richtig, mich dafür 2 × 20 Stunden in die Eisenbahn zu setzen, um damit niemand eine Freude zu machen. Erst dann werde ich Dich wieder besuchen, wenn Du mich selbst darum bittest.»

Wieder muss Besso intervenieren, der erneut Mileva in Schutz nimmt: «Sie hat es schwerer, dich zu verstehen, als du sie – und hatte es immer schwerer, schon weil die Rolle der Frau eines genialen Mannes *niemals* leicht ist. – Das alles nur gegen Entscheidungen aus dem Affekte.» Einen Tag später geht ein Brief an Mileva ab. «Eine Kette von Missverständnissen hat gewaltet.» Einstein raspelt Süßholz und wirbt darum, dass sie Hans Albert «ruhig von Zeit zu Zeit mir überlassen» kann. «Mein Einfluss beschränkt sich auf das Intellektuelle und Ästhetische. Ich will ihn hauptsächlich denken, urteilen und objektiv zu geniessen lehren» – als ob die Mutter dem Jungen all das nicht vermitteln könnte oder gönnen wollte.

«Dein soeben angekommener Brief», heißt es am 10. Dezember 1915, «veranlasst mich nun doch in die Schweiz zu fahren. Denn es besteht doch ein Schimmer von Möglichkeit, dass ich Albert durch mein Kommen eine Freude mache. Sage ihm dies und sorge dafür, dass er mir einigermassen freudig entgegenkommt.» Falls sich der Junge tatsächlich gefreut hat, wird die Enttäuschung umso größer gewesen sein, als es kurz vor Weihnachten heißt: «Es ist so schwer, über die Grenze zu kommen. [...] Deshalb kann ich jetzt nicht zu Dir kommen. Ostern aber besuche ich Dich sicher.»

Bevor es zu dem Osterbesuch kommt, sorgt Einstein im Februar 1916 erneut für Unruhe in der «kleinen Welt» seiner fernen Familie: «Ich stelle Dir hiermit den Antrag, unsere nunmehr erprobte Trennung zu einer Scheidung auszugestalten», und einen Monat später: «Es handelt sich für Dich um eine blosse Formalität, für mich aber um eine unabweisbare Pflicht. Versuche Dich einmal in meine Lage zu denken. Elsa hat zwei Töchter, deren ältere 18 Jahre alt ist, d. h. im heiratsfähigen Alter. Das Kind [...] hat unter den Gerüchten zu leiden, welche bezüglich meiner Beziehungen zu ihrer Mutter umlaufen. Dies lastet auf mir und soll durch eine formale Ehe gutgemacht werden.»

Nicht Milevas, sondern seine «Lage» schildert er als Last, weil die Tochter der Nebenbuhlerin «leidet». Was sie als verlassene Frau und allein erziehende Mutter mitmacht, ist ihm gleichgültig. Scheinbar zum Trost der Betrogenen fügt er zynisch hinzu, er «werde den Zustand des Allein-Wohnens, der sich mir als eine unbeschreibliche Wohlthat geoffenbart hat, nie mehr aufgeben».

Milevas Antwort ist nicht bekannt, aber aus Einsteins nächstem Brief lässt sich schließen, dass ihr Widerstand allmählich bröckelt und sie den Geboten der Vernunft gehorcht. «Ich habe mir nun einen Ruck gegeben», schreibt er, «und die Angelegenheit der Scheidung auf Deine prinzipielle Zusage hin mit einem Anwalt besprochen.» Doch für den baldigen Besuch fügt er drohend hinzu: «Ich hoffe zuversichtlich, dass Du mir diesmal nicht wieder die Buben völlig vorenthältst. Wenn Du es wieder machst, wie das letzte Mal, werde ich so bald nicht wieder nach Zürich kommen.»

Als er seine Söhne dort eine Woche später in die Arme schließen darf, schickt er ihr «meine Hochachtung wegen des guten Zustandes unserer Buben», bedankt sich für ihre «richtige Erziehung» und «dafür, dass Du mir die Kinder nicht entfremdet hast». Es kommt, wie wir von Postkarten an Elsa wissen, tatsächlich zu der Wanderung mit Hans Albert, bei der es «keinen Misston zwischen uns» gibt. «Der Junge macht mir viel Freude, besonders durch seine gescheiten Fragen und durch seine Anspruchslosigkeit.»

Leistungsdenken prägt die Beziehung zu seinen Kindern nicht unwesentlich. Ihm kommt es vor allem darauf an, dass sie «ganze Menschen» werden. Und darunter versteht er vor allem geistige, nicht seelische Reife. «Du machst noch so viele Fehler im Schreiben», mahnt er Hans Albert. Über Tete vertraut Einstein dessen Bruder später einmal an: «Dicke Bretter zu bohren ist wohl nicht seine Leidenschaft, aber es muss auch Kerle geben, die sich einfach an Gottes Schöpfung freuen – vielleicht ist dies der eigentliche Zweck der letzteren.»

Mileva will, da er schon in Zürich weilt, offenbar die Scheidungsmodalitäten mit ihm persönlich besprechen. Doch er weicht aus und überlässt das Feld den Anwälten. Hans Albert versucht, der Mutter beizustehen. Ein paar Tage nach der harmonischen Wanderung, so Einstein entrüstet an seine Cousine, «drang er in mich, ich sollte seine Mutter aufsuchen. Als ich dies entschieden ablehnte, wurde er trotzig und weigerte sich, am Nachmittag wiederzukommen. Dabei blieb es, und ich sah seither keines von den Kindern, veranlasste auch keine Zusammenkunft mehr. Ich sollte die Kinder nur dann sehen, wenn sie nicht gleichzeitig unter dem Einfluss der Mutter stehen.»

Unter dem konstanten Druck erleidet Mileva einen schweren Nervenzusammenbruch. Einstein schließt «nach den bösen Erfahrungen von Ostern» kategorisch aus, sie zu besuchen – «teils aus unabänderlichem Entschluss, teils auch, um ihr Aufregungen zu ersparen». Statt sich auch nur eine Minute um sie zu sorgen, unterstellt er ihr, sie mache den Freunden etwas vor. «Deinem Schreiben nach scheint meine Frau wirklich ernsthaft krank zu sein», schreibt er an Besso. «Ich hege aber meinerseits den Verdacht, dass Ihr zwei herzensgute Männer» – der andere ist Zangger – «von der Frau an der Nase herumgeführt werdet.» Und falls der Freund es noch nicht bemerkt haben sollte: «Du hast keine Ahnung von der natürlichen Verschlagenheit eines derartigen Weibes.»

In seiner Antwort versichert Besso dem Freund, dass es sich nach seinem Dafürhalten auf keinen Fall um Vortäuschung handle. «Die Leiden der Frau waren schon längere Zeit in ihrem Aussehen ausgeprägt, sie hat sich auch nicht etwa gehen lassen, sondern sich eher zuviel Arbeit aufgebürdet.» Einstein antwortet prompt: «Was nun meine Frau betrifft, so bitte ich Dich, folgendes zu erwägen. Sie hat ein sorgloses Leben, hat zwei prächtige Buben bei sich, wohnt in einer herrlichen Gegend, verfügt über ihre Zeit und steht im Glorienschein der verlassenen Unschuld.»

Offenbar vertraut er in seiner Haltung Frauen gegenüber auf die Solidarität des Männerfreundes. Dass Besso und Zangger sich auf Milevas Seite schlagen und ihn zur Räson rufen, erschreckt ihn. «Lieber Michele! 20 Jahre haben wir uns gut verstanden. Und nun sehe ich in Dir einen Grimm gegen mich wachsen, eines Weibes wegen, das Dich nichts angeht. Wehre Dich dagegen! Sie wäre es nicht wert, wenn sie auch hunderttausendmal im Recht wäre!»

Am 25. Juli 1916 schreibt er Hans Albert: «Ich kann gerade nicht weg, weil ich viel zu arbeiten habe.» Am selben Tag aber verrät er Zangger den wahren Grund: «Ich habe aber sehr Angst, dass meine Frau den Wunsch äussert, dass ich sie besuche. […] Bei dieser Gelegenheit könnte ich gezwungen werden, bezüglich der Kinder Versprechungen geben zu müssen, durch die mir die Buben auch im Falle des Todes der Frau entrissen würden.» Aber er zeigt auch Wirkung, nachdem die Freunde ihm den Kopf gewaschen haben: «Die Frau thut mir sehr leid, und ich glaube auch, dass ihre schweren Erlebnisse mit mir und durch mich wenigstens zum Teil an ihrer schweren Erkrankung schuld sind.»

Wie düster er allerdings in Wahrheit denkt, zeigt seine Einschätzung, die er Ende August Besso anvertraut: «Wenn es, wie ziemlich wahrscheinlich, Gehirntuberkulose ist, so wäre ein baldiges Ende besser als lange Qual.» Er würde ihr keine Träne nachweinen. Der Schuh drückt ihn ganz woanders: «Mein Albert schreibt mir nicht. Ich glaube, seine Gesinnung gegen mich hat den Gefrierpunkt nach unten unterschritten.» Und dann, in einer aufrichtigen Mischung aus Frust und väterlichem Stolz: «Ich würde an seiner Stelle in diesem Alter unter den obwaltenden Umständen wohl auch so reagiert haben.»

Am 6. September lenkt er schließlich ein: «Von jetzt an werde ich sie nicht mehr mit Scheidung behelligen», teilt er Besso mit. «Die betreffende Schlacht mit meinen Verwandten ist geschlagen. Ich habe gelernt,

Thränen zu widerstehen.» Ein letzter Punktsieg für Mileva gegen Elsa. Einsteins Hauptproblem ist damit aber nicht gelöst. «Ich schreibe Dir jetzt das dritte Mal, ohne von Dir eine Antwort zu bekommen», kriegt der zwölfjährige Hans Albert zu lesen. «Erinnerst Du Dich nicht mehr an Deinen Vater? Sollen wir uns nicht einmal wieder sehen?»

Vierzehn Tage später ist das Eis einmal mehr gebrochen, das Flehen erhört, Hans Albert hat sich gemeldet. «Wenn ich auch hier sitze», beschwört Einstein in seiner Antwort noch am selben Tag seine Söhne, «so habt Ihr doch einen Vater, der Euch über alles lieb hat, und der immer an Euch denkt und für Euch sorgt.» Ende Oktober ist er wieder obenauf. «Nicht durch die Freuden und das Angenehme entwickelt sich ein rechter Kerl», belehrt er seinen Ältesten in alter Schärfe, «sondern durch Leiden und Unbill. Der Weg Deines Vaters war auch nicht immer mit Rosen bestreut wie jetzt, sondern mehr mit Dornen!»

Dass auch die Briefe Einsteins an andere längst nicht vollständig erhalten sind, lässt eine alarmierende Meldung von Besso Anfang Dezember 1916 über Milevas Gesundheit vermuten: «Sie muss wieder unbeweglich liegen und ist durch die Wiederkehr von Anfällen, nach etwa fünf Wochen Ruhe, begreiflicherweise entmutigt. Es scheint, dass die neuliche Verschlimmerung zeitlich zusammenfällt mit einem Brief, den der Albertli (von Dir?) bekommen haben soll und den er ihr nicht zeigen wollte.»

Dass Besso richtig liegt, zeigen Einsteins Zeilen an Hans Albert im Januar 1917: «Es freut mich, dass es Mama nun wieder besser geht; Du darfst Ihr immer zeigen, was ich Dir schreibe.» Doch nun gibt es einen neuen Sorgenfall: Seit Anfang des Jahres liegt der sechsjährige Eduard mit einer schweren Lungenentzündung und hohem Fieber im Bett. Die Reaktion des Vaters: «Ertragen heisst die Losung und nicht bärmeln. Für die Kranken sorgt man und tröstet sich an den Gesunden.»

Einstein schlägt sich auf die Seite des Älteren. «Ich gehe stark mit dem Gedanken um, Albert aus der Schule zu nehmen und selbst zu unterrichten und ihm, wo es bei mir nicht reicht, mit Privatstunden nachzuhelfen», vertraut er Besso am 9. März 1917 an. «Ich glaube, dass ich dem Jungen viel geben könnte, nicht nur intellektuell.»

Über Eduard aber fällt er ein vernichtendes Urteil: «Der Zustand meines Kleinen deprimiert mich sehr. Es ist ausgeschlossen, dass er ein ganzer Mensch wird.» Wie vorher schon bei dessen Mutter, nimmt er nun auch Tetes Tod in Kauf. «Wer weiss, ob es nicht besser wäre, wenn er Abschied nehmen könnte, bevor er das Leben richtig gekannt hat! Ich bin schuld an ihm und mache mir Vorwürfe, das erste mal im Leben.»

In einer ziemlich abenteuerlichen Laiendiagnose bringt er Tetes Krankheit in Verbindung mit einer «Drüsenanschwellung, die sich damals» – als der Jüngste gezeugt wurde – «bei meiner Frau zeigte». Diese «Skrophulose», eine Art Tuberkulose der Lymphdrüsen, mit «Vererbungsgefahr für die Kinder», habe er seinerzeit nicht gekannt. «Die Erbmasse unserer Kinder ist sowieso nicht einwandfrei», erklärt er Mileva. Jahrzehntelang wird er sich Tetes «jammervollen Zustand» zum Vorwurf machen. Erst am 4. August 1948, als er aus der Schweiz vom Tod Milevas erfährt, vertraut er Hans Albert an: «Wenn ich informiert gewesen wäre, wäre er nicht auf der Welt.»

Von der Genetik ist Einstein wie viele seiner Zeitgenossen geradezu besessen. Die Erblehre gehört neben der Psychoanalyse zu den aufkommenden Modethemen seiner Zeit. Im Jahr 1900 haben gleich drei Forscher die Vererbungsgesetze des Augustinermönchs Gregor Mendel wiederentdeckt. Im Jahr darauf wird erstmals eine «Mutation» beschrieben, 1906 der Begriff «Genetik» und 1909 das Konzept des Gens geprägt.

Immer wieder kommt Einstein auf das heikle Thema zurück. Nicht nur sucht er in seinen Söhnen, vor allem im Stammhalter Hans Albert, ständig nach Ähnlichkeiten mit sich selbst. Er bringt auch den Gemütszustand Milevas in erbliche Verbindung mit der Geisteskrankheit ihrer Schwester Zorka und von Sohn Eduard. «Alles deutet leider darauf hin, dass sich die schwere Familienbelastung bei ihm entscheidend auswirken wird», schreibt er Besso 1932. «Ich sah es schon seit Tetels Jugend langsam und unaufhaltsam kommen. Die äusseren Anlässe und Einwirkungen spielen in solchen Fällen eine kleine Rolle gegen die sekretorischen Ursachen, an die keiner heran kann.»

Obwohl aus heutiger Sicht erbliche Vorbelastung eine Rolle spielen kann: Hat der Jüngste nicht schon seelischen Schaden genommen, als er noch als Säugling mit der unglücklichen Mutter nach Prag umziehen musste? Und wie hat sich der Ehekrieg auf sein psychisches Befinden ausgewirkt? Der tränenreiche Abschied am Anhalter Bahnhof dürfte sich als traumatisches Erlebnis in ihm festgesetzt haben.

Für Tete beginnt, als sich sein Vater von ihm abwendet, seine lebenslange Odyssee durch Hospitäler, Sanatorien und psychiatrische Kliniken – mit Aufschwüngen und Rückfällen, Entlassungen und Wiedereinlieferungen. Es ist die traurige Geschichte vom begabten Spross eines Genies, das mit dem Gefühl der Schuld am Zustand des Jungen zeitlebens zu kämpfen hat, nicht nur wegen der Erbanlagen, sondern auch wegen seines eigenen Verhaltens.

Auf Anraten der Freunde kommt der geschwächte Tete zur Kur in die Berge. «Selbstverständlich bin ich damit einverstanden, dass er ein Jahr in die Höhe gebracht wird. So ist der Mensch!», schreibt Einstein an Zangger. «Innerlich überzeugt bin ich, dass es im öffentlichen Interesse läge, die Methode der Spartaner anzuwenden.» Ein Jahr später hat er genug: «Ich wünsche aber doch entschieden, dass Tete Neujahr wieder von da oben herunter genommen wird. Ich bin dagegen, dass so ein Kind in einer Art Desinfektionsapparat seine Jugend verbringt.»

Anfang 1917 beginnt Einsteins eigener «krächeliger Leichnam» sich für seinen Lebenswandel zu rächen. Im August 1913 hat er sich noch vor Elsa gebrüstet: «Ich habe mir fest vorgenommen, mit einem Minimum medizinischer Hilfe ins Gras zu beissen, wenn mein Stündlein gekommen ist, bis dahin aber drauf los zu sündigen, wie es mir meine ruchlose Seele eingibt. Diät: Rauchen wie ein Schlot, Arbeiten wie ein Ross, Essen ohne Überlegung und Auswahl, Spazierengehen *nur* in wirklich angenehmer Gesellschaft, also leider selten, Schlafen unregelmässig etc.»

Nun bekommt er die Quittung. Sein Arzt diagnostiziert Gallensteine und empfiehlt ihm eine Kur im schweizerischen Heilbad Tarasp. Zunächst hilft noch «Brunnenkur, strenge Diät», zu der ihm «unser Zangger passendes Futter verschafft hat. Es geht mir ganz wesentlich besser, keine Schmerzen mehr, besseres Aussehen.» Im Verlauf des Jahres 1917 scheint sich die Lage sogar zu beruhigen. «Der beständige Aufenthalt im Freien und die gute Pflege verbunden mit dem gemütlichen, ruhigen Dasein tun ihre Wirkung», schreibt er aus der Schweiz.

Nur mit dem dreizehnjährigen Hans Albert, den er dort trifft, läuft es wieder nicht ganz nach seinen Wünschen: «Er ist gut entwickelt, benimmt sich aber oft etwas roh gegen mich aus alter Übung.» Freund Zangger, der sich gemeinsam mit Besso um das Wohl der Jungen kümmert, hat ihn gewarnt: «Sie dürfen dem Albert nicht zum dritten Mal die Enttäuschung antun, dass er Sie erwartet & dann kommen Sie nicht.»

In der zweiten Jahreshälfte verschlimmert sich Einsteins Zustand zunehmend. «Mein Magen», berichtet er Hans Albert Anfang Dezember, «ist so empfindlich und schwach geworden, dass ich mich ernähren muss wie ein kleines Kind. Wenn es so bleibt, ist es für uns aus mit dem Reisen; denn es muss immer jemand für mich extra kochen.» Und Heiligabend: «Ich liege 4–6 Wochen im Bett wegen meines Magengeschwürs.» Zur Erkrankung des Verdauungstraktes ist offenbar auch noch eine Gelbsucht gekommen. Es wird nicht vier Wochen dauern, bis er wiederhergestellt ist, sondern vier Jahre – was ihn aber nicht davon abhält, weiter wie ein Getriebener zu arbeiten.

Im Januar 1918 kennt er die exakte Diagnose. «Mein Leiden besteht in einem hartnäckigen Geschwür am Magenausgang, das nur sehr langsam heilen will», vernimmt Hans Albert, nach mehreren schweren Rückschlägen der Mutter nunmehr der einzige Gesunde in der Familie. «Es ist zweifellos, dass ich dies Leiden schon länger habe als Du auf der Welt bist. [...] Eigentlich gesund werde ich wohl nicht mehr werden, sondern für den Rest meines Lebens so eine Art Kindernahrung nehmen müssen.» Und wer ihm diese zubereitet, erfährt der Sohn im gleichen Absatz: «Meine Cousine sorgt ausgezeichnet für mein ‹Vogelfutter›.»

Im September 1918 hat sich Einstein, durch sein Leiden schwer angeschlagen, endgültig in sein Schicksal ergeben. Er hat seine Junggesellenwohnung aufgegeben und ist in die Haberlandstraße in die Obhut Elsas gezogen. Die Geliebte wird zur Pflegerin, die ihn in liebevoller Mühe wieder hochpäppelt. Zwischenzeitlich hat er unter 130 Pfund gewogen. Sein Normalgewicht hat 50 Pfund höher gelegen. Zur Schonkost, die Elsa seinen «wackeligen Gedärmen» verabreicht, gehört gesüßter Milchreis. Schon Mileva und Mutter Pauline wussten, dass der kürzeste Weg zum verborgenen Inneren ihres Albert geradewegs durch seinen Magen führt. Doch jetzt fordert Elsa endgültig ihren Preis.

Nicht unbedingt aus Liebe, viel mehr aus Einsicht in die Notwendigkeit häuslicher Pflege gibt er ihrem Drängen nach und seinen Vorsatz auf: Er willigt ein, sie zu heiraten. Ihre Familie ist daran nicht unbeteiligt. «Das Streben, mich in die Ehe hineinzuzwängen», schreibt er an Zangger, «geht von den Eltern meiner Cousine aus und ist in der Hauptsache auf Eitelkeit zurückzuführen.»

Nachdem er knapp zwei Jahre Ruhe gegeben hat, macht er Mileva – sozusagen von Krankenbett zu Krankenbett – am 31. Januar 1918 ein Angebot: «Das Bestreben, endlich eine gewisse Ordnung in meine privaten Verhältnisse zu bringen, veranlasst mich, Dir zum zweiten Male die Scheidung vorzuschlagen.» Jetzt will er sich freikaufen und spricht von «kolossalen Opfern», die er zu bringen bereit ist. Er bietet ihr das gesamte Geld aus dem Nobelpreis an, mit dem er fest rechnet, umgerechnet 180 000 Schweizer Franken – nicht ohne ihr erneut zu drohen: «Wenn Du in die Scheidung nicht einwilligst, geht von nun an kein Centim über 6000 M pro Jahr in die Schweiz.»

Milevas Antwort, der zweite von ihr erhaltene Brief, zeigt, wie ruhig und umsichtig sie reagiert: «Dass ich bei der jetzigen Krankheit schwer zu einem Entschluss komme, wirst Du begreifen. Ich sehe die Entwicklung nicht – auch der Kinder wegen muss ich mich erst an den Gedanken gewöhnen. Ich begreife, dass Du eine freie Zukunft willst; ob es für Dich und Dein Schaffen nötig, weiss ich nicht, aber ich möchte Dir nicht im Wege stehen und vor Deinem Glück sein.»

Aber auch Mileva hat nun ihren Preis. Alberts großzügige Offerte sieht sie als das Mindeste, was ihr bei einer Scheidung zusteht – genug, um bei richtigem Umgang mit dem Geld relativ sorgenfrei leben zu können. In diesem Punkt denkt sie wie er: Beide wollen, dass die Kinder gut versorgt sind. Geld spielt ebenfalls eine Rolle, als Einstein eine weitere Front errichtet. Überfordert von der Situation, legt er sich mit seinen Freunden in der Schweiz an.

«Ich verbitte mir, dass man fortgesetzt über mich wie über einen Schulknaben verfügt», herrscht er Besso Anfang Januar an, nachdem die Freunde ihn offenbar wegen seiner mangelhaften finanziellen

Transfers an die Familie kritisiert haben. «Es handelt sich hier um eine Schraube ohne Ende, wenn ich nicht energisch ein Ende herbeiführe.» Und dem gerade vierzehnjährigen Hans Albert verrät er kurz darauf: «An dem ganzen Unglück sind meine Freunde in Zürich schuld, die in dieser Beziehung gewissenlos sind.»

Vor allem ärgern ihn die ausufernden Kosten von Tetes Aufenthalt in Arosa. Nicht nur wiederholt er dessen Bruder gegenüber, er sei «fest überzeugt, dass es verkehrt ist, ihn da oben solange zu verpimpeln». Vielmehr beklagt er «das Unglück, dass ungeheuer viel Geld verbraucht wird, sodass meine ganzen Ersparnisse draufgehen».

Auf Zangger, der seine Scheidungsandrohung als «Messer an die Kehle ohne jede Vorbereitung» kritisiert, hat er ohnehin einen «Groll». Bei Bessos Frau Anna beschwert er sich Anfang März, «dass sich alle vereinigen, um mir das Leben unnötig schwer zu machen». Er wirbt auf die gleiche unreife Art für Verständnis wie seinerzeit bei Mileva: «Denken Sie an die beiden jungen Mädchen, deren Aussichten, sich zu verheiraten, bei dem jetzigen Zustande durch meine Schuld erheblich beeinträchtigt werden.»

Einstein schlägt tatsächlich vor, Mileva wegen ihrer Krankheit den Ältesten wegzunehmen und ihn bei seiner Schwester Maja aufwachsen zu lassen. Als er auch noch seinen neuen Wohnsitz bei der Pflegegeliebten ins Spiel bringt – «Denken sie an die Schwierigkeit, die ich auf Schritt & Tritt habe, weil ich durch mein Leiden genötigt, mit Elsa in derselben Wohnung sein muss» –, platzt Anna Besso-Winteler der Kragen.

«Wenn Elsa sich nicht blossstellen wollte», schreibt sie zurück, «so hätte sie Ihnen nicht so auffällig nachlaufen sollen. Eine Mutter mit Kindern soll wissen was sie tut [...] Daß Sie krank sind, ist ein Verhängnis, aber, daß das ein Grund zum Heiraten sein soll, verstehe ich nicht [...] Es war sehr verkehrt von der Elsa – auch von Ihnen – diese Menschen» – sie meint ihren Mann und Zangger – «die ich beide (jeder in seiner Art) seelisch sehr hoch einschätze – angreifen zu wollen. Ich lasse mir meine offenen Augen nicht verbinden.»

Bei keiner anderen als Mileva beschwert sich Einstein noch Monate später über die Schwippschwägerin Anna: «Mir hat sie derart unverschämte Briefe geschrieben, dass ich mir weitere Briefe verbeten habe, und dass ich mich nie wieder mit ihr einlassen kann.» Und Besso selbst gegenüber klagt der Undiplomat ohne Pardon: «Noch nie ist jemand so unverschämt gegen mich gewesen, und ich hoffe es wird's auch in Zukunft niemand mehr sein!»

Auf sein Angebot hin signalisiert Mileva offenbar Zustimmung, falls er ihre jährliche Zahlung unverzüglich von 6000 auf 8000 Franken erhöht. «Ich bin gerne bereit, Deinen Wünschen zu entsprechen», bekommt sie prompt zurück. Es folgt ein Gerangel um Detailregelungen, das sich bis Ende 1918 hinzieht. Wie gern würde man in dem Zusammenhang Milevas Brief kennen, auf den Albert im Mai 1918 antwortet: «*Sicher* ist nur der Tod, aber keinerlei Habe. Daran ist nichts zu ändern. [...] Jedenfalls wird das beste, was ich meinen Buben vermachen kann, bezw. was sie von mir erben nicht Geld sein, sondern ein guter Kopf, ein zufriedener Sinn und ein tadelloser [...] Name, der überall auf der Erde, wo wissenschaftsliebende Menschen wohnen, bekannt ist.»

Kurz darauf versucht Einstein, Nägel mit Köpfen und den Handel perfekt zu machen: «Für 40 000 M Wertpapiere gehen [...] dieser Tage an den Schweizer. Bankverein Zürich für Dich ab. Ich bitte Dich nun, den Vertrag zu senden und die Scheidung einzureichen.» Rein äußerlich scheint er die Sache auf die leichte Schulter zu nehmen. «Lieber Michele!», schreibt er im Juli 1918 dem wieder versöhnten Freund. «Deinen Brief mit dem originellen Scheidungsrat habe ich bekommen – Till Eulenspiegel.» Innerlich geht ihm offenbar vor allem die finanzielle Belastung nahe. In einem seiner wenigen überlieferten Träume erlebt er, wie er sich selbst mit dem Rasiermesser die Kehle durchschneidet.

Im Juni hat Einstein endlich einen kleinen privaten Grund zur Freude. Zwar tue es ihm Leid, schreibt er Besso, «sehr leid, dass ich meine Buben nicht sehen kann». Aber Eduard hat ihm zum ersten Mal geschrieben. «Mein Lieber Tete!», antwortet er umgehend. «Ich bin sehr stolz, dass mein zweiter Bub nun auch schon schreiben kann!»

Aus dem Sommerurlaub im Künstlerort Ahrenshoop an der Ostsee – «Ich liege am Gestade wie ein Krokodil, lasse mich von der Sonne braten, sehe nie eine Zeitung und pfeife auf die sogenannte Welt» – liefert er dem vierzehnjährigen Hans Albert ein absurdes Stück Brieftheater: «Wie viel einfacher wäre es für Dich gewesen, zu mir zu kommen, wenn Du wolltest. [...] Du siehst also, dass Du mir zu Unrecht Vorwürfe machst; vielleicht wirst Du später einmal denken, dass es besser gewesen wäre, wenn Du Dich in dieser Zeit mehr um mich bekümmert hättest.»

Dennoch ist er weiterhin «sehr glücklich über die netten Briefe, die mir die Buben schreiben». Mit gleicher Post liest Besso: «Dein Rat wegen meiner Wiederverheiratung ist gut gemeint.» Offenbar hat ihn der Freund gewarnt, den gleichen Fehler nicht ein zweites Mal zu machen. «Ich werde ihn aber nicht befolgen. Denn wenn ich je beschliessen würde, auch die zweite Frau zu verlassen, würde ich mich durch nichts festhalten lassen.»

Aus demselben Urlaub schreibt er Zangger in nicht gerade vatergerechter Überheblichkeit, was er von den heimlichen Berufswünschen seines Älteren hält: «Der Albert fängt schon ganz lustig zu denken an, merkwürdigerweise über technische Fragen. Aber schliesslich freut mich jede geistige Regsamkeit, wenn sie auch am Spiessigen klebt. Vielleicht kommt ihm doch einmal die Einsicht von der Überflüssigkeit der vielen Nützlichkeiten.»

Biograph Peter Michelmore, der Hans Albert noch persönlich gesprochen hat, schildert die dramatische Szene in Zürich: «Hans Albert behandelte seinen Vater feindselig. Er war jetzt ein stämmiger, entschieden selbständiger Bursche von fünfzehn Jahren und sagte dem Vater, er habe sich endgültig entschlossen, Ingenieur zu werden. [...] ‹Ich halte das für eine abscheuliche Idee›, sagte Einstein. ‹Und trotzdem werde ich Ingenieur!› erwiderte der Junge. Einstein ließ ihn einfach stehen und sagte, er wolle seinen ältesten Sohn nie wieder sehen.»

Hans Albert verschließt sich lebensklug dem Wunsch des Vaters, als Naturwissenschaftler in dessen Fußstapfen zu treten, und schlägt stattdessen die technische Richtung ein. Erst Jahre später wird sein Vater einsehen: «Ich bin eigentlich froh, dass keiner von Euch sich der Wissenschaft zuwendet, denn das ist eine harte Sache, voll von vergeblicher schwerer Arbeit.» Eduard dagegen sieht im Vater ein Idol, dessen

Ideale er niemals erreichen kann. «Der Kleine ist ein feines Kerlchen», berichtet Zangger dem Freund in Berlin, «mit scheu-mädchenhaften Bewegungen, gar nicht Einstein'sch.» Der Junge musiziert, liest und schreibt Gedichte.

Mit seiner später hoch begabten Poesie und seinen medizinisch-psychologischen Schreibversuchen will er geniale Züge zeigen – als müsse er ein Genie spielen, das er nicht sein kann. Bei aller Verunsicherung und Ablehnung wegen dessen Kränkelei zeigt sich der Vater jetzt stolz und hoffnungsfroh. Nach Erkenntnissen der heutigen Psychologie macht Einstein eines der schlimmsten Dinge, die man Kindern antun kann: Der ständige Wechsel zwischen Wegstoßen und Liebe hat zur Folge, dass nie eine Bindungssicherheit entstehen kann. Die mögliche Folge: lebenslange Unfähigkeit, adäquate Beziehungen einzugehen. Vermutlich verursacht das Wechselbad der Gefühle umgekehrt auch, dass Tetes emotionales Pendel gegen den Vater besonders weit ausschlägt. Das Ausmaß von glühender Bewunderung auf der einen und schroffer Ablehnung auf der anderen Seite, dazwischen völlige Gleichgültigkeit, zeigt seine verzweifelte Gespaltenheit.

Am 9. November 1918 kommt es zum brieflichen Handschlag über die Scheidung: «Ich bin vollständig mit dem vorgeschlagenen Modus einverstanden», erklärt Albert Mileva. «Schau dass Du unsere Scheidung beschleunigst, damit die 40 000 M in Deinen Besitz übergehen.»

Einen Tag vor Heiligabend trägt der Sekretär im Königlichen Amtsgericht Berlin-Schöneberg in das Protokollheft Nr. 1286/1918 in der Sache «Einstein gegen Einstein» die folgende Einlassung des vorgeladenen Professors ein: «Es ist richtig, dass ich Ehebruch begangen habe. Ich lebe seit etwa 4 $\frac{1}{2}$ Jahren mit meiner Kusine, der Witwe Elsa Einstein geschiedenen Löwenthal, zusammen und unterhalte seitdem fortgesetzt intime Beziehungen. Meine Frau, die Klägerin, hat seit [...] Sommer 1914 Kenntnis davon, dass ich in intimen Beziehungen zu meiner Kusine stehe. Sie hat mir gegenüber ihre Ungehaltenheit darüber zu erkennen gegeben.» Die Scheidung wird am 14. Februar 1919 in Abwesenheit beider Parteien ausgesprochen.

In dieser Zeit werden Krankheit und Leid mehr und mehr zum Mittelpunkt im Drama des genialen Vaters, der nun auch als Sohn vor einer schweren Prüfung steht: «Leider liegt meine Mutter todkrank in Luzern», schreibt er Hans Albert im Juni 1919. «Sie wird sicherlich innerhalb eines Jahres sterben und leidet schrecklich.» Im Sommer 1919 reist er in die Schweiz, wo er die Mutter im Sanatorium besucht. Nach seiner Abreise hat er, wie er ihr versichert, «drei Tage Aufenthalt in Zürich, die ich recht befriedigend mit Albert zubrachte». Dann aber ist er zu seinem Freund Conrad Habicht in Schaffhausen geflüchtet. «Es war auch höchste Zeit; denn Donnerstag Abend kehrte die Löwin in die Höhle zurück.»

Der kranken «Löwin» macht er schließlich einen krassen Vorschlag: «Es ist daher notwendig, dass Ihr auf deutsches Gebiet umziehet, und zwar so bald als möglich.» Wegen Inflation und immer schlechterem Wechselkurs – «unser Geld wird immer ranziger» – kann Einstein mit seinem deutschen Gehalt trotz der üppigen Ausstattung seiner Stelle den Unterhalt der Familie in der Schweiz kaum noch tragen. Er drängt sie sogar, «durch Wohnungs*tausch* mit einer badischen Familie, die in die Schweiz will, Unterschlupf zu kriegen».

Die Sache wird für die nächsten Jahre zum Dauerthema. Als Hans Albert ins Studieralter kommt, rät er Frau und Kindern, nach Darmstadt zu ziehen. «Dort ist ein gutes Polytechnikum, und Ihr könntet dort nicht nur viel besser leben als in Zürich sondern noch erhebliches ersparen, während jetzt fast mein ganzes Einkommen drauf geht, Euch eine ärmliche Existenz in Zürich zu verschaffen.» Noch im Sommer 1938 gibt er Mileva «zu bedenken, dass das Geld, was ich Tetel monatlich gebe, in Yugoslawien bequem für Euch beide ausreicht».

Einstein ist wegen der Inflation so blank, dass er wohl nur durch die Großzügigkeit seines Onkels und Schwiegervaters Rudolph über die Runden kommt. Doch Mileva lehnt einen Umzug ab und besteht darauf, in ihrer Wahlheimat Zürich leben zu bleiben. Am Ende lenkt er ein: «Es scheint uns eine Art Zigeunerleben beschieden zu sein. Unter den obwaltenden Umständen kann ich Dich gut begreifen. Wir verschieben also das Umzugsproblem vorläufig um ein halbes Jahr.»

Am 16. November 1919, als der Einstein-Rummel gerade eingesetzt hat, schreibt er Mileva: «Ich habe sehr Sehnsucht nach ein paar Zeilen von Albert und Tete. Sag es ihnen!» Ende Februar 1920 ist der

Kontakt wiederhergestellt. Hans Albert hat seinen Vater in einem Brief zärtlich mit «großes Tier» angeredet. «Ich habe auch große Sehnsucht nach Dir», antwortet Einstein. Und beide Jungen bittet er kurz darauf: «Schreibt mir bald einmal beide von Eurer Schule und von dem was Ihr sonst treibt.»

Seine Finanznot kommt auch in den Briefen an die Söhne immer wieder zur Sprache. «Wer weiß, ob ich eines schönen Tages nicht doch gezwungen sein werde, mir im Ausland eine Stelle zu suchen», überlegt er in seinen Zeilen an Hans Albert am 5. April 1920 und hofft auf eine Begegnung in den Herbstferien: «Da solltest Du wirklich zu mir kommen, wenn möglich mit Tete. Mir ist eine Reise in die Schweiz zu teuer.» Im Juli schickt er den Söhnen praktische Tipps für die Tour: «Erkundige Dich beim deutschen Konsulat, l. Albert, was nötig ist, um Eure Reise-Erlaubnis zu erhalten. Sag aber auch, dass Du der Sohn des in Berlin wohnenden Prof. Einstein bist.»

Doch als sich Mileva standhaft weigert, ihre Kinder, wie sie es empfindet, seiner Verwandtschaft auszuliefern, entrüstet er sich: «Für die Zukunft solltest Du wirklich darauf verzichten, wenigstens *Albert* die Reise nach Berlin zu verbieten. Es ist einfach lächerlich, einem quasi erwachsenen Menschen gegenüber, ihn bevormunden zu wollen. Die Frau wird sich Albert gegenüber zurückhalten; ich könnte sogar die Mahlzeiten mit ihm allein einnehmen, wenn er gerade will. Aber das sind Lächerlichkeiten. Wegen der alten Weiber braucht man nicht soviel Geschichten zu machen.»

Am 1. August schreibt er dem neunjährigen Tete: «Es thut mir auch oft weh, dass ich Euch so wenig habe. Aber ich bin ein vielbeschäftigter Mann und kann nur wenig von hier weg. [...] Wir beide waren noch so wenig beisammen, dass ich Dich noch gar wenig kenne, trotzdem ich Dein Vater bin. Du hast gewiss auch nur eine ziemlich unbestimmte Vorstellung von mir.»

Im Sommer 1921, nach Rückkehr von seiner ersten großen Reise in die USA, hat er endlich Gelegenheit, mit beiden Jungen Ferien in Norddeutschland zu verbringen. «Albert ist ein Prachtkerl», meldet er Mileva nach Zürich, «Tete gescheit, aber natürlich noch ein bisschen ein Embryo.» Auf einer Urlaubskarte entschuldigt sich der kleine Poet bei seiner Mutter: «Liebe Mama! Ich gebe es auf, Dir jedesmal ein Gedicht zu schicken; es ist unglaublich heiß, und die Hitze übt einen höchst nachteiligen Einfluß auf meinen Geist aus.»

Nach dem Urlaub schreibt Einstein ihr über «unsere lieben Buben»: «Ich bin Dir dafür dankbar, dass Du sie in einer freundlichen Gesinnung mir gegenüber erzogen hast.» Nicht ohne zu «bemerken, dass die jüngere Tochter» – Ilse, die er am liebsten an Stelle von Elsa geheiratet hätte – «ein sehr braves, bescheidenes Mädchen ist, das man für die Taten der Alten nicht verantwortlich machen kann».

Doch der schöne Friede hält nicht lange. Offenbar weigert sich Hans Albert, die Rolle des Vermittlers zwischen den geschiedenen Eltern zu übernehmen. Er bleibt der Mutter treu, und es kommt zu «einer unangenehmen und heiklen Szene». Ausgerechnet den zwölfjährigen Tete zieht Einstein ins Vertrauen: «Du kannst Dir denken, wie arg mir die Sache mit Albert ist; aber so darf kein Vater mit sich umgehen lassen, wie es Alberts letztem Brief an mich entspricht. Es spricht aus diesem Brief Misstrauen, Mangel an Achtung und eine rohe Gesinnung mir gegenüber. Das habe ich wirklich nicht verdient und kann es mir nicht gefallen lassen, so sehr ich darunter leide, wenn zwischen mir und Albert eine Entfremdung eintritt.»

Trotz gelegentlicher Wetterberuhigung bleibt – den Briefen zufolge – das Klima zwischen Albert senior und Albert junior in den kommenden Jahren frostig. Doch während er «im Übrigen» den Älteren für einen «prächtigen Kerl» hält, stellt er dem Jüngeren mit psychologischem Laienverstand eine finstere Diagnose: «Bei Tete ist es schon schwieriger», schreibt er 1925 Mileva. «Seine geistige Veranlagung ist vielleicht noch stärker. Aber es scheint am Gleichgewicht zu fehlen, auch an Verantwortungsgefühl (Egoismus zu stark). Zu wenig innere Verbindung mit anderen Menschen und zu viel Ehrgeiz. Hieraus entspringt Vereinsamungsgefühl und eine Art Ängstlichkeit sowie Hemmungen anderer Art. Er hat eigentlich viel von mir, aber bei ihm ist es noch ausgesprochener. Er ist ein interessantes Kerlchen, aber er wird es im Leben nicht leicht haben.»

Seiner Schwester Maja charakterisiert er die Söhne als klassisches Beispiel eines Gegensatzpaares: «Tete ist lang aufgeschossen, fast grösser als ich und Albert, Bücherwurm, geistvoll, unordentlich, unzuverlässig. [...] Albert ist etwas roh, Stich ins Tyrannische, sehr tüchtig und gescheit, ordnungsliebend, verantwortungsfreudig, zuverlässig, nicht gerade gutmütig und rücksichtsvoll. [...] Aber gegen allem, was meine Familie heisst, haben die Buben einen Stachel eingesetzt bekommen, der solid sitzt.»

Der Ton zwischen Berlin und Zürich wird zunehmend schärfer. Zumindest lässt dies jene Hälfte der Korrespondenz vermuten, die in Einsteins erhaltenen Briefen nachklingt: «Es thut mir sehr leid, dass Tetels Krankheit sich so sehr verschlimmert hat. Ich werde aber trotzdem nicht nach Zürich kommen, weil ich das sichere Gefühl habe, dass Ihr mir gegenüber kein ehrliches Verhalten einnehmt.» Es geht wieder einmal um die Finanzen. Mileva hat von der Nobelpreisprämie mehrere Mietshäuser gekauft, von denen sie eigentlich gut leben können müsste. Einstein unterstellt ihr, womöglich nicht ganz zu Unrecht, nicht mit Geld umgehen zu können.

«Statt dessen habt Ihr bei jeder Gelegenheit versucht, immer wieder Geld von mir herauszubekommen», liest Mileva weiter. «Es liegt in Eurer Hand, das Vertrauen wiederherzustellen, indem Ihr mir alle drei zusammen eine rechtsgültige Erklärung einsendet, welche entweder besagt, dass der Nobelpreis auf das Erbteil der Kinder anzurechnen ist oder dass Ihr mein Testament nicht anfechten werdet. [...] Ich weiß, dass Du den Kindern überhaupt nicht gesagt hast, dass Ihr den Nobelpreis in seinem ganzen Betrag von mir erhalten habt. Du hast im Gegenteil in Zürich stets den Eindruck zu erwecken gesucht, dass Du und die Kinder von mir benachteiligt werdet.» Vermutlich hat er auch schon im Blick, seinen Stieftöchtern einen Teil seines Vermögens zu hinterlassen. Margot wird nach seinem Tod mehr bekommen als die beiden Söhne zusammen. Sie erbt 20 000 Dollar plus Haus und Inventar. Eduard erhält 15 000 und Hans Albert 10 000 Dollar.

Einsteins einseitiger, zum Monolog halbierter Dialog verrät viel, aber nicht genug. Da taucht in den endlosen Reihen von Hängeordnern im Untergeschoss des Einstein Papers Project im kalifornischen Pasadena plötzlich neben seiner etwas seitwärts gehaltenen Wackelschrift die bauchig runde Handschrift einer Frau auf: Mileva schreibt an Albert und Elsa – und gibt dem Einstein-Bild eine neue Dimension. Ihr Brief ist undatiert, seine Adressaten sehen sich mit Abkürzungen angesprochen:

«L. A. Ich danke Dir für Deinen Brief, ebenso danke ich Elsa für ihr ausführliches Schreiben. Betrübt hat mich Deine Absage, ein wenig hierher zu kommen. Diese Frage beschäftigte mich in den letzten Tagen unausgesetzt, und Du wirst mir sicher nicht böse, wenn ich noch einmal ein paar Worte darüber schreibe. Ich hoffe, dass Du nicht ganz vergissest, dass Du hier ein schwerkrankes, liebes Kind hast. Wenn Du eine Ahnung davon hättest, wie oft er in diesen langen anderthalb Jahren seines schweren Leidens sehnsüchtig an Dich gedacht hat, Du würdest alles lassen und ein wenig zu ihm kommen. Wie oft hat er die bange Frage an mich gerichtet: Glaubst Du dass er vielleicht kommt; und als die Zeit immer weiter verstrich und Du kamst nicht, wurde er immer stiller.»

Als wäre das noch nicht herzzerreißend genug, lässt sie auch noch das kranke Kind mit seiner leisen Klage zu Wort kommen. «Vor etwa sechs Wochen» habe der Kleine über den Papa gesagt: «Ach was macht er sich aus einem solchen Sohn wie ich, ich bin ja krank.» Und falls dieser Schlag noch nicht gesessen hat, bekommt Einstein noch einen weiteren verpasst. «Seit dieser Zeit spricht er nie von Dir und geht auf kein Gespräch über Dich ein. Ich glaube dass sein armes liebesbedürftiges Herz schwer verwundet ist im Glauben, dass Du ihn nicht sehen willst, und das wirkt wohl auch auf sein Leiden schlecht.»

Sie baut ihm eine Brücke: «Vielleicht braucht auch niemand zu erfahren, dass Du hier bist, wenn Du etwa abends ankämest und man im geschlossenen Wagen zu Teddi führe.» Der Brief endet mit einem: «Du gibst Deine Hilfe ja jedem, der Dich darum angeht, warum nicht Deinem eigenen Kind?»

Sogar an Elsa, die immer «fast mitleidvoll und anteilnehmend» von ihr spricht, richtet die unterlegene Mileva ihren verzweifelten Appell: «L. E. [...] Vielleicht kannst Du als Frau u. Mutter besser verstehen, wie schwer ich darunter leide, dass Teddi die ganze lange Zeit den heissen Wunsch hatte seinen Vater zu sehen und ihm dieser gar nicht erfüllt werden konnte.» Wie Einstein auf diese Zeilen reagiert hat, ist unbekannt.

Aus den folgenden Briefen lässt sich aber ablesen, dass er Tete – schriftlich – näher kommt, während er sich von Hans Albert weiter abwendet. Obwohl der Ältere die zwanzig überschritten hat, wirkt die Auseinandersetzung mit ihm wie der Konflikt mit einem Pubertierenden.

Die Krise eskaliert, als sein Vater sich 1925 in die Liebesangelegenheiten des Einundzwanzigjährigen einmischen will. Nach Einsteins Einschätzung, wie er sie Mileva anvertraut, «leidet er offenbar unter starken Hemmungen dem anderen Geschlecht gegenüber. [...] Ich will ihn ein wenig unauffällig zu instruieren versuchen, so gut ich kann.» Das aber lässt sich der junge Mann nicht gefallen. Und von «unauffällig» kann überhaupt keine Rede sein. Im Privatkrieg mit seinem Sohn errichtet Einstein ein regelrechtes Sperrfeuer gegen dessen Freundin und spätere Frau Frieda Knecht – als müsse er exakt jenes Muster wiederholen, nach dem seine eigene Mutter einst seine Verbindung mit Mileva torpediert hat. Da Mileva den Zusammenhang offenbar durchschaut, sieht er sich gezwungen, sie zu beschwichtigen: «Ich will Dich nicht mit Alberts Frau vergleichen.»

Hans Albert aber versucht er klar zu machen: «Alles kommt daher, dass *sie* zuerst Dich packte und Du nun in ihr die Verkörperung aller Weiblichkeit siehst. [...] Schicke oder bringe mir Frl. Knecht nie, denn ich könnte es, so wie die Dinge liegen, einfach nicht ertragen. Aber, wenn Du einmal das Bedürfnis fühlst, Dich von ihr zu trennen, so *sei nicht stolz gegen mich*, sondern vertraue Dich mir an, dass ich Dir helfe. Denn der Tag *wird* kommen.»

Über etliche Jahre sind seine Briefe beherrscht von Tiraden gegen Frieda, die er für zu alt für seinen Sohn hält (sie ist neun Jahre älter), und nicht zuletzt ihres Kleinwuchses wegen (sie ist nur wenig größer als 1,50 Meter) auch für genetisch minderwertig. Einstein steigert sich geradezu in seinen Genetikwahn, wendet sich an die Direktoren des Krankenhauses in Berlin-Neukölln und der Psychiatrischen Anstalt Burghölzli bei Zürich, um, wie er Hans Albert schreibt, «zur Verhütung dieses Unheils» beizutragen, dass dessen Lebensgefährtin Kinder bekommt. «Persönlich habe ich gegen Frl. Knecht nichts; und von einem Frauenzimmer kann man nicht so viel Verantwortungsgefühl und Selbstverleugnung verlangen. Von Dir aber muss es verlangt werden.»

Den gerade sechzehnjährigen Tete lässt er wissen: «Die Verschlechterung der Rasse ist gewiss etwas Übles, eines der schlimmsten Dinge. Deshalb kann ich Albert seine Sünde nicht vergessen. Ich vermeide es instinktiv, mit ihm zusammenzutreffen, weil ich kein frohes Gesicht zeigen kann.» Und dann bekommt auch der gemütskranke Jüngere sein Fett weg: «Glaubst Du, dass Dein Vater da gesündigt hat? Vielleicht. Dann vergib mir Deine Existenz. [...] Die Schöpfung braucht ihren Luxus, wenn sie Gott nicht reuen soll.»

Vergib mir Deine Existenz. In seiner Not, da er Hans Albert als Gesprächspartner einbüßt, sucht Einstein fatalerweise mehr und mehr in dessen labilem Bruder einen ernsthaften Vertrauten. «Ich sehe in ihm eine ächte innere Verwandtschaft», schreibt er Mileva. Schon mit 15 bekommt Tete zu lesen: «Denn man ist doch ein via Affe zweibeinig gewordenes Viech, ein kurz dauerndes Stückchen Bewusstsein mit starker Beschwerung durch atavistische Instinkte.» Da wird aber nicht nur ins Allgemeine philosophiert, sondern auch konkret die schmutzige Wäsche der Familie gewaschen. Einstein steckt in einem seelischen Vakuum. Hilflos spielt er die Söhne gegeneinander aus.

«Albert ist ein gutmütiger, psychologisch undifferenzierter Mensch», schreibt er dem heranwachsenden Tete. «Die Frau ist eine schlaue, egoistische, ungütige Person, die ihn beherrscht. Sie ist psychologisch differenzierter als er, dessen Intelligenz sich im räumlichen und dynamischen Berufsdenken völlig erschöpft. Er hat vielleicht ein dumpfes Gefühl dafür, dass ihm die seelischen Flügel abgeschnitten worden sind.»

Weihnachten 1927 erhält Eduard von seinem Vater einen langen Brief, in dem dieser offenbar auf ein ebenso ausführliches Schreiben Bezug nimmt und heftig drauflos psychologisiert: «Wenn ich Dich tierähnlich wünsche, so meine ich damit, dass das natürliche Fühlen und Thun nicht neben dem Geist zu kurz kommen soll. Als Tier schwebt mir nicht der Tiger vor, der ja als nicht soziales Tier unsere besten Triebe und Gefühle nicht hat.» Es fällt nicht schwer, sich vorzustellen, wie der junge Mann solche Zeilen des berühmten Vaters mit fiebrigen Augen verschlingt. Weiß Einstein nicht, auf welchem Seelenvulkan er da tanzt? Fehlt ihm das Einsichtsvermögen in das eigene Verhalten? Oder will er dem Sohn einfach nur vermitteln, dass er ihn ernst nimmt wie jeden Erwachsenen?

«Dein Axiom: ‹das Leben hat keinen Endzweck, der ausserhalb des Lebens liegt› erkenne ich durchaus an. [...] Das Leben zugunsten einer Idee kann gut sein, wenn diese Idee lebenspendend ist und das Individuum aus der Ich-Fessel erlöst, ohne es in andere Knechtschaft zu stürzen. Wissenschaft und Kunst *können* so wirken, aber sie können auch zur Knechtung oder kränklichen Verweichlichung und Überfeinerung führen. Dass diese Bestrebungen aber zur Lebensunfähigkeit führen *müssen* bestreite ich. Schliesslich ist selbst Wasser ein Gift, wenn man drin ersäuft.»

Das Wasser als Gift der Ertrinkenden. Einstein rät dem Sohn vom Schriftstellerberuf ab: «Die schöpferische Beschäftigung mit literarischen Dingen ist als Hauptberuf ein Unding wie etwa ein Tier, das nur Lilien frisst.» Er solidarisiert sich mit seiner Kritik an der Universität (Eduard hat ein Medizinstudium begonnen): «So ging mirs auch beim Studium. Man fühlt sich passiv wie eine Stopfgans.» Er warnt ihn vor dem Fachwechsel zur Seelenheilkunde: «Nur aussergewöhnlich starke Menschen können es sich leisten, ohne Schiffbruch und inneren Schaden die vorgezeichneten beruflichen Bahnen zu verlassen.» Er kritisiert – «Du hast eben einen sehr strengen Vater» – seine «Sprüchlein», denn sie «sind nach meinem Geschmack etwas zu klug und zu wenig natürlich und ursprünglich». Er macht sich seine Interessen zu Eigen: «Wenn Du einmal zu mir kommst, musst Du mich belehren über die Psychoanalyse; ich verspreche Dir, [...] aufzupassen und zu allem ein ernstes Gesicht zu machen.» Er freut sich, «eine innere Verwandtschaft zwischen uns zu konstatieren», und trachtet danach, sich in Tetes unglückliches Liebesleben ebenso einzumischen wie in das seines Bruders: «Du scheinst Dich fest mit dem Ewig-Weiblichen herumzuschlagen. Bleib nur nicht an der älteren Freundin hängen, die auch zu raffiniert für Dich ist. Such Dir lieber eine harmlose Freundin, die mehr ein freundliches Spiel bedeutet.»

Einmal versucht er sich sogar in Solidarität mit dem Leiden des Sohns: «Ich weiss, was ich selber fühle, wenn ich mir nervös vorkomme. Dies geschieht stets dann, wenn ich mein Handeln bezw. Wollen ‹zerfasert› weiss: Vieles, einander Ausschließendes wollen, nichts aber stark genug, um zu ungestörtem Handeln zu führen. Dieser Zustand kann von aussen erzeugt werden, z. B. wenn ich zu viele Briefe erhalte, die ich beantworten soll. [...] So bleibt dann eine Art Depression übrig, die sich gewissermassen von ihren Ursachen ablöst und einheitliches, sicheres Handeln verhindert.»

Das ist sicherlich gut gemeint. Doch Eduard, der die Psychiatrie von beiden Seiten kennt, mag ihm noch so seelenverwandt sein – er ist auch seelenkrank. Dass beabsichtigte Empathie nicht automatisch Einfühlsamkeit mit sich bringt, verraten Einsteins Zeilen an Tete nach dessen psychiatrischer Diagnose einer «manifesten Defektschizophrenie»: «Man muss sich ja doch in seiner Ohnmacht zum Fatalismus durchringen, um nicht immer wieder mit dem Kopf an die Mauer zu rennen. [...] Ich merke in Deinem Brief, dass Du nicht so gelassen bist wie früher. [...] Nur sollst Du nicht zu dem Fehler vieler irgendwie leidender Menschen verfallen, Dich zu wichtig zu nehmen und zu denken, alles sei selbstverständlich für Dich da.»

Glaubt er ernsthaft, dass solche Ermahnungen einem psychisch Kranken weiterhelfen? Schließlich schreibt er dem brennend an Seelenkunde Interessierten: «In einer Beziehung musst Du eigentlich über Deine Krankheits-Erscheinungen froh sein: Man kann nichts so tief kennen lernen, als wenn man es selbst erlebt.» Und dann: «Ich bin zwar auch meschugge, aber nur auf *meine* Art.»

So intensiv er sich jetzt bei aller gefährlichen Unbeholfenheit mit dem Jüngeren auseinander setzt, so sehr macht ihm der Kampf mit dem Älteren zu schaffen. In seiner Verzweiflung versucht er sich sogar mit Mileva zu verbinden. «Du wirst überhaupt nach und nach merken, dass es kaum einen angenehmeren geschiedenen Mann gibt als mich. Ich bin nämlich treu in einem anderen Sinne als es ein junges Mädchen träumt, aber doch treu.» Das liest sich allerdings völlig anders in einem Brief an seine Schwester Maja aus dieser Zeit, in dem er Mileva «ein grosses Schwein» nennt.

Aber «das mit Albert ist das Böseste. Manchmal zweifle ich, ob er normal ist.» Und weiter: «Er schrieb mir neulich einen unverschämten Brief unter dem Einfluss der weiblichen Macht.» Selbst dessen Wirken als Spaltpilz will er nicht ausschließen: «Er bringt Dich so in das Gefühl hinein, dass ich mit ihm konspiriere. Aber nichts von alledem ist der Fall. [...] Dass er sich um Dich nicht kümmern solle, habe ich ihm nie gesagt, überhaupt nichts gethan, was ihn animieren könnte die natürliche Dankbarkeit gegen eine wirklich gute und opferbereite Mutter zu beeinträchtigen. [...] Der Einfluss des Mädchens ist schlecht.»

Auf Dauer wird er immer deutlicher: «Wie miserabel sie ist, ersieht man daran, wie Albert in der kurzen Zeit heruntergekommen ist. [...] Der Junge wird an seinem Fehltritt kaputt gehen.» Vor allem die Frage der Nachkommenschaft lässt ihm keine Ruhe: «Ich bin schon zufrieden, wenn er sich nicht auf die bedenkliche Kinderproduktion einlässt.» Selbst als er die künftige Schwiegertochter kennen gelernt hat, lässt er nicht ganz nach. «Sie ist auch für andere als ihn weniger schlimm als ich erwartet habe. *Sie* ist zwar etwas egoistisch und egozentrisch, auch nicht *sehr* taktvoll. Aber es gibt viel schlimmere [...] Kurz – wenn sie weiterhin kinderlos bleiben, bin ich abgefunden mit dem Schicksal.»

Dem Sohn bietet er schließlich eine Art Waffenstillstand an: «Wenn Du mir noch den festen Entschluss mitteilst, mit der Knecht kein Kind zeugen zu wollen, werde ich mich ehrlich mit Deinem Entschluss der Heirat abfinden, obwohl ich es für Euch beide bedauere.» Doch Einstein kann das «Unglück» nicht aufhalten. 1927 heiratet Hans Albert seine Frieda. 1930 kommt Enkel Bernhard Caesar zur Welt. Einstein sieht sich «sehr respektlos zum Großvater befördert». Doch der Opa wird den kleinen «Hadu» ins Herz schließen wie ein eigenes Kind und ihm, der seine Linie fortsetzt, am Ende sogar seine geliebte Geige Lina vermachen. Heute befindet sich das Instrument im Besitz des Geigers Paul Einstein, einem Sohn Bernhard Caesars und Urenkel von Albert Einstein.

Für Ungemach sorgt nicht allein das biologische, sondern einmal mehr das materielle Erbe – und da geht es um mehr als nur um eine Geige. Was er bei den Genen nicht erreicht, versucht Einstein nun beim Geld zu erlangen: Kontrolle. Hintergrund könnte seine eigene Krankengeschichte sein, «da ein schweres Herzleiden bei mir konstatiert ist (Herzerweiterung mit erhöhtem Blutdruck und zu kleiner Pulswelle).

Ob es wieder wesentlich besser wird», liest Hans Albert, «ist noch unbekannt. Jedenfalls werde ich Monate lang liegen müssen.»

Als er im März 1928 bei einem Besuch in der Schweiz seine Reisetasche Hunderte Meter durch hohen Schnee bergauf getragen hat, ist sein Kreislauf kollabiert. Schwer angeschlagen kehrt er nach Berlin zurück, wo er monatelang das Bett hüten und eine strenge Diät einhalten muss. Sein neuer Doktor, der Prominentenarzt János Plesch, stellt eine Herzbeutelentzündung fest. Mit seinen 49 Jahren geht es Einstein so schlecht, dass er um sein Leben fürchtet. «Ich war nahe am Abkratzen», schreibt er Besso Anfang 1929, «das man ja auch nicht ungebührlich aufschieben soll.» Von dieser Zeit an rücken die Vorkehrungen im Falle seines Ablebens mehr und mehr in sein Bewusstsein. Was sein materielles Erbe angeht, hat er offenbar eigene Vorstellungen, die seine erste Familie nicht teilt.

Wütend überwirft sich Einstein mit allen dreien. Er sieht, wie die ganze Welt ihn verehrt und nur seine Kinder sich gegen ihn wenden. Damit kann er nicht umgehen. Im Herbst 1932 schreibt er Hans Albert, der als eine Art Sprecher der Restfamilie fungiert: «Du musst es begreifen, dass mein Vertrauen sich allmählich erschöpft hat und dass ich keine Lust habe, nach Zürich zu fahren, worum sie mich gebeten hat. An Tetel kann ich mich wegen seines Zustandes auch nicht mehr wenden. Thue nun Du nach Rücksprache mit Deiner Mutter und wenn möglich mit Tetel, was Du für richtig hältst. [...] Ich habe Dir alles ohne Erfolg wiederholt dargelegt, als es für die Verhütung künftigen Unheils noch Zeit war. Nun heisst es tragen, was nicht mehr zu ändern ist.» Reichlich unbarmherzig für einen, der sonst den Humanismus predigt und verkündet: «Nur ein für andere gelebtes Leben ist lebenswert.»

Dem kranken Eduard hat er Ende August in ähnlich harscher Weise den Marsch geblasen: «Lieber Tetel! Deine beiden Briefe waren ausreichend und brachten auf meine Anfrage keine ausdrückliche Antwort. Ich nehme an, dass Du die Sache mit Mama und Albert überlegt hast. Dadurch hat sich bei mir ein leichtes Misstrauen in berechtigten Argwohn verwandelt. Es tut mir leid, aber ich habe gelernt, Thatsachen offenen Auges hinzunehmen, um was – und wen! – es sich auch handeln möge. Unter diesen Umständen würde eine Zusammenkunft nicht erquicklich sein sondern schädlich für uns beide. Es thue eben jeder, wie er kann oder – besser – *muss*. Das ist Schicksal. Dessen bewusst grüsst Dich Dein Papa.»

Die Zeilen zeigen auch das Maß an befremdeter Ungeduld, das die Hand beim Schreiben dieser Briefe geführt hat. Woher sie rühren könnte, darüber gibt die Schilderung einer nahen Vertrauten der Familie Auskunft: «In seinen Beziehungen zum Vater zeigte der Knabe eine heiße, hingebende Bewunderung, die mit einer plötzlichen Verschlossenheit abwechselte, als hegte er gegen ihn einen geheimen Groll. Es war vielleicht ein ohnmächtiges Aufbegehren vor einem unerreichbaren Ideal», erinnert sich Elsas Freundin Antonina Vallentin. «Plötzlich kamen aus der Schweiz zusammenhanglose Briefe, in denen das Bedürfnis nach der Selbstbehauptung einer schwachen Persönlichkeit sich auf pathetische Weise manifestierte, um in abgrundtiefe Verzweiflung umzuschlagen. Es waren herzzerreißende, krankhafte Briefe, die Einstein tief aufwühlten. Er verstand nichts von den Irrwegen einer überreizten Phantasie. Plötzlich wandelte sich die leidenschaftliche Liebe des jungen Einstein für seinen Vater in Haß um, der in bittere Anklagen ausbrach, heftige Verwünschungen, dem Beichtfieber eines Kranken.»

Noch einmal beschwört Einstein Eduard, seinen einzigen Halt in der Familie, auch wenn er ihm den Besuch verweigert: «Es ist mir besonders wichtig, an *Dir* keine so schwere Enttäuschung zu erleben. Bei den anderen werde ich auf alle Fälle leichter damit fertig.» Dann wieder lässt er ihn wissen: «Du schreibst, ich sei Dir ferne, aber das Fernesein ist überhaupt mein Schicksal, und es ist gut so.»

Um zu verstehen, was ihn verbal so ungeduldig um sich schlagen lässt, hilft eine maschinengeschriebene Abschrift eines undatierten Briefes von Hans Albert an seinen Vater, offenbar aus dem Jahr 1932.

«Du wirst selbst zugeben müssen», heißt es darin, «dass ich von denen, die Dir nahe stehen oder wenigstens gestanden haben, derjenige bin, der Dir am wenigsten Mühe gemacht hat, zum mindesten in pekuniärer Hinsicht. Ich sehe allmählich ein, dass ich eigentlich ein Idiot gewesen bin mir Mühe zu geben, meinen Unterhalt möglichst schnell zu verdienen. Während nämlich alle Schwachen und Kranken gehätschelt und gepflegt werden, scheinst Du nicht genug zu haben daran, dass ich für mich selber sorge, sondern Du hältst mich offenbar nicht einmal für würdig, wenigstens ein bescheidenes Andenken an Dich nach Deinem Tode zu bekommen, nachdem Du mir im Leben gestohlen worden bist. Wenn Deine väterlichen Gefühle mir gegenüber wirklich auf diesen Nullpunkt zusammengeschrumpft sind, so ist es am besten, wenn Du mir es einmal mitteilst.»

Du bist mir im Leben gestohlen worden. Im November 1932 bekommt Hans Albert die passende Antwort: «Du wirfst mir vor, ich sei kein guter Vater. Wahr ist, dass mir stets die Seelenverwandtschaft mehr bedeutet hat als die leibliche. Dies habe ich in seiner ganzen Stärke wieder gefühlt, als ich Deinen lieblosen und brutalen Brief las, der meiner Geistesart so fern ist wie die Kriegstänze irgend eines Negerstammes.» Und an Mileva schreibt er Ende April 1933: «Albert werde ich sein Verhalten mir gegenüber nicht mehr verzeihen, wenn ich auch in Rechnung stelle, dass dasselbe zum grossen Teil auf den Einfluss der Frau zurückzuführen sein wird.» All das findet in jenen aufwühlenden Tagen statt, als Einstein nach der Machtübernahme Hitlers seine deutsche Staatsangehörigkeit aufgibt und für immer sein deutsches Zuhause verliert.

Für das, was dann geschehen ist, fehlen die Quellen. Hat Mileva ihn wachgerüttelt, als er sie und Eduard im Mai 1933 schließlich doch noch einmal in Zürich besuchte? Haben die Freunde wieder einmal interveniert? Gibt es einen weiteren Brief von Hans Albert, der ihm die Augen öffnet? Oder ist Einstein aus innerer Einsicht darauf gekommen, dass er, der nicht mehr nach Deutschland zurück kann (und will), nach seiner Heimat nicht auch noch seine Familie verlieren darf? Jedenfalls vollzieht er angesichts der aufrüttelnden Erschütterung eine Kehrtwende. Am 30. Mai 1933 – drei Wochen zuvor haben auf dem Bebelplatz in Berlin-Mitte neben vielen anderen auch seine Bücher gebrannt – schreibt er aus Oxford:

«Lieber Albert! Ich habe eingesehen, dass ich Dir de fakto Unrecht gethan habe, indem ich die Motion Deines allerdings schlimmen Verhaltens mir gegenüber falsch und zu Deinen Ungunsten beurteilt habe. Das Hauptmotiv war das Gefühl unverdienter Zurücksetzung und Bedürfnis, sich irgendwann dafür zu rächen.» Und Maja beichtet er zwei

Wochen später: «Meine Trotzeinstellung hat mich nicht erkennen lassen, wie schwer ich unter dem inneren Zerwürfnis mit Euch gelitten habe.»

Einsteins Leben nach seiner Emigration ist von Krankheit und Tod überschattet. Im Mai 1934 fährt Elsa zu ihrer sterbenden, von Schwester Margot gepflegten Tochter Ilse nach Paris. Obwohl sie ihn inständig bittet, weigert sich ihr Mann mitzukommen. Ilse leidet an Tuberkulose. Wie viele andere in jener Zeit glaubt auch sie so tief an die Macht der Psychoanalyse, dass sie sich jeder medizinischen Behandlung widersetzt und schließlich elend zugrunde geht. In Begleitung von Margot und deren Mann kehrt Elsa als gebrochene Frau nach Princeton zurück. Kurz nach dem Umzug in die Mercer Street 112, Einsteins letzten Wohnsitz, erkrankt sie schwer.

Am 4. Januar 1937 teilt Einstein Hans Albert mit: «Vor etwa 14 Tagen ist meine Frau nach langem schwerem Leiden gestorben. Es kommt wirklich alles zusammen.» Im gleichen Jahr wandert der Sohn mit Familie in die USA aus. Immer häufiger beschäftigt sich Einstein nun auch mit dem eigenen Ableben. «In unserem Alter wird der Teufel spröde mit dem Urlauberteilen!», schreibt er 1938 an Zangger. Kaum hat er 1938 «endlich meine Enkelkinder in natura gesehen und piepsen hören», trifft die Familie der nächste Schlag: Der 1933 geborene zweite Enkel Klaus Martin stirbt an Diphtherie. «Liebe Kinder!», schreibt Einstein im Januar 1939 Hans Albert und Frieda. «So hat Euch in jungen Jahren das Schwerste getroffen, was zärtliche Eltern treffen kann.»

Im Jahr darauf gibt es endlich eine angenehme Neuigkeit: «Ich freue mich, dass Ihr den Mut habt, in dieser unsicheren Zeit noch ein Kind anzunehmen. Ich glaube, dass Ihr recht daran thut.» Sohn und Schwiegertochter adoptieren ein Baby, jene heute schwer krank bei Berkeley lebende Evelyn Einstein, die womöglich als Albert Einsteins leibliche Tochter aus einer Affäre mit einer New Yorker Tänzerin hervorgegangen ist. «Das Eveli entwickelt sich auch», berichtet Hans Albert im Juli 1942 seiner Mutter. «Jetzt ist es 16 Monate alt und hat ebenso feste Beinchen und einen ebenso gesunden Appetit wie die Buben hatten.»

Doch Einsteins Gesundheitszustand lässt mehr und mehr zu wünschen übrig: «Bei mir ist ein Darmgeschwür festgestellt worden», setzt er im Juni 1947 Hans Albert in Kenntnis. Wenig später erklärt er: «Wenn ich irgendwo esse, dann gibt es immer besondere Vorbereitungen und ich werde doch krank. Ich habe auch eine Grippe gehabt, fühle mich elend und habe weniger Mut als gewöhnlich.» Und Mileva schreibt er im September: «Ich möchte nicht gern erleben, dass ich für nichts mehr gut bin, aber jeder hat es zu nehmen, wie es kommt.» Doch nicht er, sondern die schwer kranke Mileva steht vor dem Tod.

Als der Sohn im Juni 1948 in die Schweiz fahren will, um sich um seine Mutter zu kümmern, wendet sein Vater ein: «Bedenke aber, dass Ersparnisse besser dazu verwendet werden, das Los der noch Lebensfähigen, die man zurück lässt, zu verbessern, als auf einen solchen hoffnungslosen Fall unwirksam zu verwenden.» Hans Albert fährt nicht. Selbst gegen die Reise der Schwiegertochter hat Einstein Bedenken. «Ich finde die Idee, dass Friedi nach Zürich fahren soll, nicht glücklich, hauptsächlich aus psychologischen Gründen. Sie ist eine der Frauen, die Mileva (in deren Vorstellungswelt) ihrer Männer-Welt beraubt haben.»

Mileva Einstein stirbt mutterseelenallein und verwirrt in einem Züricher Krankenhaus. Nachdem ihr Exmann durch ein Telegramm von Tetels Vormund über ihren Tod informiert worden ist, muss ihm Hans Albert schwere Vorwürfe gemacht haben. Einstein antwortet: «Ich begreife völlig Deine gefühlsmässige Reaktion in dieser ganzen traurigen Angelegenheit, glaube aber, dass es besser ist, dass Du nicht hinüber gefahren bist. Der Tod der Allernächsten reisst vernarbte Wunden auf, die aus der Jugend stammen. Da kann ich Dir nicht unmittelbar helfen; es ist so eingerichtet, dass jeder schliesslich allein mit seinem Teil fertig werden muss.»

Kaum ist die Mutter unter der Erde, bahnt sich neues Unheil an. Kurz nach Weihnachten 1948 erhält Hans Albert einen alarmierenden Brief von seinem Vater. «Ich schreibe Dir heute, weil ich eine grössere Operation vor mir habe [...] Wenn ich drin bleibe, so ist es auch nicht zu früh. Ich schreibe es Dir, weil es doch nicht hübsch wäre, wenn Du es aus der Zeitung erfährst.» Am 2. März 1949 kann Einstein zufrieden berichten: «Es sind Verwachsungen des Darms gelöst worden, was die Funktion entschieden verbesserte.» Als er wenige Tage später 70 wird, erlebt er ein «Geburtstagshagelwetter, das so etwas war wie eine Beerdigung zu Lebzeiten».

Einstein teilt sein Haus nun mit drei Frauen, mit Margot, Maja und Sekretärin Helen Dukas. Die Stieftochter hat sich kurz nach ihrer Ankunft 1934 von ihrem Ehemann getrennt. Die Schwester ist 1939 in die USA gekommen und hat ihren Mann Paul in Europa zurückgelassen. Noch Ende 1944 glaubt sie an eine Rückkehr. «Es ist doch *zu* schön», schreibt sie Tetel, «dass ich wieder hoffen darf, alles, was mir so sehr am Herzen gelegen ist, wiederzusehen.»

Doch daraus wird nichts. Ein Schlaganfall fesselt Maja, die mit ihrem weißen Schopf ihrem berühmten Bruder inzwischen wie eine Zwillingsschwester gleicht, ab 1946 ans Bett. Margot pflegt sie liebevoll, Albert setzt sich jeden Abend an ihr Bett und liest ihr Dichtungen und philosophische Werke vor. «Ich freue mich jeden Tag auf diese Stunden», schreibt sie einer Freundin, «und habe die Genugtuung, zu sehen, dass er sich auch darauf freut.»

Ihr Tod im Frühsommer 1951 trifft Einstein schwer. Nun steht er bald ganz allein da. Und er trifft Vorkehrungen für seinen eigenen Tod. «Montag Nachmittag 4 Uhr ist meine Schwester erlöst worden. [...] Dienstag Morgen um 11 Uhr vormittags haben wir sie nach Trenton zum Krematorium begleitet, ohne dass Freunde dabei waren. [...] Ich habe bestimmt, dass es bei mir auch so gemacht werden soll.» Im Dezember 1954 kündigt sich sein Ende an. «Ich habe eine hartnäckige und hochgradige Anämie, die mich ans Haus fesselt», teilt er Hans Albert mit. Er hat noch ein gutes Vierteljahr zu leben. Zumindest in einer privaten Beziehung kann er nun im Frieden aus der Welt scheiden: Nach den jahrelangen Querelen sieht er sich mit seinem Nachkommen und Stammhalter versöhnt, der unter dem Joch leben muss, als «Professor Albert Einstein» in Berkeley ständig an den Vater erinnert zu werden.

Zu dessen 50. Geburtstag im Mai 1954 hat er Hans Albert geschrieben: «Es ist mir eine Freude, einen leiblichen Sohn zu haben, der die hauptsächliche Seite meines eigenen Wesens geerbt hat: sich erheben über das blosse Dasein, indem man seine besten Kräfte durch die Jahre hindurch einem unpersönlichen Ziel hingibt. Dies ist ja das beste, ja das einzige Mittel, durch das wir uns von dem persönlichen Schicksal und von den Menschen unabhängig machen können.»

Sohn Eduard – «Mein geliebter Schlingel!» – steht dagegen auf der Schattenseite des Lebens. Schon 1932, noch bevor Einstein auswandern muss, hatte er ihn, «der sowieso zur Hypochondrie neigt», endgültig abgeschrieben, denn er «wird eben immer ein Sorgenkind bleiben müssen». Noch im September 1932 hatte ihn Besso erneut beschworen, sich um Tetel zu kümmern: «Nimm den Jungen einmal mit Dir auf einer Deiner grossen Reisen. Wenn Du ihm dann so die freie Zeit von 6 Deiner Lebensmonate gewidmet hast [...], dann werdet ihr auch ein für alle mal wissen, was ihr aneinander habt.»

Tatsächlich hat Einstein dem Sohn, der abwechselnd bei der Mutter und in der psychiatrischen Klinik wohnt, im Oktober 1932 das geforderte Angebot gemacht: «Gräme Dich nicht drüber, dass Du Dich in klösterliches Behandlung hast begeben müssen. [...] Plage Dich in erster Linie nicht mehr mit den Testamentsangelegenheiten. [...] Ich hoffe, Dich nächstes Jahr nach Amerika mitnehmen zu können.» Doch dazu ist es nie gekommen. Bei seinem Besuch in Zürich im Mai 1933, von dem nichts weiter bekannt ist, hat Einstein Mileva und Eduard zum letzten Mal gesehen. Seiner Schwester Maja schildert er danach den Zustand ihres Neffen: «Er ist deprimiert und verliert in charakteristischer Weise den Faden des Gesprächs.»

Als Tete 1934 in Begleitung eines Pflegers Einsteins Schwester und Schwager in Italien besucht hat, zeigt sich Maja entsetzt über seine Veränderungen. Er ist «aufgedunsen, kommt über gewisse Theorien, die er sich macht, nicht weg und dazu liegt eine bleischwere Melancholie über ihm, die sein altes sonniges Lächeln, das blitzschnell ganz selten kommt und geht, nur noch trauriger macht. [...] Er leidet furchtbar, armer Junge.»

Der Vater hält zunächst noch losen Kontakt zu seinem Jüngsten, von dessen Antworten nichts bekannt ist. 1937 schreibt er an Tete: «Ich lebe jetzt als einsamer alter Mann, allmähliche Vorbereitung zum Abschied.» Da hat er noch 18 Jahre vor sich. Im Juni desselben Jahres schildert ihm Besso eine Begegnung mit dem Sohn: «Gestern abend [...] Choralvorspiele [...] wundervoll zart gespielt von Eduard Einstein. Es ist da körperlich Fragliches: Übergewicht; Scheu vor Ausgehen, seit einem Jahr nicht mehr die Wohnung verlassen – nicht immer bekommt ihn der besuchende Freund zu sehen. Aber wieder, dreimal in der letzten Zeit: ganze wohlaufgebaute, höchst originelle Vorträge auf psychologischem Gebiet: etwas hart vorgetragen mit einiger Ähnlichkeit mit jenen alten Orgeln, auf denen man mit Fäusten spielen musste – die Silben aufeinanderfolgend, wie aus einem Vorhang grosser Scheu hervordringend: aber mit ähnlich gefasster Wucht, wie man sie sich bei jenem alten Orgelspiel vorstellen mag.»

Mit seiner Schizophrenie lebt «stud. med. Einstein» nun immer häufiger in der Nervenheilanstalt Burghölzli, zunächst als Gast, dann als Insasse. Zwischendurch wohnt er bei seiner Mutter und nach deren Tod 1948 auch ein paar Jahre in Familienpflege – erst bei einer Pfarrersfamilie, dann bei einer Anwaltswitwe. Pfarrer Freimüller und seiner Frau gelingt es sogar, ihn vorübergehend in ihre Dorfgemeinschaft zu integrieren und ihm einen Job als Adressenschreiber zu besorgen. Liebevoll kümmert sich um den Kranken der Publizist und Einstein-Biograph Carl Seelig, der auch den ebenfalls im Burghölzli untergebrachten Dichter Robert Walser betreut. «Das Gesicht Ihres Sohnes», schreibt Seelig an Einstein, «hat etwas Gequältes und Brütendes, aber auch ein heiteres Lächeln und eine Zutraulichkeit, die rasch bezaubern.»

Auch wenn Tete seine eigene Psychoanalyse nach wenigen Tagen abgebrochen hat, so ist er in dem Thema der damals gängigen Therapieform so bewandert, dass er durch ständige, oft besserwisserische Intervention seine Behandlung erschwert. Bereits im Aufnahmebogen des Burghölzli-Patientendossiers Nr. 27445 vom 10. Januar 1933 heißt es: «Schon zur Zeit, als er noch als Gast bei uns weilte (Herbst 1932), [...] erging er sich ausschliesslich in psychoanalytischer Theorie. Er habe eben speziell durch seine Liebesbeziehung zu einer älteren Frau, die ihn zu spät und unter falschen psychologischen Prämissen zum Coitus zu sich kommen liess, verdrängt, habe Angst etc. Das müsse er jetzt abreagieren. Brauchte eine von Metaphern geschwängerte, wirre Sprache, hielt aber stur und unbelehrbar an seinen Theorien fest.»

In dem Patientendossier findet sich auch ein Schreiben des Burghölzli-Direktors Hans W. Maier, das dem vererbungsgläubigen Einstein, hätte er es zu lesen bekommen, vermutlich reichlich Genugtuung verschafft hätte. «Sicher ist, dass eine schizophrene Heredität» – eine Erblichkeit – «von der Mutter her kommt, deren Schwester wegen Katatonie interniert ist.» Und als hätte Einstein es nicht schon immer gesagt: «Die Mutter ist eine schizoide Persönlichkeit.»

Der Schweizer Autor Thomas Hounker berichtet, Eduard sei 1944 einer «Elektrokur» unterzogen worden, die nach sechs Schocks abgebrochen worden sei. Im Jahr darauf habe er seinen ersten Selbstmordversuch verübt. Zuvor hat er ohne Erfolg mehrere Insulinschock-Therapien über sich ergehen lassen müssen. Sogar noch Ärgeres wird erwogen: «Denkst Du gar an eine Gehirnoperation oder an jene forzierte Schlafbehandlung?», fragt Einstein Mileva. «Ich sage: Hände weg.»

«Es ist jammerschade um den Jungen, dass er ohne Hoffnung auf eine normale Existenz sein Leben hinbringen muss», klagt Einstein 1940 in einem Brief an Besso. «Seitdem die Insulin-Behandlung endgültig fehlgeschlagen ist, halte ich nichts mehr von medizinischem Beistand. Ich halte überhaupt wenig von dieser Zunft und finde es im Ganzen besser, die Natur unbehelligt damit zu lassen.»

Irgendwann um 1946 hat er sich endgültig klar gemacht, dass sein Sohn kein eigenständiges Leben mehr führen kann. Deshalb, schreibt er Mileva, halte er «es für unbedingt erforderlich, dass Tetel entmündigt wird». Eduard bekommt in Dr. Heinrich Meili, einem Bekannten der Familie, für den Rest seines Lebens einen Vormund. In einem Gutachten 1953 heißt es über den Patienten, zurzeit «studiere er daran herum, wie man auf wissenschaftlicher Basis ein Schlaraffenland errichten könne. Er meint es müsse sich ein Weg finden lassen, durch die Kreuzung gewisser Pflanzen Bäume zu züchten, die Brotlaibe tragen.»

Einstein bricht schließlich jeden Kontakt zu seinem Sohn ab. «Es liegt da eine Hemmung zu grunde, die völlig zu analysieren ich nicht fähig bin», schreibt er im Jahr vor seinem Tod zur Begründung an Carl Seelig. «Es spricht aber mit, dass ich glaube, schmerzliche Gefühle verschiedener Art bei ihm zu wecken, dadurch, dass ich irgendwie in Erscheinung trete.»

Nach dem Tod des Vaters verwahrlost der aufgedunsene, Kette rauchende Teddy zusehends. Im Patientendossier heißt es im März 1957, er «streicht ums Haus herum und kann durch sein Landstreicheraussehen Besucher verscheuchen».

Zwei Jahre vor seinem Tod schildert unter der Überschrift «In Zürich vergessen» ein Zeitungsbericht das Leben des «Insassen 3. Klasse» im Burghölzli, der mit seinem Schnurrbart seinem Vater nun erschreckend ähnlich sieht: «Er trug ein blaues Übergewand und Holzschuhe, denn er hatte auf dem Feld gearbeitet. [...] Er hätte gern Klavier geübt, aber das Spiel störe die anderen Insassen, und er begreife das. Er arbeite nicht gerne auf dem Feld, aber andererseits begreife er, dass es ihm guttue. Er wolle gerne allein schlafen, aber er begreife, dass das nicht ginge. [...] Er habe sich an das Leben hier gewöhnt, es sei nun einmal so.»

In seiner Todesanzeige im Oktober 1965 steht unter seinem Namen: «Sohn des verstorbenen Prof. Albert Einstein» – von Mileva aber kein Wort. Seine Krankenakte enthält eine umfangreiche Sammlung seiner Gedichte. Eines trägt die Überschrift «Einsames Ende»:

«Ahnt, wie ich einsam sterbe,
Lautlos schwinde
Und in keine Rinde mein Dasein kerbe.
Was ich gesät,
Haben die Winde leer verweht.
Was ich gedämmt, hat schon geschwinde
Der Bach fortgeschwemmt.

Ahnt, wie ich einsam sterbe,
Und wie die Scham
Mir meinen Halt,
Mir alles nahm.»

Kapitel 11

Anatomie einer Entdeckung

Wie Einstein die
Allgemeine Relativitätstheorie fand

«Papa, warum bist du so berühmt?» Der Vater denkt einen Augenblick nach, dann antwortet er dem neunjährigen Sohn: «Wenn ein blinder Käfer an einem gekrümmten Ast entlang kriecht, merkt er nicht, daß der Ast gekrümmt ist. Ich hatte das Glück zu bemerken, was der Käfer nicht bemerkt hatte.» Einstein erklärt seinem Jüngsten das Wesen der Allgemeinen Relativitätstheorie. Was dem Käfer der Ast, ist dem Physiker die Raumzeit: unmerklich gekrümmt.

Und wo hat der Papa sein Laboratorium? Einstein tippt sich mit dem Finger an die Schläfe und sagt: «Hier.» Im Innern seines Schädels baut er seine Experimente auf. Er reitet auf imaginären Lichtstrahlen, fährt mit superschnellen Zügen, schwirrt in Fahrstühlen durch den Kosmos, lässt blinde Käfer krabbeln und errichtet mit Zeichen und Zahlen eine neue Ordnung. Und das leistet er mit Bildern, die sich in seinem Kopf zu Filmen zusammenfügen. «Kein Wissenschaftler denkt in Formeln», stellt Einstein kategorisch fest.

Wie wäre es wohl, diesem Gehirn beim Denken zuschauen zu können? Noch existiert das Organ dank der Tat des Pathologen Thomas Harvey. In den fixierten Gewebewürfeln allerdings nach dem Gedächtnis suchen zu wollen wäre etwa so, wie Einsteins Geige zu bitten, noch einmal eine Mozartsonate aus seiner Hand erklingen zu lassen. Und doch gibt es Forscher, die etwas Ähnliches versuchen. Sie schauen Einstein gleichsam im Nachhinein beim Denken zu. Seine Spuren finden sie in einem Notizbuch voll kryptischer Symbole und Gleichungen, das Einstein in seiner Züricher Zeit zwischen 1912 und 1913 angelegt hat – für Normalsterbliche ein Buch mit sieben Siegeln. Für Kenner aber, die das 84-seitige Manuskript bis auf die letzten Punkte und Kommata durchforstet haben, enthüllt es einen wichtigen Teil der verschlungenen Wege, über die Einstein seine Allgemeine Relativitätstheorie fand.

In Minneapolis haben sich zwei Männer in die magischen Formeln vertieft. Jeder hat aufgeschlagen ein Heft mit Ablichtungen der Notizbuchseiten vor sich. Das Original verwahren die Nachlasshüter im Einstein-Archiv in Jerusalem. Für den malerisch verschneiten Campus der Universität draußen vor dem großflächigen Fenster haben die beiden kaum einen Blick übrig. Hier drinnen herrscht die Behaglichkeit eines' wissenschaftlichen Brutkastens, in dem sich zwei Partner im Geiste die Köpfe heiß reden – das Einstein-Labor in Aktion. Von rätselhaften Dingen ist da die Rede, von «metrischen Tensoren» und «allgemeiner Kovarianz», von «sekundären Ableitungen» und «gamma kappa 1, dx kappa dx 1». Dahinter verbergen sich Irrungen und Wirrungen, Eitelkeiten, Enttäuschungen und Triumphe.

Wenn Jürgen Renn und Michel Janssen sich zu ihren Forschungssitzungen treffen, mal in Minneapolis, mal in Berlin, erwacht Einstein zu neuem Leben. Es ist, als säße der Überphysiker mit im Raum, als unterhalte er sich mit seinen Schülern, die versuchen, ihn zu verstehen – als Wissenschaftler und als Mensch. Sie denken in seinen Gedanken, sprechen in seinen Worten, folgen seinen Argumenten, probieren seine Tricks, durchschauen seine Schliche, und wenn das nackte Gerüst seines Weltbildes in seiner schlichten Eleganz vor ihren geistigen Augen wiederersteht, dann geben sie sich manchmal auch einfach dem Zauber seiner sorgfältig aufs karierte Papier gemalten Zeilen hin.

Seine feine, fast linientreue, ein wenig nach rechts geneigte Handschrift würden sie unter allen Schriften der Welt ohne weiteres herauserkennen. Sie kämen auch ohne das Manuskript aus. Nach 15 Jahren Forschung können sie jede der Gleichungen im Schlaf hersagen. Das Nach-Denken über das Denken hat mehr Zeit verschlungen als das Denken selbst. Renn, Direktor am Berliner Max-Planck-Institut für Wissenschaftsgeschichte, und Janssen von der University of Minnesota als eine Art Kernteam (das Züricher Notizbuch hat zeitweise bis zu acht Fachleute beschäftigt) ziehen auch jene Legenden in Zweifel, die der Geniekult geschaffen und verfestigt hat.

Ihre Forschung verdanken sie der glücklichen Fügung, dass mit

John Stachel als erstem Direktor beim Einstein Papers Project ein wasch-echter Relativitätstheoretiker an den Aufräumarbeiten im Nachlass des Physikers beteiligt war. Mit geschultem Auge erspähte er unter Tausen-den von Blättern und Heften mit handschriftlichen wissenschaftlichen Aufzeichnungen das Notizbuch und erkannte den ungeheuren Wert des äußerlich so unfertigen Werks. Er hielt ein Labortagebuch in Hän-den – Aufzeichnungen von den Experimenten in Einsteins Kopf.

Gemessen an der Allgemeinen Relativitätstheorie, hat Einstein ein-mal gesagt, war die Arbeit an der Speziellen ein «Kinderspiel». Ohne diese hätte er jene auch nicht entwickeln können. Mit seinem Werk von 1905 hat er Raum und Zeit ihren absoluten Charakter genommen. Er hat sie relativiert, indem er die Lichtgeschwindigkeit zum Maß aller (bewegten) Dinge erhob. Er hat ermöglicht, dass sie unter der Hand des Mathematikers Minkowski zur vierdimensionalen Raumzeit ver-schmolzen. Er hat in seinem Kopf den Einstein-Zug fahren lassen und der Gleichzeitigkeit von Ereignissen einen neuen Sinn gegeben. Er hat elektrisches und magnetisches Feld als zwei Seiten derselben Medaille erkannt. Er hat die Idee vom Äther als Trägermedium für Licht und alle anderen elektromagnetischen Wellen für überflüssig erklärt. Und er hat die Wesensgleichheit von Masse und Energie entdeckt und in der Formel $E = mc^2$ zusammengefasst.

Das wäre genug für ein Leben. Auch mit dieser Leistung hat er sich seinen Ehrenplatz auf dem Olymp der Wissenschaft verdient. Aber Ein-stein hat schnell erkannt, dass er sich erst auf halbem Wege befindet.

Während die Spezielle Relativitätstheorie Anfang des 20. Jahrhun-derts in der Luft lag und früher oder später wohl auch von einem ande-ren Physiker gefunden worden wäre, geht Einstein den Weg zur Allge-meinen lange ganz allein. Selbst Max Planck hält nichts von dem neuen Gedankenabenteuer: «Als alter Freund muß ich Ihnen davon abraten, weil Sie einerseits nicht durchkommen werden; und wenn Sie durch-kommen, wird Ihnen niemand glauben.» Einsteins Reflex in solchen Lagen: jetzt erst recht.

Bisher hat er nur gezeigt, dass sein Relativitätsprinzip für gleich-förmige Bewegungen gilt. Für Reisende im Zug mit konstantem Tem-po gelten dieselben physikalischen Gesetze wie für den Beobachter am

Bahnsteig. Uhren verlangsamen und Strecken verkürzen sich relativ zueinander. Nun will er sein Werk fortführen, das Relativitätsprinzip auch auf ungleichförmige Bewegungen ausdehnen – wenn der Zugführer Gas gibt oder abbremst – und so die Relativitätstheorie verallgemeinern. Daher der Name. Genau daran wird er streng genommen aber scheitern – einer der überraschenden Funde von Janssen, Renn und Kollegen.

Neben der Geschwindigkeitszunahme durch Antrieb, etwa in Fahr- oder Flugzeugen, gibt es die Beschleunigung durch Fliehkraft, wie sie jedes Kind vom Spielplatz kennt: Wird eine Scheibe in Drehung versetzt, dann wird jeder, der nicht auf ihrem Mittelpunkt steht, zum Rand gedrückt und wie ein Wurfgeschoss beschleunigt. Wer vom Turm ins Becken springt, erlebt die alltäglichste Form ungleichförmiger Bewegung, das Fallen durch Schwerkraft. Diese Formen beschleunigter Bewegung durch Krafteinwirkung und Gravitation muss die neue Theorie umfassen.

Einstein muss nun eine Reihe von Fragen klären. Bei der ersten geht es um die Symmetrie zwischen bewegten Systemen: Solange sich zwei Fahrzeuge mit konstanter Geschwindigkeit relativ zueinander bewegen, lassen sich die Verhältnisse durch mathematische Verfahren aufeinander abbilden. Mit Hilfe der «Lorentz-Transformationen» kann der eine berechnen, wie die Uhren beim anderen gehen oder wie sich seine Maßstäbe verkürzen – und umgekehrt. Lässt sich das auch erreichen, wenn die beiden beschleunigt aufeinander zufahren oder voneinander weg? Anders gesagt: Stehen ungleichförmig zueinander bewegte Systeme so in Beziehung, dass sich mit denselben Formeln vom einen auf das andere schließen lässt und umgekehrt? Sind sie – in der Sprache der Physik – «allgemein kovariant»? Und selbst wenn sie es wären: Lässt sich das Relativitätsprinzip, das Einstein nach der Vorlage Galileis erweitert hat, auch auf die Fliehkräfte durch Rotation anwenden? Wie steht es mit der Schwerkraft, die in der Speziellen Relativitätstheorie keine Rolle spielt? Was ist überhaupt das Wesen dieser merkwürdigen Beschleunigungskraft namens Gravitation, die nach Newtons Theorie nicht nur den Apfel zur Erde fallen lässt, sondern auch die Himmelskörper auf ihren Bahnen hält? Welcher Zusammenhang besteht zwischen ihr und der Raumzeit, durch die hindurch sie die Anziehung zwischen den Massen bewirken soll? Wie ist Materie, nach der Formel $E = mc^2$ also auch Energie, mit der Raumzeit verbunden?

Jede Antwort erzeugt neue Fragen, jedem Durchbruch folgt ein erneuter Aufbruch. So funktioniert Wissenschaft. Meistens machen sich junge Forscher der nächsten Generation daran, die neu aufgeworfenen Probleme im Werk ihrer Vorgänger zu lösen. Kepler folgt auf Kopernikus, Newton auf Galilei, Maxwell auf Faraday. Bei der Relativitätstheorie ist Einstein sein eigener Vorgänger und Nachfolger. Er verhält sich wie ein Marathonmann, der am Ziel beschließt, noch einmal loszulaufen.

Newtons Trägheitsgesetz besagt, dass ein Gegenstand sich so lange gleichförmig bewegt, wie keine Kraft auf ihn einwirkt und ihn zu einer anderen Bewegung zwingt. Beim Auto ist es die Kraft des Motors. Wie stark sie sein muss, hängt offenbar von der Masse des Gegenstandes ab. Größere Autos brauchen für die gleiche Beschleunigung stärkere Maschinen beziehungsweise mehr Energie als kleinere. Genau das steckt in Newtons Gesetz: Je umfangreicher die «träge Masse» eines Gegenstandes, also sein Beharrungsvermögen, desto mehr Kraft erfordert es, ihn von der Stelle zu bewegen und um ein bestimmtes Maß zu beschleunigen.

Bei der Schwerkraft aber zeigt sich, wie Galilei mit seinen Fallversuchen eindrucksvoll vorführen konnte, ein merkwürdiger Effekt: Alle Gegenstände fallen gleich schnell, ganz egal, wie schwer sie sind. Mit zwei unterschiedlich großen Steinen, von einer Brücke in einen Fluss fallen gelassen, lassen sich Galileis Versuche leicht nachvollziehen: Beide treffen gleichzeitig im Wasser auf. Ist der Luftwiderstand aufgehoben, etwa im luftleeren Raum, fällt sogar die Feder so schnell beschleunigt wie der Stein – unabhängig von ihrem Gewicht. Wie ist das möglich? Wie kann ein und dieselbe Kraft zwei Gegenstände mit unterschiedlichen Massen im gleichen Maß beschleunigen? Was ist da anders als bei den Autos, die mehr Kraft zur Beschleunigung benötigen, je schwerer sie sind? Das ist, bis Einstein auftritt, eines der tiefsten Geheimnisse der Natur.

Newton fand für das Phänomen zwar keine Erklärung, schuf aber

Abhilfe, und zwar mit seinem Gesetz der Schwerkraft. Niemand hat je sagen können, was diese geheimnisvolle Kraft überhaupt ist. Gleichwohl folgt sie treu dem Gesetz der Gravitation, wie Newton es beschrieben hat: Je schwerer ein Gegenstand, desto stärker wirkt, wie der Name verrät, die Schwerkraft auf ihn. Mit der trägen Masse, die der Gegenstand einer äußeren Kraft entgegensetzt, nimmt sie zu. Aber nicht nur das: Sie ist auch exakt genauso groß. Die Schwerkraft wirkt der Trägheit so hundertprozentig genau entgegen, dass alle Körper ungeachtet ihres Gewichts im Vakuum mit der gleichen Beschleunigung zu Boden stürzen. Sagt Newton.

Kurioserweise hat in den fast zwei Jahrhunderten seit seinem Tod niemand diese genaue Übereinstimmung von träger und schwerer Masse deuten können. Da sich Newtons Gesetz aber so wunderbar anwenden lässt, auf die (nach seinem Glauben göttliche) Himmelsmechanik ebenso wie auf die mechanischen Maschinen der Menschen, wird die Koinzidenz als sonderbarer Zufall der Natur hingenommen.

Einer aber zieht diesen Zufall endgültig in Zweifel: Albert Einstein. Er misstraut nicht nur, höchste Kunst aller Wissenschaft, grundsätzlich allen ungeprüften Annahmen. Er strebt auch nach Theorien, die das Naturgeschehen erklären, nicht nur beschreiben. Wie eigentlich soll die Erde weit in den Weltraum wirken, alle Dinge genau mit dem Wert ihrer Schwere an sich ziehen und auch noch den Mond auf seiner Bahn halten? Und wie soll sich diese – mechanische – Kraft vermitteln, wenn sich die Gegenstände nicht berühren? Was bedeutet in diesem Zusammenhang überhaupt Kraft?

Und eine weitere Merkwürdigkeit nährt Einsteins Misstrauen. Newtons Gravitationsgesetz beinhaltet einen Effekt, der sich nicht mit der Speziellen Relativitätstheorie vereinbaren lässt: Zwei Körper ziehen einander unmittelbar an, ohne Zeitverzögerung. Nach Einstein verbietet sich diese Art der Fernwirkung aber. Nichts kann sich schneller ausbreiten als Licht, auch nicht die Schwerkraft, schon gar nicht unendlich schnell.

Wenn Einstein alle offenen Fragen vor sich sieht, zieht er sich ins Laboratorium seiner Vorstellungswelt zurück. Im Einstein-Zug von 1905 ließ sich durch keinen physikalischen Versuch feststellen, ob er fährt oder nicht. Im gleichmäßig fahrenden wie im stehenden Zug fällt der Apfel senkrecht zu Boden. Die Fahrgäste können die Geschwindigkeit auch nicht fühlen. Gibt der Lokführer aber Gas und der Zug legt zu, lässt sich die Veränderung der Bewegung direkt erfahren: Der Apfel fällt gegen die Fahrtrichtung schräg nach unten. Deutlich spüren auch die Fahrgäste die Beschleunigung als Kraft, die auf sie wirkt. Sie drückt sie in ihre Sitze. Dieser alltägliche Umstand – was fühlen wir bei einer Bewegung? – bildet einen der Ausgangspunkte der Allgemeinen Relativitätstheorie.

Schon 1907 ist Einstein ein Gedankenexperiment in den Sinn gekommen, bei dem die Beschleunigung nicht spürbar ist. Diesen Einfall, bei dem er einen Zusammenhang zwischen Beschleunigung und Schwerkraft herstellt, wird er später den «glücklichsten Gedanken meines Lebens» nennen. Einstein wählt ein besonders drastisches Bild von der Wirkung der Schwerkraft. Er stellt sich «einen vom Dache eines Hauses frei herabfallenden Beobachter» vor. Kann ein Fallender, während er fällt, die Schwerkraft spüren? Später sperrt Einstein den Beobachter in seinem Gedankenexperiment in einen fensterlosen Fahrstuhl ein, der auf die Erde zurast. Darin kann der Fallende weder den Gegenwind noch seinen Sturz wahrnehmen. Was er aber auch ohne sein Gefängnis nicht registrieren könnte, und darauf kommt es Einstein an, ist das Schwerefeld, in dem er den Fall erlebt. Er spürt auch nicht die Beschleunigung. Denn er schwebt – in seinem Bezugssystem, dem Lift.

«Der ungemein sonderbare Erfahrungssatz, dass alle Körper in demselben Schwerefelde mit gleicher Beschleunigung fallen, erhielt durch diesen Gedanken sofort einen tiefen physikalischen Sinn», so Einstein später. «Lässt der Beobachter nämlich irgend welche Körper los, so bleiben sie relativ zu ihm im Zustande der Ruhe bzw. gleichförmigen Bewegung.»

Was er hier beschreibt, ist nichts anderes als das seit den Anfängen der bemannten Raumfahrt bekannte Bild von Menschen im Zustand der Schwerelosigkeit. Der Weltraumfahrer lässt eine Zahnpastatube los, und sie bleibt an der Stelle im Raum stehen, wo sie die Hand des Astronauten verlassen hat. Keine äußere Kraft zieht die Tube in irgendeine Richtung. Tippt ein Astronaut sie aber an, dann schwebt sie durch das Raumschiff, bis sie irgendwo zum Halten kommt. Zu Einsteins Zeiten war das schwerelose Schweben noch unbekannt. Aber er hat es sich richtig vorgestellt. Auch im frei fallenden Fahrstuhl kann man Gegenstände loslassen, und sie schweben – und zwar im Prinzip genauso, wie Feder und Stein im Vakuum auf gleicher Höhe fallen. Vom Standpunkt des Fallenden wie des Schwebenden ist das Schwerefeld aufgehoben, null.

Einsteins Beobachter und alle mit ihm schwebenden Gegenstände befinden sich gleichsam auf Augenhöhe mit der Schwerkraft – ähnlich wie (zur Verdeutlichung der Speziellen Relativitätstheorie) das Bild von der Sonnenuhr, also der Moment, mit der Zeit reist: Photonen altern nicht. Das hat bei der Gravitation zur Folge, dass der Fallende die «Kraft» nicht spürt, die ihn auf die Erde zusausen lässt. «Er hat das Recht», sagt Einstein, «seinen Zustand als ruhend und seine Umgebung bezüglich der Gravitation als feldfrei zu betrachten.» Irgendetwas muss da sein, das auf alle Gegenstände gleich wirkt, unabhängig von ihrer Masse, und nicht wie Newton glaubte, mit zunehmender Masse größer werdend. Aber was könnte das sein?

Als Grundlage seiner Theorie sucht Einstein Prinzipien. Bei der Speziellen Relativitätstheorie waren es das Relativitätsprinzip, das er von Galilei übernommen und erweitert hat, und das Prinzip von der Konstanz der Lichtgeschwindigkeit. Mit seinem «glücklichsten Gedanken» hat er das erste Prinzip der Allgemeinen Relativitätstheorie angestoßen, das so genannte Äquivalenzprinzip. Es sagt aus, dass sich Schwerkraft und Beschleunigung in ihrer Wirkung gleichen, dass sie äquivalent sind – während Newton annahm, dass die Schwerkraft auf der einen Seite die Beschleunigung auf der anderen auslöst. Was Gott verbunden hat, ruft Einstein Newton nun zu, das soll der Mensch nicht trennen. Schwere und träge Masse sind identisch und nicht zwei verschiedene Dinge mit zufällig identischem Wert. Damit erhält der scheinbare Zufall den Ritterschlag des Prinzipiellen. Wieder hat ein rettender Einfall Einstein den Weg gewiesen – mit dem einen Unterschied: Das Äquivalenzprinzip wird sich in dieser Form am Ende nicht halten lassen.

An dieser Stelle schmuggeln sich durch die Hintertür die Einstein-

Nach-Denker Renn und Janssen in sein Oberstübchen. Der kleine Irrtum mit dem neuen Prinzip, sagt Janssen, habe große Folgen. «Einstein glaubt, er könne eine neue Theorie der Gravitation entwickeln und damit in einem Streich auch das Relativitätsprinzip verallgemeinern.» Genau an diesem Versuch aber wird er scheitern. Die Sache ist viel komplizierter.

«Indem er jedoch instinktiv an dem intuitiv aufgestellten, eigentlich falschen Prinzip festhält, kann Einstein seinen langen Marsch nun antreten», sagt Renn. «Auch wenn er es am Ende revidieren muss, so besitzt es für den Anfang einen hohen Erkenntniswert.» Einstein hat sich zwar die falsche Brille aufgesetzt, aber sie öffnet ihm die Augen, sodass er sie später durch die richtige ersetzen kann. Schon früh schwebt ihm nämlich vor, dass die enge Verbindung zwischen Trägheit und Schwere mehr bedeuten muss. Die Kombination von Instinkt und Intuition macht einen Kern dessen aus, was als Einsteins Genialität sprichwörtlich geworden ist.

Aber nicht nur das Äquivalenzprinzip weist ihm den Weg. John Stachel hat schon früh auf ein oft übersehenes Gedankenexperiment im Laboratorium des Genies hingewiesen. Einstein nimmt sich das als «Ehrenfest-Paradox» bekannte Phänomen vor und stellt seinen Beobachter in den Mittelpunkt einer rotierenden Scheibe. Da sich deren Rand relativ zum Zentrum bewegt, gehen nach der Speziellen Relativitätstheorie Uhren dort langsamer als solche in der Mitte. Tatsächlich bleiben Uhren am Äquator hinter solchen am Nordpol ein wenig zurück. Scheinbar paradox, befinden sich doch beide auf der gleichen Erde. Die Uhren am Rande der Scheibe sind, jeder kennt den Effekt vom Karussell, auch einer Beschleunigung ausgesetzt. Wenn nach dem Äquivalenzprinzip, so könnte Einstein überlegt haben, die Beschleunigung der Schwerkraft entspricht, dann müsste auch Schwerkraft Uhren verlangsamen. Damit macht er die erste Entdeckung auf dem Weg zur Allgemeinen Relativitätstheorie: Gravitation beeinflusst Zeit.

Und zieht daraus eine wichtige Schlussfolgerung: Uhren müssten schneller gehen, je weiter sie sich vom Zentrum der Masse entfernt befinden, je geringer die Schwerkraft auf sie wirkt. Damit kann er eine experimentell nachprüfbare Voraussage machen: Von ihrer leichteren

Erde aus müssten die Menschen den Effekt auf der viel schwereren Sonne messen können. Wie aber lässt sich der Takt irdischer Uhren mit dem auf der Sonne vergleichen, wo es keine Uhren gibt? Als Ersatz dienen den Forschern die Schwingungen im Innern der Atome, die auch Atomuhren ihre hohe Präzision verleihen. Vom Schwingungstakt hängt die Frequenz des Lichtes ab, das die Atome aussenden. Die Frequenz wiederum bestimmt die Farbe des Lichtes im Spektrum. Je langsamer die Schwingung (und damit die «Uhr»), desto kleiner die Frequenz, desto mehr verschiebt sich das Licht ins Rote. Solche Frequenzunterschiede lassen sich mit Spektrografen sehr genau messen. Auf der Sonne mit ihrer viel größeren Masse und Anziehungskraft müssten Uhren langsamer gehen, also das Licht mehr ins Rote verschoben sein als auf der Erde.

Lange bevor er die Allgemeine Relativitätstheorie fertig hat, sagt Einstein damit einen zweiten wichtigen Effekt voraus: die Rotverschiebung durch Gravitation. Der vorhergesagte Wert zwischen Erde und Sonne ist allerdings so gering, nur ein Fünfhunderttausendstel Abweichung, dass der Effekt erst viele Jahre nach Einsteins Vorhersage nachgewiesen werden kann – auch nicht auf der Sonne, sondern bei einem sehr viel schwereren Himmelskörper in der Nähe des Sterns Sirius.

Sehr früh erkennt Einstein zudem, dass Gravitation eine weitere Auswirkung haben muss. Auch diesen Effekt hat er in seinem Kopflabor ausgetüftelt. Im Gedankenexperiment schickt er durch ein kleines Loch einen Lichtstrahl quer durch einen frei fallenden Fahrstuhl. Dieser Strahl trifft nicht nur, da sich der Lift weiterbewegt hat, auf der gegenüberliegenden Wand höher auf. Da die Bewegung beschleunigt ist, fährt der Lift dem Strahl immer schneller davon. Damit erscheint er dem Beobachter im fallenden Lift als gekrümmt. Wenn aber Beschleunigung und Schwerkraft äquivalent sind, muss Schwerkraft die gleiche Wirkung auf das Licht haben. Damit lässt die Allgemeine Relativitätstheorie lange vor ihrer endgültigen Formulierung eine weitere Prognose zu: Große Massen lenken Lichtstrahlen ab. Solange ihm die korrekten Gleichungen noch fehlen, kann Einstein den exakten Wert der Lichtkrümmung zwar nicht angeben. Doch der Ursprung der Nagelprobe von 1919 ist geschaffen.

Das Ehrenfest-Paradox von der Scheibe, den Fliehkräften und den langsameren Uhren am Außenrand verschafft Einstein noch eine weitere, äußerst bedeutende Einsicht. Nach der Speziellen Relativitätstheorie gehen in gleichförmig bewegten Systemen nicht nur die Uhren langsamer. Auch die Längen von Maßstäben verkürzen sich. Diese Folgerung hat weit reichende Konsequenzen. Denn wenn sich die Längen der Maßstäbe durch die Bewegung verkürzen, dann heißt das nichts anderes, als dass auf den Außenrand der Scheibe auch mehr Maßstäbe passen.

Nach den Gesetzen der Euklidischen Geometrie, die jeder Schüler schon früh kennen lernt, beträgt das Verhältnis zwischen dem Radius und dem Umfang eines Kreises das Zweifache der Zahl Pi. Da sich die Längenkontraktion nur in Bewegungsrichtung auswirkt, nicht aber quer zu ihr, bleibt die Strecke zwischen der Mitte und dem Außenrand – der Radius der Scheibe – unverändert. Wenn sich der Umfang der Scheibe aber verändert, ihr Radius jedoch nicht, dann verliert auch die Geometrie Euklids ihre Gültigkeit – und zwar durch Beschleunigung oder, nach dem Äquivalenzprinzip, durch Gravitation. Das ist die nächste wichtige Entdeckung auf dem Weg zur Allgemeinen Relativitätstheorie: Gravitation beeinflusst nicht nur Zeit. Sie verändert auch Geometrie. Ausgerechnet die Rotation, sagt Janssen, die ihm noch bitter zu schaffen machen wird, führt Einstein auf den entscheidenden Gedanken.

Er geht jetzt davon aus, dass Gravitation die Struktur der (Raum)-Zeit verändert, dass sich die Veränderungen mathematisch beschreiben lassen, dass ihm aber die klassische Geometrie nach Euklid bei dieser Beschreibung nicht weiterhilft. Er weiß aber auch, dass seine neue Theorie den tausendfach durch Experimente belegten Grundsätzen der Newton'schen Physik nicht widersprechen darf, sondern sie in sich einschließen muss. Wie aber lässt sich gewährleisten, dass die alten Prinzipien erhalten bleiben, die neuen aber zusätzlich gelten?

«Einstein erlaubt sich nun etwas Erstaunliches», sagt Jürgen Renn. «Er lässt sich in die Position eines Traditionalisten zurückfallen.» Anstatt sich wie seinerzeit Newton mit seinen Differenzialgleichungen ein völlig neues System auszudenken, vertraut er dem reichen Schatz des vorhandenen physikalischen Wissens. Er versucht, seine Theorie im Prinzip mit dem gleichen Typ von Feldgleichungen aufzubauen, die James Clerk Maxwell 50 Jahre zuvor für den Elektromagnetismus entwickelt hat. Statt also neue Formalismen erfinden zu müssen, startet er vom soliden Fundament, das andere vorgegeben haben. Einmal mehr bleibt ihm seine Intuition treu – und sein Glück.

Der verlässliche Rahmen bewährter Theorien wird Einstein durch alle Höhen und Tiefen stützen und halten. Instinktiv vertraut er darauf, dass sich auch die Gravitation durch Feldgleichungen beschreiben lässt – mit Hilfe von Feldern, wie sie vom Elektromagnetismus bekannt sind. Solche Felder üben keine direkten Kräfte aus. Vielmehr verändern sie die Eigenschaften des Raumes so, dass Gegenstände ihnen folgen – wie etwa Eisenspäne den «Feldlinien» eines Magneten. Am Ende wird Einstein mit seiner Annahme Recht behalten. Aber so einfach, wie er sich das ursprünglich vielleicht vorgestellt hat, lässt sich das Problem nicht in den Griff bekommen.

Lange probiert er, Feldgleichungen im Stile Maxwells aufzustellen, die jede seiner Bedingungen erfüllen. Aber alle Versuche schlagen fehl. Irgendetwas Fundamentales scheint nicht zu stimmen. Fieberhaft versucht er, den Haken in seinem Gedankengang aufzuspüren – ohne Erfolg. Erst 1912 kommt ihm der rettende Gedanke – erneut mit Blick auf die Spezielle Relativitätstheorie. Was ist überhaupt, fragt er sich, die Quelle der Gravitation? Newtons Antwort lautet: Masse übt Schwerkraft aus. Nach Einsteins Formel $E = mc^2$ ist Masse gebündelte Energie. Das hat Folgen: Ein Schwerefeld, das Massen von ihrer Bahn ablenkt, muss selbst Energie beinhalten – und damit auch Masse. Einstein erkennt, dass er es mit einem Vorgang zu tun hat, der in der Physik noch nicht beschrieben worden ist. Das Feld trägt zu seiner eigenen Quelle bei. Schwerkraft erzeugt Schwerkraft, Gravitation schaukelt sich an sich selber hoch.

«In gewisser Weise zieht sich das Feld am eigenen Schopf», erklärt Janssen. Schwerefeld und Masse gehen Hand in Hand – das verschlungene Yin und Yang der Schwerkraft. Massen schreiben Gravitationsfeldern ihre Form vor. Gleichzeitig teilt die Form der Gravitationsfelder den Massen mit, wie sie sich zu bewegen haben.

Einstein dämmert, dass für diese komplexe Dynamik einfache Feldgleichungen nicht mehr ausreichen. Wenn alles, was sich bewegt, unablässig alle Bewegungen beeinflusst, wird die Sache kniffliger. Die Mathematik, mit der es Isaac Newton zu tun hatte, und auch die der Speziellen Relativitätstheorie nehmen sich dagegen kinderleicht aus. Jetzt aber muss das Wunderkind aus Gymnasialzeiten eine erschreckende Feststellung machen: Ihm fehlt das mathematische Rüstzeug. Jetzt rächt sich, dass er an der Universität die Höhere Mathematik nicht ernst genug genommen hat. Er steht da wie ein Autoschlosser, der früher am Werkzeug gespart hat und nun eine entscheidende Reparatur nicht ausführen kann.

Doch wieder befindet sich Einstein zur rechten Zeit am rechten Ort. Die Eidgenössische Technische Hochschule in Zürich, sein altes «Poly», hat ihn zum Ordentlichen Professor berufen. Seine dritte Züricher Zeit beginnt 1912, und mit ihr die Zeit des Züricher Notizbuchs. Wie es das Schicksal will, heißt einer seiner neuen Kollegen in der mathematischen Fakultät – Professor Grossmann. Jener Marcel Grossmann, dessen säuberliche Mitschriften Einstein seinerzeit benutzt hat, geschwänzte Mathematikvorlesungen nachzubereiten, und der ihm mit väterlicher Hilfe die rettende Stelle beim Patentamt besorgt hat.

Einstein erinnert sich an den Stoff der Vorlesungen, die er als Student vernachlässigt hat. War da nicht von dem großen Mathematiker Carl Friedrich Gauß die Rede, der Euklids Axiom von den parallelen Linien über Bord warf und eine Geometrie gekrümmter Oberflächen erfand? Ein Blick auf den Globus macht den Unterschied deutlich: Auf ebenen Flächen haben Quadrate an ihren vier Ecken vier rechte Winkel. Die kürzeste Verbindung zwischen zwei Punkten ist eine Gerade. Die Ränder verlaufen parallel. Auf einer Kugel wie der Erde sehen die Verhältnisse anders aus. Die Kanten zwischen Längen- und Breitengraden sind nicht parallel und die Ecken nicht rechtwinklig. Wegen der Krümmung bilden sie kleinere und größere Winkel. Am geringsten erscheint der Effekt am Äquator, dramatisch an den Polen.

Die kürzeste Strecke zwischen zwei Punkten auf der gekrümmten Oberfläche wird «geodätische Linie» genannt. Sie ist, bedingt durch die Krümmung, länger als die direkteste Verbindung zwischen den beiden

Punkten. Der gerade Weg ginge quer durch das Innere der Kugel – das aber nicht zu ihrer Welt gehört und das auch die Gaußsche Geometrie nicht beschreibt. Geodätische Linien als gebogene kürzeste Verbindungen spielen in der Allgemeinen Relativitätstheorie eine bedeutende Rolle.

Für solche gekrümmten Verhältnisse, daran erinnert sich Einstein, hat Gauß seine neue Geometrie geschaffen. Doch das System von Gauß kennt wie der gesunde Menschenverstand nur drei Dimensionen: Höhe, Länge und Breite. Einstein aber hat es in der Raumzeit mit vier Dimensionen zu tun. Nun ist er mit seinem Latein am Ende und schreibt seinem Freund: «Grossmann, Du musst mir helfen, sonst werd' ich verrückt.» Und siehe da, der Kamerad weiß Hilfe. Die Mathematiker erkunden schon lange Kontinente, die zunächst allein im Kosmos ihrer Rechenkunst existieren. In der Nachfolge von Gauß spielen sie mit Dimensionen, von denen sich kein Mensch ein Bild machen kann. Und das erweist sich für Einstein nun als großer Glücksfall: Dank Grossmann findet er die nötigen mathematischen Werkzeuge fertig vor.

Der deutsche Mathematiker Georg Riemann hat Mitte des 19. Jahrhunderts aus rein mathematischen Erwägungen das System von Gauß erweitert. Dabei ist ein kompliziertes Rechenwerkzeug für nichteuklidische Geometrien auch in mehr als drei Dimensionen entstanden. Riemanns Geometrie verhält sich zu der von Euklid wie ein gebirgiges Gelände auf dem Globus zu einer flachen Ebene. Sein «metrischer Tensor» ist genau das, was Einstein jetzt braucht.

Womit er es dabei zu tun hat, zeigt ein Blick in den Atlas. Die Weltkarte stellt sich als flache Wiedergabe einer gekrümmten Oberfläche dar, des Globus. Jeder weiß, wie verzerrt die Verhältnisse auf solchen Karten sind: Afrika erscheint vergleichsweise klein, Grönland aber unverhältnismäßig riesig. Die korrekten Entfernungen zwischen zwei Punkten lassen sich nur über Umrechnungsfaktoren ermitteln, zwei für die Nord-Süd- und zwei weitere für die Ost-West-Richtung. Zusammen werden diese Zahlensätze als «Komponenten des metrischen Tensors» bezeichnet. Die Umwandlung der Entfernungen auf der Karte in die realen Distanzen beschreibt das «metrische Feld».

Doch Einstein hat es mit deutlich mehr Komplexität zu tun. Während der Atlas die Kugelform, nur die zweidimensionale Oberfläche der Erde mit ihren Flüssen und Küstenlinien, auf das flache Papier zwingt, muss Einstein ein vierdimensionales gekrümmtes Objekt abzubilden versuchen – die Raumzeit. Sein Freund Marcel gibt ihm das Werkzeug an die Hand, und auf Seite 14 L des Züricher Notizbuches vermerkt Einstein korrekt die Quelle des Durchbruchs: «Grossmann». Nun probiert er herum und macht sich auf die Suche nach Feldgleichungen. Doch die Rechnerei mit dem «Riemann-Tensor» erweist sich als furchtbar verzwickt.

Hier machen Renn, Janssen und ihre Kollegen eine entscheidende Entdeckung. Einstein geht grundsätzlich anders vor, als er es die Welt später glauben machen will. Bis heute hält sich als Teil seines wissenschaftlichen Mythos hartnäckig die Version, er habe sich seine Theorien quasi im Traum ausgedacht und sie dann allein wegen ihrer formalen mathematischen Schönheit für richtig gehalten. «In Wahrheit verhält er sich ganz anders, nämlich wie ein guter Physiker», sagt Janssen. Das heißt, er kennt die Daten und Gesetze und orientiert sich an der physikalischen Wirklichkeit. «Das Verrückte ist nur, dass Einstein davon später nichts mehr wissen will», ergänzt Renn.

Die beiden haben während ihrer wissenschaftshistorischen Detektivarbeit passend zu ihren Temperamenten unterschiedliche Positionen bezogen. Der Berliner Forscher nimmt die Vogel-, sein niederländischer Partner in Minneapolis die Froschperspektive ein. Während Renn von weit oben schaut, geht Janssen unten auf Tuchfühlung mit den Gleichungen. Nur dadurch gelingt es ihnen, vor lauter Symbolen das Gesamtbild nicht aus den Augen zu verlieren und Einsteins Vorgehensweise im Rhythmus der einzelnen Arbeitsschritte zu durchschauen.

«Aus der Distanz kann man sehen», sagt Renn, «dass Einstein es auf zwei Wegen versucht, über eine mathematische und über eine physikalische Strategie.» Das bedeutet, er beginnt nicht nur mit rein mathematischen Formeln und versucht, sie durch Kombinieren der Wirklichkeit anzuprobieren. Er geht auch von physikalischen Grundannahmen aus und sucht dann erst die passende Mathematik dazu. «Aus der Nähe zeigt sich», sagt Janssen, «wie er sich in der einen und in der anderen Strategie immer wieder verheddert.» Am Ende aber rettet ihn seine Physik.

«Mathematik ist die einzige perfekte Methode, sich selber an der Nase herumzuführen», hat Einstein einmal gesagt. Und ein andermal: «Aber das eine ist sicher, daß ich mich im Leben noch nicht annähernd so geplagt habe, und daß ich große Hochachtung für die Mathematik eingeflößt bekommen habe, die ich bis jetzt in ihren subtileren Teilen in meiner Einfalt für puren Luxus ansah!» Wie sehr er kämpft, lässt sich eindrucksvoll an seinen Kommentaren im Notizbuch ablesen: «Sollte verschwinden», heißt es am Ende von Seite 14 L, «zu umständlich» unten auf Seite 17 L.

Janssen weist auf einen wichtigen Fortschritt im Zuge der Kalkulationen hin: «Einsteins Zahlen erfüllen nun einen doppelten Zweck», sagt er. «Sie erfassen nicht nur die Eigenschaften der Gravitation, sondern auch die der Raumzeit.» Damit ist eine weitere Hürde genommen – wenn auch nicht die letzte: Wer eine physikalische Eigenschaft wie die Schwerkraft in geometrischer Weise beschreiben will, braucht Gleichungen mit Physik auf der einen und Mathematik auf der anderen Seite des Gleichheitszeichens, messbare Wirklichkeit gleich geometrischer Term.

Janssen ist einer, der die Hieroglyphen aus Einsteins Hand nicht nur liest wie ein Musiker Noten vom Blatt. Wie ein Gedankenleser erkennt er in jedem Schritt auch die Motive des Autors. Und er wagt es, dem großen Vorbild seine Meinung zu sagen. Er redet vom «Unsinn», den Einstein anzettelt, von seinen «Vorurteilen» und seiner «Selbsttäuschung». Denn er sucht den wahren Einstein hinter dem wundertätigen Überflieger, der mir nichts, dir nichts einsam und allein das größte Werk eines einzelnen Wissenschaftlers aufs Papier geworfen hat. Janssen hat auch nichts dagegen, Schwächen seines Idols zu entlarven. «Einstein wirft Mathematik und Physik durcheinander», sagt er.

Einstein will nicht nur eine neue Theorie der Gravitation entwickeln. Er will gleichzeitig seine Relativitätstheorie verallgemeinern. Dazu müssen Beobachter in zueinander beschleunigten Systemen durch dieselben Formeln auf die Verhältnisse des anderen schließen können. «Das ist aber wie Äpfel mit Birnen zu vergleichen», sagt Janssen.

Jürgen Renn hat die Seite 19 L des Notizbuches aufgeschlagen. In Einsteins Handschrift ist dort «Nochmalige Berechnung des Ebenentensors» zu lesen, eine der wenigen Zeilen in verständlicher Sprache. «Das Gamma kappa 1, dx kappa dx 1 da ist eine zweite Ableitung in Bezug auf x», sagt Janssen, «dann sind da noch zweite Ableitungen in Bezug auf y, auf z und auf t. Die muss er loswerden, wenn der Tensor auf Newtons Gravitationstheorie als Grenzfall reduziert werden soll.» Renn fährt mit dem Finger über die Gleichungen. «Hier scheint er ganz glücklich zu sein. Am Ende der Berechnungen schreibt er: ‹Resultat sicher. Gilt für Koordinaten, die der Gleichung Delta Psi gleich Null genügen.›» Zwei Nach-Denker in ihrem Element.

«Den Trick hat er wohl auch aus der mathematischen Literatur», sagt Janssen. «Auf Seite 20 L haben wir eine der aufregendsten Entdeckungen gemacht. Hier findet sich schon der entscheidende Baustein, der korrekte Tensor für die Vollendung der Allgemeinen Relativitätstheorie im Jahr 1915.» Doch Einstein sieht den Schatz in seinen Händen 1913 nicht. «Aus Sicht der heutigen Forschung ein atemberaubendes Ergebnis», sagt Renn. Bis Einstein wieder an diese Stelle gelangt, hat er zwei weitere harte Jahre vor sich. «Warum hat er die richtigen Gleichungen verworfen?», wundert sich Janssen. «Das ist die Frage, die unsere Forschung über 15 Jahre vorangetrieben hat.»

Auf Seite 22 L erscheint erneut der Name Grossmann. Das heißt, Einstein hält sich immer noch an die mathematische Strategie. «Damit gerät er wieder und wieder in Schwierigkeiten», sagt Renn. Aber Einstein gibt nicht auf. Auf Seite 24 R unten die Wende. Er ist zur physikalischen Strategie übergegangen. Nun hat er das Problem aber genau anders herum. Nun stimmt die Physik, aber ob die Gleichungen die mathematische Bedingung der Kovarianz erfüllen, kann er nicht mehr sagen. Dennoch publiziert er zusammen mit Grossmann einen «Entwurf für eine Allgemeine Relativitätstheorie». Weiß er wirklich nicht, dass er danebenliegt? Oder will er es einfach nicht wahrhaben?

Hier kommt ein weiteres Dokument ins Spiel, an dem Janssen seit vielen Jahren forscht – das so genannte Einstein-Besso-Manuskript. Es enthält Berechnungen, die Einstein offenbar 1913 gemeinsam mit seinem Freund angestellt hat. Auf dem Papier sind beider Schriften zu sehen. Die 52 losen Seiten liefern das Missing Link, jene lang gesuchte Verbindung, die Einsteins Arbeitsweise endlich verstehen lässt. Zum einen haben die beiden ausgerechnet, ob sich über seine Gleichungen von 1912 die Verschiebung des Merkur-Perihels richtig bestimmen, sich also jener hässliche kleine Kratzer beseitigen lässt, der sich im Bild der Newton'schen Himmelsmechanik hartnäckig hält. Eine komplizierte Kalkulation, die Seiten um Seiten füllt. Doch Einsteins Theorie versagt. Die Berechnungen der Freunde ergeben nur die Hälfte des Betrages, den die Astronomen wieder und wieder ermittelt haben.

Aber das, glauben Renn und Janssen, stört Einstein in dem Moment nicht weiter. Er ist so überzeugt von der Richtigkeit seiner Arbeit, dass er sich nicht mehr abbringen lässt. Zum anderen haben sich Einstein und Besso auch mit der Frage beschäftigt, ob die (damals noch falsche) Theorie auch für Rotationsbewegungen wie die auf der kreisenden Scheibe gilt. In dem Manuskript findet sich eine schludrige Kalkulation, bei der Einstein ein paar Minuszeichen einfach verliert. Aber er ist so sicher, Recht zu haben, dass ihn die Rechenfehler nicht kümmern. Nach einer halben Seite notiert er zufrieden «stimmt».

Lange ging die Einstein-Forschung davon aus, dass er den Fehler tatsächlich nicht bemerkt oder nicht an ihn geglaubt hat. 1998 aber stöbert Robert Schulmann in der Schweiz weitere 14 Seiten des Manuskripts auf, die das Gegenteil belegen. Aus den Aufzeichnungen geht eindeutig hervor: Einstein wusste Ende 1913, dass seine Berechnungen falsch waren. Besso hat es ihm gesagt. Hat er es schlicht verdrängt? Oder ist er einfach nur zu ungeduldig darauf aus, endlich sein Werk zu vollenden?

Wie überzeugt er von seiner Arbeit ist, zeigt sein Engagement in Sachen wissenschaftlicher Bestätigung seiner Theorie. Wenige Tage vor Ausbruch des Ersten Weltkrieges im Sommer 1914 bricht auf sein Betreiben hin eine Forschungsexpedition unter Leitung des Potsdamer Astronomen Erwin Freundlich nach Russland auf. Sie wollen auf der Halbinsel Krim genau das machen, was fünf Jahre später Sir Eddington gelingen wird: bei einer Sonnenfinsternis die Ablenkung des Lichtes ferner Sterne messen. Die Preußische Akademie hat ihrem neuen Mitglied Einstein dafür 2000 Mark zur Verfügung gestellt – das einzige Mal, das sie ihm ein Forschungsunternehmen bezahlt. Doch die Expedition gerät in die Wirren des Krieges. Freundlich und Kollegen werden als feindliche Ausländer interniert. Glück für Einstein: Noch gibt seine Theorie die falschen Werte an. Die korrekten Messdaten hätten ihn nur zurückgeworfen – und blamiert.

Im Oktober 1914 veröffentlicht er einen umfangreichen Übersichtsartikel, dessen Titel zeigt, wie sehr er nach wie vor an seinen Durchbruch glaubt. Es heißt nun nicht mehr «Entwurf», sondern hochtrabend «Formale Grundlage der Allgemeinen Relativitätstheorie». In der Einleitung behauptet er, die Theorie relativiere jede Bewegung, konstante und beschleunigte, und auch die Rotation. «Er hätte durch einfaches Nachrechnen feststellen können, dass das nicht stimmt», sagt Janssen.

Im Jahr 1915 dann der Schock. Zunächst scheint alles seinen ruhigen Gang zu gehen. Im Sommer hat Einstein sein neues Werk in Göttingen vorgestellt. Unter den Zuhörern hat auch David Hilbert gesessen, zu jener Zeit der bedeutendste lebende Mathematiker. Seinem Freund Heinrich Zangger teilt Einstein mit, «dass ich in Göttingen 6 Vorträge gehalten habe, in denen ich Hilbert von der allgemeinen Relativität überzeugen konnte. Von letzterem bin ich ganz entzückt, ein Mann von wunderbarer Kraft und Selbstständigkeit in allen Dingen.» Noch weiß er nicht, dass er seinem größten Widersacher während der nächsten Monate gegenübergestanden hat. Hilbert, der sich seine Vorträge genauestens angehört hat, wird ihm ein Kopf-an-Kopf-Rennen um die Trophäe für die korrekte Allgemeine Relativitätstheorie liefern. Denn noch ist, wie Hilbert richtig erkennt, Einsteins Theorie falsch – auch wenn der sie für richtig hält. «Einstein ist sich noch sehr sicher», sagt Janssen.

Vermutlich hat Einstein die erschütternde Nachricht erst im Spätsommer 1915 erhalten. Erstmals seit der Trennung besucht er Frau und Söhne in Zürich, wo er auch Besso trifft. Sein zuverlässiger Kamerad aus alten Berner Tagen erinnert ihn erneut an das Problem mit der Rotation, das er schon zwei Jahre zuvor aufgeworfen hat – und gibt ihm damit einen rettenden Hinweis. «Wir schätzen», sagt Renn, «dass Einstein nun endlich die fehlerhafte Rechnung wiederholt hat. Zu seinem Entsetzen stellt er fest, dass seine Gleichungen nicht funktionieren.» Am 30. September berichtet er Freundlich, dem glücklich aus Russland heimgekehrten Astronomen, von einem «flagranten Widerspruch» in seiner Theorie.

«Entweder sind die Gleichungen schon numerisch unrichtig», gesteht er, «oder ich wende die Gleichungen prinzipiell falsch an. Ich glaube nicht, dass ich selbst imstande bin, den Fehler zu finden. [...] Ich muss mich vielmehr darauf verlassen, dass ein Nebenmensch mit unverdorbener Gehirnmasse den Fehler findet.» Alles umsonst? Acht Jahre verzehrender Arbeit für die Katz? Zu allem Übel versucht, wie Einstein inzwischen weiß, dieser «Nebenmensch» in Göttingen ihm seine Theorie im letzten Moment abzujagen. Der Mathematiker hat einmal im Scherz gesagt, die Physik sei zu kompliziert, sie den Physikern zu überlassen. Jetzt ist daraus bitterer Ernst geworden.

Es folgen Wochen fast wahnsinnigen Wirkens, Tage und Nächte der Besessenheit, Stunden im Fieber fanatischen Grübelns, Minuten voller Verzweiflung, Sekunden des stillen Hurra. Ein Kampf der Giganten – und das mitten im Ersten Weltkrieg. Einstein, der Verteidiger, gegen Hilbert, den Angreifer. Göttingen, die Hochburg der Mathematik, gegen Berlin, die Welthauptstadt der Physik. Dabei stehen die beiden in Briefkontakt – freundlich, tastend, lauernd, bis zum Anschlag gespannt. Er wisse, teilt Einstein Hilbert jovial mit, dass dieser «in meiner Suppe ein Haar» gefunden habe. Er werde, schreibt Hilbert an Einstein, in Kürze eine «axiomatische Lösung für Ihr großes Problem zum Besten» geben. Einstein bleibt höflich: «Die Andeutungen welche Sie auf Ihren Karten geben, lassen das Grösste erwarten.»

Was ist in der Zeit zwischen Ende September und Anfang November 1915 passiert, in der er auch noch zwei Wochen als Gastredner im holländischen Leiden verbracht hat? Wie ist Einstein zu seiner Lösung gelangt? Welchen Pfad hat er durch den Dschungel der eigenen Theorie genommen, um schließlich die Lichtung zu finden, wo Mathematik und Physik einander treffen? Nach der gängigen Version sieht sich Einstein mit seiner Physik am Ende und schwenkt auf die Mathematik zurück. Das erscheint auch plausibel, weil er selber diese Sichtweise immer wieder standhaft vertritt. Jürgen Renn und Michel Janssen glauben jedoch, dass er sein Publikum täuscht – und auch sich selbst. Womöglich hat ihn der Beifall blind gemacht für die Wahrheit. Kommt nicht der Weg über die reine Mathematik viel besser an als der über die unsaubere, mit den realen Dingen hantierende Physik? Zweifellos haftet demjenigen mehr das Geniale an, der die Klopfzeichen vom Ende des Universums nur mit den Werkzeugen der Königsdisziplin abgehört hat.

Aber warum sollte Einstein plötzlich als Mann der Mathematik dastehen wollen? Ein unbewusstes Kompensationsgeschäft mit seiner früheren Nachlässigkeit? Sein neues Credo vom Zusammengehen mathematischer Eleganz und kosmischer Harmonie wird ihm noch viel zu schaffen machen. «Es hat zudem», sagt Janssen, «einen sehr schädlichen Einfluss auf die moderne Physik ausgeübt. Die Leute denken bis heute, das kann ja keine schlechte Strategie sein, so hat auch Einstein seine Theorien gefunden.»

In Wahrheit sei Schuster Einstein seinem Leisten Physik treu geblieben. Er sei nicht mehr von seinem Pfad abgewichen, von dem er weiß, dass er die physikalischen Anforderungen erfüllt. Über ihn stößt er sozusagen von hinten wieder auf die alten bekannten, mathematisch erzeugten Gleichungen, die er 1913 verworfen hat. Nun kann er ihren Wert einschätzen. Auf dem umgekehrten Weg, so Renn, hätte er keine Chance gehabt.

In einem Brief an den Physiker Arnold Sommerfeld berichtet Einstein von einem «verhängnisvollen Vorurteil», das ihn bei der Definition des Gravitationsfeldes einen Fehler machen ließ. Janssen kann zeigen, wie allein die Korrektur dieses Missgeschicks fast automatisch zu den richtigen Gleichungen führt. «Aber er kann den Knoten nicht einfach durchschlagen, er muss ihn lösen.»

Am Donnerstag, dem 4. November 1915, tritt Einstein vor die Preußische Akademie und erklärt seinen Kollegen in ungewöhnlicher Offenheit, er habe «das Vertrauen zu den von mir aufgestellten Feldgleichungen vollständig» verloren. «So gelangte ich zu der Forderung einer allgemeinen Kovarianz zurück, von der ich vor drei Jahren, als ich zusammen mit meinem Freunde Grossmann arbeitete, nur mit schwerem Herzen abgegangen war.»

Er präsentiert den ergrauten Herren seine neuen Feldgleichungen. Die wenigsten können damit etwas anfangen. Ach, dieser Einstein, hat er uns das Gleiche nicht schon einmal erzählt? Sie quittieren seinen

Vortrag mit allgemeinem Gemurmel. Wohl keiner macht sich ein Bild davon, was der Redner in den letzten Wochen durchgemacht hat. Kaum einer versteht auch, dass er zwar riesige Fortschritte gemacht hat, aber noch immer nicht ganz am Ziel ist. Und dass er so überhastet vor sie getreten ist, weil er den Atem eines Verfolgers spürt.

Aber Einstein weiß es und setzt sich sofort wieder an die Arbeit. Eine Woche später wiederholt sich das Schauspiel vor der Akademie. Wieder hat er neue Feldgleichungen, aber weiterhin nicht die endgültig richtigen. Am darauf folgenden Donnerstag, dem 18. November, steht er erneut vor der versammelten Professorenschaft. Jetzt kann er mit einer Überraschung aufwarten. Er hat seine Theorie einem wichtigen Test unterzogen und mit seinen neuen Gleichungen den Merkur-Perihel berechnet.

Als er das Ergebnis erstmals vor sich sah, hat sein Herz zu rasen begonnen. War das nicht so, als folge der Himmel seinen Formeln? Sein errechneter Wert entsprach genau der Abweichung, die aus den immer genaueren Messungen der Astronomen seit über 100 Jahren hervorgegangen ist. Atemlos schreibt er Besso: «Perihelbewegungen quantitativ erklärt. Rolle der Gravitation im Bau der Materie. Du wirst staunen.»

«Ich war einige Tage fassungslos vor freudiger Erregung», gesteht Einstein seinem Freund Paul Ehrenfest. Nur ein paar letzte Korrekturen muss er noch anbringen, bis er die endgültigen Feldgleichungen besitzt. Am selben Tag aber, als er seine Perihel-Berechnung vorstellt, erhält er einen bestürzenden Brief von Hilbert. Der Mathematiker hat Gleichungen formuliert, die seinen verblüffend ähneln. Am Samstag, dem 20. November, reicht Hilbert seine Arbeit unter dem vermessenen Titel «Die Grundlagen der Physik» bei der Göttinger Gesellschaft der Wissenschaften ein. Einstein macht sich erneut daran, seine Gleichungen zu glätten. Am Donnerstag, dem 25. November 1915, stellt er zum vierten Mal in einem Monat den Akademie-Kollegen seine überarbeitete Theorie vor – mit einem Unterschied: Was die Herren nun hören, sind die bis heute gültigen Feldgleichungen der Allgemeinen Relativitätstheorie.

Damit hat Einstein den Gipfel seines Schaffens erreicht und Newton ein zweites Mal besiegt. Sobald es um hohe Geschwindigkeiten und starke Gravitationsfelder geht, führt sein mathematisches Gerüst zu einer besseren Deckung der Resultate mit den physikalischen Tatsachen als das des Briten. Und das hat er – in den Augen vieler Kollegen ein unerhörter Akt – praktisch ohne Erkenntnisse aus Messungen und Experimenten hergeleitet. Im Widerspruch zum Geist der klassischen Physik gründet seine Theorie nicht auf Erfahrung. Deshalb erscheint sie der Mehrheit der Physiker auch als spekulative mathematische Spielerei.

Doch genau auf diesem Weg ist es Einstein gelungen, das Reich der Riesen zu erobern. Physik und Mathematik feiern darin königlich Vermählung. Gravitation ist Geometrie. Sie bildet wie Raum und Zeit einen Teil der Weltbühne, auf der sich die Ereignisse abspielen – aber keine Bühne, wie Newton sie dachte, die unabhängig ist von dem Stück, das auf ihr gespielt wird. Auf die Bitte eines Reporters nach einer knappen Beschreibung seiner Theorie sagt Einstein später: «Früher hat man geglaubt, wenn alle materiellen Dinge aus dem Weltall verschwinden, so blieben nur noch Raum und Zeit übrig; nach der Relativitätstheorie aber verschwinden Zeit und Raum mit den Dingen.»

Der Raum ist kein leerer Container, in dem Gott die Dinge beliebig platzieren konnte. Das Geschehen bestimmt die Bühne, und umgekehrt die Bühne das Geschehen. Materie und damit Energie spannen in ihrem Wirken und Bewegen die Raumzeit auf. Ohne sie gäbe es keinen Raum und keine Zeit. Also auch keine Welt?

So wie das Universum in all seinen Bewegungen zusammengesetzt ist, ist es einmalig, ohne Alternative. Damit hat Einstein eine der mysteriösesten aller Erscheinungen im Universum, die Schwerkraft, einfach abgeschafft. Es gibt keine «Kraft», wie sie seit Newton die Vorstellungen nährt, die zwei Körper durch ihre Masse aufeinander auswirken. Nichts anderes bewirkt Gravitation als die Krümmung der Raumzeit durch die in ihr enthaltenen Massen, die Gravitationsfeldern ihre Form vorschreiben. Gleichzeitig teilt die Form der Gravitationsfelder den Massen mit, wie sie sich zu bewegen haben.

Die Zusammenballung von Masse, also von Energie, verändert die Geometrie der Raumzeit. Alle Körper bewegen sich durch sie auf geodätischen Linien. Sie folgen auf kürzestem Wege allen Krümmungen und Windungen, solange nicht äußere Kräfte auf sie wirken, sie etwa ein Raketenantrieb beschleunigt oder die Erdoberfläche am freien Fall hindert. Allein die Struktur der Raumzeit gibt die Bewegungsrichtungen vor, sonst nichts.

Geodätische Linien in der vierdimensionalen Raumzeit – Zauberwege der Allgemeinen Relativitätstheorie. Sie lassen sich am besten um eine Dimension abgespeckt verstehen. Angenommen, wir beobachten von einer Wohnung im vierten Stock aus Kinder, die im Hinterhof mit Murmeln spielen. Der Boden des Hofes ist uneben, hat hier Erhebungen, dort Vertiefungen. Doch das können wir von unserer Warte aus nicht erkennen. Von oben sieht es so aus, als ob die Murmeln einmal angezogen werden, ein andermal abgestoßen – durch irgendwelche unerklärlichen Kräfte.

So etwa hat Newton die Welt gesehen. Er war blind wie der Käfer in Einsteins Erklärung für seinen Sohn Eduard, und zwar blind für die weitere Dimension. Durch Einstein ist der blinde Käfer zum Sehen erwacht. Er geht in den Hof hinunter und erkennt die wahren Verhältnisse. Die Kugeln werden durch die Unebenheiten im Boden abgelenkt. Nur die Geometrie der gekrümmten Oberfläche ist für ihre Bahnen verantwortlich.

Keine Kraft im bekannten Sinn ist am Werk – auch wenn wir im Geiste Newtons bis heute von Anziehungskraft sprechen. Uns hält auch keine Kraft auf dem Boden. Vielmehr zwingt uns die Struktur der Raumzeit ständig auf eine Bahn Richtung Erdmittelpunkt, die nur durch den festen Untergrund gestoppt wird. Das erklärt auch, warum die Masse der Körper keine Rolle spielt, warum sie alle, wie Galilei entdeckt hat, mit der gleichen Geschwindigkeit zur Erde fallen. Die Krümmung ist für alle identisch.

Der Zusammenhang wird bei Schwerelosigkeit augenfällig. Verlässt ein Astronaut seine Raumstation, die in einer Umlaufbahn um die Erde saust, dann fliegt er trotz seines viel geringeren Gewichts neben seinem Raumschiff – auf der für beide herrschenden geodätischen Linie. Ganz anders die Verhältnisse, wenn tatsächlich eine Kraft auf Körper wirkt, etwa ein Antrieb. Dann erzeugt die Energie eine Beschleunigung, sodass Körper ihre Flugbahnen verlassen – und damit auch ihre geodätischen Linien. Solange die Kraft wirkt, bewegen sie sich auf nicht-geodätischen Linien quer zur Raumzeit. Erst wenn der Antrieb wieder erlischt, schwenken die Körper erneut auf ihre Flugbahn ein, die nur den Vorgaben der Raumzeit folgt.

Die erzwungene Abweichung macht sich jederzeit bemerkbar: Die Beschleunigung durch den Antrieb ist spürbar. Was wir aber nicht fühlen, und hier zeigt sich die Schwäche des ursprünglichen Äquivalenzprinzips, ist die Beschleunigung beim freien Fall. Der vom Dach Fallende folgt einer geodätischen Linie, im Gegensatz zu Einstein auf seinem Schreibtischstuhl. Der Sitzende weicht davon ab und kann das auch spüren – am Hinterteil.

Das erklärt einmal mehr die dramatischen Konsequenzen für das Wesen der Zeit. Je stärker ein Körper von seiner geodätischen Linie abweicht, desto kleiner ist der Anteil an Raum, den er in seiner Raumzeit bewältigt – so wie im Zwillingsparadox beim reisenden Tim gegenüber seinem daheim gebliebenen Bruder Tom. Damit hat er mehr Zeit übrig. Das heißt, im Schwerefeld gehen die Uhren langsamer – genau wie Einstein es vermutet hat.

Eine ungeheuerliche Idee – mit viel weiter reichenden Konsequenzen als die der ersten Arbeit zur Relativität: Materie kann die Zeit beeinflussen, im Extremfall bis zum Stillstand. Auf einmal ist eine Evolution der Welt denkbar. Damit ist der Grundstein für die erstmals 1947 konkret formulierte Theorie eines Urknalls gelegt – eines Anfangs der Welt. In ihm entstehen mit dem All der Raum und die Zeit.

Und Hilbert? Dem sind solche naturgesetzlichen Erwägungen eher fremd. Dennoch erscheinen seine «Grundlagen der Physik» im März 1916 mit denselben Gleichungen, die Einstein am 25. November vorgestellt hat. Da der Mathematiker die Publikation fünf Tage vor Einsteins Bericht an die Akademie eingereicht hat, gebührte Hilbert eigentlich der Siegerkranz. Manche Forscher glauben später tatsächlich, Einstein habe bei Hilbert abgekupfert. Der Beschuldigte sieht es natürlich anders herum. Er schildert seinem Freund Zangger die Situation mit der Theorie, wie er sie in Göttingen im Sommer vorgestellt hat: «Aber nur *ein* Kollege hat sie wirklich verstanden und der eine sucht sie auf geschickte Weise zu ‹nostrifizieren›» – das heißt: sie zu nehmen und so abzuändern, dass sie wie ein eigenes Werk wirkt. Und Einstein hat Recht.

Denn Hilbert war keiner seiner Engel. Im Jahr 1997 können Jürgen Renn und John Stachel zusammen mit ihrem Kollegen Leo Corry den Fall endlich aufklären. Sie finden die Korrekturfahnen von Hilberts Artikel. Aus ihnen lässt sich zweifelsfrei ablesen, dass Hilbert die korrekten Gleichungen nachträglich, im Dezember 1915, eingefügt hat. Einstein hat nicht abgeschrieben, der Konkurrent hat nachgebessert. Immerhin entschuldigt sich Hilbert bei Einstein mit der etwas fadenscheinigen Begründung, er habe dessen Vorlesung in Göttingen vergessen.

Doch der Beleidigte zeigt Größe. «Es ist objektiv schade», schreibt er zurück, «wenn sich zwei wirkliche Kerle, die sich aus dieser schäbigen Welt etwas herausgearbeitet haben, nicht gegenseitig zur Freude gereichen.»

Das ist aber noch nicht das Ende der Geschichte. Im März 1916 veröffentlicht Einstein einen großen Übersichtsartikel, der die Publikation von 1914 mit den falschen Gleichungen ersetzt. «Er hat seine Lektion immer noch nicht gelernt», sagt Janssen. «Er glaubt weiterhin, allgemeine Kovarianz sei dasselbe wie allgemeine Relativität.»

Einstein hat eine grandiose Theorie der Gravitation aufgestellt, daran besteht kein Zweifel. Auf dieser Basis wird er ab 1917 den Grundstein für die moderne Kosmologie legen. Damit hat er einen Gipfel erklommen, von dem er anfangs nicht einmal träumen konnte. Er hat tatsächlich allgemein kovariante Gleichungen gefunden. Aber das Ziel, zu dem er zehn Jahre zuvor aufgebrochen ist, hat er nicht erreicht. Es gelingt ihm nicht, alle Bewegungen zu relativieren. Was er nicht lösen kann, ist das Problem mit der Rotation.

Newton hat zur Demonstration des absoluten Raumes (und damit gegen eine allgemeine Relativität) mit einem Eimer Wasser argumentiert – ein Experiment, das jeder in seiner Küche nachstellen kann. Solange Eimer und Wasser stillstehen, sind sie zugleich in Ruhe. Wird der Eimer an einer Leine aufgehängt und in Drehbewegung versetzt, steht das Wasser zunächst still, seine Oberfläche bleibt flach. Dreht sich der Eimer weiter, dann nimmt das Wasser Fahrt auf, bis es sich genau mit dem Eimer dreht. Seine Oberfläche krümmt sich und steigt zum Eimer-rand hin an. Wird der Eimer angehalten, dann rotiert das Wasser nicht nur weiter. Es behält zunächst auch seine gekrümmte, zum Eimerrand ansteigende Form bei.

Der Clou in Newtons Argumentation ist folgender: Im zweiten und im vierten Zustand, also kurz nach dem Beginn der Drehung des Ei-mers und gleich nach deren Ende, befinden sich Eimer und Wasser in relativer Bewegung zueinander. Von außen betrachtet bewegt sich ein-mal der Eimer gegen das Wasser, einmal das Wasser gegen den Eimer. Die Oberfläche des Wassers zeigt sich aber im einen Fall flach, im an-deren gekrümmt. Dieser Unterschied beweist, sagt Newton, dass die Form der Wasseroberfläche nicht durch die relative Rotation verursacht sein kann. Sonst wären sie jeweils gleich. Vielmehr stammt sie von der absoluten Rotation, also einer Rotation gegenüber dem absoluten Raum – der in dem Fall dem Raum um die Erde entspricht.

Ein scheinbar banales Experiment. An der Deutung haben sich gleichwohl Generationen von Physikern die Zähne ausgebissen. Der Wiener Physiker Ernst Mach hat im späten 19. Jahrhundert eine son-derbare Lösung vorgeschlagen: Es gehe nicht um die relative Rotation des Wassers gegen den Eimer, sondern beider Rotation gegenüber dem Rest des Universums. Einsteins Feldgleichungen scheinen das auch wi-derzuspiegeln. Doch sein Fehler bleibt der gleiche: Er verwechselt die mathematische Eigenschaft der Kovarianz, die erfüllt ist, mit der phy-sikalischen der Relativität, die nicht gilt.

Einstein versucht auch nach 1915 noch alles Mögliche, des Problems der Rotation Herr zu werden. «Am Ende wirft er das Handtuch», sagt Janssen. Die Wände des Eimers und das Wasser in ihm können sich nicht so frei bewegen, wie es die Gravitation vorschreibt. Sie sind einge-zwängt durch die Kräfte, die den Eimer zusammenhalten, und jene, die das Wasser im Eimer halten. Sie können ihrer Flugbahn nicht folgen, weichen also von ihrer geodätischen Linie ab.

Der vom Dach an Einsteins Bürofenster im Berner Patentamt Vor-beistürzende könnte auch sagen, er befinde sich in Ruhe und Einstein und die ganze Erde rasten ihm in einem Schwerefeld entgegen. Doch anders als im Zug mit konstanter Geschwindigkeit sind die beiden

Beobachter in ihren gegeneinander beschleunigten Systemen nicht identisch, ihre Situationen nicht symmetrisch. Einfach gesagt: Der eine sitzt, der andere fällt.

«In diesem Sinn ist die Bewegung des Wassers in Newtons Eimer absolut», sagt Janssen. Ein später Punktsieg für den Briten – wenn auch mit der Einschränkung, dass der absolute Raum nicht stillsteht, wie er es sich vorgestellt hat, sondern eine sich ständig ändernde, dynamische Einheit bildet. Doch für Janssen steht damit fest: «Die Allgemeine Relativitätstheorie trägt ihren Namen zu Unrecht.» Ein bemerkenswerter Satz – besonders angesichts der Missverständnisse und Scherereien, zu denen gerade dieser Name im Nachhinein führen wird. «Einige der Gegner, die Einsteins Relativitätstheorie später angreifen, argumentieren physikalisch durchaus richtig», sagt der Niederländer. «Das wissen auch Einsteins Freunde. Sie schweigen aber, weil die Argumente von deutschnationalen Antisemiten kommen.»

Einstein verfasst 1920 einen Aufsatz für das britische Journal «Nature», der nie veröffentlicht wird. Darin erklärt er, die Situation ähnele der bei der Speziellen Relativitätstheorie, wo er magnetisches und elektrisches Feld vereint hat. So wie nach Maxwell und Faraday ein Magnet dem Raum, der ihn umgibt, eine bestimmte Beschaffenheit verleiht, so bestimmen Himmelskörper die geometrische Beschaffenheit des Raumes. Trägheit und Gravitation sind ebenfalls nicht identisch, sondern zwei Seiten derselben Medaille, des «Schwere-Trägheits-Feldes». Welche der beiden Komponenten die Bewegungen von Körpern vorgibt, hängt vom Bewegungszustand des Beobachters ab.

In demselben Aufsatz macht Einstein ein bemerkenswertes Eingeständnis: «Deshalb war ich 1905 der Ansicht, dass man von dem Äther in der Physik überhaupt nicht mehr sprechen dürfe. Dieses Urteil aber war zu radikal.» Und am Ende heißt es: «Man kann also sagen, dass der Äther in der allgemeinen Relativitätstheorie neu auferstanden ist», denn schließlich «fliessen die Begriffe ‹Raum› und ‹Äther› zusammen.»

Ausgerechnet der Äther, den er als damals Unbekannter gegen den erbitterten Widerstand erfahrener Physiker einfach abgeschafft hat, kommt nun in neuem Gewand wieder zu Ehren. Wenn die Raumzeit sich krümmen kann, also Eigenschaften einer Substanz zeigt, was ist dann der große Unterschied? Eine Steilvorlage für seine Gegner, die sich auf Konzepte wie das der Raumzeit-Geometrie gar nicht erst einlassen und nach 1919 zusammenrotten, um Einstein aufs Übelste zu bekämpfen. Nicht jeder blinde Käfer will sehen lernen.

Albert Einstein im Alter von drei Jahren, 1882

Die Eltern: Hermann und Pauline Einstein

Innenansicht der Firma J. Einstein & Cie, um 1889/90

Albert mit seiner Schwester Maja, 1884

Anfänge einer Karriere:
Albert Einstein gibt Nachhilfe

Im Berner Patentamt, 1905

Die «Akademie Olympia»: Conrad Habicht, Maurice Solovine und Albert Einstein, um 1903

Einsteins erste Frau Mileva mit den Söhnen Eduard (l.) und Hans-Albert, Berlin 1914

Einstein in seinem Berliner Arbeitszimmer, 1921

Bei einem Vortrag am Collége de France, Paris 1921

Gravitation

$$g_{11}\,dx^2 + \cdots \; g_{44}\,dt^2 = ds^2 \qquad \text{immer positiv für Punkt.}$$

$$\frac{ds}{dt} = H \quad \text{gesetzt.}$$

Bewegungsgleichungen

$$\frac{d}{dt}\left(\frac{\partial H}{\partial \dot{x}}\right) + \frac{\partial H}{\partial x} = \sigma \qquad\qquad \frac{d}{dt}\left(\frac{\partial L}{\partial \dot{x}}\right) = -\frac{\partial \varphi}{\partial x}$$

$$\frac{\partial H}{\partial \dot{x}} = \frac{g_{11}\dot{x} + g_{12}\dot{y} + \cdots + g_{44}}{\frac{ds}{dt}}$$

$$\sqrt{g}\;\frac{g_{11}\dot{x} + g_{12}\dot{y} + \cdots}{} \cdot \frac{ds}{dt} \qquad \text{So } \sqrt{g}\left(g_{11}\frac{dx}{ds}\frac{dt}{ds} + g_{12}\frac{dx_2}{ds}\frac{dt}{ds} + \cdots\right)$$

ist Bewegungsgrösse pro Volumeneinheit

Tensor der Bewegung von Massen $\quad T_{ik}^{\,b} = \varrho_0 \dfrac{dx_i}{ds}\dfrac{dx_k}{ds}$

Tensor der Bewegungsgrösse + Energie $\quad \left\{\; T_{mn} = \dfrac{1}{\sqrt{g}}\sum_{}^{} \sqrt{g}\, g_{m\nu}\, T_{\nu n}^{\,b} \;\right|$

Negative

(Ponderomotorische Kraft pro Volumeneinheit $\quad \dfrac{1}{2}\sqrt{g}\, g_{\nu q}\sum \dfrac{\partial g_{\mu\nu}}{\partial x_m} T_{\mu\nu}^{\,b}$

$$\sum_{\nu m} \frac{\partial}{\partial x}\left(\sqrt{g}\, g_{m\nu}\, T_{\nu n}\right) - \frac{1}{2}\sum_{}\sum_{}\sqrt{g}\,\frac{\partial g_{\mu\nu}}{\partial x_m} T_{\mu\nu} = \sigma$$

Setzen wir $\quad \sqrt{g}\, T_{\mu\nu} = \Theta_{\mu\nu}$

$$\sum_{\mu\nu} \frac{\partial}{\partial x_\mu}\left(g_{m\mu}\,\Theta_{\mu\nu}\right) - \frac{1}{2}\sum_{\mu\nu}\frac{\partial g_{\mu\nu}}{\partial x_m}\,\Theta_{\mu\nu} = \sigma \qquad \text{Im Allgemeinen ungeordneter Vektor.}$$

Gilt für jeden Tensor z. B. $\sqrt{g}\;\gamma_{\mu\nu}$

$$\sum_{\mu\nu} \frac{\partial}{\partial x_\mu}\left(\sqrt{g}\, g_{m\mu}\,\gamma_{\mu\nu}\right) - \frac{1}{2}\sum_{\mu\nu}\sqrt{g}\,\frac{\partial g_{\mu\nu}}{\partial x_m}\,\gamma_{\mu\nu} = \sigma \;\text{ oder Vierervektor}$$

$$\underbrace{\quad}_{\frac{\partial \sqrt{g}}{\partial x_m}} \qquad\qquad \underbrace{\quad}_{\frac{1}{\sqrt{g}}\frac{\partial g}{\partial x_m}} \qquad \frac{T_{\mu\nu}}{\sqrt{g}}$$

Stimmt.

Einstein als Privatmann: Das Geigespielen gehörte zu seinen Leidenschaften

Radelnd in Kalifornien, Februar 1933

Und der große Physiker war ein begeisterter Segler

Einstein mit seiner zweiten Gattin Elsa, 1921

**Eine von Einsteins Geliebten: die russische Spionin
Margarita Konenkova**

Redner bei der jüdischen Studentenkonferenz in Deutschland, ca. 1924

Albert und Elsa Einstein vor dem Hopi-House, Grand Canyon, 1931

Mit Niels Bohr, 1925

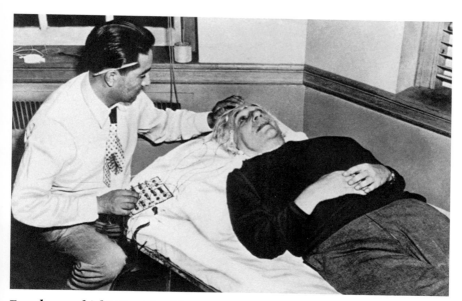

**Forschungsobjekt Einstein: Messung seiner Gehirnaktivität, 1950.
Kann man ein Genie «erklären»?**

Ein Leben im Rampen-
licht:
mit Charlie Chaplin,
Los Angeles 1931

Mit dem indischen
Dichter Rabindranath
Tagore, Berlin 1930

Mit Thomas Mann in
Princeton, 1938

Einstein und Leo Szilard schreiben einen Brief an Präsident Roosevelt, in dem sie vor dem Bau der deutschen Atombombe warnen. Die Szene wurde 1946 für den Film «Atomic Bomb» nachgestellt

Ein Ausschnitt dieses Fotos wurde weltberühmt – das Originalfoto blieb weitgehend unbekannt: Einstein mit dem Ehepaar Aydelotte, 1951

Kapitel 12

Lambda lebt

Einstein,
«Chefingenieur des Universums»

Unterwegs zu den Sternen, hoch hinaus, an der Seite eines Mannes, der sich dort auskennt, wohin wir Menschen niemals reisen können. Dennoch, sagt er, sind wir dort zu Hause, mit unseren Augen und Teleskopen, Antennen und Satelliten. Und mit unseren Gedanken. Einstein habe nicht einmal aufblicken müssen, um das Universum bis in seine letzten Winkel zu erkunden.

Steil führt die Straße in die Höhe. Hinter einer Kurve tauchen schemenhaft Kuben und Kuppeln auf. «Licht aus», sagt der Mann. «Jede künstliche Beleuchtung stört unsere Arbeit.» Augenblicklich hüllt sich die Welt in ihr Schwarz. Sterne zum Pflücken nah und weiter als das Auge reicht. Hunderte Milliarden sind es in jeder der wiederum hundert Milliarden Galaxien – das All, jene größtmögliche Verneinung des Nichts. Irgendwo in einem dieser Flecken, Milchstraße genannt, auf einem Planeten, der um eine der unzähligen Sonnen kreist, folgt John Beckman, Professor für Astronomie, seinem Vorbild Albert Einstein ans Ende der Welt und zum Anfang der Zeit. Alpha und Omega, vereint in den Feldgleichungen von Raumzeit und Gravitation.

«Je weiter wir ins All schauen, desto tiefer blicken wir in die Vergangenheit», sagt der Professor, als er seinen Arbeitsplatz erreicht: das Observatorio del Teide, höchstgelegene astronomische Beobachtungsstation Europas, auf der Kanaren-Insel Teneriffa. Kuppeln, Häuser und Container, schneeweiß am Tag, seidig grau bei Nacht. Im fahlen Licht wirkt das Ensemble inmitten erstarrter Lava wie eine menschliche Pioniersiedlung auf Mond oder Mars. Am Horizont hebt sich dunkel der Vulkankegel des Teide ab, 3770 Meter, höchster Berg Spaniens.

Beckman spricht von Lichtjahren, Milliarden von Lichtjahren,

Schwindel erregend, und er sagt es wie andere «zwei Dutzend Eier» oder «sieben Meter Stoff». Kaum hat er in einem der beheizten Container Platz genommen, beginnt er zu schwärmen, dieser Brite, Ende 50, in spanischen Diensten. Von den Anfängen der modernen Kosmologie und von Einsteins Vermächtnis, von Vorhersage und Bestätigung, Instinkt und Irrtum und der Astronomie, wie er und seine Kollegen sie heute betreiben. Ihnen gilt der «Chefingenieur des Universums», wie ein Briefschreiber Einstein einmal nannte, als der Prophet ihrer Zunft.

Eines der ersten Worte, die John als kleiner Junge aussprechen kann, heißt «Teleskop». Die sichtbaren Sterne hat er seit seinem vierten Lebensjahr beobachtet. Mit zehn kennt er sich am Himmel bestens aus, mit 15 «liest» er das Firmament wie einen Stadtplan der Galaxis. Doch als er Physik studiert, steht er mit seinem sehnlichen Berufswunsch ziemlich allein da: Astronom werden wie Kopernikus und Kepler, Eddington und Freundlich.

«Nach dem Zweiten Weltkrieg hat kaum noch einer in den Himmel geguckt», erzählt Beckman. Ganze Generationen von Physikern wenden sich von der Astronomie ab – und von der Allgemeinen Relativitätstheorie. Das Land der Riesen zählt nicht mehr zu ihren bevorzugten Zielen. Alle wollen zu den Zwergen, in den subatomaren Bereich, den Aufbau der Materie studieren. In immer größeren und teureren Beschleunigern jagen sie nach Quarks und Quanten, messen Zerfallsprodukte, beobachten Flugbahnen von Partikeln und lassen die Sterne, wo sie sind: außen vor.

So kommt es, dass Einstein die schönsten Früchte seiner theoretischen Saat nicht mehr kosten kann. Was heute die Gemüter beim Phantasieren im fernsten Kosmos erregt und John Beckmans Arbeitsalltag bestimmt, Schwarze Löcher und Braune Zwerge, Dunkle Energie und Dunkle Materie – erst lange nach Einsteins Tod wird es in seiner wahren Bedeutung erkannt. Und das, wo doch alles auf dem Fundament seiner Erkenntnisse fußt.

Das Jahr 1916. Europa versinkt im Ersten Weltkrieg. Berlin erlebt ernsthafte Versorgungsengpässe. Der Wissenschaftsbetrieb läuft nur auf Sparflamme. Viele Forscher sind an die Fronten ausgerückt. Aber daheim arbeitet einer mit voller Kraft weiter. Die Druckerschwärze seiner Arbeit zur Allgemeinen Relativitätstheorie ist kaum getrocknet, als Einstein fast im Alleingang jenes Forschungsgebiet begründet, das wir heute Kosmologie nennen. Dabei jongliert er mit seinen Feldgleichungen, die John Beckman «höllisch schwierig» nennt. Eigentlich unlösbar. Einer Anekdote zufolge soll der englische Astronom Sir Arthur Eddington auf die Frage, ob wirklich nur drei Menschen die Theorie verstehen können, gefragt haben: «Und wer soll der dritte sein?» Und doch erlauben die Feldgleichungen etwas, das vor Einstein nicht ging: die geometrische Form der ganzen Welt zu bestimmen.

Die erste spektakuläre Anwendung aber gelingt nicht Einstein, sondern zu seiner Überraschung einem anderen, einem Soldaten im Krieg. Der Astronom Karl Schwarzschild, Direktor der Potsdamer Sternwarte, berechnet als Offizier und Freiwilliger an der russischen Front seit Kriegsbeginn die Flugbahnen von Artilleriegeschossen. Als ihn die Nachrichten über Einsteins Berichte an die Preußische Akademie im November 1915 erreichen, setzt er sich sofort hin und wendet die neuen Formeln in einer Art Fingerübung auf eine kleine astronomische Aufgabe an: Wie sähe das Gravitationsfeld um einen einzigen Massepunkt im ansonsten leeren Raum aus? Anders gesagt: Wenn es nur einen Himmelskörper im Universum gäbe, wie wirkte er auf die Raumzeit, ohne dass andere Massen mitwirken?

Nach Einstein darf es so etwas überhaupt nicht geben. Er folgt noch lange der Auffassung des österreichischen Physikers und Philosophen Ernst Mach. Danach wohnt die Gravitation einem Körper nicht inne wie einem Magneten die Anziehungskraft. Vielmehr ergibt sie sich allein aus der Wechselwirkung mit anderen Körpern, oder universeller gesagt: mit aller im Kosmos vorhandenen Materie. Einstein nennt den Zusammenhang später das «Mach'sche Prinzip». Der Namensgeber bekommt von den nun folgenden Umstürzen im Bild des Universums nichts mehr mit. Einen Tag nach seinem 78. Geburtstag im Februar 1916 segnet Mach das Zeitliche.

Im gleichen Jahr stirbt auch Karl Schwarzschild im Krieg an einer unheilbaren Hauterkrankung – nicht jedoch, ohne sich einen dauerhaften Ehrenplatz im Tempel der Wissenschaft gesichert zu haben. Er hat Einsteins Feldgleichungen fast spielerisch auch auf die hypothetische

Frage angewendet, wie wohl die Gravitation im Innern eines Himmelskörpers (statt in seiner Umgebung) aussehen könnte – und bei seinen Berechnungen bizarre Resultate erzielt: Unterhalb einer bestimmten angenommenen Entfernung vom Zentrum des Himmelskörpers stoßen die Formeln an ihre Grenzen. Wären Masse und Energie so dicht zusammengepackt, dass die Raumzeit sich auf kleinstem Volumen auf sich selbst zurückkrümmt, könnte nicht einmal Licht entkommen. Jenseits dieses heute «Schwarzschild-Radius» genannten Horizonts verschwindet alles auf Nimmerwiedersehen, sogar die Zeit. Was der Astronom beschreibt, wird Jahrzehnte später als «Schwarzes Loch» bekannt – und indirekt beobachtet.

Vergleichbare Überlegungen hat schon Ende des 18. Jahrhunderts der französische Mathematiker und Philosoph Pierre Simon de Laplace angestellt: Damit ein Gegenstand aus dem Schwerefeld eines Himmelskörpers entweichen kann, muss er die Fluchtgeschwindigkeit überschreiten. Was aber würde passieren, wenn ein Himmelskörper so viel Masse auf so engem Raum vereinigte, dass die Fluchtgeschwindigkeit selbst die Lichtgeschwindigkeit überschritte? «Die größten Körper im Universum könnten für uns unsichtbar sein», folgert Laplace. Damit gebührt ihm das Verdienst, Schwarze Löcher erstmals gedacht zu haben. Schwarzschilds Berechnungen zufolge wäre das bei der Sonne der Fall, wäre ihre gesamte Masse auf einen Durchmesser von drei Kilometern konzentriert, oder für die Erde, wäre sie nicht größer als ein Zentimeter. Dass dies nicht rein mathematische Spekulation bleiben würde, sondern messbare Realität widerspiegelt, haben weder Schwarzschild noch Einstein erlebt.

Als Einstein von den Resultaten des Astronomen erfährt, wundert er sich, dass seine Formeln für einzelne Körper in einem ansonsten leeren Universum überhaupt aufgehen. «Die Trägheit ist eben nach meiner Theorie im letzten Grunde eine Wechselwirkung der Massen», schreibt er konsterniert dem Kollegen an der Ostfront. «Man kann es scherzhaft so ausdrücken: Wenn ich alle Dinge aus der Welt verschwinden lasse, so bleibt nach Newton der Galileische Trägheitsraum, nach meiner Auffassung aber nichts übrig.»

Und doch muss er einsehen, dass es nach seinen Formeln genau so etwas geben kann: einen Himmelskörper, der völlig auf sich allein gestellt seine eigene Raumzeit aufspannt und damit seine eigene Realität bildet. Aber was soll das sein? Ein Universum im Universum? Will der Teufel ihn, der Gottes Schöpfung gerade eines ihrer großen Geheimnisse entlockt hat, in seine Schranken weisen?

Einstein hält vorerst am Mach'schen Prinzip fest und setzt ein statisches, gleich bleibendes All voraus. Um sein Modell zu stabilisieren, unternimmt er einen gewagten Schritt, der auf den ersten Blick eher schwach erscheint, aus heutiger Sicht aber seine intuitive Kreativität offenbart. «Ich habe auch wieder etwas verbrochen in der Gravitationstheorie», schreibt er am 4. Februar 1917 an seinen Freund und Kollegen Paul Ehrenfest, «was mich ein wenig in Gefahr setzt, in einem Tollhaus interniert zu werden.»

Vier Tage später trägt der Unermüdliche seine «Kosmologischen Betrachtungen zur allgemeinen Relativitätstheorie» in der Akademie vor und beschreibt erstmals in mathematisch-geometrischer Form das Universum als Ganzes. Dabei unternimmt er jenen Schritt, den er später als seine «größte Eselei» bezeichnen wird: Er führt einen Term namens Lambda ein. Diese «kosmologische Konstante» soll als Gegengewicht zur Gravitation einer Art universeller Rückstoßkraft entsprechen, die den Kosmos vor dem Kollaps bewahrt. So wird das Lambda in gewisser Art zu dem, was die Welt – frei nach Goethe – im Äußersten auseinander hält.

Einstein ist sich natürlich darüber im Klaren, dass er hier, um sein theoretisches Gebäude zu stabilisieren, ein seltsames Phänomen einführt, das keinem bis dahin festgestellten physikalischen Tatbestand entspricht. Die Kollegen murren. «Wenn ich dass alles Glauben soll», schreibt ihm Willem de Sitter, Direktor der Sternwarte im holländischen Leiden, «dan hat Ihre Theorie für mich doch viel von ihre klassische Schönheit verloren.» Einstein nimmt die Schwäche aber in Kauf, damit er seine umfassende Theorie des Kosmos auf die Beine stellen kann. Um Neuland zu erreichen, errichtet er immer wieder Brücken, die er nach dem Überqueren ruhigen Auges zusammenstürzen sieht. Auf dem Weg zur höheren Wahrheit verbündet er sich wie jeder gute Theoretiker mit dem Gespenst der Spekulation, das sich dann mit Glück im Lichte der Erkenntnis in Nichts auflöst.

Seine physikalische Überlegung hat für unser Bild vom Universum erhebliche Folgen: Mit Hilfe des Lambda errichtet Einstein auf dem Fundament der Allgemeinen Relativitätstheorie das bis heute im Prinzip gültige Modell eines endlichen und zugleich unbegrenzten Universums in der vierdimensionalen Raumzeit. Physiker wie Einstein oder John Beckman können sich in solche «Weltkonstruktionen im geschlossenen, quasisphärischen, hypereuklidisch zu ermessenden Raum» über mathematische Formeln hineindenken wie Musiker in vielgestaltige Kompositionen über die Noten. Wer nicht über solches Rüstzeug verfügt, muss noch einmal sozusagen einen Gang zurückschalten und zunächst die vertrauten Verhältnisse zwischen Fläche und Raum, zwischen einer zwei- und einer dreidimensionalen Welt betrachten.

Einstein hat als Beispiel für eine endliche, aber unbegrenzte geometrische Figur eine Kugel gewählt, auf der ein Käfer spazieren geht. Solange er auch krabbelt, er wird nie an eine Grenze stoßen, obwohl ihm nur eine endliche Fläche zur Verfügung steht. Ist die Kugel groß genug, dann wird der Käfer sie sogar für eben halten – so natürlich, wie die Menschen die Erde lange Zeit für eine Scheibe halten durften. Im Bereich ihrer Erfahrung war sie flach. Weil der Käfer aber nur zwei Dimensionen kennt und daher selber flach ist wie eine ausgeschnittene Comicfigur, könnte er um keinen Preis die dritte Dimension wahrnehmen, in die sich seine Welt-Kugel zurückkrümmt. Er könnte sie sich nicht einmal vorstellen. Dreidimensionale Wesen wie wir Menschen können zwar begreifen, dass unsere Welt eine Kugel ist, die sich umrunden lässt. Wir aber haben Probleme, uns die Vierdimensionalität der Raumzeit vorzustellen.

Wichtig für Einsteins Überlegungen: Die zweidimensionale Kugeloberfläche – und in Fortsetzung der Idee der dreidimensionale Raum im Universum – besitzt kein Zentrum. Jeder Punkt ist im Prinzip gleichberechtigt, keiner in irgendeiner Weise vor den anderen bevorzugt. Eine Kugel hat zwar einen Mittelpunkt. Doch der kommt im Käferuniversum als Zentrum nicht in Betracht. Er liegt nicht auf der Oberfläche und damit außerhalb der zweidimensionalen Welt. Die kürzeste Strecke von einem Pol zum anderen ist nicht die Achse, sondern jede geodätische Linie, die zwischen beiden einen Halbkreis beschreibt.

Diese Vorstellung überträgt Einstein nun – auf strikt formalem Weg – auf einen dreidimensionalen Raum, der weder Zentrum noch Grenzen besitzt.

Wird in dieser Welt ein Lichtstrahl auf die Reise geschickt, dann verliert er sich nicht im Nirwana räumlicher Unendlichkeit. Vielmehr kehrt er auf seinem Weg durch die Raumzeit irgendwann zum Ausgangspunkt zurück – so wie der Käfer auf der Kugel irgendwann seine eigenen früheren Wege kreuzt. Selbst aus größten denkbaren Entfernungen, also auch aus fernsten Vergangenheiten und von längst erloschenen Galaxien, dringt Licht in die Teleskope irdischer Beobachter. Astronomen wie John Beckman blicken mit ihren Erkundungsgeräten heute fast bis ans Ende der Welt und damit zum Anfang der Zeit kurz nach dem Urknall. Durch seinen Geniestreich hat Einstein das Problem der Unendlichkeit des Raumes aus der Welt geschafft. Schon wieder eine Großtat, die verstehen lässt, warum Leute wie Beckman Einstein den «Sämann» der heutigen Kosmologie nennen.

Einstein hat damit in seiner Relativitätsrakete die dritte Stufe gezündet. Bei der ersten hat er 1905 Raum und Zeit zur Raumzeit verschmolzen, bei der zweiten 1915 die Raumzeit zur geometrischen Figur geformt, die von Massen bestimmt wird und umgekehrt den Massen ihren Weg weist. Und nun, 1917, gibt er der Gesamtheit von Raumzeit und Materie eine Struktur. Damit ebnet er den Weg für die weitere stürmische Entwicklung.

Mit einem unüberhörbaren Zwischenruf aus Holland meldet sich wieder Willem de Sitter zu Wort. Er zeigt auf, dass Einsteins Modell nicht das einzig mögliche darstellt. Aber, ärger noch, das Universum des Niederländers ist leer und widerspricht damit dem Mach'schen Prinzip, wonach Raumzeit und Materie untrennbar miteinander verknüpft sind. Nach de Sitters Berechnungen reicht das Lambda allein, die Krümmung der Raumzeit zu erklären. «Das λ-Glied hat ‹meine› vierdimensionale Welt auch», erklärt er mit einem stummen Ätsch, «aber *keine ‹Weltmaterie›*.»

Vor allem wendet sich der Astronom «energisch» gegen die «Voraussetzung dass die Welt mechanisch quasistationär sei», also im kosmischen Maßstab unbeweglich. «Wir haben von der Welt nur eine

Momentphotographie, und wir können und dürfen daraus, dass wir auf der Photographie keine grosse Veränderungen sehen, *nicht* schliessen dass alles immer so bleiben wird als in dem Momente wo die Aufnahme gemacht worden ist.» Damit formuliert er einen zentralen Gedanken, der die Arbeit vieler heutiger Astronomen begründet: Das Universum ist veränderlich. Es hat eine Geschichte, vermutlich hat es einen Anfang und womöglich sogar ein Ende. Die kosmische Historie mit immer besseren Teleskopen zu ergründen steht deshalb heute im Mittelpunkt astronomischer Forschung.

Einstein widerspricht dem Kollegen heftig und ermahnt ihn: «Überzeugung ist eine gute Triebfeder, aber ein schlechter Richter!» De Sitter schreibt prompt zurück: «Unsere ‹Glaubensdifferenz› kommt darauf an das Sie einen bestimmten Glauben haben, und ich ein Skeptiker bin.» 1918 muss Einstein zugeben, dass de Sitters Resultate auf Basis seiner Gleichungen tatsächlich ein Gegenbeispiel zum Mach'schen Prinzip darstellen. Das Universum muss nicht ruhen, und Gravitation ist auch ohne den Einfluss aller Massen im All berechenbar. Veröffentlichen wird Einstein sein Eingeständnis jedoch nie.

Zu den entscheidenden Fortschritten der Kosmologie in den zwanziger Jahren trägt eine weitere tragische Forscherfigur bei. Wie Schwarzschild und de Sitter betritt auch der russische Mathematiker Alexander Friedmann 1922 den Kontinent von Einsteins kosmologischen Gleichungen ohne Respekt vor dem Mach'schen Prinzip und berechnet ein nichtstatisches Universum. Im September 1925 rafft den Hochbegabten im Alter von nur 37 Jahren eine Typhusinfektion dahin. Aber er hinterlässt – aufgrund rein theoretischer Berechnungen – ein Modell des Alls, das Astronomen wie John Beckman bis heute in Atem und Arbeit hält: Friedmann kann mit Einsteins Formeln ein Universum beschreiben, das sich kontinuierlich ausdehnt. Im Jahr 1929 wird seine Prognose spektakulär bestätigt: Nachdem fünf Jahre zuvor überhaupt erstmals Galaxien außerhalb der Milchstraße entdeckt worden sind, findet der amerikanische Astronom Edwin P. Hubble heraus, dass sich alle Galaxien von der Milchstraße entfernen – und zwar umso schneller, je weiter sie weg sind. Die Expansion des Universums findet tatsächlich statt.

Einstein, der Friedmanns Schlussfolgerungen noch abgelehnt hat, besucht Hubble 1930 in Kalifornien und lässt sich von den Daten überzeugen. 1932 veröffentlicht er gemeinsam mit dem ehemaligen Kontrahenten de Sitter einen Artikel, in dem sie Lambda gleich null setzen. Sie stellen ein Modell des Universums vor, das bis heute im Wesentlichen als gültig akzeptiert wird. Einstein ist froh, seine «größte Eselei» los zu sein und seine Gleichungen in alter Schönheit mit neuem Inhalt strahlen zu sehen.

Die Expansion des Kosmos erweist sich nicht als Explosion, in deren Folge sich die Splitter in einem vorhandenen Raum um den Detonationskern ausbreiten. Vielmehr entspricht sie einer Ausdehnung des Alls, also des Weltraums selbst, mit der Zeit. Der Raum erweitert sich mit den sich ausbreitenden Massen. Anders als bei Explosionen existiert auch kein Zentrum. Vielmehr sieht das expandierende Universum von jedem Standpunkt betrachtet gleich aus: Alle anderen Galaxien entfernen sich, und zwar mit wachsender Geschwindigkeit bei zunehmender Entfernung vom Betrachter, wo er auch ist.

Um sich das vorstellen zu können, muss man erneut eine Dimension zurückschalten und sich einen Luftballon denken, auf den kleine Flecken aufklebt sind. Wird der Ballon aufgeblasen, seine Oberfläche also größer, dann entfernen sich alle Flecken in gleichem Maße voneinander. Die Distanz von einem zum anderen nimmt zu, und zwar umso mehr, je weiter die beiden auseinander liegen. Von jedem Punkt aus betrachtet ergibt sich das gleiche Bild. Der Fleck selber aber bleibt gleich groß – die Galaxien dehnen sich nicht aus.

Einstein lebt schon länger in den USA, als dort ein gewisser George Gamov, russischer Emigrant und ehemals Student des tragischen Alexander Friedmann, ab 1942 die Idee von der Geburt des Universums in einem gigantischen «Urknall» – einem Bigbang – entwickelt. Danach existiert das Universum, wie wir es kennen, nicht ewig. Vielmehr hat es ein Alter, und das liegt nach heutigen Erkenntnissen bei knapp 14 Milliarden Jahren. Der Gedanke ist nicht ganz neu. Einen ähnlichen Vorschlag hat bereits 1931 der belgische Mathematiker und Theologe Georges Lemaître in der Zeitschrift «Nature» formuliert: «Wir können uns den Beginn des Universums in Form eines einzigen Atoms vorstellen, dessen Atomgewicht der Gesamtmasse des Universums entspricht.» Gamovs Theorie zufolge sind Raum und Zeit erst mit dem Urknall entstanden – und zwar aus einer Singularität, wie sie Einstein lange physikalisch für unmöglich hielt. In der Lebenslinie des Universums gibt es damit so etwas Ähnliches wie Newtons absolute Zeit: die kosmische Zeit, gemessen in Lichtjahren vom Urknall an.

Bis Ende der fünfziger Jahre gerät die Allgemeine Relativitätstheorie fast in Vergessenheit. Da es praktisch keine Möglichkeit gibt, sie weiter zu überprüfen, liegt sie ein halbes Jahrhundert lang gleichsam im Dornröschenschlaf. Nur eine Hand voll Physiker befasst sich ernsthaft mit ihr. Dabei hat kein Geringerer als J. Robert Oppenheimer, Einsteins Kollege am Princetoner Institute for Advanced Study und später Leiter des «Manhattan Project» zum Bau der ersten Atombombe, schon 1939 eine entscheidende Vorlage gegeben. Er stellt Berechnungen an, nach denen die (erstmals 1967 so genannten) Schwarzen Löcher unter realen Verhältnissen möglich sein müssten. Sie entstehen, wenn etwa ein sehr großer Stern, nachdem er ausgebrannt ist, unter seiner eigenen Schwerkraft zusammenstürzt.

Der junge britische Mathematiker Roger Penrose findet 1960 eine neue und sehr viel einfachere Berechnungsmethode für Einsteins Gleichungen. Die dadurch mögliche systematische Erforschung der superschweren singulären Himmelserscheinungen machen vor allem einen Mann berühmt: Stephen Hawking, der wegen eines Nervenleidens heute im Hightech-Rollstuhl lebt und einen Sprachcomputer für sich reden lässt. Der Physiker berechnet unter anderem, wie zwei Schwarze Löcher miteinander verschmelzen, wenn sie einander zu nahe kommen. Seine «Kurze Geschichte der Zeit», in der er die bizarren Theorien der Kosmologen beschreibt und Einsteins Träume weiterträumt, avanciert zum größten Bestseller der Wissenschaft.

Es sind aber nicht die Himmelskundler am Schreibtisch, die den Fortschritt am meisten befördern. «Seit den fünfziger Jahren», sagt John Beckman, «hat nicht die Theorie, sondern die Technologie die Astronomie vorangetrieben.» Immer neue Methoden wie Radio-, Röntgen- oder Infrarotteleskopie erlauben immer tiefere Blicke in den Weltraum – und damit in die Zeit. «Früher konnten wir nur eine Note auf dem Piano spielen, heute verfügen wir fast über die ganze Breite der Klaviatur.» Die am weitesten zurückblickende Aufnahme, die das Universum vor mehr als 13 Milliarden Jahren zeigt, gelang kürzlich mit Hilfe des Weltraumteleskops Hubble.

Trotz solch spektakulärer Resultate aus dem All, sagt Beckman, stehe und falle die Astronomie mehr denn je mit Beobachtungen von der Erde aus. In einem Kuppelgebäude des Observatorio del Teide steht sein Eineinhalbmeter-Infrarot-Spiegelteleskop. Hoch oben über der tonnenschweren Maschine aus Stahlträgern, Gestängen, Kabeln, Schläuchen und Messvorrichtungen schiebt sich auf Knopfdruck die Kugelschale zum nachtschwarzen Firmament auf. Vollautomatisch setzt sich das Teleskop in Bewegung, bis es in einer vorher einprogrammierten Position verharrt.

Mit diesem Apparat kann Beckman nicht nur der Geburt von Sternen zusehen – «die verläuft ungefähr so kompliziert wie die Geburt eines Menschen». Er misst auch die Spuren des Urknalls. Als Alternative zu den teuren Beschleunigern gilt der Himmel heute als «Labor des kleinen Mannes». Kurz nach dem Bigbang bildeten sich in einem «primordialen Feuerball» die ersten chemischen Elemente, unter anderem der gesamte Wasserstoff, ein Großteil des Heliums und erste Spuren des Lithiums. Aus dem Verhältnis der Mengen von Wasserstoff zu Helium können Beckman und Kollegen auf die Dichte herkömmlicher Materie im Universum schließen. Bei solchen Berechnungen haben sie erstaunliche Werte gefunden: Die bekannte Materie macht weniger als 5 Prozent jener Gesamtmasse aus, die für ein geschlossenes Universum im Sinne Einsteins vonnöten wären. Wo aber stecken die restlichen mehr als 95 Prozent?

Und dann erzählt der Professor, wie Einsteins Lambda zu neuem Leben erwacht ist. Etwa seit Mitte der sechziger Jahre taucht der Term immer wieder in theoretischen Arbeiten auf, bis 1995 zwei amerikanische Physiker ihre Publikation klipp und klar mit der Zeile überschreiben: «Die kosmologische Konstante ist zurück.» Ursprünglich bei Einsteins fehlgeschlagenem Versuch eingeführt, die allgemeine Relativität mit dem Mach'schen Prinzip in Einklang zu bringen, feiert Lambda ein spektakuläres Comeback.

Aus Messungen der «kosmischen Hintergrundstrahlung», einem bis heute in allen Himmelsrichtungen messbaren schwachen Nachhall des Urknalls, können Astrophysiker einen Teil der fehlenden Materie als unsichtbare «dunkle Materie» herleiten – etwa 23 Prozent. Die restlichen 73 Prozent schreiben sie einem spekulativen Kraftfeld zu, dem sie den Namen «Dunkle Energie» geben. Was es damit auf sich hat, liegt im Bereich der Spekulation. Diskutiert wird unter anderem eine «Quintessenz», eine «fünfte Substanz», die wie eine Art Äther das All erfüllt. Was immer es ist, es wirkt wie Lambda und hält die Galaxien auf Distanz – oder treibt sie sogar auseinander. Nicht schlecht für eine «größte Eselei»: Einsteins intuitive Entdeckung beschreibt fast drei Viertel des Universums.

Messungen an Supernovae – explodierenden Sternen – eines bestimmten Typs haben 1998 eine weitere sensationelle Entdeckung ermöglicht: Das All dehnt sich nicht nur aus, wie Edwin Hubble 1929 fand. Die Ausdehnung beschleunigt sich auch noch. Wir leben, so die heute weitgehend akzeptierte Vorstellung, in einem «beschleunigten Universum». Als unter diesem Titel im Jahr 2000 ein Buch erscheint, macht dessen Index Einsteins Bedeutung bis auf den heutigen Tag plastisch: Hinter seinem Namen finden sich 20 Fundstellen, am zweithäufigsten kommt ein gewisser Alexander Vilenkin mit zehn Nennungen vor, gefolgt von Hubble mit acht.

Wegen der Beschleunigung, also einer Zunahme der Geschwindigkeit, fragt es sich allerdings, ob die kosmologische Konstante tatsächlich so konstant ist, wie Einstein es für sein statisches Universum brauchte, oder ob sie sich nicht selber verändert. Die Sache ist noch nicht entschieden. Neueste Daten aus Messungen an insgesamt 42 Supernovae passen zur Überraschung vieler Experten jedoch am besten zu einer stabilen Konstanten.

Um solche Daten gewinnen zu können, sind Kosmologen auf die Hilfe von Astronomen angewiesen. «Die Messung von Distanzen», sagt John Beckman, «ist der Schlüssel zu allen anderen astrophysikalischen Ableitungen.» Zu diesem Zweck suchen Himmelskundler wie er nach «Standardkerzen». Mit deren Hilfe lassen sich anhand wohl definierter Abstände zu bestimmten Sternen alle anderen Entfernungen über so genannte Distanzleitern ermitteln. Die Himmelskundler gehen dabei im Prinzip wie Landvermesser auf der Erde vor. Bislang haben ihnen vor allem die Cepheiden als himmlische Maßstäbe gedient, pulsierende veränderliche Sterne, die sich überall im Weltraum finden.

«Um tiefer ins Universum zu schauen, brauchen wir aber stärkere Standardkerzen», sagt Beckman. Über eine Typ-Ia-Supernova als «Kerze» sei es ja erst überhaupt gelungen, das Verhältnis zwischen Abstand und Geschwindigkeit in sehr großen Entfernungen zu messen und daraus auf das beschleunigte Universum zu schließen. Zurzeit entwickele seine Gruppe daher eine neue Standardkerze, und zwar aus «einer Eigenschaft der kollektiven Populationen ionisierter Regionen von interstellarem Gas, das neu geborene Cluster von massiven luminösen Sternen umgibt» ...

Leise surren die Maschinenschränke. Das Neonlicht vibriert. Draußen ziehen funkelnd Sterne ihre Bahn. Irgendwo in diesem schwarzen Himmel gehen John Beckmans Gedanken gerade spazieren. So haben die Naturwissenschaften einmal angefangen. Menschen schauen zum Firmament und lesen die Gesetze der Natur. Die Kosmologie besitzt zwei Zeiten – die Zeit vor und die Zeit seit Einstein.

«Die Relativitätstheorie lebt», sagt John Beckman, als er wieder im Auto sitzt und auf der schmalen Straße vom Observatorio del Teide ins Tal hinabfährt. Im Lichte der mondlosen Nacht schieben sich die Schatten der Lavalandschaft wie Geisterkulissen ineinander. «Aber ob sie tatsächlich die Wirklichkeit beschreibt, bleibt wohl eher eine Sache des Glaubens als des Beweises.»

Kapitel 13

Die Raumzeit bebt

Relativitätstheorie auf
dem Prüfstand

Im Kontrollraum wartet Einstein. Er trägt Hut und Mantel, die eine
Hand in der Tasche, mit der anderen umgreift er fest ein Buch. Ein
ziemlich bekanntes Bild, um das Jahr 1920 in Berlin aufgenommen,
ausgeschnitten und auf Pappe gezogen. Der Meister soll dabei sein,
wenn der große Augenblick kommt: Mit dem möglichen Nachweis von
Gravitationswellen steht der Allgemeinen Relativitätstheorie ihre vielleicht größte Bewährungsprobe bevor.

Schon 1916 hat Einstein Unglaubliches behauptet: Allein aufgrund
seiner Feldgleichungen könne er zeigen, dass auch Gravitation Wellen erzeugen müsste. Extreme Veränderungen von Massen und damit
Schwerefeldern, etwa beim Kollaps eines Sterns, müssten die Raumzeit
in Schwingung versetzen. Allerdings fügte er hinzu, der Effekt sei vermutlich so klein, dass er sich wohl nie würde beobachten lassen. Seither
träumen Wissenschaftler davon, das kosmische Beben aufzuspüren.

Rund 20 Kilometer südlich von Hannover, in der Nähe des Örtchens
Ruthe, soll der Traum Wirklichkeit werden. «GEO 600» steht an der
Eingangspforte. Wenn Peter Aufmuth vom Albert-Einstein-Institut
der Max-Planck-Gesellschaft den schnurgeraden Weg zwischen Obst-
gehölzen und Getreide zu seiner Versuchsstation zurücklegt, kann er
im sanftesten Schritttempo fahren – sein Kommen bleibt nicht unbe-
merkt. Denn was der Physiker und seine Kollegen hier in den letzten
zehn Jahren im Rahmen eines britisch-deutschen Gemeinschaftspro-
jekts aufgebaut haben, zählt zum Empfindlichsten, was auf diesem
Erdball Erschütterungen feststellen kann.

Im Kontrollraum herrscht die übliche Baucontainer-Romantik wie
fast überall an der Front der Experimentalphysik. Etwa zehn Arbeits-

plätze mit Flachbildschirmen, überall Zahlenkolonnen, graphische Auftragungen, Schmierzettel mit Formeln, auf dem Gemeinschaftstisch Getränkedosen, leere Verpackungen von Mitnehm-Menüs, die zerlegte Zeitung von gestern, an der Wand wissenschaftliche Poster.

«Die Allgemeine Relativitätstheorie lässt sich in einem Satz sagen», erklärt Aufmuth und sagt den Satz: «Gravitation ist keine Kraft, sondern eine Eigenschaft des Raums.» Gravitationswellen sind in dem Sinne nichts anderes als «Störungen in der Raumzeit mit endlicher Geschwindigkeit» – kleine Beben, die sich wie Druckwellen mit Lichtgeschwindigkeit ausbreiten. Allein, der Effekt erweist sich als so abenteuerlich gering, dass schon ein gehöriges Maß Tollkühnheit dazu gehört, ihn messen zu wollen.

Von den ersten Prototypen (in Garching bei München und im schottischen Glasgow) bis hierher haben die Forscher gut 30 Jahre gebraucht. Da sie Einsteins Vorhersage von Gravitationswellen bestätigen wollen, um dadurch seine Befürchtung zu widerlegen, dass diese sich nicht messen lassen, begeben sie sich mit jedem Schritt nach vorn immer tiefer in eine Zwickmühle: Je weiter sie die Sensibilität ihrer Messgeräte steigern, desto mehr Störungen registrieren die Apparaturen auch.

«Uns stört alles», sagt Aufmuth. «Nicht nur, wenn ein Auto um die Ecke fährt, selbst vorbeiziehende Wolken. Uns stört alles.» Ein mitreißendes Motto für ein Forschungsprogramm. Wie wörtlich er das nimmt, machen seine Ausführungen zum Gravitationswellendetektor deutlich. Über den spricht er wie ein Vater über sein allzu sensibles Kind, das schon beim leichtesten Räuspern zusammenschreckt. «Kaum haben wir ihn zum ersten Mal angestellt, schon schlug er wie wild aus.» Dass ihr Signal jedoch nicht das erhoffte kosmische, sondern ein irdisches Beben angezeigt hat, war den insgesamt 70 beteiligten Forschern sofort klar.

«Wir haben ein Beben der Stärke 7,2 festgestellt», erinnert sich Aufmuth, «aber nicht hier, sondern in Vanuatu.» Das liegt in der Südsee, auf der anderen Seite des Globus. Und dann holt er aus und erklärt, wie einfach auf den ersten Blick die zentrale Gleichung der Allgemeinen Relativitätstheorie doch sei: G gleich Kappa mal T. Aber wenn man genauer hinschaue, «da stecken zehn gekoppelte nichtlineare Differenzialgleichungen zweiter Ordnung drin, die nicht zu knacken sind, die muss man austricksen». Dann «sieht man erst, wie starr die Raumzeit doch ist». Die Erde erzeugt darin eine Delle, die nur ein Milliardstel Abweichung von der sonstigen Struktur ausmacht. «Deshalb brauche ich große Massen und schnelle Ereignisse, damit ich überhaupt etwas messen kann.»

Was das bedeutet, macht der Physiker in drastischen Zahlen deutlich: Auch wenn als Quellen von messbaren Gravitationswellen nur kosmische Ereignisse der Superlative wie gigantische Supernovae oder kollidierende superschwere Schwarze Löcher infrage kommen, sind deren Wirkungen auf die Raumzeit geradezu lächerlich gering. Der Abstand zwischen Erde und Sonne – rund 150 Millionen Kilometer – staucht sich beim Durchgang einer solchen Welle gerade einmal um den Durchmesser eines Wasserstoffatoms. Auf die Erde übertragen bedeutet das nichts anderes, als dass sich eine Messstrecke von einem Kilometer um ein Tausendstel der Dicke eines Atomkerns verkürzt. Und die Hannoveraner haben nicht einmal diesen Kilometer.

GEO 600, das steht für zwei 600 Meter lange Strecken auf der Erde. Das Messgerät besteht äußerlich aus zwei schwingungsfrei aufgehängten, bis auf ein Extremvakuum leer gepumpten 600 Meter langen Rohren aus gewelltem Edelstahl, die im rechten Winkel aufeinander treffen. Da Raumzeiterschütterungen die beiden «Arme» des Apparats je nach Ausrichtung unterschiedlich dehnen und stauchen, wenn auch haarsträubend geringfügig, müssten die Längenunterschiede zwischen beiden die Gravitationswellen verraten – falls sich das «Rauschen» der Störquellen überhaupt ausreichend unterdrücken lässt. Das Gerät registriert sogar die Dünung der fernen Nordsee: «Wir hören hier fast die Wellen plätschern», sagt Aufmuth.

Die Funktion der Apparatur beruht auf dem gleichen ingeniösen Grundprinzip wie das «Interferometer», mit dem die Amerikaner Michelson und Morley 1887 die Konstanz der Lichtgeschwindigkeit nachgewiesen und damit das Ende des Äthers durch Einstein eingeläutet haben. Vereinfacht gesagt, schicken die Forscher Licht so durch einen halb durchlässigen Spiegel, dass es sich auf die beiden Arme verteilt. An deren Ende befinden sich Spiegel, die das Licht zum Ausgangspunkt zurückwerfen. Dort überlagern sich die Lichtwellen aus beiden Armen. Das «Signal» haben die Hannoveraner in «destruktiver Interferenz» exakt so justiert, dass die Lichtwellen einander zu absoluter Dunkelheit auslöschen. Schon allerwinzigste Verschiebungen zwischen beiden Armen machen sich durch Helligkeit bemerkbar. Das Interferenzbild können sie direkt auf einem Schwarzweißmonitor sehen, der sich als magisches Auge ihres Experiments zwischen den modernen Farbbildschirmen wie ein Fernseher aus den fünfziger Jahren ausnimmt.

Erzeugt wird das Signal im «Zentralhaus», einem schlichten, in die Erde betonierten Würfel, in dem die Arme des Interferometers zusammentreffen. Wenn Peter Aufmuth seine «heiligen Hallen» mit Lichtschutzbrille und Reinraumüberschuhen betritt, kann er seine Begeisterung kaum bremsen. «Das große Wunder war, dass die Anlage sofort funktionierte, nachdem wir sie zusammengebaut hatten.» Schraubenzieher und Strippen liegen herum, Lötkolben und Kästchen mit elektronischen Bauteilen.

«Wir müssen überall besser sein als die vorhandene Technik», sagt er und schwebt auf leisen Sohlen durch die Enge des Detektors, der den Testbetrieb bereits aufgenommen hat. Jedes Staubkörnchen kann dieses Sensibelchen beeinträchtigen. Wegen der aberwitzigen Anforderungen an die Präzision arbeiten die Wissenschaftler hier mit dem besten Speziallaser der Welt. Der schickt hochgradig stabilisiertes Licht einer bestimmten Wellenlänge über Strahlteiler aus eigens neu entwickeltem synthetischem Quarzglas in Nord- und Ostrohr. Die «Endspiegel» in den Rohren sind ebenso wie der Strahlteiler als Dreifachpendel aufgehängt. Allein dadurch wird eine Dämpfung aller störenden Erschütterungen auf ein Hundertmillionstel erreicht. Alles Sonderanfertigungen, alles selbst zusammengebastelt, Schwingungsisolierung, optische Resonatoren, Leistungsverstärker, Signalüberhöhung, Rauschunterdrückung, und noch mal gedämpft, doppelt verstärkt, spezial bedampft, feinstens geschliffen.

Da braucht es Menschen wie Peter Aufmuth, die physikalisches Wissen, wissenschaftliche Erfahrung und handwerkliches Geschick besitzen – aber auch die nötige Portion Durchhaltewillen, wenn plötzlich das Forschungsministerium den Etat zusammenstreicht. Sie haben sich ihren Traum nicht nehmen lassen, haben alles in Eigenarbeit zusammengebaut, von gerade einmal sieben Millionen Euro Sachmitteln. Ein Witz gegen die 300 Millionen Dollar, die in den USA in zwei vergleichbare Projekte unter dem Namen «Ligo» gesteckt worden sind. Dort sind die Arme der Antennen vier Kilometer lang, was deren Empfindlichkeit für Gravitationswellen fast um den Faktor zehn erhöht. «Das ist schon wie David gegen Goliath», sagt Aufmuth. «Wir machen den Vorsprung durch empfindlichere Technik wett.»

Und dieser ganze Aufwand, nur um eine Theorie zu bestätigen? «Nicht *eine* Theorie», sagt der Physiker, «sondern *die* Theorie über unser Universum. Wenn wir Erschütterungen der Raumzeit tatsächlich hier auf der Erde spüren könnten, dann wäre das die direkteste Untermauerung von Einsteins Gleichungen.» Nur durch die Bestätigung der von ihm vorhergesagten Lichtablenkung konnte Einstein 1919 nach Bekanntgabe der Sonnenfinsternisdaten so beispiellos triumphieren. «Da könnt' mir halt der liebe Gott leid tun», hat er einmal auf die Frage geantwortet, was denn gewesen wäre, hätte Sir Eddington bei der Sonnenfinsternis nicht die vorhergesagte Lichtkrümmung festgestellt. «Die Theorie stimmt doch.»

Doch ob sie tatsächlich ewig gültig ist oder ob sie eines Tages auch das Schicksal von Newtons Gravitationstheorie erleidet, ist längst noch nicht ausgemacht. Schon der Brite lag mit seinem Entwurf so nah an der erfahrbaren Wirklichkeit, dass kleinste Abweichungen wie der leicht verschobene Perihel des Merkur gegen die abertausendfachen Belege zu ihrer Unterstützung lange nicht ins Gewicht fielen. Könnte es sein, dass Einsteins Theorie am Ende ebenso überholt wird wie Newtons?

Einstein selbst hat diese Frage vehement bejaht. Er hätte sich auch nicht gewundert, dass 50 Jahre nach seinem Tod auf großen Physiker-Kongressen zentrale Vorträge zum Thema «Hatte Einstein Recht?» zu hören sein würden. Das Gros seiner heutigen Kollegen arbeitet als Experimentalphysiker, und so manche und mancher widmen ihre Forschung der Aufgabe, die Allgemeine Relativitätstheorie zu bestätigen – oder zu widerlegen. Relativität berührt fast jeden Aspekt der Physik. Deshalb, glauben nicht wenige Experten, wird Einsteins Theorie früher oder später versagen. Noch aber steht sie fest.

Seine Spezielle Relativitätstheorie gehört in der Hand derer, die mit sehr hohen Geschwindigkeiten arbeiten, zum selbstverständlichen Werkzeug wie Gesetzestexte für Anwalt und Richter. Die vielen Experimente der Teilchenphysik seit den fünfziger Jahren haben, gleichsam als Abfallprodukt, ihre Vorhersagen ein ums andere Mal bestätigt. In eigens angestellten Versuchen ließ sich sogar das bizarre Zwillingsparadox der unterschiedlich schnell alternden Geschwister im Raumschiff und auf der Erde als reales Phänomen demonstrieren: Eine Uhr, die in den siebziger Jahren etwa 60 Stunden in einem Flugzeug mitflog, ging tatsächlich um die vorhergesagte Zeit langsamer – um den Anteil an Raumzeit, den sie gegenüber einer identischen Uhr auf der Erde für ihren Weg durch den Raum «verbraucht» hatte. Bei solchen Versuchen findet auch die Allgemeine Relativitätstheorie ihre Bestätigung. Da die Schwerkraft ebenfalls Einfluss auf den Gang der Uhren ausübt und sie mit zunehmender Gravitation langsamer laufen (bis hin zum Stillstand bei Erreichen eines Schwarzen Loches), gehen sie umgekehrt beim Entfernen aus dem Schwerefeld der Erde schneller. Je höher das Flugzeug fliegt, desto stärker macht sich dieser Effekt bemerkbar.

Vor Beginn der Weltraumfahrt war die Allgemeine Relativitätstheorie fast in Vergessenheit geraten. Erst ab den sechziger Jahren ist das Thema der Untermauerung ihrer Vorhersagen wieder aufgekommen. Versuche zur Rotverschiebung und zur Verlangsamung von Uhren und Atomschwingung durch Gravitation zeigen immer exaktere Resultate. Bei der Zeit liegt Einstein nach heutigen Messungen mindestens 99,995 Prozent richtig. Die Ablenkung des Lichtes an der Sonne konnte bei späteren Sonnenfinsternissen immer präziser gemessen werden. Bei ungleich genaueren Untersuchungen mit der Radiostrahlung von Galaxien und Quasaren hat sich der Wert in jüngster Zeit bis auf vier Stellen hinter dem Komma präzisieren lassen. Im Jahr 2003 gelang eine weitere spektakuläre Bestätigung: Die Raumsonde Cassini, unterwegs zum Planeten Saturn, schickte Radiosignale an der Sonne vorbei zur Erde. Sie wurden um exakt den Betrag abgelenkt, den die Allgemeine Relativitätstheorie voraussagt.

Die vermutlich weitestverbreitete technische Anwendung beider Relativitätstheorien in einem System – auch eine Art Bestätigung ihrer

Formeln – gehört in den Industriestaaten mittlerweile fast zum Alltagsstandard: Das seit 1995 einsatzbereite «Global Positioning System» (GPS), mit dem sich jeder in Raum und Zeit verorten kann, funktioniert nicht ohne Einsteins Gleichungen. Die Uhren an Bord der 24 Satelliten sind so eingestellt, dass sie den verlangsamten Gang durch die relative Bewegung, gemessen an der Erdoberfläche, ebenso berücksichtigen wie das Schnellerlaufen durch die verringerte Gravitation. Die Atomuhren im Orbit gehen auf eine Nanosekunde am Tag genau, das ist ein Milliardstel einer Sekunde. Durch die Bewegung verlieren sie täglich 7 200 Nanosekunden, durch die verminderte Schwerkraft aber gehen sie pro Tag 45 900 Sekunden schneller. Nur wenn diese relativistischen Effekte berücksichtigt werden, lassen sich Zielangaben in der gewünschten Präzision machen. Würden sie wegfallen, wäre das gesamte GPS binnen eineinhalb Minuten unbrauchbar. Die Nutzer der Navigationssysteme in modernen Automobilen können sich bei Einstein bedanken. Aber auch der ursprüngliche militärische Zweck des GPS hat sich erfüllt. Die ferngesteuerten Bomben auf Bagdad erlangen ihre Zielgenauigkeit ebenso durch die praktische Anwendung von Einsteins theoretischen Leistungen wie die freundliche Stimme aus dem Navigator.

Im Zusammenhang mit der Lichtkrümmung durch große Massen hat Einstein auch die Existenz so genannter Gravitationslinsen vorausgesagt. Befindet sich zwischen der Erde und einem fernen Himmelskörper eine größere Menge Materie, dann kann es für den irdischen Beobachter durch die Ablenkung des Lichtes im Schwerefeld dieser Masse zu einem regelrechten Linseneffekt kommen. Sogar Mehrfachbilder können entstehen. Einstein hat diesen Effekt, wie ein wiedergefundenes Notizbuch aus seinem Nachlass belegt, schon 1912 entdeckt. Doch erst 1936 veröffentlicht er auf Drängen des tschechischen Amateurwissenschaftlers Rudi W. Mandl seine Formeln in der Zeitschrift «Science».

Dem Chefredakteur schreibt er danach: «Ich danke Ihnen noch sehr für Ihr Entgegenkommen bei der kleinen Publikation, die Herr Mandl aus mir herauspresste. Sie ist wenig wert, aber dieser arme Kerl hat seine Freude davon.» Wieder eine seiner Untertreibungen. Seine Vorhersage konnte Ende des 20. Jahrhunderts in Aufsehen erregender Weise bestätigt werden. Astronomen sehen durch kosmische Linsen Kreuze, Ringe oder Bögen, die sie nach Einstein benannt haben. Ist die Materie, durch die der Linseneffekt entsteht, selbst nicht sichtbar, dann lassen die Bilder von Einstein-Ringen oder -Kreuzen auf die Dunkle Materie im Weltraum schließen, die zwischen Beobachter und Objekten wie etwa Quasaren liegt.

Wer aber glaubt, dass die Einstein-Gemeinde ob der vielen Bestätigungen ruht, sieht sich getäuscht. Nach dem Erwachen aus dem Dornröschenschlaf hat für die Allgemeine Relativitätstheorie die harte Testphase erst begonnen. Das «Äquivalenzprinzip» von der Gleichheit schwerer und träger Masse wird immer härteren Prüfungen unterzogen – die sie bislang tadellos bestanden hat. Die scheinbare Schwerkraft geht offenbar tatsächlich auf die Krümmung der Raumzeit zurück, durch die sich alle Körper auf geodätischen Linien bewegen.

Im April 2004 hat die amerikanische Weltraumbehörde NASA von der kalifornischen Luftwaffenbasis Vandenberg eine Experimentierstation namens «Gravity Probe B» in den irdischen Orbit geschickt. Nach 45-jähriger Vorbereitungszeit, in der fast 100 Doktorarbeiten zu dem geplanten Versuch abgeschlossen und 700 Millionen Dollar ausgegeben worden sind, soll der Satellit einen seltsamen Effekt überprüfen: Bringt die Erde durch die Rotation um ihre eigene Achse, also die Drehung ihrer Masse, die sie umgebende Raumzeit ein klein wenig zum Rotieren? Die Überlegung dahinter stammt noch aus Einsteins Auseinandersetzung mit dem Mach'schen Prinzip. Zwei österreichische Physiker haben 1918 aufgrund seiner Feldgleichungen vorhergesagt, dass ein schwerelos um die Erde schwebender Körper gemessen am Fixsternhimmel leicht in Drehung versetzt werden müsste.

Der große technische Aufwand mit Superkühlung und Reinraumbedingungen für die vier mit Quarzkugeln ausgestatteten Kreisel an Bord des jetzt gestarteten Satelliten hat wie bei den Gravitationswellen mit der Winzigkeit des Effekts zu tun: In einem Jahr macht er nur ein Hunderttausendstel eines Winkelgrades aus – vergleichbar der Dicke eines menschlichen Haares aus einem halben Kilometer Entfernung gesehen. Ob und wann das Experiment die gewünschten Daten liefert, weiß niemand.

Von weltraumgestützten Experimenten träumen auch Peter Aufmuth und seine Kollegen. «Wir stehen am Anfang einer neuen Ära der Astronomie durch Gravitationswellen.» Die heute in der Himmelskunde gebräuchlichen elektromagnetischen Strahlen – sichtbares Licht, Infrarot, Radio- und Röntgenwellen – erreichen die Erde nur, wenn ihnen nichts im Weg ist. Große Teile des Weltalls aber sind von dunklen Wolken verstellt. Erst 380 000 Jahre nach dem Urknall – im kosmischen Maßstab nur ein Wimpernschlag – wurde die Welt für elektromagnetische Strahlen wie Licht durchlässig. Da das gesamte All für Gravitationswellen transparent ist, ließe sich in Gegenden – und damit in Zeiten – schauen, die bislang unsichtbar geblieben sind.

Mit Hilfe von Gravitationswellen könnte man bis zum Urknall zurückblicken. Sie müssten nach den Berechnungen der Kosmologen schon nach 10^{-24} Sekunden nach der Stunde Null ausgesandt worden sein – das ist ein Millionstel eines Milliardstels eines Milliardstels einer Sekunde. Und da etwa auch bei einer Sternexplosion das Beben der Raumzeit um Stunden früher ausgelöst wird als der sichtbare Lichtblitz, werden Wissenschaftler wie Peter Aufmuth künftig ihre Kollegen wie John Beckman auf Teneriffa früh genug vorwarnen können, dass sie ihre Teleskope auf eine der oft übersehenen Supernovae richten.

Der neue Berufszweig der «Gravitationswellenastronomen» verzeichnet bereits Zulauf. Der Glaube an Einsteins Vorhersagen kann Berge aus Zweifeln aus dem Weg räumen. Noch haben die Forscher ihr irdisches Experiment nicht zum Erfolg geführt, da planen sie bereits den Schritt ins All. Ab 2013 wollen die Europäische Weltraumagentur ESA und die NASA im Rahmen des gemeinsamen Projekts «Lisa» drei Satelliten in den Weltraum schicken, die als gigantisches Interferometer Gravitationswellen mit ungleich höherer Auflösung messen sollen, als das auf der Erde möglich ist. Der Probestart für einen ersten Prototypen ist für 2008 geplant.

«Das Schönste an der Geschichte», sagt Aufmuth: «Konkurrenz ermöglicht das Geschäft.» Die Forscher weltweit sind aufeinander angewiesen. Neben GEO 600 und den zwei Ligo-Detektoren gibt es Stationen in Italien und Japan, «Virgo» und «Tama» getauft. Nur wenn mehrere Antennen gleichzeitig vergleichbare Signale empfangen und sich auf diese Weise Störungen durch die Schwingungen der Erde her-ausrechnen lassen, sind Gravitationswellen überhaupt eindeutig fest-stellbar.

Wie sehr sich der Versuch lohnt, Vorhersagen von Einsteins Theo-rien zu bestätigen, durften die beiden Amerikaner Russell A. Hulse und Joseph H. Taylor 1993 erfahren: Sie erhielten den Physik-Nobelpreis für den Nachweis, wenn auch «nur» für den indirekten, von Gravita-tionswellen. An dem von ihnen 1974 entdeckten Doppelpulsar «PSR 1913+16», einem Paar umeinander kreisender Gestirne innerhalb der Milchstraße, machten sie eine sensationelle Entdeckung: Die Umlauf-zeit der Gestirne verkürzt sich genau um den Betrag, wie er aufgrund des Energieverlustes durch Aussendung von Gravitationswellen vor-hergesagt worden ist.

Doch erst zu Beginn des 21. Jahrhunderts, 90 Jahre nach Einsteins Vorhersage, sehen Physiker die Zeit gekommen, die ominösen Wellen auch direkt zu messen. Denjenigen, denen das gelingen wird, winkt ebenfalls die schönste Post, die ein Naturwissenschaftler bekommen kann: ein Telegramm aus Stockholm. Den fälligen Nobelpreis für die Erstentdeckung der Gravitationswellen würden sich drei Forscher aus drei Ländern teilen, die schon heute aufs engste zusammenarbeiten.

Auf deutscher Seite würde im Erfolgsfall Aufmuths Chef Karsten Danzmann die Auszeichnung bekommen. Auf den ersten Publika-tionen zu Gravitationswellen taucht sein Name gleichberechtigt neben 300 anderen auf. Dass nur drei Wissenschaftler – stellvertretend für alle Mitarbeiter – die Trophäe erhalten, zeigt, wie unzeitgemäß der Nobelpreis seit den Tagen des Einspänners Einstein mitunter gewor-den ist. Jemand wie Peter Aufmuth hat damit kein Problem. Dabei zu sein, wenn Einsteins Theorie bestätigt wird, wäre der triumphale Hö-hepunkt seiner beruflichen Laufbahn. Aber er weiß auch, dass sich sein Traum womöglich nicht erfüllt.

Kapitel 14

Sein bester Feind

Einstein, Deutschland
und die Politik

Am 15. Mai 1915 macht Albert Einstein seiner Frau in Zürich eine erschütternde Mitteilung. «Frau Haber hat sich vor 2 Wochen erschossen.» Kein weiterer Kommentar, keine Erklärung. Im Jahr zuvor, als seine Familie in die Brüche ging, hat sich die Gattin des Kollegen Fritz Haber noch liebevoll um Mileva gekümmert. Und Mileva hat in Clara eine Leidensgenossin gefunden, um deren Ehe es ebenfalls nicht gut steht und die sich wie sie um ihr Leben betrogen fühlt. «Was Fritz in diesen acht Jahren gewonnen hat, das – und mehr – habe ich verloren.»

Der Selbstmord hängt aber nicht nur mit gescheiterter Ehe und beruflicher Enttäuschung zusammen. Anders als Mileva hat Clara ihren Doktor in Chemie gemacht und wissenschaftlich gearbeitet, bis Mutterschaft und häusliche Pflichten sie zwangen, ihre Karriere aufzugeben. Sie tötet sich auch wegen Fritz Habers verantwortlicher Rolle beim Einsatz von Giftgas im Grabenkampf an der Westfront, den Kriegsgegnerin Clara vehement ablehnt.

Der Sündenfall hat einen Namen: Ypern. Das belgische Städtchen bedeutet für die Chemie etwas Ähnliches wie Hiroshima für die Physik. Es ist der Ort, an dem die «Wissenschaft von den Stoffen» endgültig ihre Unschuld verliert. Und er hat ein Datum: 22. April 1915. Um 18 Uhr, der Wind steht fatal günstig, ergeht der Befehl, auf einer Frontbreite von sechs Kilometern die Ventile der Gasflaschen zu öffnen. Innerhalb von fünf Minuten treten 150 Tonnen Chlorgas aus und treiben «im Tempo eines trabenden Pferdes» auf die gegnerischen Stellungen zu. Schätzungen gehen von 5000 Toten und 15 000 Verletzten allein bei diesem Angriff aus. Von einem «frühen Fall von Wissenschaft in satanischen

Diensten» spricht der Historiker Fritz Stern. Gaskampf und Atomkrieg trennen 30 Jahre.

Chemiker Haber, brillant, energisch, geltungssüchtig und vaterlandstreu, hat den Einsatz in Berlin laut Stern «in einer Art Manhattan Project vor seiner Zeit» akribisch vorbereitet. Nun ist er eigens an die Front gereist, um ihn zu überwachen. Der «Erfolg» bringt dem kleinen, fülligen Glatzkopf mit Kneifer die ersehnte Beförderung vom Vizefeldwebel zum Hauptmann. Bei der Feier am 1. Mai soll Clara noch einmal versucht haben, ihn von seinem Tun abzubringen. Er hält ihr vor, sie falle ihm in den Rücken. In den frühen Morgenstunden nimmt sie seine Dienstpistole, geht in den Garten und schießt sich ins Herz.

Der Witwer reist noch am selben Tag zu neuen Giftgasversuchen, diesmal an die Ostfront. Für seinen Einsatz, nach der Haager Landkriegsordnung von 1907 ein Kriegsverbrechen, wird er unter anderem mit dem Eisernen Kreuz ausgezeichnet. Wie kaum ein anderer verkörpert Haber die Janusköpfigkeit der Wissenschaft. Auf der einen Seite vernichten seine Entdeckungen Menschenleben, auf der anderen retten sie es. Mit seinem «Brot aus der Luft» durch technische Stickstoff-Fixierung für künstlichen Dünger hat er Millionen vor dem Hunger bewahrt. Nach dem Ersten Weltkrieg erhält er für seinen Durchbruch bei der Ammoniaksynthese den Nobelpreis für Chemie. Sein Institut in Berlin trägt bis heute seinen Namen.

Von Stellungnahmen Einsteins zum Gaskrieg ist nichts bekannt. So heftig er sich gegen Kriege und alles Militärische einsetzt, so wenig äußert er sich zu militärischen Mitteln und deren Ursprung in der Wissenschaft. «Solange ich mich auf Linien der Erforschung bewege», sagt er einmal, «ist mir die Praxis, also jedes praktische Ergebnis, das sich nebenher oder künftig möglicherweise daran knüpfen könnte, vollkommen gleichgültig.» Er zieht keine Grenze zwischen Grundlagenforschung, wie er sie in der theoretischen Physik betreibt, und angewandter Wissenschaft, die auf Basis «reiner» Erkenntnis zielgerichtet Dinge und Systeme erzeugt – auch Gasgranaten und Atombomben.

Um 1930 herum wird er Haber eine «tragische Figur» nennen, dessen «patriotische Gesinnung missbraucht» worden sei. Seiner Kameradschaft zu dem Kollegen hat dessen Mobilisierung der deutschen

Chemie für das Militär ebenso wenig Abbruch getan wie 1914 Max Plancks feierliche Verabschiedung seiner Studenten in den Kriegsdienst oder Walther Nernsts Begeisterung für die Armee, die ihn auf dem Kiesweg vor seiner Villa Marschieren und militärisches Grüßen üben lässt. Einstein selber leistet durch seine Mitarbeit am Kreiselkompass und an der Konstruktion von Flugzeugtragflächen militärtechnisch relevante Beiträge. Sein Gehalt in Berlin bezieht er zur Hälfte von einem Industriellen, der auch Militärforschung unterstützt.

In Haber sieht er an erster Stelle den Freund und Forscher. Allein übertriebene Selbstsucht und vaterlandstreuer Diensteifer des zum Christentum konvertierten Mit-Juden gehen ihm gegen den Strich. «Leider ist Habers Bild überall zu sehen», klagt er schon Ende 1913 in einem Brief an seine Geliebte Elsa. «Leider muss ich mich damit abfinden, dass dieser sonst so prächtige Mensch persönlicher Eitelkeit verfallen ist, und sogar noch nicht einmal von der geschmackvollsten Art.»

Grund zum Dissens mit Haber und seinen anderen deutschen Kollegen hätte Einstein schon ein halbes Jahr nach seiner Ankunft in Berlin gehabt. Zwei Monate nach Ausbruch des Krieges setzen sich 93 prominente Deutsche in einem weltweit verbreiteten «Aufruf an die Kulturwelt» provokant gegen die Verurteilung der Deutschen nach ihrem Angriff auf das neutrale Belgien und die dort verübten Gräueltaten zur Wehr. Zu den Unterzeichnern gehören neben dem Maler Max Liebermann und dem Dichter Gerhart Hauptmann auch Einsteins Kollegen Haber, Nernst und Planck. Das «Manifest der 93» löst außerhalb Deutschlands über alle Grenzen hinweg Empörung aus. Einsteins Kommentar ein paar Jahre später: «Wenn ein Haufe Menschen an einem Kollektivwahn erkrankt ist, so soll man ihn unschädlich machen.»

In Deutschland bleibt Protest gegen das Manifest so gut wie aus. Auch Einstein wird nicht selber aktiv. Erst als ein anderer handelt, schließt er sich dessen Initiative an. Der Berliner Herzspezialist Georg Friedrich Nicolai, ein guter Bekannter seiner Freundin Elsa und späterer Liebhaber von deren Tochter Ilse, legt ihm als Gegenentwurf zum «Aufruf an die Kulturwelt» einen «Aufruf an die Europäer» vor. «Der heute tobende Kampf wird kaum einen Sieger, sondern wahrscheinlich nur Besiegte zurücklassen», heißt es darin. «Und so bitten wir Sie, falls Sie uns Gesinnungsgenosse und gleich uns entschlossen sind, dem europäischen Willen einen möglichst weitreichenden Widerhall zu verschaffen, Ihre Unterschrift zu senden.» Außer Einstein findet der Verfasser nur zwei weitere Unterzeichner. Der Aufruf verhallt zwar fast ungehört. Der protestierende Professor aber wird als Kriegsarzt an die Ostfront strafversetzt. 1918 flüchtet er spektakulär in einem Flugzeug nach Kopenhagen.

Ein politischer Aktivist ist Einstein entgegen der weit verbreiteten Ansicht bei seinem Umzug nach Berlin 1914 noch keineswegs gewesen. Zwar findet sich eine Art «politische» Einschätzung in einer kurzen Notiz vom 19. August 1914 an seinen Freund Paul Ehrenfest in Leiden: «Unglaubliches hat Europa nun in seinem Wahn begonnen. In solcher Zeit sieht man, welcher traurigen Viehgattung man angehört.» Doch sein von Jugend an bestehender Antimilitarismus hat sich noch längst nicht in jenen Verbalpazifismus verwandelt, der ihn später beinahe berühmter machen wird als seine Physik. «Ich döse ruhig in meinen friedlichen Grübeleien und empfinde nur eine Mischung aus Mitleid und Abscheu.»

Einstein zieht sich zunächst ins Schneckenhaus seiner Wissenschaft zurück. «Der Entschluss, mich zu isolieren, gereicht mir zum Segen», schreibt er Ehrenfest Anfang Dezember 1914. Die Allgemeine Relativitätstheorie fordert seine ganze Kraft. Im April 1915 vertraut er Freund Heinrich Zangger in Zürich an: «Ich fange nun an, mich in dem wahnsinnigen Gegenwartsrummel wohl zu fühlen in bewusster Loslösung von allen Dingen, die die verrückte Allgemeinheit beschäftigen. Warum soll man als Dienstpersonal im Narrenhaus nicht vergnügt leben können? Man respektiert doch alle Narren als diejenigen, für welche das Gebäude da ist, in dem man lebt.»

Narrenkappe, Schweizer Pass und Arbeit an der Theorie verschaffen ihm ein Maß an Unabhängigkeit, von dem seine deutschen Kollegen nur träumen können. Einen Monat später lässt er Zangger wissen, dass «mein Leben hier ideal schön ist, bis auf Dinge, die mich nichts angehen». Am Krieg, dieser «traurigen internationalen Verwirrung», belastet ihn zunächst vor allem die Bedrohung der grenzenlosen Gemeinschaft von seinesgleichen – Weltbürgern der Wissenschaft. «Die internationale Katastrophe lastet schwer auf mir internationalem Menschen.»

Hier findet sich – neben der «jüdischen Frage» – das zweite Motiv für seine spätere Politisierung: Ihm liegt vor allem die globale Verständigung am Herzen, wie sie in der Wissenschaft, seinem einzigen Vaterland, zur Grundlage von Zusammenarbeit und Fortschritt gehört. Aus dieser Haltung heraus wird er im November 1914 zum Mitbegründer des «Bundes Neues Vaterland», einer ehrenwerten, aber weitgehend einflusslosen, im September 1916 verbotenen demokratischen Vereinigung. Freundin Elsa tritt ebenfalls bei.

Als es Einstein im Herbst 1915 mitten im schlimmsten Stress mit seiner Theorie einmal gelingt, den Kopf aus seiner Tauchstation zu heben und für den Berliner Goethe-Bund unter dem Titel «Meine Meinung über den Krieg» einen Aufsatz zu verfassen, lässt er erstmals seine radikale – und durchaus moderne – politische Haltung erkennen. Beinahe visionär schlägt er als Lösung des Problems eine der heutigen Europäischen Union vergleichbare «staatliche Organisation in Europa» vor, «welche europäische Kriege ebenso ausschliessen wird, wie jetzt das Deutsche Reich einen Krieg zwischen Bayern und Württemberg».

Immer wieder macht er in seinen Briefen seinem Abscheu gegen die Abgründe der Moderne Luft. «Unser ganzer gepriesene Fortschritt der Technik, überhaupt der Civilisation, ist der Axt in der Hand des pathologischen Verbrechers vergleichbar», schreibt er an Zangger – ohne daraus allerdings weitere Konsequenzen für sich zu ziehen. Seine Metamorphose zum Politischen deutet sich im Austausch mit dem französischen Schriftsteller und Pazifisten Romain Rolland an. «Dies Land ist durch den Waffenerfolg 1870, durch Erfolge auf dem Gebiete des Handels und der Industrie zu einer Art Machtreligion gekommen», sagt er im August 1917. «Diese Religion beherrscht fast alle Gebildeten; sie hat die Ideale der Goethe-Schiller-Zeit fast vollkommen verdrängt. [...] Ich bin fest überzeugt, dass dieser Verirrung nur durch die Härte der Thatsachen gesteuert werden kann.» Zu deutsch: Allein eine Niederlage kann noch helfen.

Mit seinem sporadischen politischen Engagement sticht Einstein aus der – durch den Krieg ohnehin stark politisierten – Gemeinschaft der Akademiker und Intellektuellen nicht weiter heraus. Ende 1914 lässt er sich trotz deren patriotischer Haltung in den Vorstand der Deutschen Physikalischen Gesellschaft und 1915 sogar zu deren Präsidenten wählen. Während der teilweise heftigen politischen Diskussionen bei den Sitzungen der Preußischen Akademie (bis Ende 1918 nimmt er an 135 Treffen teil) erhebt er nicht einmal die Stimme. Einem Bericht des Oberkommandos der Armee zufolge hat er das liberale «Berliner Tageblatt» abonniert und steht pazifistischen Organisationen nahe – gilt ansonsten aber als unauffällig. Zur demokratischen Reformbewegung, wie sie besonders die SPD verkörpert, hat er bis 1918 keinen offiziellen Kontakt aufgebaut.

Einstein spricht von der Raumzeit, Deutschland vom Lebensraum, er spielt Mozart, die Deutschen Marschmusik. Erst in der Ruhe und Unabhängigkeit, derentwegen er nach Berlin gegangen ist, macht er eine Art Häutung durch, die ihn ab Ende 1918 auftreten lässt, als habe er sich schon sein halbes Leben mit Politik befasst. Anfang des Jahres hat er es, in den Augen der Berliner Polizei, immerhin als Neunter auf die Liste der 31 führenden Pazifisten und Sozialdemokraten gebracht. Dazu hat aber nicht viel gehört. Am 9. November vermerkt er trocken in seinen Vorlesungsnotizen: «fiel aus wegen Revolution».

Kurz nach dem Zusammenbruch der Monarchie wird er gemeinsam mit dem Physiker-Kollegen Max Born und dem Psychologen Max Wertheimer erstmals politisch aktiv. Die Berliner Universität ist nach dem Vorbild der Arbeiter- und Soldatenräte von einem Studentenrat übernommen worden. Als eine der ersten «Amtshandlungen» setzt der Rat den Rektor und andere Würdenträger ab und sperrt sie ein. Um deren Freilassung zu erwirken, suchen die drei Professoren die Studenten in einem Konferenzzimmer des Reichstagsgebäudes auf. Die jungen Leute erklären sich für nicht zuständig, stellen ihnen aber einen Passierschein für die neue Regierung aus. In der nahen Reichskanzlei an der Wilhelmstraße gelingt es ihnen dank Einstein tatsächlich, zum neu ernannten Präsidenten Friedrich Ebert vorzudringen. Der schreibt ein paar Worte an den zuständigen Minister auf, kurze Zeit später kommt die Universitätsleitung wieder frei.

Vier Tage nach der deutschen Novemberrevolution 1918 hat Einstein bei einem öffentlichen Treffen des kurz vor Kriegsende neu konstituierten «Bundes Neues Vaterland» seinen ersten großen politischen Auftritt. «Genossen und Genossinnen!», ruft er den mehr als 1000 Menschen im oberen der Berliner Spichernsäle zu. «Gestatten Sie einem alten Demokraten, der nicht hat umlernen müssen, einige wenige Worte.» In überraschender Weitsicht warnt er davor, «dass die alte Klassen-Tyrannei von rechts nicht durch eine Klassentyrannei von links ersetzt werde. Lasset Euch nicht durch Rachegefühle zu der verhängnisvollen Meinung verleiten, dass Gewalt durch Gewalt zu bekämpfen sei, dass eine vorläufige Diktatur des Proletariats nötig sei, um Freiheit in die Köpfe der Volksgenossen hineinzuhämmern.»

Damit wendet er sich gegen die radikale Linke, die eine Räterepublik nach sowjetischem Vorbild errichten will. Gleichwohl gesteht er im Januar 1920 Max Born: «Ich muß Dir übrigens beichten, daß mir die Bolschewiker garnicht so schlecht passen, so komisch ihre Theorien sind. Es wäre doch verdammt interessant, sich die Sache einmal aus der Nähe anzusehen.» Zwar hat er die Sowjetunion nie betreten. Bis Mitte 1932 wird sich sein Urteil über den Bolschewismus aber gewandelt haben: «Oben persönlicher Kampf machthungriger Personen mit den verworfensten Mitteln aus rein egoistischen Motiven. Nach unten völlige Unterdrückung der Person und der Meinungsäußerung. Was hat denn unter solchen Bedingungen das Leben noch für einen Wert?»

An seiner linken Haltung hat sich derweil nichts geändert: «Wer seinen Kopf aus dem Fenster steckt und dabei nicht sieht, dass die Zeit für den Sozialismus reif ist, der läuft wie ein Blinder durch dieses Jahrhundert.» Während des Krieges hat er sein sozialkritisches Gewissen mit literarischer Nahrung versorgt, als er abends im «Bristol» am Kurfürstendamm Heinrich Manns «Untertan» liest, der in eingeweihten Kreisen als Privatdruck kursiert. «Die sozialen Klassenunterschiede», sagt er, «empfinde ich nicht als gerechtfertigt und letzten Endes auf Gewalt beruhend.» Das Programm des «Bundes», ab 1923 umbenannt in «Deutsche Liga für Menschenrechte», liest sich heute fast so radikal wie das Kommunistische Manifest. Unterschrieben haben es neben Einstein unter anderem Heinrich Mann, Käthe Kollwitz, Max Wertheimer und Magnus Hirschfeld. Freund Besso schreibt er: «Ich geniesse den Ruf eines untadeligen Sozi.» Sozialdemokrat wäre heute wohl die beste Übersetzung.

Einsteins Begeisterung für die kommende deutsche Republik mit demokratischer Verfassung drückt sich in beinahe blauäugigem Optimismus aus: «Etwas Grosses ist wirklich erreicht», lässt er Besso Anfang Dezember 1918 wissen. «Die militärische Religion ist verschwunden. Ich glaube, sie wird nicht wiederkehren.» Zwei Tage später gibt er Arnold Sommerfeld in München seine Einschätzung der neuen Lage: «Wenn England und Amerika besonnen genug sind, um sich zu einigen, kann es Kriege von einiger Wichtigkeit überhaupt nicht mehr geben.»

Sogar Einsteins deutsches Herz schlägt nun zuversichtliche Töne an: «Ich bin aber der festen Überzeugung, dass kulturliebende Deutsche auf ihr Vaterland bald so stolz sein dürfen wie je – mit mehr Grund als *vor* 1914. Ich glaube nicht, dass die gegenwärtige Desorganisation dauernde Schäden zurücklassen wird.» Und Kollege Max Born liest aus seiner Hand noch im Juni 1919: «Ich bin überzeugt, daß das in den nächsten Jahren Kommende weit weniger hart sein wird, als das in den letzten Jahren Erlebte.» Ein verhängnisvoller Irrtum. Noch trübt das Hakenkreuz nicht sein Bild. Als Symbol der Ultrarechten geistert es aber bereits durch die Hinterzimmer der aufstrebenden Faschisten.

«Einstein wurde, ohne seinerseits den Anspruch auf Autorität zu erheben, zum Weisen und Propheten des Zeitalters für viele Menschen», urteilt später der Philosoph Karl Jaspers. «Sein Blick für Grundphänomene menschlichen Daseins: ehrlich, treffend, aber sehr begrenzt.» Während für Haber, Planck und die meisten seiner traditionell eher konservativen Kollegen mit der Kapitulation und dem Ende des Kaiserreiches eine Welt zusammenbricht, feiert Einstein den Neuanfang. Seiner Schwester Maja und ihrem Mann in Luzern beschreibt er zwei Tage nach der Novemberrevolution «das grösste äussere Erlebnis, was denkbar war»: «Dass ich das erleben durfte!! Keine Pleite ist so gross, dass man sie nicht gerne in Kauf nähme um so einer herrlichen Kompensation willen. Bei uns ist der Militarismus und der Geheimratsdusel gründlich beseitigt.»

Einstein im Friedenstaumel. Knapp einen Monat später macht er sich gegenüber Besso über die ergrauten Eminenzen in der Akademie lustig: «Drollig sind nun auch die Sitzungen der Ak.; die alten Leutchen sind grösstenteils ganz desorientiert und schwindlig. Sie empfinden die neue Zeit wie einen traurigen Carneval und trauern nach der alten Wirtschaft, deren Verschwinden unsereinem eine solche Befreiung bedeutet.» Freund Zangger schreibt er Weihnachten 1919: «Das Unglück steht den Menschen unvergleichlich besser an als der Erfolg.»

Auch wenn er in Berlin längst kein Unbekannter mehr ist: Ihr wahres Gewicht erhält seine Stimme erst nach jenem denkwürdigen Tag im November 1919, als er urplötzlich Weltruhm erlangt. Nach den Lehr- und Wanderjahren und seinem Aufstieg zur Nummer eins der Physik beginnt jetzt seine dritte Karriere als politisch aktiver Star der Wissenschaft – eine permanente Zerreißprobe zwischen Hochschätzung und Anfeindung, produktiven Beiträgen und kontraproduktiven Entgleisungen.

Als Jude, Linker, Pazifist und Querdenker bringt er alles mit, was seine Gegner hassen. Schon durch sein Äußeres lehnt er die herrschende Ordnung klar ab und macht sich zum Außenseiter. Ihm fehlt die Geheimratswürde eines Max Planck, und sein hinreißender Freiheitsdrang ist nicht Biedermanns Sache. Er hat auch nichts von den drei großen Mächten, die nach seiner Ansicht die Welt regieren: Dummheit, Furcht und Habgier – auch wenn er Heinrich Zangger Weihnachten 1919 gesteht: «Ich werde nämlich mit der Berühmtheit immer dümmer, was ja eine ganz gewöhnliche Erscheinung ist.» Andererseits löst er durch das Mysterium seines Werks, über das alle sprechen, ohne es zu verstehen, Ängste und Verunsicherungen aus.

«Zum Namen Relativitätstheorie» sagt Einstein 1921: «Ich gebe zu, dass dieser nicht glücklich ist und zu philosophischen Missverständnissen Anlass gegeben hat.» Nicht nur zu philosophischen. Gerade ihr Name macht sie angreifbar durch falsche Deutungen. Als fatal stellt sich vor allem die (nahe liegende) Verwechslung mit der Weltsicht des Relativismus heraus. Der betont die Relativität aller Erkenntnis, verneint allgemein gültige moralische Normen und überlässt ethische Wahrheiten allein dem Empfinden des Einzelnen oder auch eines Volkes – und bereitet so dem extremen Nationalismus im 20. Jahrhundert den Nährboden. Einstein glaubt genau an das Gegenteil.

Wenn alles relativ ist (was Einstein nie gesagt hat) und Relativität ein «allgemeines» Prinzip, dann kann nichts sicher sein und unverrückbar. Eine Theorie der wachsweichen Sorte also, die trotz ihrer Bestätigung während einer Sonnenfinsternis für den Normaldenker nicht überprüfbar ist. Man kann sie glauben oder nicht. Obwohl als Gesprächsstoff vertraut, bleibt sie immer auch fremd. Das öffnet den Widersachern, vor allem jenen, die im Kauderwelsch der Wissenschaft argumentieren können, Tür und Tor. Außerdem gilt sie als revolutionär. Damit lässt sich ihr Urheber mit Umsturz und Ruhestörung in Verbindung bringen. Und dann fängt dieser Mann auch noch an, sich tatsächlich politisch in einer Richtung zu betätigen, die alles andere als mehrheitsfähig ist.

Mitte Dezember 1919 begrüßt Einstein öffentlich den belgischen Pazifisten Paul Colin – angesichts der immer noch aufgeheizten Stimmung gegenüber den ehemaligen Feinden eine tapfere Tat. Den Schritt von der Zivilcourage zum zivilen Ungehorsam im Stile Gandhis hat er jedoch nie getan. Einstein im Hungerstreik – schwer vorstellbar. An der Spitze eines Demonstrationszuges – nie gesehen. Er ist eher furchtlos als mutig. Gleichwohl zieht er als gewichtiger Fürsprecher der neuen sozialen und politischen Ordnung in Deutschland Kritik und sogar Feindschaft geradezu an. Das wiederum erhöht seine Bekanntheit – viel Feind, viel Ehr.

Am vorletzten Tag seines Schicksalsjahres äußert er sich in einem viel beachteten Artikel über «Die Zuwanderung aus dem Osten». Damit stellt er erstmals das – neben seiner Sorge um die Internationalität der Wissenschaft – wichtigste Motiv seiner Politisierung aus: die «jüdische Frage». Der Außenseiter solidarisiert sich mit den Außenseitern – und findet «sein» politisches Thema. Und das Thema ihn. Mit seinem Einsatz für die Belange der jüdischen «Stammesgenossen», von dem noch zu sprechen sein wird, bietet er vor allem als Linker und Jude – beiden wird die Schuld am deutschen Desaster angehängt – ideale Angriffsflächen für ewig Gestrige und morgige Mörder. In der heillosen antisemitischen Gemengelage findet er sein Werk schließlich pauschal als «jüdische Physik» gebrandmarkt. Das Lied von «Einsteins Truglehre» wird zur Begleitmusik seiner deutschen Existenz. Doch nach den

Worten seines frühen Biographen Alexander Moszkowski begegnet Einstein der Kritik «nicht nur ohne Zorn, sondern mit einem gewissen Wohlwollen. Denn tatsächlich, es wurde ihm in der ununterbrochenen Ovation unbehaglich, und es lehnte sich in seiner Seele dagegen etwas auf, wie gegen einen Primadonna-Kultus.» Auf der anderen Seite zieht er den Neid der Kollegen auf sich, die jeden beäugen, der aus seiner Rolle als Primus inter pares publizistische Funken schlägt. So ist von ihnen noch keiner gefeiert worden.

Vielleicht hat er die Gefährlichkeit seiner Gegner unterschätzt, die sich unter dem Deckmantel seriöser Wissenschaft gegen ihn formieren – und vor allem den Beitrag eines Mannes: Ernst Gehrcke. Der lehnt ihn und seine Relativitätstheorie so tiefgründig ab wie kein anderer – ohne dabei antisemitisch aufzufallen. Der Experimentalphysiker und Abteilungsleiter an der Physikalisch-Technischen Reichsanstalt in Berlin, also in seriöser Stellung, hat schon 1911 in zwei Beiträgen seinen ersten Angriff gegen Einsteins Theorie gefahren. Bis 1913 hat er sieben Artikel zum gleichen Thema verfasst: «Die gegen die Relativitätstheorie erhobenen Einwände.» Gleichzeitig verbeißt sich Gehrcke regelrecht in seinen Gegner, sammelt alles über ihn, Ordner um Ordner, Kisten um Kisten voll mit Sonderdrucken, farbig markierten Zeitungsartikeln, säuberlich ausgeschnittenen Fotos, Karikaturen und Notizen. Später spinnt er zusammen mit Gleichgesinnten ein internationales Netzwerk der Einstein-Gegner, dessen Ausläufer bis tief in die USA reichen.

Schon gleich nach seiner Ankunft in Berlin lernt Einstein den bissigen Widersacher kennen. Im Physikkolloquium, das Professor Heinrich Rubens jeden Mittwoch an der Berliner Universität abhält, geht es am 20. und 27. Mai 1914 um Relativität. Gehrcke nutzt die Gelegenheit, Einstein mit dem Zwillingsparadoxon zu konfrontieren: Da nach der Relativitätstheorie jeder der beiden behaupten kann, der andere bewege sich relativ zu ihm, müsste jeweils auch die Uhr des anderen langsamer gehen, was logisch unmöglich ist. Einstein kontert (eher schwach), die Beschleunigung des einen gegenüber dem anderen verursache die Verzögerung des Uhrengangs – woraufhin Gehrcke zufrieden (und nicht unklug) notiert: «Beschleunigte Bewegungen sind in der Relativitätstheorie absolut.»

Noch 1919 wird Einstein auf dieser Linie argumentieren, statt die Geometrie der Raumzeit und den Unterschied zwischen geodätischen und nichtgeodätischen Linien hervorzuheben – als sei ihm seine eigene Theorie noch nicht ganz geheuer. In den angesehenen «Annalen der Physik» greift Gehrcke 1916 das Äquivalenzprinzip an und beschuldigt Einstein sogar des Plagiats. Ein gewisser Paul Gerber sei schon 1899 zu derselben Formel gekommen, mit der Einstein 1915 die Abweichung des Merkur-Perihels berechnet habe. Der Angegriffene teilt dem Sekretär der «Annalen» knapp mit, dass er «auf die geschmacklosen und oberflächlichen Angriffe Gehrkes nicht antworten» werde. Als Gehrcke keine Ruhe gibt, meldet sich Einstein in einer Zeitung kurz mit einer «Bemerkung» zu Wort, um «darauf hinzuweisen, daß jene Theorie unhaltbar ist, weil sie auf einander widersprechenden Voraussetzungen beruht».

Doch Gehrcke kämpft nun nicht mehr allein. Er weiß einen prominenten Mitstreiter an seiner Seite: Nobelpreisträger Philipp Lenard, mit dem Einstein nach 1905 noch in freundlichem Austausch stand, veröffentlicht 1918 einen später mehrfach wieder aufgelegten Artikel «Über Relativitätsprinzip, Äther, Gravitation». Darin macht er sich gegen die Relativitätstheorie und für eine Äthertheorie der Schwerkraft stark.

Ende November 1918 sieht Einstein sich erstmals genötigt, in einem Artikel auf die Kritik an seiner Relativitätstheorie zu reagieren – in Form eines inszenierten Zwiegesprächs zwischen einem «Kritikus» und einem «Relativisten» im Stile von Galileis «Dialog». Am Ende muss der Kritiker zwar «zugeben, daß die Widerlegung eurer Auffassung nicht so einfach ist, als es mir früher erschien». Doch dann fragt der imaginäre Gegner noch einmal nach: «Wie steht es denn jetzt mit dem kranken Mann der theoretischen Physik, dem Äther, den manche von euch schon für tot erklärt haben?»

«Ein wechselvolles Schicksal hat er hinter sich», antwortet der Relativist, also Einstein, «und man kann durchaus nicht sagen, daß er nun tot sei.» Und schließt sein Plädoyer mit der Warnung: «Nur muss man sich davor hüten, diesem ‹Äther› stoffähliche Eigenschaften [...] zuzuschreiben.» Mit dem Wiederaufleben des Äthers, den er 1905 als junger Unbekannter so gründlich aus der Welt verbannt hat, gibt er sich ohne

Not eine offene Flanke. Reumütig schreibt er am 15. November 1919 an Hendrik Lorentz: «Es wäre richtiger gewesen, wenn ich in meinen früheren Publikationen darauf beschränkt hätte, die Nichtrealität der Aether*geschwindigkeit* zu betonen, statt die Nicht-Existenz des Aethers überhaupt zu vertreten.»

So richtig gerät der Bürger-Krieg gegen Einstein aber erst nach dessen plötzlichem Berühmtwerden in Schwung. «Das Zeitungsgewäsch über mich ist steinerweichend», schreibt er Heinrich Zangger im Dezember 1919. «Eine andere drollige Sache ist die, dass ich überall als Bolschewist gelte, weiss Gott wieso, vielleicht weil ich nicht allen Seich vom Berliner Tageblatt für Milch und Honig ansehe.» Am 12. Februar 1920 kommt es zu einem kleinen Zwischenfall: «Tumultszenen bei einer Einstein-Vorlesung», meldet das «8-Uhr Abendblatt». Einsteins Veranstaltungen an der Universität sind nicht nur für Studenten, sondern auch für andere Leute zur Attraktion geworden. Unter Touristen gilt der Besuch einer Einstein-Vorlesung als Geheimtipp. Dem Professor ist das nicht unrecht, dienen «meine populär gehaltenen Vorträge über die Relativitätstheorie» doch dem Ziel, seine Ideen einem größeren Publikum näher zu bringen. Die Studenten protestieren – mit einem gewissen Recht – gegen die unangemeldeten Gasthörer. Als Einstein versucht, sie zum Einlenken zu bewegen, kommt es «zu unliebsamen Szenen», wie die Zeitung berichtet, in deren Verlauf «auch Äußerungen antisemitischen Charakters fielen».

In einer persönlichen Erklärung, die dem Artikel folgt, gibt Einstein bekannt: «Ich habe mich daher veranlaßt gesehen, auf meine weiteren Vorlesungen zu verzichten.» Anders als seine Kollegen kann er sich das erlauben. Ob es klug ist, steht auf einem anderen Blatt. Seine Freunde sind wieder einmal erschüttert – und er setzt sich zur Wehr: «Eben kommt Ihr Brief, in dem Sie mich einen elenden Politiker schimpfen. Haben Sie mehr Vertrauen zu dem Zeitungsquatsch als zu mir?», fragt er Zangger. «Mein Verhalten gegenüber den Studenten und der Universität war nichts weiter als diplomatisch.» Wenige Wochen später führt Deutschen und Berlinern der rechtsgerichtete Kapp-Putsch einmal mehr die Labilität der politischen Lage vor Augen. Erst ein Generalstreik zwingt die Aufständischen zur Aufgabe. Einsteins Kommentar:

«Das Land gleicht einem, der sich den Magen übel verdorben hat, aber sich noch nicht genügend erbrochen hat.»

Die zumindest im Ansatz noch wissenschaftliche Kritik der Physiker Gehrcke und Lenard bringt den stramm reaktionären Gelegenheitsjournalisten und antisemitischen Demagogen Paul Weyland auf den Plan. Er gründet die «Arbeitsgemeinschaft deutscher Naturforscher zur Erhaltung reiner Wissenschaft e. V.». Hinter dem bombastischen Namen verbirgt sich mehr oder weniger nur ein Einmannbetrieb mit Weyland als einzigem Aktiven. Als erste Schrift aus dem Verlag der AG erscheint «Die Relativitätstheorie. Eine wissenschaftliche Massensuggestion, gemeinverständlich dargestellt» – von Ernst Gehrcke.

Weyland, der sich selbst als «Schriftwart der Einsteingegner» versteht, lanciert eine regelrechte Kampagne. Nach einer Serie aufrührerischer Zeitungsbeiträge plant er eine Reihe von Großveranstaltungen gegen die Relativitätstheorie. Die erste findet am 24. August 1920 in der Berliner Philharmonie statt. Einstein lässt es sich nicht nehmen, selber zu erscheinen, begleitet von seiner Stieftochter und Sekretärin Ilse sowie von den Kollegen Walther Nernst und Max von Laue.

Wäre allein Weyland aufgetreten, der ihm «Reklamesucht» und «wissenschaftlichen Dadaismus» vorwirft und ihn als «Plagiator» beschimpft, dann hätte die Veranstaltung bei Einstein wohl wenig mehr ausgelöst als sein Lachen und Händeklatschen vor Vergnügen. Die wahren Absichten des Demagogen entlarven die antisemitischen Hetzschriften und Hakenkreuze, die er am Eingang verkaufen lässt. Doch als nach Weyland auch Gehrcke zu Wort kommt, wird Einstein der Ernst der Lage bewusst: Seine wissenschaftlichen Gegner, so haltlos ihre Kritik auch sein mag, machen mit den Ultrarechten gemeinsame Sache. Als Physiker von untadeligem Ruf trägt Gehrcke sachlich vor. Er hält sich von aller politischen Polemik zurück.

Die Zeitungen berichten und kommentieren ausführlich – in der Regel pro Einstein. Am 27. August erscheint im «Morus» unter dem Titel «Die Einstein-Hetz» eine Parodie, die auf spöttische Weise die Motive seiner Gegner entlarvt. Auftreten der «Chor der farbentragenden Studenten» sowie drei «Hetzprofessoren». Schon die Ansage des ersten macht deutlich, worum es geht:

«Germanen, uns wagt man zu bieten,
Die Theorien der Semiten.
Da macht sich so ein Mauschel breit
Und lässt die Zeit im Raum verschwinden,
Verleugnung ist's der ‹großen Zeit›,
Ihm fehlt das Nationalempfinden.»

Am selben Tag druckt das «Berliner Tageblatt» mit der Überschrift «Meine Antwort» einen Text von Einstein, der als eine seiner größeren «Eseleien» gelten darf: Unter der Zeile «Über die anti-relativitätstheoretische G.m.b.H.» legt er sich überheblich mit seinen Gegnern an. Erst wirft er Gehrcke mit Weyland in einen Topf und stellt fest, «daß die beiden Sprecher einer Antwort aus meiner Feder unwürdig sind; denn ich habe guten Grund zu glauben, daß andere Motive als das Streben nach Wahrheit diesem Unternehmen zugrunde liegen. (Wäre ich Deutschnationaler mit oder ohne Hakenkreuz statt Jude von freiheitlicher, internationaler Gesinnung, so ...)». Die Schlussfolgerung überlässt er den Lesern.

Ernst Gehrcke mag ihm widersprochen haben wie kein anderer. Aber ein Parteigänger der Rechten war er trotz seines Auftritts in der Philharmonie nie. Anders Weyland, der später in die SA eintritt, und Lenard, der sich bald den Nazis anschließen wird. Auf eine Erwiderung Gehrkes im «Berliner Tageblatt» antwortet Einstein nicht – obwohl ihn der Widersacher durchaus plausibel auffordert, «den Beweis dafür anzutreten, daß ein Zusammenhang zwischen meinen jahrelangen sachlichen Widersprüchen gegen die Relativitätstheorie mit politischen und persönlichen Beweggründen besteht».

Mit der Rücksichtslosigkeit des Rebellen geht Einstein über die berechtigten Bedenken ebenso wie über die verständlichen Empfindlichkeiten hinweg. Mehr als 200 Jahre lang haben sich die Menschen darauf verlassen können, dass der Kosmos wie ein Uhrwerk nach Newtons Regeln läuft. Plötzlich behauptet dieser Einstein, das Bild beruhe auf einer Illusion. Von einem verständnisvollen Umgang Einsteins mit den Bedenkenträgern, die das Bewährte bewahren wollen, ist nichts bekannt. Das liegt wohl in der Natur des Revolutionärs.

Nach Gehrcke greift Einstein auch Lenard an, der an der Versammlung in der Philharmonie nicht teilgenommen hat: «Ich bewundere Lenard als Meister der Experimentalphysik; in der theoretischen Physik aber hat er noch nichts geleistet, und seine Einwände gegen die allgemeine Relativitätstheorie sind von solcher Oberflächlichkeit, daß ich es bis jetzt nicht für nötig erachtet habe, ausführlich auf dieselben zu antworten.»

So macht man sich Feinde fürs Leben. Ausgerechnet Lenard, der sich einmal Hoffnungen auf das Institut gemacht hat, dem Einstein nun vorsteht, und der sich durch dessen Ruf nach Berlin wie so viele Kollegen in den Schatten der Aufmerksamkeit gerückt sieht, ausgerechnet diesen prominentesten Gegner der Relativitätstheorie öffentlich so bloßzustellen zeugt nicht gerade von taktischem Fingerspitzengefühl. Einstein hat eine innere Stimme, die ihn politisch reden und schreiben lässt, aber keine zweite, die ihn zu Vorsicht und Vernunft ermahnt.

Seine Freunde sind außer sich und schelten ihn wie ein Kind, das wieder einmal in einem unbeaufsichtigten Moment etwas angestellt hat. Paul Ehrenfest kann «wenigstens von einigen Wendungen nicht glauben, dass Du sie eigenhändig niedergeschrieben hast». Die Frau von Max Born, Hedi, beklagt «die leider sehr ungeschickte Antwort in der Zeitung» und fügt hinzu: «Wer Sie nicht kennt, bekommt ein so falsches Bild von Ihnen.» Einstein antwortet noch am selben Tag: «Liebe Borns! Seid nicht streng mit mir. Jeder muß am Altar der Dummheit von Zeit zu Zeit sein Opfer darbringen, der Gottheit und der Menschen zur Lust. Und ich that es gründlich mit meinem Artikel. Das beweisen die in diesem Sinne ungemein anerkennenden Briefe aller meiner lieben Freunde.» Schimmert da nicht der Mann im Kinde durch, dessen Verständnis viel tiefer reicht, als es der Schein vermuten lässt?

Ehrenfest bittet er um Verständnis: «Dies musste ich, wenn ich in Berlin bleiben wollte, wo mich jedes Kind von den Photographien her kennt.» Doch als Arnold Sommerfeld, Präsident der Physikalischen Gesellschaft, ihn bekniet, seine Angriffe gegen Lenard «ebenso öffentlich, als sie getan worden sind, wieder zurückzuziehen», bleibt Einstein stur. Was ihm im Nachhinein Recht gibt, ohne dass er und seine Freunde es schon wissen könnten: Lenard macht tatsächlich mit den rechten

Antirelativisten gemeinsame Sache. Nachdem Weyland ihn Anfang August in Heidelberg besucht hat, schreibt er über den reaktionären Journalisten, er sei ein «Anhänger unserer Reformen, der im besondern Einsteins übers Ziel gehende Machenschaften und die ganze Art seines Vorgehens systematisch bekämpfen will – als undeutsch».

Unmittelbar nach der Einstein-Verunstaltung während der Weyland-Veranstaltung in der Philharmonie setzen die Physiker Nernst, von Laue und Rubens in der «Täglichen Rundschau» eine Solidaritätsadresse für ihren Kollegen auf. Sie bescheinigen ihm, dass «sein Einfluß auf das wissenschaftliche Leben nicht nur Berlins, sondern ganz Deutschlands kaum überschätzt werden kann». Ein paar Tage danach erscheint im «Berliner Tageblatt» eine weitere Erklärung von Prominenten, unterzeichnet unter anderem vom Theaterimpresario Max Reinhardt und dem Dichter Stefan Zweig. «Entrüstet über die alldeutsche Hetze gegen Ihre hervorragende Persönlichkeit» versichern sie ihm, «stolz» zu sein, «Sie zu den Führern der Weltwissenschaft zu zählen».

Hintergrund dieser Bekundungen könnte Einsteins offenbar spontane, in allen Zeitungen zitierte Ankündigung sein, Deutschland verlassen zu wollen. Selbst der deutsche Geschäftsträger in London hört aus der dortigen Presse von Einsteins Absicht. In einem Bericht an das Auswärtige Amt nennt er ihn einen «Kulturfaktor ersten Ranges» und mahnt: «Wir sollten einen solchen Mann, mit dem wir wirkliche Kulturpropaganda treiben können, nicht aus Deutschland vertreiben.» Fraglich, ob Einstein ernsthaft erwogen hat, fortzugehen – auch wenn er klagt: «Die politische Gesinnung der Akademiker nimmt bei uns die Form blinder Verbissenheit an.» Am 9. September 1920, zwei Wochen nach dem denkwürdigen Abend in der Philharmonie, gesteht er Hedi und Max Born: «Im ersten Augenblick der Attacke dachte ich wahrscheinlich an Flucht. Aber bald kam bessere Einsicht und das alte Phlegma zurück.»

Schon am 23. September hat Einstein erneut Gelegenheit, mit seinem Gegner die Klingen zu kreuzen. Auf der Tagung der Gesellschaft deutscher Naturforscher und Ärzte in Bad Nauheim kommt es zur direkten Auseinandersetzung mit Philipp Lenard. Die verläuft aber «mit einer geradezu vorbildlichen Sachlichkeit und Ruhe», wie die «Deutsche Allgemeine Zeitung» vermerkt. Das «Berliner Tageblatt» gibt die Diskussion tags darauf verkürzt wieder:

«*Lenard*: Ich bewege mich nicht in Formeln, sondern in den tatsächlichen Vorgängen im Raume. Das ist die Kluft zwischen Einstein und mir. Gegen seine Spezielle Relativitätstheorie habe ich gar nichts. Aber seine Gravitationslehre? Wenn ein fahrender Zug bremst, so tritt doch die Wirkung nur im Zuge auf, nicht draußen, wo alle Kirchtürme stehen bleiben!» – Damit hat er im Grunde Recht.

«*Einstein*: Die Erscheinungen im Zuge sind die Wirkungen eines Gravitationsfeldes, das induziert ist durch die Gesamtheit der näheren und ferneren Massen.» – Er verteidigt das Mach'sche Prinzip.

«*Lenard*: Ein solches Gravitationsfeld müsste doch auch anderweitig noch Vorgänge hervorrufen, wenn ich mir sein Vorhandensein anschaulich machen will.

Einstein: Was der Mensch als *anschaulich* betrachtet, ist großen Veränderungen unterworfen, ist *eine Funktion der Zeit*. Ein Zeitgenosse Galileis hätte dessen Mechanik auch für sehr unanschaulich erklärt. Diese ‹anschaulichen› Vorstellungen haben ihre Lücken, genau wie der viel zitierte ‹gesunde Menschenverstand›. (Heiterkeit.)»

Ein Schuss Überheblichkeit schwingt auch hier wieder mit. Und wer schon vorher gegen Einstein war, sieht sich eher bestätigt. Im Grunde hat Lenard gar nicht unklug argumentiert. Und Einstein lässt erneut eine Gelegenheit aus, den Kern seiner Gravitationstheorie – die Geometrie der Raumzeit – zu seinen Gunsten sprechen zu lassen. Der bremsende Zug verlässt seine geodätische Linie – der Kirchturm nicht.

Paul Weyland schlägt in der «Deutschen Zeitung» scharfe Töne an. Er geifert, dass «unter der Leitung Lenards die Vergewaltigung der Physik durch mathematische Dogmen abgelehnt wird, während auf der anderen Seite die Einsteinophilen auf ihrem Standpunkt beharren und hurtig den Parnaß ihres Formelkrames zu erklimmen versuchen». Und zur Deutschen Physikalischen Gesellschaft meint er unverblümt, dass «es wohl höchste Zeit wird, daß dieses Rattennest wissenschaftlicher Korruption einmal frische Luft bekommt».

Max Planck, der die Bad Nauheimer Sitzung geleitet hat, versucht gemeinsam mit einem Kollegen, das Verhältnis zwischen Einstein und

Lenard wieder zu kitten. Als Resultat meldet das «Berliner Tageblatt», Einstein wünsche «sein lebhaftes Bedauern auszusprechen, daß er die in seinem Artikel enthaltenen Vorwürfe [...] gegen den von ihm hochgeschätzten Herrn Lenard gerichtet hat». Doch Lenard lässt sich nicht mehr besänftigen. Nach der Tagung tritt er aus der Physikalischen Gesellschaft aus und lässt in seinem Heidelberger Institut Hinweisschilder aufhängen, deren Mitgliedern sei fortan der Zutritt verboten.

Zusammen mit Johannes Stark (für dessen «Jahrbuch» Einstein 1907 seinen visionären Beitrag zur Relativitätstheorie geschrieben hat) baut Lenard die «arische Physik»-Bewegung auf, die allerdings trotz der beiden Nobelpreisträger selbst im Dritten Reich kaum Zulauf findet. Ebenso wie Gehrcke, der sich nicht mehr vor den reaktionären Karren spannen lassen will, wendet sich nun auch Lenard von Weyland ab. Der Demagoge hat inzwischen ohnehin das Interesse an Einstein und seiner Theorie verloren und die Serie seiner Großveranstaltungen nach nur zwei Abenden abgebrochen.

Einsteins «wissenschaftliche» Widersacher hören jedoch nicht auf, weiter gegen ihn zu stänkern. Als im April 1922 im Rahmen der Frankfurter Messe ein – heute nicht mehr auffindbarer – 90-minütiger Film über die Relativitätstheorie uraufgeführt wird, der bis dahin längste Lehrfilm mit ausführlichen Tricksequenzen, zeigt die kontroverse Debatte einmal mehr das Spannungsfeld zwischen Einstein-Fans und -Feinden. Reagieren die einen begeistert auf das halbwegs verständliche Werk, warnen die anderen vor den «Gefahren der Popularisierung» und dem Versuch, «das Weltwunder in die Gehirne einzupauken». Gemeinsam schaffen die aus Sicht des Publikums «seriösen» Einstein-Gegner den Nährboden für die weit gefährlichere Sorte seiner Widersacher: ultrarechte antisemitische Deutschnationale, die ihm nach dem Leben trachten.

Nach der Ermordung des mit Einstein befreundeten deutschen Außenministers Walther Rathenau am 24. Juni 1922 werden Gerüchte laut, Einstein stehe nun ganz oben auf der Liste prominenter Juden, denen das Gleiche drohe. Dass diese Furcht begründet ist, weiß der Bedrohte schon länger. Immer wieder tauchen unverhohlene Morddrohungen auf. Schon am 9. Januar 1921 war in der reaktionären «Staatsbürger-Zeitung» zu lesen, im Falle Einsteins und seiner Gesinnungsgenossen «liegt glatter Volksverrat vor. Wir würden jeden Deutschen, der diese Schufte niederschießt, für einen Wohltäter des deutschen Volkes halten.»

Einstein zieht sich zeitweise aus Berlin und aus dem öffentlichen Leben zurück. Er sagt auch seine Teilnahme an der nächsten Naturforschertagung in Leipzig ab. «Denn ich soll zu der Gruppe gehören, gegen die von völkischer Seite Attentate geplant sind», entschuldigt er sich bei Planck. «Nun hilft nichts als Geduld und Verreisen.» Frustriert schreibt Planck zurück: «So weit sind wir also nun glücklich gekommen, daß eine Mörderbande [...] einer rein wissenschaftlichen Gesellschaft ihr Programm diktiert.»

In Leipzig fahren Lenard und Genossen eine härtere Gangart als noch in Bad Nauheim. Seine Studenten verteilen Flugblätter gegen die geplante Plenarsitzung über die Relativitätstheorie. Deren Vertreter würden der Öffentlichkeit schlicht verheimlichen, dass «viele und sehr angesehene Gelehrte [...] die Relativitätstheorie nicht nur als eine unbewiesene Hypothese ansehen, sondern sie sogar als eine im Grunde verfehlte und logisch unhaltbare Fiktion ablehnen». Der Anstrich wissenschaftlicher Seriosität, den Leute wie Lenard und Stark der Anti-Einstein-Liga geben, wirkt wie Öl in das Feuer der politisch motivierten Gegner. Auch nach Weylands Abgang sehen sie sich von wissenschaftlicher Seite bestens munitioniert für ihren Feldzug zur «Säuberung» deutscher Kultur und Wissenschaft.

Einstein bietet seinen Feinden noch weiteren Anlass zur Diffamierung. Seine Reisen ins Ausland tragen ihm bei den Reaktionären und Revanchisten den Ruf eines «Landesverräters» ein. Zwischen Rache und Versöhnung gerät er in ein Dilemma, das zu den tragischsten Momenten seines Daseins führt: Als «Kulturfaktor ersten Ranges» dient er seinem geliehenen Vaterland, aus dem ihm zum Undank Hetze und Gehässigkeit entgegenschlagen.

Die Auslandsreisen kommen Einstein gerade recht. Er entzieht sich der deutschen Öffentlichkeit durch Abwesenheit und entgeht der latenten Bedrohung seines Lebens. Zwischen Mitte 1920 und Mitte 1925 hält er sich etwa die Hälfte seiner Zeit außerhalb Deutschlands auf. Der Berliner Historiker Siegfried Grundmann nennt Einsteins Ausflüge ex-

plizit «eine Form der Emigration». Einstein selbst begrüßt die «Gelegenheit einer längeren Abwesenheit» und spricht vom «Bedürfnis, [...]
aus der gespannten Atmosphäre unserer Heimat für einige Zeit heraus-
zukommen, die mich so oft vor schwierige Situationen stellt».

Auf der anderen Seite dienen die Reisen zwei zentralen Zielen Einsteins: der Verbreitung seiner Theorie und der Wiederherstellung der
internationalen Wissenschaftlergemeinschaft. Gerade die «Reklame»
für seine Relativitätstheorie, die ihm Gegner wie Weyland als typisch
jüdische Marktschreierei verübeln, bedeutet Einstein eine Herzensangelegenheit. Denn nicht nur in der Heimat, auch in anderen Ländern
stößt sein Werk auf Widerspruch. In der Manier eines Religionsstifters,
der auszieht, seine Lehre zu predigen und Anhänger zu sammeln, hält
Einstein weltweit Vorlesungen in überfüllten Sälen und ausverkauften
Häusern. Wie erfolgreich er sich dabei schlägt, belegen zahllose Berichte aus deutschen Botschaften rund um die Welt in der vom Auswärtigen Amt eigens angelegten Akte «Vorträge des Professors Einstein im
Auslande».

Im Interesse der Regierung, der neuen Republik, der jungen Demokratie dient Einstein, wie sich Wilhelm Solf, der deutsche Botschafter
in Japan, ausdrückt, «der guten deutschen Sache, die jenseits jedes
Chauvinismus steht». Zwar steht auch hier Einsteins wahre Heimat,
die Weltliga der Wissenschaft, im Vordergrund. Er setzt seinen guten
Namen, seinen Ruhm, seine durch keinerlei diplomatisches Geschick
eingeengte Offenherzigkeit für das Ende des Boykotts deutscher Forscher ein. Doch als Emissär der deutschen Außenpolitik taut der tem-
poräre Emigrant auch den Eispanzer auf, der sich seit dem Ersten Weltkrieg um das großmannssüchtige Deutschland gelegt hat.

Bei seinen Reisen in die neutralen Länder Holland und Norwegen,
aber auch nach Prag und Wien hat er ein vergleichsweise leichtes Spiel.
Selbst in den USA, die sich um ein gutes Verhältnis zu Deutschland
bemühen und sogar einen separaten Frieden mit dem geschlagenen
Gegner schließen, trifft er auf wenig Ablehnung. Aber schon auf seiner
Rückreise von dort, beim Besuch in England im Frühjahr 1921, und erst
recht ein Jahr später in Frankreich trifft Einstein zunächst auf zurückhaltende Kühle, sogar offene Opposition.

Am Londoner Kings College wird er ohne Applaus begrüßt. Dann hält er seinen Vortrag auch noch in der verhassten deutschen Sprache. Mit seinem Mut, seiner Aufrichtigkeit, seinem unbedingten Willen, die Gräben zu überwinden, und dem Zauber seiner Theorie gelingt es ihm jedoch, sein Publikum zu begeistern. Und nicht nur das. Die geistige Elite Londons spendet ihm aufrichtige Ovationen. Selbst Ernst Gehrcke sieht sich 1924 gezwungen, für einen rückblickenden Text über Einstein die deutschfeindliche «Daily Mail» zu zitieren: «Er ist ein Jude. [...] Er ist ein Revolutionär. Und doch hat man ihn nicht nur freundlich, sondern geradezu begeistert empfangen. [...] Es ist gleichgültig, ob man seine Sprache versteht oder nicht. Man weiß, man ist im Banne einer bezwingenden Persönlichkeit, einer gewaltigen Geistesmacht.»

Während dieser Reise beehrt Einstein in der Westminster Abbey mit Blumen die letzte Ruhestätte seines großen Vorgängers und Vorbildes Isaac Newton. Das kommt an bei den Briten, die sich auch in tiefster Feindschaft ihre sportliche Haltung nicht nehmen lassen. Der Pulverdampf des Krieges war kaum verzogen, da haben sie dem Forscher im Lande des Feindes aufrichtig Anerkennung gezollt. Einer der ihren, der Astronom Sir Arthur Eddington, hat als Schiedsrichter im Wettstreit der beiden Giganten nach seiner Sonnenfinsternisexpedition Einsteins Vorhersage der Lichtablenkung bestätigt und ihn zum Sieger erklärt. (Dass Eddingtons Messungen weniger eindeutige Resultate geliefert haben als behauptet, dass er sogar unpassende Messwerte als unwillkommene Ausreißer ausgeklammert hat, wird erst viel später bekannt.)

Einstein kämpft für die Wiederherstellung der Beziehungen zwischen den Gelehrten. Gleichzeitig erreicht er ein Tauwetter zwischen den verfeindeten Nationen. Ihm hilft sein Bonus als Schweizer, der sich überdies gegen den Krieg ausgesprochen und das «Manifest der 93» nicht unterschrieben hat. Seine Arglosigkeit im politischen Umgang steht im krassen Gegensatz zum Argwohn seiner politischen Gegner – daheim und unterwegs. War es für Deutschland schon peinlich genug, dass Engländer die Bestätigung der Relativitätstheorie besorgten, so ist es in ihren Augen jetzt umso peinlicher, sich dem Feinde anzubiedern.

Kritisch wie keine andere wird seine vierzehntägige Frankreich-Reise Ende März 1922 beobachtet. Die französischen Nationalisten lehnen sein Kommen entschieden ab, die rechte Presse hetzt gegen den Mann aus dem Land des Feindes. Aus Furcht vor möglicherweise gewaltsamen Protesten französischer Studenten verlässt er den Bahnhof in Paris über einen Nebenbahnsteig. Im Nachhinein erweist sich die Sorge als unbegründet. Die Studierenden wollten dem berühmten Physiker nur einen freundlichen Empfang bereiten. Der Mann mit dem kleinen gelben Koffer, dem «ewig grauen Mantel und mit seinem legendären Artistenhut mit übergroßem Rand» erobert die Herzen.

Wie bei allen Reisen nutzt Einstein die Gelegenheit, neben dem Ringen um eine Normalisierung der wissenschaftlichen Kontakte auch seine Theorie – hier sogar in der Landessprache – vorzustellen. In überfüllten Sälen kommt es nach seinen Vorlesungen zu Debatten über seine Ideen. Zu seiner vollen Zufriedenheit kann die «Vossische Zeitung» in Berlin ihren Lesern vermelden, dass «die ganze Diskussion eine Wendung genommen hat, die der Theorie Einsteins durchaus günstig ist».

Geradezu hymnisch berichtet das «Berliner Tageblatt» über den Besuch: «Dieser Deutsche hat Paris erobert. Alle Zeitungen haben sein Bild gebracht, eine ganze Einstein-Literatur ist entstanden. […] Einstein ist die große Mode geworden. Akademiker, Politiker, Künstler, Spießer, Schutzleute, Droschkenkutscher, Kellner und Taschendiebe wissen, wann Einstein seine Vorlesungen hält. […] Die Kokotten im Café de Paris erkundigen sich bei ihren Kavalieren, ob Einstein eine Brille trägt oder ein schicker Typ ist. Ganz Paris weiß alles und erzählt noch mehr, als es weiß, von Albert Einstein.»

Zum Ende seiner Reise hin erfüllen seine Gastgeber ihm einen besonderen Wunsch: Er möchte die Schlachtfelder des Ersten Weltkrieges besichtigen. Der mit ihm befreundete Physiker Paul Langevin und sein alter Freund Maurice Solovine begleiten ihn. Die Stippvisite vertieft Einsteins wichtigste politische Überzeugung: die Ablehnung jeden Krieges. Für den Pazifismus wird er Aktivist, sucht die Rednerpulte, die Öffentlichkeit.

Ein französischer Journalist schildert die aufwühlenden Stunden: «Hier, wo der Weizen keimt, ist noch die Spur der zugeschütteten Schützengräben. Hier der erste Friedhof, nicht nach ihrem Rang ausgerichtet, sondern in Reihen nebeneinander, die Franzosen mit ihren weißen Kreuzen, die Deutschen mit ihren schwarzen Kreuzen. Einstein nimmt den Hut ab. Er ist erregt. Mit leiser Stimme spricht er mit trauriger Sanftmut über den Krieg, den Militarismus, den er verabscheut, den er immer gehaßt hat. [...] ‹Es ist nötig›, sagt Einstein, ‹alle Studenten aus Deutschland hierzuholen, alle Studenten der Welt, damit sie sehen, wie grausam der Krieg ist.›»

Die Reaktion der Reaktion in Deutschland lässt nicht lange auf sich warten. Nun muss sich Einstein als «Überläufer» beschimpfen lassen. Nobelpreisträger Stark, neben Lenard jetzt sein ärgster Widersacher, kritisiert zeitungsöffentlich seine «Anbiederung an die Franzosen» – anstatt anzuerkennen, dass Einstein das hohe moralische Ansehen der Wissenschaft bewahrt. Undank heißt der Welten Lohn. Die Politik in Deutschland kann sich mit ihrem heimlichen Außenminister einmal mehr zufrieden zeigen. «Es unterliegt keinem Zweifel», kabelt die deutsche Botschaft aus Paris nach Berlin, «daß Herr Einstein, der eben schließlich doch als Deutscher angesehen werden mußte, deutschem Geist und deutscher Wissenschaft hier Gehör verschafft und neuen Ruhm erworben hat.»

Einstein als Vertreter Deutschlands, des «guten» Deutschland obendrein – aus heutiger Sicht eine überraschende Beurteilung. Einzig sein tief sitzender Freiheitsdrang, der im demokratischen Frühling der Weimarer Republik einen Hauch leiser Hoffnung verspürt, verleiht seiner Rolle eine gewisse Plausibilität. Ja, sogar die Überwindung des Spießertums, eine Herzensangelegenheit, scheint im liberalen Berlin möglich. Gäbe es nur nicht die dumpfen Deutschtümler, die Antisemiten, die Revanchisten, die reaktionären Racheteufel – Einstein hätte im Land seiner Geburt so etwas wie eine Heimat finden können.

Doch Germania bleibt seine Femme fatale. Kommt er ihr zu nahe, verbrennt er sich die Haut. Er kann sich ihr aber auch nicht entziehen. Seine Bête blonde hat ihn geformt, sie spricht seine Sprache, preist seinen Fleiß, prägt sein Denken, erzählt seine Witze, versteht seine Worte, kocht seine Leibspeisen, fühlt seine Philosophie. Sie hasst ihn und sie liebt ihn, und er hassliebt sie zurück als den inneren Dämon, den er sich nie und nimmer austreiben kann. Mit seiner Selbstdisziplin und seiner gelegentlich aufflammenden Unbeherrschtheit gegenüber vermeintlich Schwächeren ist er manchmal sogar deutscher, als es ihm lieb sein kann. Andererseits fehlen ihm deutsche Charakterzüge wie Selbsthass, durch Größenwahn kompensiertes Minderwertigkeitsgefühl und Schadenfreude.

Schon nach einem Berlin-Besuch vor seiner endgültigen Ankunft hat er ein ziemlich ungünstiges Urteil über die Deutschen gefällt: «Wie roh und primitiv sie sind. Eitelkeit ohne echtes Selbstgefühl. Civilisation (Schön geputzte Zähne, elegante Kravatte, geschniegelter Schnauz, tadelloser Anzug) aber keine persönliche Kultur (Rohheit in Rede, Bewegungen, Stimme, Empfindung).»

Und dann ist er auch noch in der Hochzeit des Militarismus in das Land zurückgekehrt, das er wegen des Militärischen verlassen hat, genauer gesagt: um dem Dienst an der Waffe zu entgehen. Einstein sind Drill und Dumpfheit zuwider, Befehl und Gehorsam in blinder Autorität, Massen gleichgerichteter Männer in Stiefeln und Uniform. Alles Soldatische richtet sich gegen sein Naturell, das ein Streben nach Macht nicht kennt und die Zerrbilder von Zwang und Gewalt durch Dienstgrad und Schulterklappe ebenso verteufelt, wie er das Ideal der Freiheit vergöttert.

Das Unheil des Krieges hat kaum mehr als vier Monate auf sich warten lassen, und Einstein wünscht seinem Geburtsland, dessen Staatsbürgerschaft er einst zurückgegeben hat, zum Segen der Welt eine Niederlage. Als sie eintritt, scheint die Utopie eines freiheitlich friedlichen Deutschland in tastbare Nähe gerückt. Sie bildet die Basis seiner überaus erfolgreichen Bestrebungen, die Herzen der Menschen selbst im feindlichsten Ausland für sich und sein Werk, aber auch für sein leidendes Vaterland zu gewinnen.

Ende 1922 halten sich Elsa und Albert Einstein auf Einladung eines Verlages mehr als sechs Wochen lang in Japan auf. «Seine Reise durch Japan glich einem Triumphzug», meldet Botschafter Solf nach Berlin. Nach dem Bericht «beteiligte sich das gesamte japanische Volk, vom höchsten Würdenträger bis zum Ricksha-Kuli, spontan, ohne Vorbereitung und ohne Mache!» Geduldig und warmherzig verfolgen sie seine bis zu fünfstündigen Vorträge. Im Gegenzug idealisiert Einstein Japan, was ihm 1945, nach Abwurf der Atombomben auf Hiroshima und Nagasaki, noch schwer zu schaffen machen wird.

Als Höhepunkt ihrer Reise erleben die Einsteins das Chrysanthemum-Fest mit der kaiserlichen Familie. «Jeder wollte dem berühmtesten Manne der Gegenwart wenigstens die Hand gedrückt haben», berichtet der Botschafter. «Die Presse war voll Einstein-Geschichten, von wahren und falschen. [...] Auch Karikaturen von Einstein gab es, bei denen seine kurze Pfeife und sein üppiges, kammtrotziges Haar eine Hauptrolle spielten und seine, nicht immer mit Treffsicherheit der Gelegenheit angepasste Kleidung leicht angedeutet wurde.» Kammtrotziges Haar, nicht immer angepasste Kleidung – so malen Diplomatenworte Bilder. Doch Charme und naiver Schein kompensieren den Mangel an Etikette.

Einstein reist mit Schweizer Pass, was die Sache erheblich erleichtert. Dass er neben seinem Engagement für die «deutsche Sache» auch irgendwie für die helvetische Wahlheimat geworben hätte, ist nicht überliefert. Aber ist er nicht auch Deutscher? Ist er durch den Eintritt in die Preußische Akademie nicht automatisch auch preußischer Staatsbürger geworden? Die schwebende Frage erhält ausgerechnet während einer der Exkursionen erhebliche Brisanz, die Einstein als Schweizer Bürger unternimmt. Als ihm 1922 der Nobelpreis zuerkannt wird, befindet er sich gerade auf seiner Reise durch Fernost. Da er folglich an der Preisverleihung in Stockholm nicht teilnehmen kann, stellt sich die Frage, ob der deutsche oder der Schweizer Botschafter an seiner Stelle an dem Festakt teilnehmen soll.

«Einstein ist Reichsdeutscher», telegrafiert die Berliner Akademie nach Schweden. Ebenso kategorisch tritt Botschafter Nadolny gegenüber seinem Schweizer Kollegen auf, der ihm daraufhin höflich den Vortritt lässt. Später muss der deutsche Gesandte seine Fehleinschätzung einsehen, bittet aber in einem Schreiben nach Berlin darum, «über die schweizerische Staatsbürgerschaft Einsteins möglichst kein Wort zu verlieren».

Zur angeblichen «Einbürgerung» über Einsteins Kopf hinweg ist viel geschrieben worden. Er selbst teilt im Juli 1938 seiner geschiedenen Frau Mileva auf Anfrage mit: «Erst 1919 drang die Akademie in mich, neben dem schweizer Bürgerrecht auch das deutsche zu akzeptieren. Ich war so dumm und gab damals nach.» Nach Aktenlage hat er «den Beameneid abgelegt, und zwar am 1. Juli 1920 auf die Reichsverfassung und am 15. März 1921 auf die preußische Verfassung». Also «folgert die Akademie, daß Herr Einstein dadurch ohne weiteres die deutsche Reichsangehörigkeit erworben hat».

Offiziell erklärt der Eingebürgerte erst im Februar 1924, dass er neben der Schweizer auch die preußische Staatsbürgerschaft besitzt – wenn auch defensiv: «Gegen diese Auffassung habe ich nichts einzuwenden.» Anfang 1925 beantragt er für seine vorerst letzte große Auslandsreise nach Südamerika sogar einen deutschen Pass. Das Dokument wird ihm mit ausdrücklicher Unterstützung von Außenminister Gustav Stresemann bewilligt. Ebenso wie Rathenau schätzt Stresemann ihn nicht nur als Ratgeber, sondern auch als eine Art Sonderbotschafter an Orten, wo selbst den besten Berufsdiplomaten die Türen verschlossen blieben.

Nach seiner Rückkehr aus Fernost muss Einstein erneut erfahren, dass der Prophet im eigenen Lande nicht viel gilt. Wieder schlägt ihm aus dem braunen Sumpf übler Hass entgegen. Erneut sieht er sein Leben bedroht und flüchtet, zwei Tage vor Hitlers «Marsch auf die Feldherrenhalle» in München am 9. November 1923, nach Holland. Da er nun entschlossen scheint, Deutschland den Rücken zu kehren, fleht Max Planck ihn an, «jetzt keinen Schritt zu unternehmen, der Ihre Rückkehr nach Berlin endgültig und für alle Zeit unmöglich machen würde». Planck weiß genau: «Das Ausland beneidet uns ja schon lange um diesen unseren kostbaren Schatz. Aber denken Sie doch auch an diejenigen, die Sie hier lieben und verehren, und lassen Sie diese nicht allzu sehr büßen für die bodenlose Gemeinheit einer bissigen Meute, deren wir unter allen Umständen Herr werden müssen.»

Vermutlich hätte Planck gar nicht so betteln müssen. Einstein kehrt noch vor Weihnachten nach Berlin zurück. Die Lage dort hat sich merklich entspannt. Im Frühjahr teilt Einstein Freund Besso erleichtert mit: «Die politischen Zustände sind ruhiger geworden, und um mich bekümmern sich die Vielzuvielen gottlob nicht mehr viel, sodass mein Leben ruhiger und ungestörter geworden ist.» Hitler sitzt in (der reichlich komfortablen) Festungshaft und schreibt in wutschäumender Ruhe seinen späteren Bestseller «Mein Kampf».

Mit der Einführung der Rentenmark und infolge massiver Investitionen ausländischen, vor allem amerikanischen Kapitals kommt die deutsche Wirtschaft ab 1924 wieder in Schwung. Vor allem in Wissenschaft und Technik beweist das geschlagene Land, welche Reserven auch nach der Katastrophe des Ersten Weltkrieges und den Revolutionswirren noch in ihm stecken. Einen weltweit beachteten eindrucksvollen Beleg liefert 1924 die erste Atlantiküberquerung mit einem Luftschiff. Die Arbeitslosigkeit geht zurück, der Konsum nimmt zu, die Kulturindustrie floriert, die innenpolitische Lage beruhigt sich. Innerhalb weniger Jahre steigt Deutschland zur zweitgrößten Industrienation der Welt hinter den USA auf und spielt wieder eine Rolle im Konzert der Großmächte. Besonders Berlin knüpft an die große Zeit vor dem Krieg an. Mit der Gründung von Groß-Berlin 1920, dem zweiten Bauboom nach der Gründerzeit und dem weiteren Ausbau des U- und S-Bahnnetzes wächst die Reichshauptstadt einmal mehr über ihre Grenzen hinaus.

Von März bis Juni 1925 bereist Einstein auf eine ältere Einladung hin Argentinien, Uruguay und Brasilien. Wieder gut besuchte Vorlesungen, Empfänge, Begegnungen mit Staatsoberhäuptern, eine Ehrenprofessur in Montevideo, ein «Einstein-Preis» in Rio de Janeiro – «wobei», wie der dortige deutsche Gesandte vermerkt, «seine reichlich hervortretende Gleichgültigkeit in Toilettenfragen ihm offenbar nicht verdacht worden ist». Einzig in Argentinien «hielt sich die deutsche Kolonie von allen Veranstaltungen fern», weil sich Einstein angeblich in einem Interview allzu pazifistisch geäußert hat. Nach einem Empfang im Haus des deutschen Gesandten notiert er in seinem Tagebuch: «Drollige Gesellschaft, diese Deutschen. Ich bin ihnen eine stinkende Blume, und sie stecken mich doch immer wieder ins Knopfloch.»

Nach dieser vorerst letzten großen Reise kann Einstein für ein paar Jahre endlich sein Leben halbwegs so verbringen, wie er es sich erträumt hat. Die Feindseligkeiten verstummen weitgehend – «wenigstens äußerlich», wie Max Born später vermerkt. Wäre Deutschland «die Hitlerei» erspart geblieben, wie Einstein es nennt, dann hätte er, auch als «Deutscher», vermutlich bis zu seinem Ende so weiterleben können.

Der Starkult hat nun die gesamte Prominenz der Schauspieler, Schriftsteller und Musiker, Sportler, Abenteurer und Technikpioniere erfasst. Sechstagerennen und Autowettfahrten, Sportpalast, Avus, Zeppelin und Flugzeug, Josephine Baker, Asta Nielsen und Marlene Dietrich machen Einstein längst den Platz in den Schlagzeilen streitig. Die neue Freiheit hat die Republik und ihre Hauptstadt in ein Experimentierfeld der Künste und Vergnügungen verwandelt.

Der Jazz kommt nach Berlin, Kabarett und politische Satire haben Konjunktur. Architektur und Design sind mit radikalen Entwürfen in die schnörkellose Schlichtheit der Moderne aufgebrochen. Malerei und Musik überwerfen sich mit alten und schaffen neue Traditionen. Die Avantgarde lebt ein nicht gekanntes Maß an Freiheit mit sexueller Libertinage und weiblicher Emanzipation vor. In Berichten über diese Zeit, etwa von Marlene Dietrich, Dinah Nelken oder Rosa Valetti, taucht Einstein als Nachtschwärmer und häufiger Gast in zwielichtigen Etablissements auf, der unter anderen gemeinsam mit dem Schriftsteller Erich Maria Remarque die proklamierte «freie Liebe» und die «neue Frau» feiert.

Um 1925 hat sich neben dem innenpolitischen Frühling auch die außenpolitische Lage deutlich entspannt. Der Boykott deutscher Wissenschaft ist überwiegend einer guten Zusammenarbeit gewichen. Als politischer Emissär Deutschlands hat Einstein nun seine Schuldigkeit getan. Kollegen wie der patriotisch gesinnte Kriegsheld Haber, die zuvor niemand im «feindlichen» Ausland empfangen hätte, können dank Einsteins Pionierleistung die internationalen Beziehungen weiter ausbauen. Er aber rückt zu seiner großen Erleichterung aus dem Mittelpunkt des Interesses.

Zu den bemerkenswerten Seitenaspekten in diesem Zusammenhang gehört seine Mitarbeit als «deutscher» Vertreter ab 1922 in der Kommission für Geistige Zusammenarbeit des Völkerbundes (in den Deutschland erst 1926 aufgenommen wird). Skeptisch beäugt vom Auswärtigen Amt, das bis zu Einsteins Austritt 1932 neun Aktenordner über seine Nebentätigkeit füllt, sagt er im Mai seine Mitarbeit zu, Anfang Juli wieder ab, lässt sich kurz darauf erneut überreden und tritt unmittelbar nach Rückkehr von seiner Fernost-Reise im März 1923 wieder zurück – mit einem Affront: «In der letzten Zeit bin ich zu der Überzeugung gelangt, dass der Völkerbund weder die Kraft noch den guten Willen zur Erfüllung seiner großen Aufgabe hat.»

Ein Jahr später tritt er vom Rücktritt wieder zurück. Nun lernt Einstein «das lahmste Unternehmen, an dem ich zeitlebens beteiligt war», kennen, das zähe politische Geschäft jenseits von Reden und Zeitungsbeiträgen, die Mitarbeit im «Subkomitee für Bibliografie», die Frage «anstößiger Stellen in den Geschichtsbüchern» der unterschiedlichen Länder, die «Bemühungen um die internationale Koordination der Forschungen zur Bildtelegraphie», das Hickhack um Personen, das plötzlich den faschistischen Unterrichtminister Italiens in das Komitee bringt. Nachdem er schon vorher einen Vertreter benannt hat, erklärt er 1928 seinen Rückzug, nimmt noch einmal 1930 an einer Sitzung teil und tritt schließlich 1932, als das Komitee immer rechtslastiger wird, endgültig aus.

So schwer Einstein sich mit der offiziellen Politik der Organe und Organisationen tut, so engagiert setzt er sich als Humanist gegen Ungerechtigkeiten und für Schwächere ein. Schon während des Krieges hat er sich erfolgreich für seinen zum Tode verurteilten Freund Friedrich Adler verwandt, der im November den österreichischen Ministerpräsidenten Karl Graf Stürgkh erschossen hat. Nach dem Krieg wird Sozialist Adler begnadigt. Um dem Anarchisten Erich Mühsam zu helfen, erwirkt Einstein 1924 sogar eine persönliche Audienz bei Reichskanzler Marx – und erreicht die Entlassung Mühsams aus der Festungshaft.

Ein widerspruchslos geschätzter Freund ist Einstein der Republik nie gewesen. Seit 1923 werden seine politischen Aktivitäten beim «Reichskommissar für die Überwachung der öffentlichen Ordnung» aktenkundig. Ab 1926 wird er in der Kartei «Verdächtige Personen, die sich politisch bemerkbar machen» geführt. Zu den Institutionen auf dem Index, mit denen Einstein in Verbindung gebracht wird, gehören die Liga für Menschenrechte («einer der Hauptträger der pazifistischen Propaganda»), die «Gesellschaft der Freunde des neuen Russland» und die KPD-nahe «Internationalen Arbeiterhilfe». Für eine gute Sache gibt er auch schon mal seinen Namen her, ohne über mögliche Verwicklungen nachzudenken. Auch wenn sein Denken immer mehr im linken politischen Spektrum angesiedelt ist, während das politische Klima in Deutschland nach rechts rutscht, ein radikaler Marxist oder Leninist ist er nie geworden. «Ich zweifle an der gesamten Produktivität einer Planwirtschaft», schreibt er Besso.

Gleichwohl liefert er Gegnern wie Beobachtern reichlich Futter, wenn er im Rahmen der «Roten Hilfe» 1929 den Kindern eines Erziehungsheimes schreibt: «Lasset Euch führen durch die Besten. Lest die Briefe von Rosa Luxemburg.» Wenn er bei der Marxistischen Arbeiterschule, der MASCH, einen Vortrag hält zum Thema: «Was der Arbeiter von der Relativitätstheorie wissen muß.» Oder wenn er über den russischen Revolutionsführer sagt: «Ich verehre in Lenin einen Mann, der seine ganze Kraft unter Aufopferung seiner Person für die Realisierung sozialer Gerechtigkeit eingesetzt hat. Seine Methode halte ich nicht für zweckmäßig. Aber eines ist sicher: Männer wie er sind die Hüter und Erneuerer des Gewissens der Menschheit.»

Von rührend naivem Fortschrittsglauben zeugt die Ansprache, die Einstein zur Eröffnung der 7. Deutschen Funkausstellung am 22. August 1930 in Berlin mit den legendären Worten beginnt: «Verehrte An- und Abwesende! Wenn Ihr den Rundfunk höret, so denkt auch daran, wie die Menschen in den Besitz dieses wunderbaren Werkzeuges der Mitteilung gekommen sind.» Nicht nur weist er darauf hin, «daß die Techniker es sind, die erst wahre Demokratie möglich machen» – als sei es nicht anders herum ebenso möglich. «Bis auf unsere Tage lernten die Völker einander fast ausschließlich durch den verzerrenden Spiegel der eigenen Tagespresse kennen», fährt er fort. «Der Rundfunk zeigt sie einander in lebendigster Form und in der Hauptsache von der liebenswürdigsten Seite. Er wird so dazu beitragen, das Gefühl gegenseitiger Fremdheit auszutilgen, das so leicht in Mißtrauen und Feindseligkeit umschlägt.» Drei Jahre später werden die Nazis von derselben Stelle aus die Gleichschaltung des Rundfunks betreiben.

Selbst wenn Einsteins politisches Wirken oft als naiv und dilettantisch hingestellt wird, in einem Punkt bleibt er sich selber bis zum Ende der Weimarer Republik treu: Als «militanter Pazifist» stellt er sich in die Tradition von Kurt Tucholskys bis heute umstrittenem Satz: «Soldaten sind Mörder.» Gemeinsam mit keinen Geringeren als Sigmund Freud,

Thomas Mann, Romain Rolland und Stefan Zweig unterzeichnet er einen Aufruf, in dem es unverhohlen heißt: «Militärische Ausbildung ist Schulung von Körper und Geist in der Kunst des Tötens.»

Im Juli 1930, ziemlich genau zwischen Ypern und Hiroshima, unterschreibt Einstein ein Manifest, das die Rolle der Wissenschaft bei der Aufrüstung unzweideutig hervorhebt: «Wissen Sie, was ein neuer Krieg mit den Zerstörungsmitteln, die die Wissenschaft täglich vervollkommnet, bedeuten würde?» Er fragt sich: «Welchen Nutzen hat eine Formel, wenn sie die Menschen nicht daran hindert, sich gegenseitig umzubringen?» Legendär wird sein Eintreten für die Kriegsdienstverweigerung. Er ist nun wieder häufiger unterwegs, insbesondere länger in den USA – eine Art Vorwegnahme der kommenden Emigration.

Ende 1930 hält Einstein in New York eine Rede, deren Kernsatz zur Leitidee des radikalen Pazifismus weltweit wird: «Selbst wenn nur zwei Prozent der Einberufenen ihre Dienstverweigerung ankündigten und damit die Forderung verbänden, alle internationalen Konflikte auf friedliche Weise zu lösen, wären die Regierungen machtlos.» Der Aufruf zum zivilen Ungehorsam beruht auf der gewagten Kalkulation, Staaten könnten schon zwei Prozent Verweigerer nicht verkraften – eine Auffassung, der sein Mitkämpfer Rolland im September 1933 bescheinigt, sie sei «von verbrecherischer Naivität».

Mit seinen oft unkontrolliert oder unbedacht vorgetragenen Ideen und seiner Widersprüchlichkeit hat Einstein Freunde und Gleichgesinnte ein ums andere Mal brüskiert. Als weltbekannter Pazifist bekennt er sich in der Sprache der Lebensverächter zur Todesstrafe. «Im Prinzip» habe er nichts dagegen, «wertlose oder gar schädliche Individuen zu töten; ich bin nur deshalb dagegen, weil ich den Menschen, d. h. den Gerichten mißtraue. Ich schätze nämlich am Leben mehr die Qualität als die Quantität.» Das Recht auf solche Widersprüche gehört für ihn unverrückbar zur Freiheit. «Solange ich eine Stimme habe, kann ich nicht nur, sondern muss ich mich äußern.» Trotz aller Naivität zeigt er andererseits immer wieder ein bemerkenswertes politisches Gespür. Mit seinen Warnungen vor Faschismus und Krieg ist er den meisten seiner Zeitgenossen weit voraus.

Ab 1930 hat Einstein weniger Gegner wegen seiner Physik als wegen

seiner politischen Ansichten – selbst in ihm wohl gesonnenen Kreisen.
Er äußert sich zu allen denkbaren Themen. «Abtreibung bis zu einem
gewissen Stadium der Schwangerschaft soll auf Wunsch der Frau erlaubt sein. Homosexualität sollte bis auf den notwendigen Schutz
Jugendlicher straffrei sein. Bezüglich der Sexualerziehung: Keine Ge-
heimniskrämerei» – Forderungen, die in modernen demokratischen
Staaten zur selbstverständlichen Realität geworden sind.

Auch wenn sich Einstein neben seinem beherzten Einsatz für die
gute Sache mitunter instrumentalisieren lässt, versagt er ebenso häufig seine Unterstützung: «Ich muss nämlich darauf bedacht sein, dass
meine Stimme nicht dadurch entwertet wird, dass sie zu oft in verhältnismässig geringfügigen Angelegenheiten figuriert.» Er lässt sich auch
nicht vor jeden Karren spannen. Als Kriegsgegner ihn 1932 wegen des
«unberechenbaren Konflikts […] infolge der offen aggressiven Haltung
Japans gegenüber der Sowjetunion» zu gewinnen versuchen, lehnt er
seine Mitwirkung ab: «Ich würde mich niemals an einem derartigen
Kongress beteiligen, der doch in seiner Ohnmacht kläglich wirken
müsste. Es ist so ähnlich wie ein Kongress für die Verhinderung der Tätigkeit der Vulkane oder zur Vermehrung des Regens in der Sahara.»
Auf diese Weise lasse sich gar nichts ausrichten, denn «der ungestillte
Dividendenhunger steht überall mächtig dahinter».

Wie kaum ein anderer hat Einstein infolge der Weltwirtschaftskrise
ab 1929 nicht nur das Ausmaß der braunen Gefahr erkannt, sondern
auch den durch die Nazis drohenden Weltenbrand angeprangert. «Wer
es zulässt, dass die Demokratie zerstört wird, der riskiert seinen eigenen Untergang», warnt er. Er wettert gegen die Geheimrüstung der
Deutschen, ruft 1932 unter anderem mit Rolland, Maxim Gorki, Upton
Sinclair und Heinrich Mann zu einem internationalen Kongress zur
Verhinderung eines erneuten Weltkrieges auf, nimmt an der «Abrüs-
tungskonferenz» des Völkerbundes in Genf teil, legt einen «Einstein-
Fond» für Kriegsdienstverweigerer auf und unterschreibt im Sommer
1932 neben Käthe Kollwitz, Erich Kästner und vielen anderen einen
«Dringenden Appell» zum «Aufbau einer einheitlichen Arbeiterfront»
für «ein Zusammengehen der SPD und KPD» für die Reichstagswahl.
Die Resonanz ist groß, das Ergebnis enttäuschend. Selbst angesichts

des drohenden Sieges der Faschisten finden die beiden Linksrivalen nicht zu einem Bündnis zusammen. Einstein notiert, «dass es wahrscheinlich leichter wäre, Kain und Abel zu versöhnen».

Sein Briefwechsel mit Sigmund Freud (in winziger Auflage unter dem Titel «Warum Krieg?» im Frühjahr 1933 erschienen) bleibt damals so gut wie unbeachtet. «Gibt es eine Möglichkeit, die psychische Entwicklung des Menschen so zu leiten, dass sie den Psychosen des Hasses und des Vernichtens gegenüber widerstandsfähiger wird?», stellt der Physiker dem Psychoanalytiker seine entscheidende Frage. Er sehe «keine Aussicht auf Erfolg, die aggressiven Neigungen abschaffen zu wollen», erwidert Freud und fragt seinerseits: «Warum empören wir uns so sehr gegen den Krieg? Sie und ich und so viele andere, warum nehmen wir ihn nicht hin wie eine andere der vielen peinlichen Notlagen des Lebens?» Am Ende seiner langen Antwort räumt Freud ein: «Vielleicht ist es keine utopische Hoffnung, dass der Einfluß der beiden Momente, der kulturellen Einstellung und der berechtigten Angst vor den Wirkungen eines Zukunftskrieges, dem Kriegführen in absehbarer Zeit ein Ende setzen wird.» Doch Einstein will nicht nur hoffen, er will handeln. Deshalb ist er auch als einer der Ersten bereit umzudenken.

Nachdem Hitler Ende Januar 1933 zum Reichskanzler ernannt worden ist, der Reichstag gebrannt hat, Sozialdemokraten wie Kommunisten gejagt und verhaftet und ihre Parteien schließlich verboten worden sind, nachdem das Parlament durch das «Ermächtigungsgesetz» im März 1933 seine Souveränität an die neuen Machthaber abgetreten und am 7. April das zynische «Gesetz zur Wiederherstellung des Berufsbeamtentums» verabschiedet hat, aufgrund dessen innerhalb von zwei Jahren 15 Prozent der Lehrkräfte an deutschen Hochschulen ihren Platz räumen und allein acht Nobelpreisträger für Physik Deutschland verlassen müssen, nachdem am 1. April der «Tag des Judenboykotts» die mörderische Schonungslosigkeit des nationalsozialistischen Antisemitismus und am 10. Mai die Bücherverbrennungen das Ausmaß des Kulturkrieges deutlich gemacht haben, gibt Einstein seine pazifistische Haltung auf und verkündet im Juli 1933: «Unter den heutigen Umständen würde ich als Belgier den Kriegsdienst nicht verweigern, sondern in dem Gefühl, der Rettung der europäischen Zivilisation zu dienen, gerne auf mich nehmen.»

Damit bringt er Pazifisten und Nazis gleichermaßen gegen sich auf. Romain Rolland schreibt an seinen deutschen Schriftstellerkollegen Stefan Zweig: «Einstein ist als Freund einer Sache gefährlicher als ihr Feind. Genie hat er nur in der Wissenschaft. Auf anderen Gebieten ist er ein Tor. […] Möge er sich jeder Aktion enthalten! Er ist nur für seine Gleichungen geschaffen.»

Doch wenn es gegen Hitler-Deutschland geht, kennt Einstein nun keinen Kompromiss mehr. Weitsichtig wie wenige hat er die wahre Katastrophe vorausgesehen, die mit der «Machtergreifung» einsetzen wird. Ebenso hellseherisch warnt er früher als die meisten vor den nun drohenden Konsequenzen für den Weltfrieden – und muss sich dafür in der verlorenen Heimat der «Gräuelhetze» bezichtigen lassen. Einstein werbe dafür, zitiert ihn die «Kölnische Zeitung», «Europa vor einem Rückfall in die Barbarei längst entschwundener Epochen zu bewahren. Mögen alle Freunde unserer so schwer bedrohten Zivilisation alle ihre Bemühungen konzentrieren, um diese Weltkrankheit zu beseitigen. Ich bin mit ihnen.» Im Kommentar der Zeitung zu dieser Erklärung heißt es: «Mag er also dahin ziehen, wo er glaubt, vor dem ‹Gift› nationaler Gesinnung gesichert zu sein. Es ist nur gut, wenn sich die Geister scheiden.»

Schon am 6. Dezember 1931 hat Einstein bei der Überfahrt in die USA in seinem Tagebuch notiert: «Heute entschloss ich mich, meine Berliner Stellung im Wesentlichen aufzugeben. Also Zugvogel für den Lebensrest!» Bereits im Juli desselben Jahren hatte er Planck gedrängt: «Ich bitte Sie deshalb, dafür zu sorgen, dass meine Staatsangehörigkeit aufgehoben wird, bzw. mir Mitteilung darüber zukommen zu lassen, ob diese Änderung mit der Aufrechterhaltung meiner Stellung an der Akademie der Wissenschaften vereinbar ist.»

Einsteins Abschied von Deutschland vollzieht sich schließlich im gleichen atemberaubenden Tempo wie die völlige Nazifizierung «Barbariens». Mehr oder weniger durch Zufall weilt er außer Landes, im kalifornischen Pasadena, als Hitler Reichskanzler wird. Wahrscheinlich sein großes Glück. Auf kaum einen haben es die Nazis so abgesehen wie auf ihn, tot oder lebendig. Angeblich sollen sie sogar ein Kopfgeld auf ihn ausgesetzt haben.

Als hätte er die Reichstagswahlen am 5. März 1933 noch zur letzten Vergewisserung abgewartet, erklärt Einstein fünf Tage darauf, während seiner Rückreise nach Europa, er werde deutschen Boden nicht mehr betreten. Gut zwei Wochen später gibt er, noch an Bord des Schiffes, seinen Austritt aus der Akademie der Wissenschaften bekannt. «Die durch meine Stellung bedingte Abhängigkeit von der Preußischen Regierung empfinde ich unter den gegenwärtigen Umständen untragbar.»

Das Plenum der Akademie vertritt daraufhin die «Meinung, daß durch den Austritt des Herrn Einstein sich weitere Schritte von ihrer Seite erübrigen». Sprich: Wäre er nicht gegangen, hätten sie ihn gefeuert. Sekretär Heymann gibt weitgehend eigenmächtig eine Presseerklärung heraus, die es in sich hat: «Die Preußische Akademie der Wissenschaften empfindet das agitatorische Auftreten Einsteins im Auslande um so schwerer [...]. Sie hat aus diesem Grunde keinen Anlaß, den Austritt Einsteins zu bedauern.»

Sein Freund Max von Laue beantragt eine Sondersitzung, die am 6. April 1933 stattfindet. «Er war einer der entsetzlichsten Eindrücke meines Lebens», wird der Physiker sich später erinnern. «Ich beantragte, die Akademie solle Heymann desavouieren. Aber nicht *eine* Stimme schloß sich dem an. [...] Das Ende der langen Debatte war, daß Schlenk, der Chemiker, nach längerer Flüsterberatung mit dem neben ihm sitzenden Haber, das Wort ergriff, um sich ebenfalls auf Heymanns Seite zu stellen.»

Inzwischen haben sich die Ereignisse überschlagen. Am 1. April, dem Tag des Judenboykotts, druckt die «Deutsche Tageszeitung» zur Zeile «Ein armer Irrer» in düsterer Prophetie eine Karikatur, auf der Einstein, von einem mächtigen Schuh in den Hintern getreten, kopfüber eine Treppe hinunterstürzt. Darunter steht: «Der Hausknecht der Deutschen Gesandtschaft in Brüssel wurde beauftragt, einen dort herumlungernden Asiaten von der Wahnvorstellung, er sei ein Preuße, zu heilen.» Max von Laue erinnert sich nach dem Krieg: «Es hätte den Nazis gar zu schön gepaßt, an diesem Tage auch den Hinauswurf Einsteins aus der Akademie veröffentlichen zu können. Die Wut, daß er ihnen durch seinen Austritt zuvorgekommen war, war im Ministerium unbeschreiblich.»

Einstein gibt sich über sein Ansehen in Deutschland keinerlei Illusionen hin: «Dort aber bin ich jetzt einer der bestgehassten Menschen.» Am 4. April beantragt er von Ostende aus, seine preußische Staatsangehörigkeit zu beenden – ein Verwaltungsakt mit Folgen: Statt den «Scharlatan» und «prominentesten zionistischen Hetzer» einfach zu entlassen, soll er die «schwere entehrende Strafe» der Ausbürgerung zu spüren bekommen. Sie erfolgt erst am 24. März 1934. Einstein hat neben Trauer und Wut für solcherlei administratives Kasperltheater nur Sarkasmus übrig. In seinen Worten in einem Brief an Schwester Maja aus Belgien «bin ich in den deutschen Verschiss gekommen, den ich mir gottlob ehrlich verdient habe. [...] Segelschiff und Freundinnen aber bleiben da; H. hat aber mir ersteres genommen, was für letztere beleidigend ist.» Mit «H.» ist Hitler gemeint.

Zu den schmerzlichsten Erfahrungen in Einsteins gesamtem Leben gehört das Verhalten seiner Kollegen aus der Akademie, deren Rauswurf er durch Austritt zuvorgekommen ist. Zunächst schreibt er sich in einem Brief an die Kollegen seinen Frust in Versform von der Seele:

«Wer da Greuelmärchen dichtet,
Grimmig wird von uns gerichtet.
Wenn er gar die Wahrheit spricht,
Dann verzeihen wirs ihm nicht.»

Planck schickt er eine bittere Klage: «Ich muss jetzt doch daran erinnern, dass ich Deutschlands Ansehen in all diesen Jahren nur genützt habe, und dass ich mich niemals daran gekehrt habe, dass – besonders in den letzten Jahren – in der Rechtspresse systematisch gegen mich gehetzt wurde, ohne dass es jemand für der Mühe wert gehalten hat, für mich einzutreten. Jetzt aber hat mich der Vernichtungskrieg gegen meine wehrlosen jüdischen Brüder gezwungen, den Einfluss, den ich in der Welt habe, zu ihren Gunsten in die Wagschale zu legen. [...] Ist die Vernichtung der deutschen Juden durch Aushungerung nicht das offizielle Programm der jetzigen deutschen Regierung?»

Fritz Haber, der ihn verraten hat, mahnt er später: «Es ist doch kein Geschäft für eine Intelligenzschicht zu arbeiten, die aus Männern besteht, die vor gemeinen Verbrechern auf dem Bauche liegen und sogar bis zu einem gewissen Grade mit diesen Verbrechern sympathisieren. Mich haben sie nicht enttäuschen können, denn ich hatte für sie niemals Achtung und Sympathie – abgesehen von einigen feinen Persönlichkeiten (Planck 60% edel und Laue 100%).»

In der Sitzung am 11. Mai 1933 würdigt Planck Einsteins herausragende Arbeiten, «deren Bedeutung nur an den Leistungen Johannes Keplers und Isaac Newtons gemessen werden kann». Das sagt er vor allem, «damit nicht die Nachwelt einmal auf den Gedanken kommt, daß die Fachkollegen Herrn Einsteins noch nicht im Stande waren, seine Bedeutung für die Wissenschaft voll zu begreifen» – nicht ohne zu erwähnen, «daß Herr Einstein selber durch sein politisches Verhalten sein Verbleiben in der Akademie unmöglich gemacht hat».

Der würdevolle, kühle Doyen der deutschen Physik, schon zu Lebzeiten ein Denkmal, hat seine Lektion in Politik als schmutziges Geschäft erst als alter Mann gelernt. Wenige Tage vor der Sitzung hat Max Planck seinen 75. Geburtstag gefeiert. Der tragische, im Herzen immer noch kaisertreue Staatsdiener fühlt sich bei allen Bedenken gegen die «Mörderbande» nun der Republik verpflichtet beziehungsweise dem, was aus ihr unter den demokratisch ins «Amt» gekommenen Braunhemden werden wird. Wie manch anderer, der in Nazi-Deutschland ausharrt, sieht er es als seine Aufgabe, die Wissenschaft vor noch Schlimmerem zu schützen. Im Jahr 1938 tritt er alt und schwach als Präsident der Kaiser-Wilhelm-Gesellschaft zurück. Kurz vor seinem Tod 1947 erklärt er sich einverstanden, dass deren Nachfolgerin seinen Namen tragen darf: 1948 wird die Max-Planck-Gesellschaft gegründet.

Am 9. September 1933 verlässt Einstein den europäischen Kontinent für immer. In dem kleinen Sommerhaus «Villa La Savoyarde» im belgischen Badeort Le Coq sur Mer hat er Frühling und Sommer über verfolgt, wie sein Geburtsland im braunen Sumpf versinkt. Nachdem die SA die Wohnung in der Haberlandstraße geplündert und Wertsachen, Teppiche und Gemälde geraubt hat, gelingt es Stieftochter Ilse und deren Mann Rudolf Kayser mit Hilfe des französischen Botschafters, seine Unterlagen und einen Großteil des Mobiliars als diplomatisches Frachtgut nach Frankreich bringen und von dort nach Amerika einschiffen zu lassen.

Einstein reist zunächst nach England, wo er unter anderem Winston Churchill trifft. Am 3. Oktober 1933, eine Woche vor seinem endgültigen Abschied aus Europa, spricht er in der Royal Albert Hall vor 10 000 stehend applaudierenden Menschen. Ohne Deutschland beim Namen zu nennen, warnt er «in mangelhaftem Englisch» und gemäßigten Worten vor der heraufziehenden Gefahr. Den «leitenden Staatsmännern» rät er beschwörend, «einen Zustand [...] herbeizuführen, daß ein kriegerisches Abenteuer für jeden Staat von vornherein als aussichtslos erscheinen muß».

Er schließt seinen Vortrag wie in düsterer Ahnung dessen, was ihn als Exilant und Emerit nun erwarten wird – mit einem Lob der Einsamkeit des Denkers. «Man kann dabei an Tätigkeiten wie den Dienst auf Leuchttürmen und Leuchtschiffen denken. Könnte man für solche Tätigkeiten nicht junge Leute anstellen, die über wissenschaftliche Probleme, vor allem mathematischer oder philosophischer Art, nachdenken wollen?» Was auf den ersten Blick weltfremd wirken mag, drückt in Wahrheit die Sehnsucht nach einer Gelehrtenrepublik aus, in der sich Wissenschaft frei – nämlich unabhängig von Staat und Politik, von Einflussnahme und Bevormundung – verwirklichen kann.

War Einstein wirklich, wie der Stuttgarter Wissenschaftshistoriker Armin Hermann meint, «einer der großen Gegenspieler Hitlers»? Was hat im Vergleich zweier wirkungsmächtiger Menschen – der eine kraft seiner Gedanken, der andere dank seiner Kraft durch diabolische Gewalt – der Physiker dem Politiker entgegenzusetzen, dessen «kalte, barbarische, tierische Entschlossenheit» Einstein schon früh erkennt? Als das deutsche Volk, das dem Forscher so viel zu verdanken hat, den Nazi-Chef an die Macht wählt, ist für Einstein kein Platz mehr in «Teutonien». Trotz seines weltweiten Einflusses wird er als Symbol des politisch bewussten und aktiven Wissenschaftlers gleichzeitig zum Symbol für die Ohnmacht der Wissenschaft, oder besser gesagt: des einzelnen Wissenschaftlers gegenüber der Politik.

Dass beide Seiten nicht auf gleicher Augenhöhe verkehren, bekommt auch Fritz Haber zu spüren, der hochdekorierte Held des Ersten Weltkrieges, gleichzeitig wissenschaftlicher Vater des Gaskrieges und Segen spendender Erfinder von künstlichem Dünger. Trotz seiner Abkehr vom jüdischen Glauben durch christliche Taufe, seiner beispiellosen Vaterlandsliebe, seiner wirtschaftlichen Macht und trotz des Einsatzes von Max Planck, der persönlich bei Hitler für ihn vorspricht, muss auch er schließlich auswandern. Noch im Sommer 1933 geht er nach England.

Im August 1933 bekommt er einen Brief von seinem Leidensgenossen aus dem belgischen Le Coq. «Ich freue mich sehr», schreibt Einstein darin in freundlichem Hohn, «dass Ihre frühere Liebe zur blonden Bestie abgekühlt ist.» Im Januar 1934 erliegt Haber während eines Aufenthalts in Basel einer Herzattacke.

Kapitel 15

«Ich bin doch kein Tiger»

Mensch Einstein

Erika Britzke öffnet die Augen. Wasserblaue Wachsamkeit hinter großen Brillengläsern. Das Haar burschikos kurz; das Gesicht offen und
freundlich, wenn sie lacht. Sie lebt schon ihr halbes erwachsenes Leben
mit Einstein – in Gedanken, Zitaten und Bildern, die sie mit Worten
malt, wenn sie hinter geschlossenen Lidern auftauchen: Einstein im
Trainingsanzug. Geht zu seinem Segelboot. Gedankenverloren, wie
üblich. Die Nachbarn grüßen ihn wohlwollend übern Zaun. Den Mann,
der über alles lachen kann. Der auch in extremen Situationen keine
Furcht kennt. Er kann nicht schwimmen und lehnt Schwimmwesten
ab. «Wenn ich ersaufe, dann ersaufe ich ehrlich.»

«Ach, Albert», jammert Elsa, die Ehefrau. Im Wald zeigt er Freunden seine Lieblingsplätze. Er bringt Pilze mit, die ihm Haushälterin
Herta mit Eiern brät. Mit dem kleinen Sohn eines Freundes spielt er
Yo-Yo, große Mode unter Schulkindern in Berlin. Steigt in den Wirt-
schaftskeller und schaufelt Kokskohle in den Zentralheizungsofen, in
seiner Lederjacke ein früh ergrauter Jugendlicher.

Erika Britzke hütet seit 25 Jahren Einsteins Haus, draußen in Caputh, zwei Bahnstopps von Potsdam entfernt. Das einzige Zuhause, das
er sich selber geschaffen hat. Nach hinten der Wald, in dem er oft stundenlang spazieren geht, nach vorn, über den abschüssigen Garten hinweg der Blick auf das märkische Dorf und den Templiner See, wo der
«Tümmler» liegt, sein geliebtes «dickes Segelschiff». Dazwischen sein
«Häusle», Sommerdomizil mit weitläufiger Dachterrasse und schatti-
gem Gartensaal, mit Obstbäumen, Blumen und Beeren. Ein Blockhaus
von schlichter Eleganz und klarer Formensprache, weiß lackiert die
Fenster, die Läden, Geländer und Handläufe, tief dunkel die Fassade.

Nirgendwo hat sich Einstein so wohl gefühlt wie an diesem Ort. Hier hätte er glücklich alt werden können. Doch das Glück währt nur drei Sommer, 1930 bis 32. Dann vertreiben ihn die Nazis aus seinem kleinen Paradies. Es steht bis heute dort, renoviert für die Nachwelt und ihre Phantasien, ohne seine Möbel, seine Bücher, seine Kleider. Schränke und Zimmer leer bis auf ein paar Stücke musealen Mobiliars, nachempfunden zum Nachempfinden, Fotos an den Wänden wie Belege gegen Legenden, ansonsten die leere Hülle eines vergangenen Traums.

Und doch lässt sich sein privates Leben nirgendwo so nachfühlen wie hier in der Waldstraße 7 in Caputh. Sein Arbeitszimmer, seine Schlafnische, das Bad mit Waschbecken und Badewanne, fast peinlich intim mitunter, aber in Würde bewahrt, behütet und geliebt von Erika Britzke, die seit seinem 100. Geburtstag 1979 in diesen Wänden ihren Dienst versieht.

Damals war hier noch DDR. Als Einsteins Centennium naht, versuchen West- wie Ostteil Berlins einander mit Symposien, Festakten und Ausstellungen zu übertrumpfen. Im Westen spricht Bundespräsident Walter Scheel. In Ost-Berlin preist Ministerpräsident Willi Stoph, stellvertretend von Revolutionär zu Revolutionär, den von Einstein verehrten Lenin als Einstein-Verehrer. Es bleibt der DDR-Akademie der Wissenschaften vorbehalten, Einsteins Holzhaus sorgfältig zu renovieren und in die hausmeisterliche Obhut der ehemaligen Kunsterzieherin Erika Britzke zu geben. «Die DDR», sagt sie, «hat damals ihre Trumpfkarte ausgespielt.»

Ein Vierteljahrhundert später, im 125. Geburtsjahr des Physikers, feiert Frau Britzke «mit Einstein eine Silberhochzeit». Damals, als sie ihre Stelle antrat, «da habe ich die Luft angehalten, meine Güte, wo bist Du hier hingeraten!» Also hat sie begonnen, sich schlau zu machen. Bei den Nachbarn in Caputh, bei Herta Waldow, die den Einsteins sechs Jahre in Berlin und Caputh den Haushalt gemacht hat, im Fotoarchiv der «Märkischen Volksstimme», in der Staatsbibliothek in Berlin, bei Einstein-Forschern in aller Welt. Nach der Wende reist sie nach Ulm, nach Israel, in die USA. Und da sie in dem Caputher Haus viel allein ist, manchmal kommt zwei Wochen lang niemand vorbei, beginnt sie zu lesen, einzudringen, «tiefer und tiefer». Sämtliche verfügbare Einstein-Literatur steht ihr zur Verfügung – «ich habe mich in die Situation richtig hinein gelebt» –, bis sie von einer, die sich schlau macht, zu einer wird, die schlau macht. Selfmade-Expertin, Heimatforscherin, Faktotum als Fachfrau.

Die Urgeschichte des Caputher Sommerhauses geht auf den Anfang der zwanziger Jahre zurück. Der plötzliche Ruhm und die zunehmende Bedrohung durch die Machenschaften seiner Gegner lassen Einstein über einen Rückzugsort vor den Zudringlichkeiten von Fans und Feinden nachdenken. Kurz nach den öffentlichen Anfeindungen und seiner bitterbösen «Antwort» an die Antirelativisten, als Freunde und Kollegen bereits seinen Abgang aus Deutschland befürchten, schreibt er den Eheleuten Max und Hedi Born: «Heute denke ich nur mehr an den Ankauf eines Segelschiffes und eines Landhäuschens bei Berlin am Wasser.»

Zwischenzeitlich hat er sich eine kleine Version des großen Traums verwirklicht: Im Sommer 1922 mietet er sich in der Kleingartensiedlung Bocksfelde an der Scharfen Lanke bei Spandau eines jener Häuschen, die Berliner «Lauben» nennen, dazu ein kleines Boot. Sohn Hans Albert besucht ihn, Ehefrau Elsa verzichtet. Ihr ist sein «Schlösschen» zu primitiv. Das ist ihm nur recht. Als er das Unkraut im Garten sprießen lässt, rügt ihn der Verein. Reumütig teilt der berühmte Laubenpieper mit, weiterhin an der Pacht interessiert zu sein. Angeblich hat er die Laube bis zum Bau des Caputher Sommerhauses 1929 genutzt.

Zwischen dem plötzlichen Ruhm 1919 und dem Bezug der Fluchtburg vergehen zehn Jahre – die Phase in seinem Leben, in der er sich daran gewöhnen muss, dass «ich mich wie eine Art Pfingstochse angaffen lassen muss». Einstein, der die Äquivalenz von Energie und Masse in seiner berühmten Formel $E = mc^2$ verewigt hat, lernt die Energie der Massen als Funktion seiner Berühmtheit kennen. Er wird, so sein Schwiegersohn Dimitri Marianoff, zum «Gefangenen der Welt» – ein Lebendiger, der sich als Zeuge seiner eigenen Unsterblichkeit erlebt. Bei einem Bankett in London 1930 bedankt er sich bei George Bernard Shaw «für die unvergesslichen Worte, die Sie an meinen mythischen Namensbruder gerichtet haben, der mir das Leben so schwer macht».

«Er merkt sehr wohl, wie sich die Blicke auf ihn heften», hat die

Schriftstellerin Antonina Vallentin beobachtet, «er sieht eine Hecke von Respekt um sich wachsen, er hört seinen Namen murmeln. Mit einem Seitenblick bemerkt er selbst die Zudringlichen, denen er ausweichen will.» Sogar die Freigeister im Romanischen Café glotzen ihn mit so unverhohlener Neugier an, dass er das Künstlerlokal schnellstens wieder verlässt.

«Auch Chaplin betrachtet mich wie ein Wundertier, mit dem er eigentlich nichts anzufangen weiß», klagt der Begaffte. «In meinem Zimmer benahm er sich so, als würde er in einen Tempel geführt.» Tapfer versucht Einstein, Mensch unter Menschen zu bleiben, seinen Ruhm als «Modesache» zu relativieren, sich eine Normalität vorzugaukeln, die es für einen wie ihn nie wieder geben wird. «Mir ist sogar der unwahrscheinliche Verdacht aufgestiegen», schreibt Vallentin, «daß er glaubt, wie andere Leute auszusehen.»

Doch die Unbeschwertheit der Anonymität ist für immer dahin. «Die Menschen sind stolz darauf, mit ihm in einer Epoche, in einer Stadt zu leben!», erklärt die damalige russische Starregisseurin Natalia Saz. «Jeder Schritt an die Öffentlichkeit wurde eine Art Prozedur», sagt Konrad Wachsmann, der Architekt des Sommerhauses. Selbst in seiner Wohnung ist Einstein einem ständigen Ansturm ausgesetzt, dem er nur durch das rigorose Regiment seiner Frau Elsa entgeht.

«Vor ihrer Tür bildete sich so etwas Ähnliches wie eine wunderheischende Krüppelprozession», berichtet Elsas Freundin Antonina. Wachsmann hat «erlebt, dass unentwegt Bettler, Schnorrer, Bittsteller oder enthusiastische Touristen erschienen, die Einstein nur einmal sehen wollten». Oder «Maler und Fotografen», die «todernst behaupteten, sie seien die besten ihres Faches und müßten deshalb unbedingt Einstein porträtieren». Würde der aber an die Tür gehen, dann wäre seine Familie binnen kurzem ruiniert, «weil er ohne zu zögern ein ganzes Monatsgehalt an professionelle Bettler oder wirklich Hilfsbedürftige verteilt hätte».

Hinzu kommt die tägliche Post. «Der eine schreibt, dass er endlich die Substanz des Schlafes entdeckt habe, ein anderer, dass er den einzig richtigen Weg gefunden habe, den Preis von Kohlen herabzusetzen.» Dazu die vielen «Experten», es gibt sie bis heute, die Einstein widerlegt haben wollen. Als Politik und Pazifismus ihn in die Schlagzeilen bringen, wechselt nur die Klientel: «Anstelle von faselnden Erfindern, verkannten Genies, die einst seine Tür belagerten, sind es jetzt Exzentriker, die mit ihren Allheilmitteln für den Weltfrieden auf ihn eindringen.» Manchmal, wenn sich Besucher partout nicht abweisen lassen, muss Einstein die Wohnung über das Dienstbotentreppenhaus verlassen. Doch statt sich zu ärgern, staunt der Bestaunte nur über das Staunen der Menschen. «Ein für Einstein unlösbares Rätsel war sein Image», sagt Thomas Bucky, der Sohn seines Arztes.

«Die Menschen», erinnert sich Max Born, «die in Jahren der Not, des mörderischen Kampfes, der Lüge und Verleumdung allen Glauben an höhere Werte verloren hatten, fanden neue Hoffnung in dem Erscheinen eines einfachen, bescheidenen Mannes, der mitten in dieser Hölle ruhig über das Wesen von Raum, Zeit und Materie gegrübelt und den Schleier des Geheimnisses der Schöpfung ein wenig gelüftet hatte.» So liest sich, aus Sicht des Freundes und Wissenschaftlers, die eine Seite der Geschichte. Sie handelt von Trost und Orientierung, von Hoffnung und dem Wunder der Erkenntnis. «Die Relativitätstheorie wurde als neue Heilslehre gefeiert», sagt Wachsmann, «und Albert Einstein galt als der Messias unseres Jahrhunderts.»

Doch sein Wirken, seine ans Religiöse rührende wissenschaftliche Revolution allein können seine Wirkung nicht erklären. Auch andere Faktoren spielen eine Rolle. Sein einprägsames Äußeres trägt zu seinem Charisma nicht unwesentlich bei. Seit seiner Ankunft in Berlin ist er bedingt durch Lebensstil, herkulische Arbeit und schwere Krankheit über die Maße gealtert. Nun rast die Uhr, bis Einstein zu dem wird, den wir bis heute kennen – der bekannteste Kopf der Welt: der Gloriolenschopf der Propheten und Künstler, das lange gütige Gesicht, die Denkerstirn, die geschwungenen Brauen, die braunen, immer feuchten Augen mit dem sanften Blick eines weltfremden Weltweisen, die dominierende Nase, das eingeschnittene Oval der Wangen, der Schnauzbart, die vollen Lippen des Spöttermundes, das Grübchen im Kinn.

Mit seiner cello-hellen Stimme, seinem Donnerlachen, seinem Schwebegang trotz Schwergewichts, bedingt durch seine kräftige Muskulatur, mit seiner Hastlosigkeit ohne impulsiven Drang, aber auch mit seiner avantgardistischen Kleider-Unordnung, den offenen Hemden, den sackartigen Hosen an Trägern, den verweigerten Socken, muss Einstein auf seine Mitmenschen oft wie einer aus einer fremden Welt gewirkt haben.

«Er stand der Gesellschaft gegenüber, als sei er auf einem anderen Planeten geboren», schreibt Vallentin. Nicht ohne Grund hat Regisseur Steven Spielberg den treuherzigen Blick seines Alien-Kindes E.T. dem Vorbild von Einsteins Augen nachempfunden (für die Michael Jackson Millionen geboten haben soll). Das ideale Objekt für Fotografen und Reporter und alle anderen Priester der Popularität, mit denen er in einer seltsamen Symbiose lebt. Für sie ist der Mann noch spektakulärer als seine Theorien, und der Mythos spektakulärer als der Mann. Nach seinem Beruf gefragt, antwortet er: «Fotomodell.»

Ein Querkopf und Querdenker überdies, der sagt, was er meint, als seien für ihn andere Gesetze gemacht als für die übrigen Menschen. Und dann auch noch das Wort – Einstein. Es besitzt alles, ins Gedächtnis zu dringen und sich dort festzusetzen. Ein seltener, eingängiger, bedeutungsschwangerer deutscher Name von der Wucht eines Monolithen, ein Stein und ein Wort, das überdies einen Reim in sich trägt.

Die Eheleute Einstein werden schnell zur festen Größe im Berliner Gesellschaftsleben. Obwohl der Hausherr die Gleichberechtigung der Menschen und seine Idee der Klassenlosigkeit nicht nur predigt, sondern auch fühlt – an der großen Tafel im Esszimmer treffen sich zumeist Ärzte und Bankiers, Politiker und Industrielle, Schriftsteller, Journalisten, Maler, Musiker und natürlich Kollegen, darunter mancher Nobelpreisträger.

Die Wahl seiner Berliner Freunde wirft ein merkwürdiges Bild auf den Bohemien im Bürgerhaus, der Mileva, seiner Exfrau und Geliebten aus Zigeunerzeiten, schreibt: «Ich sehe aber im allgemeinen, dass das Leben der kleinen Leute mit genau vorgeschriebener Marschroute und den Plackereien des Alltags das Gleichgewicht ihrer Nerven besser bewahren als die M.d.r.F. = Mitglieder der reichen Faulenzerklasse.» Er verkehrt mit der Hautevolee, mit millionenschweren Damen und Herren der Gesellschaft ebenso reibungslos wie mit seinen linken Gesinnungsgenossen. Er lässt sich ihre Automobile nebst Chauffeur gefallen, speist an ihren Tafeln, zieht sich auf ihre Landsitze zurück – wie zum Vorgeschmack auf das eigene ländliche Glück. Im Gegenzug dürfen sich seine spendablen Bekannten einen Einstein als Hausfreund gönnen, die wohl schillerndste menschliche Trophäe im Berlin jener Zeit. Sogar als Salonlöwe wird er beschrieben, der einem verkleideten Kind gleiche, das sich zum Spaß eine Einstein-Maske aufgesetzt habe.

Sein Umgang mit Medizinern, meist stadtbekannten wohlhabenden Villenbesitzern, geht vermutlich auf seine hypochondrischen Züge zurück. Nicht nur neigt er bei Erkrankungen zur Übertreibung und wähnt sich mehrfach gleich auf dem Sterbebett. Er sucht die Nähe von Ärzten, dabei allerdings mehr den Menschen als den Arzt. «Er liebte die Mediziner, aber nicht die Medizinen», hat ein Bekannter einmal über ihn gesagt. Im Chirurgen Moritz Katzenstein findet er einen echten Freund zum Segeln und Klönen. Gustav Bucky, leitender Arzt am Rudolf-Virchow-Krankenhaus, betreut die Stieftöchter Margot und Ilse und wird nach der Emigration zum engen Vertrauten der Einsteins in den USA.

Die erstaunlichste Freundschaft verbindet Einstein mit János Plesch, dem «Prototyp eines eleganten und versnobten Salonlöwen, der sich immer eine Spur zu auffällig benahm». Konrad Wachsmann empfindet die beiden «wie Feuer und Wasser». Plesch nennt so viele Autos sein Eigen, dass er mit seinem Fuhrpark ein Taxiunternehmen betreiben könnte. Einstein hat nie ein Auto besessen oder gelenkt. Er hält sich den großspurigen Professor «mit feiner Ironie auf Distanz» und genießt die anregenden Gespräche. Wenn er etwas verabscheut, dann dumme und ignorante Zeitgenossen: «Leute, von denen nichts kam, überging er schon nach kurzer Zeit mit eisigem Schweigen.»

Wenn Abendveranstaltungen anstehen, ist er den ganzen Tag übel gelaunt. Es ist die Etikette, die ihm lebenslang fremd bleibt. Er hasst Kragen und Krawatte und wehrt sich unbeirrbar gegen die Versklavung durch äußere Zwänge. «Man erklärte ihm, was Sitte und Brauch sei, und wer ihn nicht gut genug kannte, erklärte ihm alles geduldig wie einem zurückgebliebenen Kinde», berichtet Vallentin.

Wenn Einsteins zu Tisch bitten, was Elsa lieber häufiger, Albert lieber seltener getan hätte, dann betreten die herrschaftlichen Gäste in der Haberlandstraße «die schon etwas verschlissene bürgerliche Gemütlichkeit», in der Einstein sich wie ein Fremder bewegt. «Er sah immer so aus, als habe er sich ganz zufällig in diese Räume verirrt und müsse nun dort leben, weil ihm der Ausgang nicht bekannt ist», sagt Wachsmann.

Im Salon liegen Perserteppiche einem Porträt Friedrichs des Großen zu Füßen. Der schöne Flügel passt nicht in die Welt der nachgebauten Biedermeiermöbel. In Eckschränken verwahrt Elsa das Vorzeigeporzellan und die unvermeidlichen Nippesfigürchen hinter Türen aus geschliffenem Kristallglas. Ein paar Goldfische schwimmen im Glas. Und in der Küche zwitschert ein blauer Wellensittich, der auf den Namen Bibo oder Biebchen hört.

Elsa, die einmal Schauspielunterricht genommen hat, bringt die Gäste regelmäßig zum Lachen, indem sie bekannte Persönlichkeiten imitiert. Albert kriegt seine Lachausbrüche, auch wenn es für die anderen nichts zu lachen gibt. Selbst bei traurigen Anlässen macht er seine Scherze. Dann wieder kann er über belanglose Geschichten losbrüllen. Eines seiner Lieblingsbücher: die «Hundert besten jüdischen Witze».

Am lustigsten wird es, wenn sein Freund und Kollege Max von Laue kommt, der Einzige, mit dem Einstein unbeschwert blödeln kann. Aber was heißt schon Freund? Einstein nennt Dutzende so, auch wenn fast allen sein Innenleben ebenso verschlossen bleibt wie ihm das ihre. Mit Haber oder Nernst geht es weitaus gesitteter zu, und wenn Max Planck kommt, beinahe förmlich. Sobald die Wissenschaft das Tischgespräch beherrscht, ziehen Elsa und Töchter sich in Schweigen zurück. Als Hausdame, die nie einen Zweifel daran lässt, dass sie Frau Professor ist, fühlt sich Elsa mit Hilfe von Herta dann eher für das leibliche Wohl ihrer Gäste verantwortlich.

Herta tischt nach Elsas Vorschrift regelmäßig die gleiche Speisefolge auf: «Zuerst fast immer eine klare Brühe mit Eierstich. Dann kam Eiermayonnaise mit Salm, also mit Büchsenlachs, dann gab's Schweinefilet mit Kastanien, also Maronen, und hinterher immer eine Erdbeerspeise mit Schlagsahne, gemischt zu Erdbeerschnee.» Erdbeeren habe «Herr Professor für sein Leben gern» gegessen, Spargel «mit Lust und Liebe». «Er hat gefressen wie die Kinder», erinnert sich Plesch-Sohn Peter.

Fleisch muss gut durchgebraten sein. «Ich bin doch kein Tiger», lässt Einstein die Köchin wissen. Den Wein oder Elsas Selleriebowle rührt er nicht an. Allenfalls nippt er mal am Cognacglas.

Zum Frühstück nach gewöhnlich langem Schlaf, selten unter zehn Stunden, lässt er sich Setz- oder Rühreier zubereiten, dazu isst er Toast oder Brötchen, die schon im Beutel an der Tür hängen. Sein Heißhunger auf Honig hat zur Folge, dass «ganze Eimerchen» herangeschafft werden müssen. Seit seiner schweren Krankheit 1918 trinkt er, eigens für ihn gebrüht, nur Schonkaffee der Marke Hag, ansonsten reichlich schwarzen Tee.

Immerhin hat der «ehrlich dreckige Albert» inzwischen seine Lektion in Sachen Sauberkeit angenommen: «Herr Professor nahm nämlich täglich am Morgen ein Wannenbad.» Zum Abendessen zwischen sechs und sieben gibt es Aufschnitt, Käse und Eier. Der Hausherr hat «immer zwei Spiegeleier gegessen, mindestens zwei». Einstein, als «stämmig» beschrieben, erscheint auf Fotos zunehmend wie ein Bär mit buddhahaftem Bäuchlein. Unter die Porträtstudie eines Künstlers schreibt er einmal: «Dieses dicke, fette Schwein soll Professor Einstein sein?»

Im Stadthaushalt des Eisschrankerfinders mit mehreren Patenten gibt es nur ein Kühlgerät, das mit gestoßenem Stangeneis betrieben wird – dafür aber schon einen elektrischen Staubsauger. Erst in Caputh wird ein elektrischer Kühlschrank in der Küche stehen. In seinem Berliner «Studierzimmer» hat er, wie er seiner Schwester Maja vorschwärmt, «einen elektrischen Heizkörper, mit dem man nicht das Zimmer sondern die Person durch strahlende Wärme heizt (kostet etwa 20 M)».

Dort oben in seiner Mansarde sitzt er die meiste Zeit des Tages und grübelt – in der Regel in dicke blaue Wolken gehüllt. Seit Elsa nach seiner Genesung unten das Rauchverbot durchzusetzen versucht, wird oben gequalmt. Freunde unterstützen ihn wohlwollend. Selbst Professor Plesch unterläuft seine eigenen Vorschriften und versorgt seinen Patienten regelmäßig mit Zigarren. Gesellschaftliche Ereignisse nutzt Einstein überdies aus, auch in der Wohnung beim Rauchen über die Stränge zu schlagen. Seine Pfeife ist so mit ihm verwachsen, dass er sie auch kalt zwischen den Zähnen mit sich herumträgt.

Da er sein Turmzimmer nebst Bücherlager und Kammer ohne

behördliche Genehmigung hat ausbauen lassen, wird ihm 1927 bei Strafandrohung die Benutzung der Räume untersagt. Er verfasst ein Dispensgesuch an den Polizeipräsidenten: «Das Zimmer soll nur von mir persönlich, nicht aber von anderen benutzt werden. Ein allfälliger hygienischer Mangel könnte sich nur an mir selbst auswirken.» Seinem Begehren wird stattgegeben.

Auf Dauer kann ihm das Refugium unterm Dach seinen Traum von der Datsche nicht ersetzen. Da trifft es sich, dass im Jahr 1929, da Marlene Dietrich im «Blauen Engel» der Durchbruch und dem Luftschiff Graf Zeppelin die erste Weltumrundung durch die Lüfte gelingt, am 14. März Einsteins 50. Geburtstag ansteht. Aus Furcht vor dem Ansturm zieht er sich in die Villa Plesch am Tegeler See zurück und feiert im kleinen Kreis. Derweil türmen sich in der Wohnung die Geschenke. «Tische, Stühle, der Flügel im Salon, jeder freie Fleck musste als Ablage für irgendwelche Dinge herhalten», erinnert sich Wachsmann. «Es gab Millionärsfrauen, die ihm nach Lektüre von Brods Tycho-Brahe-Roman heute unbezahlbare Brahe-Handschriften schenkten.» Ein Zigarrenfabrikant nennt seine neue Sorte «Relativität».

Portier Otto muss Briefe, Telegramme und Glückwunschkarten waschkörbeweise in den vierten Stock bringen. Manche Telegrammabsender lassen die Adresse einfach weg, um Geld zu sparen. «An Albert Einstein, Berlin» – kommt an. Vor dem Haus postieren sich Reporter und Fotografen. Schließlich müssen sie einsehen, dass der Vogel ausgeflogen ist. Einstein soll sich über den Coup seiner Flucht diebisch gefreut haben.

Was aber schenkt man einem Einstein zum halben Lebensjahrhundert? Seine wohlhabenden Freunde tun sich zusammen und lassen ihm genau nach seinen Vorstellungen einen Jollenkreuzer bauen – 20 Quadratmeter Segelfläche, eingebaute Geschirrschränke, Klapptisch, versenkbarer Kocher, zwei Schlafplätze. Dieses Segelboot, seinen «Tümmler», so Wachsmann, hat Einstein «geliebt wie ein Junge sein Spielzeug». «Das neue Schiff», schreibt er Exfrau Mileva, «ist wunderbar, so schön, dass ich ein bisschen Angst vor der Verantwortung habe.»

Nur über ein Geschenk kann sich der Jubilar noch nicht freuen: Die Stadt Berlin hat sich eine perfekt zum neuen Boot passende Gabe ausgedacht: ein Haus am Wasser. Ein großartiger Plan, der kleinmütig endet wie die Geschichten in Schilda: als Farce. Doch zunächst geht alles seinen geregelten Gang. Die Stadt bietet Einstein das Kavaliershaus auf Neu-Cladow an. Das Gut hat sie vor einiger Zeit für Millionen gekauft. Als Elsa sich das «Geschenk» anschaut, muss sie feststellen, dass die Vorbesitzerin dort noch wohnt – mit Nutzungsrecht auf Lebenszeit. Der Magistrat reagiert und bietet Einstein als Ersatz ein Seegrundstück bei Gatow an der Havel an. Das Haus soll er nun selber bauen. «Bescheiden, wie er ist, hat mein Mann das sogar akzeptiert», klagt Elsa. «Das Geschenk wird immer kleiner.»

Der damals völlig unbekannte junge Konrad Wachsmann, ein Schüler des Meisters Walter Gropius, wittert seine Chance. Wie viele andere Bittsteller taucht er vor der Wohnungstür der Einsteins auf, und als Elsa ihm öffnet, sagt er: «Ich bin Architekt und möchte Albert Einsteins Haus bauen.» Elsa durchschaut die Hochstapelei des jungen Mannes nicht, der in seinem Leben erst ein einziges Bauprojekt zu Ende geführt hat, und bittet ihn hinein. Es dauert nicht lange, da beschließt sie sogar, seine Expertise zu nutzen und gemeinsam mit dem Fachmann das angebotene Stück Land zu inspizieren. Dort aber stellt sich heraus, dass sich das Grundstück unmittelbar neben einem Motorbootclub befindet. Von der versprochenen Ruhe kann also keine Rede sein. Elsa zeigt sich wegen des alten Baumbestandes dennoch begeistert.

Wachsmann sieht seine Stunde gekommen, als Elsa ihn zum Essen in die Haberlandstraße einlädt. Über Nacht zeichnet er Entwürfe nach den detaillierten Wünschen Einsteins, die Elsa ihm vorgetragen hat: «Es sollte braungebeizt sein, französische Fenster und ein dunkelrotes Ziegeldach besitzen.» Einstein will es eher bescheiden. Und er will unbedingt ein Holzhaus, Elsa wäre ein Steinhaus lieber. Er will große Terrassen und ein eigenes, separiertes Schlaf- und Arbeitszimmer.

Beim Abendessen schildert Wachsmann Einstein vor den Augen von dessen entgeisterter Frau die Nachteile des Grundstücks. «Dann kann ich gleich in ein Strandbad ziehen», erkennt der enttäuschte Bauherr. Der Architekt nutzt die Gelegenheit und legt der Familie seine Entwürfe vor. Als ehemaliger Patentexperte ist Einstein im Lesen technischer Zeichnungen geübt. «Ihre Zeichnungen und Ideen gefallen mir.» Zwar muss Wachsmann seine Pläne später noch an die Hanglage in Caputh anpassen, aber im Prinzip zeigen sie schon das Sommerhaus, das Erika Britzke seit Einsteins Hundertstem hütet.

Nachdem die Familie das Gatower Grundstück abgelehnt hat, offeriert die Stadt ihr verschiedene neue. Als sich diese alle als untauglich erweisen, bietet der Magistrat Einstein schließlich an, er solle sich selber um ein Grundstück kümmern, die Stadt werde dafür aufkommen. Der Zufall will es, dass Elsa über eine Bekannte erfährt, im Dörfchen Caputh sei ein Grundstück zu verkaufen. Am 24. April 1929 beschließt der Berliner Magistrat, dieses Stück Land zu erwerben, «welches allen Anforderungen des großen Gelehrten in bezug auf Ruhe, schöne Lage, Verbindung mit der Havel zur Ausübung des Segelsports, unmittelbare Verbindung mit den Verkehrsmitteln, günstige Verbindung mit Lieferanten, gerecht wird».

Doch in der Stadtverordnetenversammlung gerät das Projekt zwischen die Linien der Deutschnationalen und der regierenden Sozialdemokraten. Die Beschlussfassung wird verschoben. Da platzt dem «großen Gelehrten» die Hutschnur: «Die Blamage ist vollständig – Einstein verzichtet», meldet das «Berliner Tageblatt» am 14. Mai 1929. «Angesichts der Länge der bürokratischen Wege und der Kürze des menschlichen Lebens» will er sich auf das politische Tauziehen nicht einlassen, das ihn ins Gerede und unter Umständen ins Gespött bringen würde.

Von seinem Wunsch lässt sich Einstein aber nicht mehr abbringen. «Das Haus wird gebaut, selbst wenn ich dafür hungern müsste.» Offenbar regen sich in ihm um diese Zeit noch keine Zweifel daran, in Deutschland bleiben zu können – trotz aller Bedrohungen und des Aufziehens der Nazi-Tyrannei. Aus eigenen Mitteln kauft die Familie das Grundstück in Caputh und lässt das Holzhaus errichten – nach den Plänen von Wachsmann.

Der kann sein Glück kaum fassen. Übermütig legt er Einstein weitere Zeichnungen vor, die eher seinem ans Bauhaus angelehnten Stil entsprechen – und holt sich eine derbe Abfuhr: «Ich will kein Haus, das wie ein Karton mit riesigen Schaufenstern aussieht.» Ähnlich abfällig hat sich der Physiker 1922 über den Einstein-Turm geäußert, eines der bedeutendsten Werke der expressionistischen Architektur, das Erich Mendelsohn auf dem Potsdamer Telegrafenberg ausgeführt hat. Einstein begeistert eher die geometrische Klarheit gotischer Dome.

Er bekommt sein Haus auf der Kompromisslinie zwischen Tradition und Moderne. Doch als Wachsmann ihm zur Inneneinrichtung Vorschläge des jungen Bauhaus-Künstlers Marcel Breuer unterbreitet, lernt er erneut Einsteins Skepsis gegenüber zeitgenössischer Formensprache kennen: «Ich will doch nicht auf Möbeln sitzen, die mich unentwegt an eine Maschinenhalle oder einen Operationssaal erinnern.» Der große Wohnraum wird im Elsa-Stil mit Mobiliar vom Dachboden in der Haberlandstraße eingerichtet. Erika Britzke sieht es nüchtern: «Der würde doch nicht einen Haufen Geld für einen Designer bezahlen.»

Einsteins gespaltenes Verhältnis zur künstlerischen Moderne ist umso bemerkenswerter, als sein Denken und die daraus entstandenen Weltbilder durchaus die Künste, vor allem die bildenden, beeinflusst haben – auch wenn er das stets aufs heftigste bestritt. Physikalische und alltägliche Relativität sollten nicht verwechselt werden, sagt er. Zur vermuteten Relation seiner Arbeiten zum Kubismus äußert er sich kategorisch: «Diese neue künstlerische ‹Sprache› hat mit der Relativitätstheorie nichts gemein.»

Doch der flämische Maler Piet Mondrian nennt Raum und Zeit zwei Ausdrücke derselben Sache – ob es Einstein passt oder nicht. Und Pablo Picasso hat mit seinem Kubismus künstlerisch nichts anderes versucht als Einstein wissenschaftlich mit seiner Relativitätstheorie: die Geometrie der Welt auf eine neue, tiefere Weise zu ergründen.

Der Berliner Kunsthistoriker Ulrich Müller hebt hervor, wie intensiv der Bildkünstler Paul Klee mit der Vierdimensionalität der Raumzeit experimentiert hat. Seinen Studenten am Bauhaus habe Klee zwar zu bedenken gegeben, dass dem (auf zwei Dimensionen beschränkten) Maler die «Vorstellung des fließenden Raumes mit der vierten imaginären Dimension der ‹Zeit›» Grenzen setze. Die dreidimensional denkenden und planenden Architekten aber hat sie durch die neue Dimension befreit. So sei, sagt Müller, diese Idee in den gedanklichen Kosmos der Künstler am Bauhaus eingedrungen. Und von dort habe Einsteins Revolution auf Umwegen die Architektur der Moderne, die fließenden

Räume in den Baukörpern von Mies van der Rohe und Le Corbusier, von Frank Lloyd Wright und Walter Gropius geprägt.

Das empfindet Einstein zwar als Unsinn – es hält ihn jedoch nicht davon ab, den «Freundeskreis Bauhaus» zu unterstützen. Die Freiheit der Kunst stellt der künstlerische Wissenschaftler über alle Zweifel an Inhalten und Ausdrucksformen. Als sich der Architekturtheoretiker Sigfried Giedion in seinem viel beachteten Buch «Space, Time and Architecture» 1941 ausdrücklich auf Einstein beruft, distanziert sich dieser aber ebenso ausdrücklich von jeglicher Urheberschaft.

Einstein steht der künstlerischen Avantgarde, auch wenn sie sich auf ihn beruft, mit einer Mischung aus Skepsis und Hilflosigkeit gegenüber. «Keine der künstlerischen Richtungen der Moderne, die in seinem Schatten entstanden, fand seinen Beifall», glaubt der Psychologe Howard Gardner. «Der Mann, der das Weltbild der Physik umgestoßen hatte, stand ratlos vor einer Leinwand und konnte die Chiffren aus Farbe und Pinselführung nicht entziffern», berichtet Konrad Wachsmann. «Er war nicht in der Lage, sich mit der Ikonographie eines modernen Bildes zu beschäftigen, und irgendetwas in ihm weigerte sich, den Inhalten und der Sinndeutung dieser Gemälde ernsthaft nachzuspüren.» Nach Ansicht des Architekten glaubt Einstein, dass die «Betrachtung moderner Kunstwerke nur eine Angelegenheit professioneller Spezialisten sei». Malen lässt er sich von Max Liebermann, nicht aber von Marc Chagall, der ihn darum ersucht.

Mit seinem konservativen Kunstsinn im Geiste des 19. Jahrhunderts bleibt er als Traditionalist weit hinter den Tabubrüchen von Avantgardisten wie Picasso, Alban Berg oder James Joyce zurück. Sein Lieblingsautor heißt Heinrich Heine. Als Verfasser munterer Verse liebt er Wilhelm Busch. Höchste Achtung bringt er dem Werk George Bernard Shaws entgegen. Upton Sinclair schätzt er vor allem wegen dessen sozialkritischen Engagements. Die literarische Moderne hat ihm dagegen wenig zu sagen.

Umgekehrt lässt sich Einsteins Einfluss auf die Literatur seiner Zeit vielerorts aufspüren – ob bei T. S. Eliot, Ezra Pound, Hermann Broch oder Marcel Proust. In dessen «Suche nach der verlorenen Zeit» begreift der Erzähler eine Kirche in ihrem Altern als «Bauwerk, das sozusagen einen vierdimensionalen Raum einnahm». Thomas Mann hat in seinem 1924 erschienenen Weltbestseller «Der Zauberberg» Gedanken der Relativitätstheorie unmittelbar in einen Dialog zwischen den beiden Hauptpersonen einfließen lassen: «Eine Minute ist so lang [...], sie *dauert* so lange, wie der Sekundenzeiger braucht, um seinen Kreis zu beschreiben», sagt der kranke Joachim zu seinem Cousin Hans, der ihn in Davos besucht. «Tatsächlich genommen», antwortet Hans Castorp, «ist das eine Bewegung, eine räumliche Bewegung, nicht wahr? Wir messen also die Zeit mit dem Raume. Aber das ist doch ebenso, als wollten wir den Raum an der Zeit messen, – was doch nur ganz unwissenschaftliche Leute tun.»

Am beeindruckendsten hat der wilde junge William Faulkner 1929 in seinem Skandalwerk «Schall und Wahn» das Innenwesen der Relativität mit dem Sezierwerkzeug seiner Romansprache aufzudecken versucht. Am Tag, an dem er sich umbringen wird, umbringen muss, zerschlägt Quentin Compson das Glas seiner Taschenuhr, eines Erbstücks vom Großvater über den Vater, und dreht die Uhrzeiger ab. Den ganzen Tag trägt er die Uhr mit sich herum, die läuft, aber keine Zeit mehr zeigt. «Ich nahm meine Uhr heraus und horchte auf ihr unentwegtes Ticken, ohne zu ahnen, daß sie nicht einmal lügen konnte.» Den ganzen Tag torkelt er durch die Raumzeit auf seiner Weltlinie deren Ende zu. «Die Esserei in einem drin auch Raum Raum und Zeit durcheinander Der Magen sagt Mittag das Hirn sagt Essenszeit Jedenfalls möchte ich wissen wieviel Uhr es ist wieviel.»

Das ist nicht Einsteins Welt. Wenn schon Romane, dann lieber solche, in denen Geschichten spannend erzählt werden, etwa Bernhard Kellermanns Zukunftsroman und Bestseller «Der Tunnel». Obwohl er eine Werkausgabe Dostojewskis besitzt und die «Brüder Karamasov» ebenso verschlingt wie den Don Quixote, hat er einen Horror vor dicken Büchern, vor allem von zeitgenössischen Autoren. Als jemand, dem die eigenen Gefühle unheimlich sind, lehnt er Gefühlsschwärmereien in der Literatur, aber auch in der Oper ab. Durch die «Buddenbrooks» quält er sich nur, damit er mitreden kann. Mit dessen Verfasser Thomas Mann wird er nie recht warm. Männer «in seidenen Hemden» sind ihm unheimlich. In seinen Augen ist Mann «ein beeindruckender

Schulmeister. Er braucht stets jemanden zum Belehren.» Des Dichters Oberlehrerart gehe so weit, scherzt Einstein, dass er ständig fürchten müsse, Mann werde ihm gleich die Relativitätstheorie erklären.

Mit dessen Bruder Heinrich, der mit seinem Erfolg «Der Untertan» fast wie Einstein über Nacht zu Ruhm gelangt ist, versteht er sich dagegen prächtig – auch weil die beiden einander politisch nahe stehen. Auf Heinrich Mann trifft seine Charakterisierung eines «untadeligen Sozi» ebenso zu wie auf ihn. Viele Kontakte zu Dichtern stellt Schwiegersohn Rudolf Kayser her, der als Redakteur bei der «Neuen Rundschau» wirkt. Regelmäßig verkehrt Einstein mit dem eitlen Großdichter Gerhart Hauptmann, der sich als Wiedergänger Goethes geriert und laut Wachsmann trotz seiner aufrührerischen «Weber» auf Werktätige als Störenfriede herabblickt, die nach Schweiß riechen. Hiddensee ist Hauptmanns Welt, nicht die Hinterhöfe der Arbeiterschaft.

Wenn Hauptmann kommt, hält er Hof. «Wann immer das Gespräch auf einen berühmten Mann kam», erinnert sich der Architekt, «fragte er: ‹Und wohin gehöre ich?›» Das ist zwar denkbar uneinsteinisch. Doch Einstein «liebte Charakterköpfe», sogar ewig alkoholisierte wie Hauptmann, und sei es auch nur zu seiner Unterhaltung. Außerdem hat er den neuen deutschen Dichterfürsten seit seinen Studententagen verehrt. Wachsmann sagt, dessen Sohn Benvenuto habe ein Auge auf Stieftochter Margot geworfen. Erika Britzke glaubt dagegen, Margot sei in den Dichter verschossen gewesen und habe ihm Liebesbriefe geschickt. So entstehen aus Geschichten über Geschichten immer neue Geschichten.

Über Bertolt Brecht, der ihn glühend bewundert, hat Einstein laut Wachsmann «eine furchtbar schlechte» Meinung. Als er sich auf Drängen von Margot einmal die «Dreigroschenoper» ansieht, zeigt sich der Stiefvater alles andere als begeistert. Vor allem mit der Tonkunst von Kurt Weill kann er nur wenig anfangen. Einsteins Verhältnis zur Musik – ein heikles Thema. Vor allem, weil er sich mit seiner Geige selbst als Interpret hervorgetan hat. Einmal, während seiner Studienzeit, soll er aus einem offenen Fenster Klaviertöne vernommen haben, in das Haus gestürmt sein und der verblüfften Pianospielerin zugerufen haben: «Hören Sie nicht auf!» Dann habe er seine Geige ausgepackt und mit der Dame ein paar Duette gespielt.

Die Meinungen über die Qualität seines Spiels gehen weit auseinander. Sein Schulfreund Hans Byland schwärmt aus der Ferne des Alters: «Der wahre Mozart erstand vor mir zum erstenmal in vollem Glanz der hellenischen Schönheit.» Vermutlich treffen eher die nüchternen Urteile wie das der Verlegertochter Brigitte B. Fischer zu: «Ich fand, dass er sehr musikalisch, jedoch kein guter Techniker war. Er hatte keinen wirklich großen Ton, sondern spielte eben wie ein guter Dilettant.» Unverblümter drückt sich die Tochter von Erich Mendelsohn aus, die Einsteins «Gekratze» beschreibt, das ihren Eltern immer reichlich peinlich war. «Einstein geigte zum Gotterbarmen», sagt Haushälterin Herta, er «hatte einen Strich wie ein Holzfäller». Der Geigende selbst äußert sich dazu in selbstkritischer Ironie:

«Der Dilettant hat ja sein Recht,
Und spielte er auch noch so schlecht;
Doch soll es andre nicht verdriessen,
So muss er brav die Fenster schliessen.»

Auch wenn er gelegentlich sogar öffentlich auftritt, in der Regel bei Wohltätigkeitskonzerten, spielt Einstein nicht in erster Linie für Publikum, sondern um des Gemeinschaftserlebnisses willen – oder für sich selbst, zur Entspannung und Inspiration. Dazu setzt er sich auch häufig ans Klavier und improvisiert. Musik, findet er, ist «fürs Gemüt, nicht für den Intellekt». Wohin er auch geht, seine Geige «Lina» begleitet ihn wie seine Pfeife.

Das gemeinsame Spiel sucht er seit seiner Kindheit, als er auf Wunsch der Mutter unter reichlichen Mühen das Geigen erlernt hat. Er musiziert mit Kommilitonen und Kollegen, mit Besso und Born, Planck und Ehrenfest, mit Privatleuten wie mit Prominenten, mit Ersatzmutter Pauline Winteler in Aarau ebenso wie mit der belgischen Königin Elisabeth in Brüssel. In den Tagen vor Grammophon und Rundfunk gehört die Hausmusik zu den Selbstverständlichkeiten des Miteinanders – wie später das gemeinsame Anhören von Songs und Sounds aus der Stereoanlage.

Ein großer Musiker ist Einstein nie gewesen. Nichtsdestotrotz hat es ihm die Musik zeitlebens angetan. Bei einem genialen Naturforscher wie Einstein aber, der die Mathematisierung des Weltbildes vorangetrieben hat, wird daraus gleich eine Affäre. Musik, sagen manche, in Noten gegossene Mathematik, könnte ihm beim Erschließen der Weltharmonie geholfen haben. Entdeckt nicht Wissenschaft, so der pathetische Schluss, das Unbekannte in der Natur auf ähnlichen Wegen wie Musik das Unbekannte in der menschlichen Seele? Mit gleichem Recht ließe sich feststellen, Einstein habe das Segeln als Ausdruck angewandter Physik geliebt. Er selbst sagt dazu: «Die Musik *wirkt* nicht auf die Forschungsarbeit, sondern beide werden aus derselben Sehnsuchtsquelle gespeist.»

Als Musikliebhaber kommt Einstein in Berlin auf seine Kosten. Manchmal besucht er drei Konzerte in der Woche. Häufig begleitet ihn die kunstsinnige Margot, die sich als Bildhauerin nicht wegen, sondern trotz ihres Namens einen Namen macht. Mit der Moderne steht Einstein auch hier auf Kriegsfuß. Jemand wie Paul Hindemith irritiert ihn zutiefst. Einen Komponisten wie Arnold Schönberg hält er schlicht für verrückt. Die seinem Wesen fremde Romantik betrachtet er, wie sein früher Biograph Carl Seelig glaubt, «als eine Art illegitimen Auswegs, um auf verhältnismäßig billige Art zu einer tieferen Erfassung der Dinge zu kommen».

Am nächsten steht ihm die Musik des 18. Jahrhunderts, die klaren kompositorischen Architekturen von Männern wie Bach, Vivaldi oder Haydn. Auf die Anfrage der Illustrierten «Reclams Universum», einen Artikel über Bach zu verfassen, kritzelt er: «Was ich zu Bach's Lebenswerk zu sagen habe: Hören, spielen, lieben, verehren und – das Maul halten.» Schon mit Beethoven hat er seine liebe Not. Die Kammermusik sagt ihm zu – mit den wuchtigen Sinfonien aber weiß er nichts anzufangen. Johannes Brahms versteht er nicht, und Richard Wagner ist ihm regelrecht zuwider.

Seine größte Zuneigung gilt dem ewigen Kind aus Salzburg: «Mozarts Musik ist so rein und schön, dass ich sie als die innere Schönheit des Universums ansehe.» In dieser Musik gebe es keine überflüssige Note, sagt Einstein. Mit ihrem fein tarierten Kräftegleichgewicht zwischen Harmonie und Melodie kommt sie dem ästhetischen Purismus seiner physikalischen Formelwelt am nächsten. Aber es ist auch Mozarts Kindlichkeit, die ihn anzieht, sein Humor und sein mutiger Umgang mit Dissonanzen, der an Einsteins Aufgreifen von Paradoxa in der Physik erinnert.

Ein Universalgenie will er nicht sein und ist er auch nie gewesen. Das haben allenfalls seine Anhänger und Anbeter aus ihm gemacht. Das Geheimnis seiner Wirkung liegt vielmehr im Nebeneinander seiner schier übermenschlichen Leistungen für die Ewigkeit mit der allzu menschlichen Normalität seiner alltäglichen Verrichtungen. Der große Albert Einstein, vom «Time Magazine» zur Person des 20. Jahrhunderts auserkoren, hat nie aufgehört, ein kleiner Mann aus dem Volk zu sein. Nicht zuletzt darin liegt seine Grandiosität.

Wenn kein Auto eines reichen Freundes zur Verfügung steht, nimmt er halt die U-Bahn, Haltestelle Bayerischer Platz, oder fährt im Zehn-Pfennig-Bus zur Akademie. Im Zug macht es ihm nichts aus, in der 3. Klasse Platz zu nehmen. «Jeder Besitz ist ein Stein am Bein», sagt er und: «Es gibt nichts, auf das ich nicht jeden Augenblick verzichten könnte.» Gegen alle Anfechtungen und Verlockungen bewahrt er sich Bescheidenheit und schwäbischen Biedersinn. Nirgendwo wird das deutlicher als in seinem Verhältnis zum «Häusle» in Caputh.

Sein ehrlicher Besitzerstolz – es gibt sogar eine Postkarte, die er verschickt und die das «Landhaus Einstein» zeigt – hat nichts mit Angeberei zu tun. Für das Gästebuch verfasst er ein paar Zeilen, die er mit «Im Namen der Caputher Hausverwaltung der Hausherr» unterschreibt:

«Männer Weib und Kinderlein
Tragt Euch in dies Büchlein ein
Aber nicht mit plumpen Worten
Wie man mauschelt aller Orten
Nur mit Verschen fein und zart
So nach hehrer Dichter Art
Fürcht Dich nicht und plag Dich nur
Kommst schon auf die gute Spur!»

So etwas kann sich unter den Prominenten nur ein Einstein erlauben. Alle Welt kennt ihn als unkonventionellen Kindsmann. Er braucht keine repräsentativen Villen wie Thomas Mann, keine Gelage im Luxushotel Adlon wie Hauptmann, keine schicken Autos wie Bert Brecht. Ihm reicht sein duftendes Holzhäuschen aus Oregonpinie und galizischem Tannenholz, in dem er sich manchmal wie Robinson fühlt. Elsa wollte großzügiger bauen – er schämt sich beinahe der Größe seines Besitzes.

«Ich glaube, dass alle Gelehrten der Welt, die ich kenne und die die Wissenschaft in neue Bahnen gelenkt haben, hier genug Platz hätten, um miteinander zu reden und zu essen.» Was will er mehr? Demütig und dankbar genießt er den Luxus, zumindest zeitweise unbehelligt von der Öffentlichkeit ein normaler Mann sein zu dürfen. «Das Segelschiff, die Fernsicht, die einsamen Herbstspaziergänge, die relative Ruhe, es ist ein Paradies.» Natürlich liegt auch hier, passend zu Einstein, die Betonung auf relativ. «Dieses Paradies hat leider nur einen Mangel: Es gibt dort keinen Erzengel, der mit feurigem Schwert neugierige Gaffer und lästige Besucher vertreibt.»

Doch verglichen mit Berlin leben die Einsteins in Caputh, wo die Familie drei Sommer vom ersten Frühlingshauch bis zu den Herbststürmen verbringt, geradezu in Klausur. Nicht einmal ein Telefon haben sie installieren lassen. Im Notfall können sie über Nachbarn erreicht werden, denen sie zum Signalisieren eigens ein Horn besorgt haben. Es gibt sogar Überlegungen, die Stadtwohnung aufzugeben. «Vielleicht ziehe ich ganz hinaus», schreibt Einstein seinem Ältesten.

Freilich lässt es Elsa sich nicht ganz nehmen, ihren Salon aufs Land zu verlegen. Überraschungsbesucher, die den beschwerlichen Weg auf sich genommen haben, lassen sich auch nicht so einfach abweisen. Aber da die Laufkundschaft ausbleibt, hält sich der Auftrieb in Grenzen. Anders als in der Haberlandstraße bewegt sich Einstein in Caputh wie ein Mensch in seinen eigenen vier Wänden. Sein Schlaf- und Arbeitszimmer hat Wachsmann durch eine Doppelwandkonstruktion mit mehreren Isolierschichten vom Rest des Hauses abgeschirmt. Als Einrichtung neben Bett, Schreibtisch und Sessel hat sich der Wissenschaftler nur drei Dinge gewünscht: eine Lampe und zwei offene Zettelkästen, einen für frisches Papier, einen für fertige Notizen.

«Einstein ist einfach und praktisch», erzählt Erika Britzke. «Er will vor den Nachbarn nicht protzen.» Viele Besucher seien enttäuscht gewesen, weil sie ein prächtigeres Haus erwartet haben. Aber den Hausherrn habe das nicht berührt. «Er hat die Gabe, das Irdische von sich abperlen zu lassen.»

Und dann schließt sie wieder die Augen und lässt die Bilder vor sich auferstehen, die ein Vierteljahrhundert mit Einstein in ihr erzeugt hat – Phantasie auf Faktenbasis sozusagen. Einstein mit Geige Lina fiedelnd im Flur. Er macht es sich im Sessel auf der Terrasse gemütlich. Sohn Hans Albert fährt mit dem Motorrad vor. Im Beiwagen, in dicke Decken gehüllt, Enkel Bernhard. Am großen runden Tisch sitzen Einstein, Planck, Nernst und Haber beim Spargelessen. Die ihn kennen, wissen: Tischreden kann er nicht ausstehen. Sie sprechen über Physik. Herta und Elsa tragen auf und verschwinden wortlos. «Ohne die anderen hätte er gar nicht existieren können», sagt Erika Britzke. Und sie meint damit beide, Diener wie Bediente.

Der indische Dichter Rabindranath Tagore kommt mit großem Tross nach Caputh. «Er ist ein einsamer Mann», notiert der Poet. Die beiden Weltberühmten reden über Kausalität und Musik, über die universelle Wahrheit von der Existenz und das Gesetz der Güte. Ein mitgereister Journalist schreibt mit. Frau Britzke bezweifelt den Bericht. Tagore und Einstein konnten sich doch kaum verständigen, sagt sie. Sie zweifelt an manchem. Dass er die Blumen gegossen oder Unkraut gezupft hat. Dass er da überhaupt eingriff in die Natur und sie verändert hat – «glaub ich nicht».

Sie glaubt auch nicht die berühmte Geschichte des Abschieds von Caputh nach nur drei schönen Sommern. Als sie die Tür im November 1932 hinter sich schließen, soll Albert zu Elsa gesagt haben: «Schau es dir noch einmal an. Du wirst es nie wieder sehen.» Mythenbildung, meint Frau Britzke. Sie hat recherchiert. Wenn jemand glaubt, nicht wiederzukehren, dann kauft er nicht noch für 10 000 Mark das Nebengrundstück mit kleinem Gartenhaus dazu. Sie hat den Vertrag gefunden, unterzeichnet am 15. November 1932. «Er will wiederkommen», sagt sie. Dass es so schnell gehen würde mit der Machtübernahme der Nazis, habe auch Einstein nicht gedacht.

«Ich habe aber auch meine Einstein-Krisen gehabt», gesteht sie. Vor allem wegen der Frauengeschichten. «Das glaube ich, dass der junge Mädchen angesprochen hat.» Nicht nur angesprochen. Die Liebesabenteuer auf dem Segelboot, «in Caputh ein offenes Geheimnis». Das uneheliche Kind, «hier gezeugt», in Prag zur Welt gebracht und weggegeben – «Margot hat es bestätigt».

Kurz vor der Mauer geht der Vater von Frau Britzkes Tochter in den Westen, in die USA. Ein Kommunistenhasser. Sie vertraut auf die DDR. «War ein gutes Land für uns Frauen.» Aber auch schwierig. Einmal, als sie die Rekonstruktion der Caputher Einrichtung in Zweifel zieht und Haushälterin Herta in den Zeugenstand rufen will, fährt ein Genosse Parteisekretär sie an: «Das ist nicht meine Ebene.» Sie schüttet den Rest Zucker aus dem Beutel auf den letzten Tropfen Kaffee. Kriegskind. Lässt nichts umkommen. «Da wusste ich, der Arbeiter- und Bauernstaat geht zu Ende.»

Die DDR will Einstein, den linken Pazifisten. Sie will den Wissenschaftler. Aber mit dem Juden Einstein tut sich das Land schwer. Mit allem Jüdischen. Lehrerin Britzke hört Kinder in ihrer Schule flüstern: «Juden raus!» Es klingt wie ein Echo aus den dreißiger Jahren. Nach Einsteins Weggang nutzt ein jüdisches Kinderheim sein Haus. Im Wahnsinn fast so etwas wie eine vernünftige Verwendung. Doch infolge der Reichskristallnacht 1938 werden die Insassen verschleppt. Die Hitlerjugend zieht ein. Der Caputher Bürgermeister stellt zufrieden fest, seine Ortschaft sei judenfrei. 40 Jahre später flüstern Kinder wieder: «Juden raus!» Melden kann Erika Britzke es nicht. Die Sprösslinge der Parteibonzen sind unter den Schülern. Da kriegt sie den neuen Job. Die Schmähungen verstummen. Als kommende Hüterin des Caputher Hauses genießt sie Autorität, bei Einstein geborgt.

Kapitel 16

Ein Jude namens Albert

Sein Gott war ein Prinzip

«Dann hinunter zur Tempelmauer (Klagemauer), wo stumpfsinnige Stammesbrüder laut beten, mit dem Gesicht der Mauer zugewandt, den Körper in wiegender Bewegung vor und zurück beugend. Kläglicher Anblick von Menschen mit Vergangenheit ohne Gegenwart.» Einstein in Jerusalem, am 3. Februar 1923. Im Reisetagebuch zieht er einen Strich, ernüchtert und unbarmherzig. Hier der Ritus, gebeugte Menschen von gestern. Dort die Vision, die Nation ohne Grenzen, Modell einer globalen Gemeinschaft Gleichgesinnter. Und dazwischen Zerrissenheit, das Spannungsfeld von Zionismus, Assimilation und Antisemitismus, Aufbruch und Abschied in einem. Der Riss geht quer durch seine jüdische Seele, durch jüdische Identität schlechthin. Judentum als Glaubens- und als Stammesgemeinschaft – eine Sache der Religion, der Politik, der Kultur. Einstein hat sich schon lange entschieden. Gegen den Glauben und für den Stamm.

«Professor Einstein», ruft ihm der Präsident des Zionistischen Exekutivrats bei der zeremoniellen Eröffnung der Hebräischen Universität auf dem Jerusalemer Skopusberg zu, «bitte treten Sie an den Ort, der zweitausend Jahre auf Sie gewartet hat.» Nicht ohne Unbehagen sieht Einstein sich als «jüdischer Heiliger» gefeiert. Schon im Jahr zuvor ist er in England als «größter Jude seit Jesus» geehrt worden. «Man will mich unbedingt in Jerusalem haben», notiert er am letzten Abend seines Besuchs. «Das Herz sagt ja, aber der Verstand nein!» Es wird seine einzige Reise in die Heimat seines Herzens bleiben.

Der zweiwöchige Aufenthalt hinterlässt einen tiefen Eindruck: «Die Stammesbrüder in Palästina haben mir sehr gefallen, als Bauern, als Arbeiter und als Bürger», schreibt er Freund Maurice Solovine. «Das Land

[...] wird ein moralisches Zentrum werden, aber keinen grossen Teil des jüdischen Volkes aufnehmen können.» Judentum und Judenstaat lassen ihn bis an sein Lebensende nicht mehr los. Das war nicht immer so. Bis zu seinem 35. Lebensjahr, schreibt er 1921 in einem Zeitungsartikel unter der Zeile «Wie ich Zionist wurde», «war ich mir meines Judentums nicht bewußt und war nichts in meinem Leben vorhanden, das auf meine jüdische Empfindung gewirkt oder sie belebt hätte. Das änderte sich, sobald ich meinen Wohnsitz nach Berlin verlegte. Dort sah ich die Not vieler junger Juden.»

Präziser gesagt: Sein zionistisches Bewusstsein ist wohl erst nach 1918 erwacht. Bis dahin hat er Zionisten, wie in seiner Prager Zeit 1911 und 1912, nur als «eine mittelalterlich anmutende kleine Schar weltferner Menschen» erlebt. Die dort lebenden deutsch-jüdischen Intellektuellen wie Brod und Kafka, Egon Erwin Kisch und Franz Werfel haben ihn nicht für die zionistische Sache erwärmen können. Für den Wechsel in den österreichisch-ungarischen Staatsdienst hat er religiös Farbe bekennen müssen. Sich im betreffenden Formular als «mosaisch» auszuweisen lässt ihn kalt: «In den Schoß Abrahams zurückzukehren – das war gar nichts. Ein unterschriebenes Papier.» Als er Prag wieder verlässt, kehrt er zu «konfessionslos» zurück, was er für den Rest seines Lebens bleibt.

Ein Gefühl für die gesellschaftliche Sonderstellung des Judentums in Deutschland, wo er seine ersten 14 Jahre verbringt, hat er dagegen von Kindesbeinen an entwickelt. «In der Familie selbst herrschte» zwar, wie Schwester Maja sich erinnert, «in religiöser Beziehung dogmenfreier Geist, den beide Eltern schon von zu Hause mitgebracht hatten. Von religiösen Dingen u. Vorschriften wurde nicht gesprochen.» Die Kinder heißen Albert und Maria, nicht Abraham und Esther.

Mit dem Eintritt in die Volksschule in München unterliegt Albert der Pflicht zum Religionsunterricht. Die Schule bietet nur katholische Stunden an, an denen er auch teilnimmt. Zu Hause lassen ihn die Eltern von einem entfernten Verwandten im Judaismus unterweisen, «wodurch», so Maja im Rückblick, «ein inniges Religionsgefühl in ihm geweckt wurde». Glaubenswütig habe er «sich genau selbst an alle Einzelheiten religiöser Vorschriften» gehalten, kein Schweinefleisch mehr gegessen und von den Eltern Gleiches verlangt. Er schreibt und vertont Lieder zu Ehren Gottes, die er daheim und auf der Straße singt. «Der selbstgewählten Lebensweise blieb er jahrelang treu.»

Das Nebeneinander der zwei Lehren, die beide auf dem Alten Testament beruhen, dient ihm als Beleg für die Gleichheit der Religionen. Eines Tages aber bringt nach Angaben seines Schwiegersohns Rudolf Kayser der ihm wohl gesonnene Katholischlehrer einen großen Nagel mit in die Schule. Mit so etwas hätten die Juden Jesus ans Kreuz geschlagen, erklärt er. Die Wirkung, offenbar in Kauf genommen, bleibt nicht aus. Die Mitschüler, etwa 70 an der Zahl, zeigen mit dem Finger auf den einzigen Juden in der Klasse. «Zum ersten Mal», schreibt Kayser, «erfuhr Albert das Furcht erregende Gift des Antisemitismus.» Später berichtet Einstein, dass er auf dem Schulweg häufig «täthlichen Angriffen und Beschimpfungen» ausgesetzt gewesen sei, «nicht gar zu bösartig» zwar, aber immerhin genügend, «ein lebhaftes Gefühl des Fremdseins schon im Kinde zu befestigen».

Von welcher Art die unterschwellige Feindseligkeit in Einsteins Jugend ist, verrät eine Protestnote nichtjüdischer Schwabinger Bürger anlässlich der neu installierten elektrischen Beleuchtung ihres Städtchens 1889 durch die Firma «Einstein & Cie.». Da nur die Leopoldstraße, nicht aber die Nebenstraßen berücksichtigt worden sind, schaffe die Gemeinde «künstlich zwei Bürgerklassen: Die 1. Klasse der bevorrechteten semitischen Lichtbürger und die 2. Klasse der zurückgesetzten christlichen Dunkelbürger!» Der reiche Jude, ein ewiger Topos.

Dass Einstein sich bis zum 35. Lebensjahr seines «Judentums nicht bewusst» gewesen sein will – zweifelhaft. Zumindest aber hat er es nicht sonderlich wichtig genommen. Während der Gymnasialzeit wird er von verschiedenen Lehrern, darunter zwei Münchener Rabbis, in jüdischer Religion und in Hebräisch unterrichtet – laut Kayser ein «unvergessliches» Erlebnis. Doch seine «tiefe Religiosität» findet, wie sich Einstein später erinnert, «im Alter von 12 Jahren bereits ein jähes Ende». Ausgerechnet der jüdische Student Max Talmud versorgt ihn mit Schriften, die ihn vom Glauben abbringen. «Durch Lesen populärwissenschaftlicher Bücher kam ich bald zu der Überzeugung, daß vieles in den Erzählungen der Bibel nicht wahr sein konnte.» Auf die «Religion, die ja jedem Kinde durch die traditionelle Erziehungsmaschine eingepflanzt wird», folgt «eine geradezu fanatische Freigeisterei». Das «so verlorene religiöse Paradies der Jugend» macht dem «Streben nach gedanklicher Erfassung der Dinge» Platz.

Als er in seiner beruflichen Not 1901 erwägt, sich in Italien eine Assistentenstelle zu suchen, steht die Sorge wegen seines Judentums obenan: «Erstens fällt nämlich hier eine Hauptschwierigkeit weg, der Antisemitismus», schreibt er Mileva aus Mailand, «der mir in deutschen Ländern ebenso unangenehm als hinderlich wäre.» In einem Brief an ihre Freundin Helene Savić bezweifelt Mileva, dass Albert im deutschsprachigen Raum «bald eine sichere Position erlangen» wird: «Mein Schatz hat ein sehr böses Maul und ist obendrein ein Jude.» Ungeachtet dessen hat sie, die Katholikin, ihn dann geehelicht, wodurch auch seine Kinder christlich erzogen wurden.

Noch 1908, als er sich wegen einer Lehrerstelle bei Freund Grossmann nach einer Kontaktperson erkundigt, fragt er nach: «Mache ich nicht auf ihn einen schlechten Eindruck (kein Schweizerdeutsch, semitisches Aussehen etc.)?» Dass er mit seiner Befürchtung nicht so weit danebenliegt, zeigt im folgenden Jahr das Gutachten im Berufungsverfahren für seine erste Züricher Professur. Da sich weder Kommission noch Fakultät «den ‹Antisemitismus› aus Prinzip auf ihre Fahne» schreiben wollen, erhält er den Posten trotz seiner jüdischen Abstammung – obwohl «gerade den Israeliten unter den Gelehrten allerlei unangenehme Charaktereigentümlichkeiten, wie Zudringlichkeit, Unverschämtheit, Krämerhaftigkeit in der Auffassung ihrer akademischen Stellung und dergl. nachgeredet werden, und zwar in zahlreichen Fällen nicht ganz im Unrecht». Doch es gehe nicht an, «einen Mann bloß deswegen zu disqualifizieren, weil er zufällig Jude ist».

Als Einstein später wegen der dortigen Professur länger nichts aus Prag hört, vermutet er sogleich: «Das Ministerium hat aber wegen meiner semitischen Abstammung den Vorschlag nicht angenommen.» Ein Jude, der in dieser Zeit im deutschsprachigen Europa vergisst, dass er Jude ist – schwer vorstellbar.

In Berlin ist die Situation für die Juden noch verfahrener. Einerseits genießen sie im Kaiserreich bürgerliche Gleichberechtigung, andererseits wird die Antisemitenbewegung offiziell geduldet. Sie lebt ideologisch aus dem «Berliner Antisemitismusstreit», den der akademisch einflussreiche Historiker Heinrich von Treitschke in Einsteins Geburtsjahr 1879 mit seinem Traktat zur «Judenfrage in Deutschland» vom Zaun gebrochen hat. Ultima Ratio seines Pamphlets: «Die Juden sind unser Unglück.» Hauptargumente sind weniger Rasse oder Religion. Vielmehr werden die Juden, besonders jüdische Bankiers und Finanziers, für die Wirtschaftsflaute ab 1873 verantwortlich gemacht.

Gemessen an ihrer Zahl haben sich Juden als Kaufleute, Warenhausbesitzer, Fabrikanten, Industrielle und in den freien Berufen als Juristen, Mediziner oder Forscher innerhalb von Jahrzehnten eine herausragende Position in der Gesellschaft erarbeitet. Im kulturellen Leben, als Schriftsteller, Komponisten, Musiker, Philosophen, nehmen sie eine Stellung ein, die weit über ihren Anteil an der Bevölkerung hinausreicht. Drei deutschsprachige Juden – Marx, Freud und Einstein – gehören zu den einflussreichsten Denkern des 19. und 20. Jahrhunderts.

In Einsteins deutschen Jugendstädten Ulm und München lebten nach der Reichsgründung jeweils um die zwei Prozent Juden. Berlin verzeichnet um die Jahrhundertwende über 100 000 «Israeliten», vier Prozent der Bevölkerung. Die zahlen allerdings 30 Prozent aller Steuern in der Stadt. Seit Beginn des 20. Jahrhunderts sind viele in die großbürgerlichen Randgemeinden nach Charlottenburg, Wilmersdorf und Schöneberg gezogen, wo auch Einstein ab 1915 wohnt. Eine moderne liberale jüdische Großstadtgesellschaft ist herangewachsen. Nur eine kleine Gruppe Orthodoxer vertritt noch das traditionelle Judentum.

Die Frage, ob Juden Deutsche sind, ob sie sich als deutsche Juden oder als jüdische Deutsche verstehen, bleibt virulent. Seit Ende des 19. Jahrhunderts hat sie zusätzliche Brisanz durch die Einwanderung «ausländischer Juden» aus dem Osten erhalten. Der Zionismus gewinnt in Berlin aber kaum Anhänger – und wenn, dann weniger als politische Bewegung mit Blick auf Palästina, sondern vielmehr als «Kulturzionismus», wie der Schriftsteller Martin Buber es nennt.

Bis zum Ersten Weltkrieg bieten die Juden in Deutschland kaum Angriffsflächen – wohl auch, wie der Historiker Simon Dubnow glaubt, weil sie es «als ihre Pflicht» betrachten, «sich in den Dienst der neuen

Ordnung zu stellen. Sie waren bestrebt, im Hyperpatriotismus und in der mit der Großmachtidee getriebenen Abgötterei hinter den echten Deutschen nicht zurückzubleiben.» Das gilt auch für herausragende Persönlichkeiten wie Einsteins Kollegen Fritz Haber oder den mit ihm befreundeten Industriellen und späteren Außenminister Walther Rathenau, der einmal gesagt hat: «Ich habe und kenne kein anderes Blut als das deutsche, keinen anderen Stamm, kein anderes Volk als das deutsche. [...] Mein Vater und ich haben keinen Gedanken gehabt, der nicht deutsch war.» Es gibt sogar Versuche, den traditionellen Sabbatgottesdienst auf den Sonntag zu verlegen.

Die Assimilationsbestrebungen erreichen mit Ausbruch des Ersten Weltkrieges ihren Höhepunkt. «Deutsche Juden!» ergeht Anfang August 1914 ein Aufruf an die «Glaubensgenossen». «In dieser Stunde gilt es für uns aufs neue zu zeigen, dass wir stammesstolzen Juden zu den besten Söhnen des Vaterlandes gehören.» Der vom Kaiser angesichts des Krieges verkündete «Burgfrieden» zwischen den unterschiedlichen Gemeinschaften, so die Historikerin Chana S. Schütz, «gab den Juden mehr Auftrieb als irgendein Ereignis seit Inkrafttreten der Gleichberechtigung im Jahr 1869». Alle Streitigkeiten, auch zwischen den Konfessionen, sollen ruhen.

Mit dem Schicksal der deutschen Armee wendet sich aber auch das der Juden in Deutschland. Plötzlich wird ihnen Drückebergerei, sogar die Schuld am Steckenbleiben im Stellungskrieg vorgeworfen. Nach Ansicht des Historikers Golo Mann war der Antisemitismus zu diesem Zeitpunkt breiter als beim Machtantritt der Nazis 1933. Von Albert Einstein ist dazu kein Kommentar bekannt. Die Judenfrage spielt für ihn in diesen Jahren noch keine besondere Rolle.

Erst nach dem Weltkrieg, in dem über 12 000 Juden als deutsche Soldaten ihr Leben lassen, und nach seinem plötzlichen Ruhm 1919 setzt sich Einstein sicht- und hörbar mit dem Judentum und dem Schicksal seiner Stammesgenossen auseinander. Ein bitteres ironisches Bonmot liefert er kurz nach Bekanntgabe der Sonnenfinsternisdaten in der Londoner «Times»: «Noch eine Art Anwendung des Relativitätsprinzips zum Ergötzen des Lesers: Heute werde ich in Deutschland als ‹deutscher Gelehrter›, in England als ‹Schweizer Jude› bezeichnet. Sollte ich aber einst in die Lage kommen, als ‹bête noire› präsentiert zu werden, dann wäre ich umgekehrt für die Deutschen ein ‹Schweizer Jude› und für die Engländer ein ‹deutscher Gelehrter›».

Der Hintergrund: «Hier ist starker Antisemitismus und wütende Reaktion, wenigstens bei den ‹Gebildeten›», schreibt er am 4. Dezember 1919 an seinen Freund und Kollegen Paul Ehrenfest. Gerade der akademische Antisemitismus bereitet der kommenden Barbarei den Boden. Da die Journaille ihn zu einem allwissenden Weisen hochstilisiert, nutzt er umgekehrt seinen Zugang zu den Massenmedien, erhebt seine Stimme – und tritt endgültig aus seiner Isolation heraus. Am 30. Dezember 1919 veröffentlicht er im «Berliner Tageblatt» einen Text unter der Überschrift «Die Zuwanderung aus dem Osten». Darin warnt er nicht nur orakelgleich vor der Demagogie von rechts: «All diese Argumente zielen darauf, schärfste Maßnahmen, d. h. Zusammenpferchung in Konzentrationslagern oder Auswanderung aller Zugewanderten zu erzwingen.» Er macht auch ein erstes – indirektes – Zugeständnis an den Zionismus, als er für die Ostjuden «die Möglichkeit zur Weiterwanderung» fordert: «Hoffentlich werden viele von ihnen in dem neu entstehenden jüdischen Palästina als freie Söhne des jüdischen Volkes eine wahre Heimat finden.»

Schon vor seinem Besuch im alten Israel lebt in Einstein die – zionistisch anmutende – Idee einer Heimstatt der Juden auf ihrem angestammten Grund. Einer jüdischen Nation in Palästina spricht er vorerst nicht das Wort. Damit eröffnet er in seinem Verhältnis zum Judentum eine erste Front: Er vertritt zionistische Ideale, ohne das Ideal des Zionismus – die Staatsgründung – zu befürworten. Sozialistische Anklänge, etwa der Kibbuzbewegung, sagen ihm zu, jüdischen Chauvinismus aber verachtet er.

Am 9. November 1919, drei Tage nach seiner «Heiligsprechung» im Tempel der Wissenschaft, schreibt er an seinen Freund und Kollegen Max Born und dessen Frau Hedi: «Den Antisemitismus muß man schließlich begreifen als eine auf wirklichen erblichen Qualitäten beruhende reale Sache, wenn es für uns Juden auch oft unangenehm ist.» Er findet sogar Verständnis für die gegnerische Haltung, die darauf beruhe, «daß die Juden einen weit über ihre Zahl hinausgehenden Einfluß auf das geistige Leben des deutschen Volkes ausüben». Schließlich geht er so weit zu sagen: «Ich glaube, daß das deutsche Judentum dem Antisemitismus seinen Fortbestand verdankt.»

Einsteins Verhältnis zum Judentum ist in jener schwierigen Zeit neben politischen und kulturellen Gesichtspunkten vor allem von sozialen Gefühlen geprägt. Er glaubt an die Gleichberechtigung aller. Sein instinktives Eintreten für Benachteiligte, Ausgegrenzte und Underdogs aller Konfessionen findet in den Ostjuden dankbare Bedürftige. Von den 30 000 Juden, die nach dem Kriegsende aus dem Osten nach Deutschland fliehen, bleiben 20 000 in Berlin hängen. Für die Studenten darunter bietet er eigens Universitätskurse an. Das Schlimmste für ihn wäre, seine armen Brüder auch noch von der Bildung ausgeschlossen zu sehen. Auf dieser Überzeugung – Solidarität als Religion – beruht auch sein beherztes Engagement für eine Hebräische Universität in Palästina, das er sich als geistiges Zentrum der weltweiten jüdischen Diaspora vorstellt.

Im Umgang mit den Ostjuden errichtet Einstein eine zweite Front mit dem Judentum. Er findet ein «Feindbild», das ihm mehr zu schaffen macht als der Antisemitismus: die Assimilation. «Ich habe die würdelose Anpassungssucht vieler meiner Stammesgenossen immer als sehr abstoßend empfunden», sagt er Ende 1919. «Bestandteil dieser ‹Integration›», beschreibt Architekt Wachsmann die Situation, «war zu Einsteins Entsetzen die Art der Gewöhnung, mit welcher Juden Geringschätzung oder sogar Feindseligkeiten über sich ergehen ließen.»

Als er eine Einladung des Berliner «Central-Vereins deutscher Staatsbürger jüdischen Glaubens» zu einer Sitzung erhält, «welche der Bekämpfung des Antisemitismus in akademischen Kreisen gewidmet sein soll», schreibt er im April 1920 eine gepfefferte Antwort. Der «Bekenntnisbrief», den später das «Israelitische Wochenblatt für die Schweiz» veröffentlicht, gibt besser als jede andere Äußerung Einsteins Haltung gegenüber den Angepassten wieder, zu denen er auch Freunde wie Fritz Haber zählt.

«Zuerst aber müßte der Antisemitismus und die knechtische Gesinnung unter uns Juden selbst durch Aufklärung bekämpft werden. Mehr Würde und Selbständigkeit in unseren Reihen! Erst wenn wir es wagen, uns selbst als Nation anzusehen, erst wenn wir uns selbst achten, können wir die Achtung anderer erwerben, bezw. sie kommen dann von selbst. [...] Wenn ich zu lesen kriege ‹Deutsche Staatsbürger jüdischen Glaubens›, so kann ich mich eines schmerzlichen Lächelns nicht erwehren. [...] Kann der Arier vor solchen Leisetretern Respekt haben? [...] Ich bin Jude und freue mich, dem jüdischen Volke anzugehören, wenn ich dasselbe auch nicht irgendwie für ein auserwähltes halte. Lassen wir doch ruhig dem Arier seinen Antisemitismus und bewahren uns die Liebe zu unseresgleichen.»

Seinen jüdischen Studenten empfiehlt Einstein, sie sollen «den Nichtjuden gegenüber höfliche, aber konsequente Zurückhaltung üben. Dabei wollen wir nach unserer eigenen Art leben und nicht Trink- und Pauksitten kopieren, die unserem Wesen fremd sind. Man kann ein Träger der Kultur Europas, ein guter Bürger eines Staates und zugleich ein treuer Jude sein.» Seine Stammesgenossen beschreibt er als «Menschen eines gewissen Entwicklungstypus [...], denen die Stütze einer sie verbindenden Gemeinschaft fehlt. Unsicherheit der Individuen, die sich bis zur moralischen Haltlosigkeit steigern kann, ist die Folge.»

Einstein träumt davon, dass «alle Juden der Erde zu einer lebendigen Gemeinschaft verbunden» wären, und beklagt «die würdelose Mimikry wertvoller Juden, daß mir das Herz bei diesem Anblick blutete». Doch auch wenn «der bedauernswerte getaufte jüdische Geheimrat von gestern und heute» zu seinen Schreckensbildern gehört, das besonders auf Fritz Haber zutrifft, der sich mit 24 Jahren evangelisch hat taufen lassen, rückt er nicht von der Freundschaft mit dem Chemiker ab. «Haber und Einstein empfanden Wissenschaft als einen besonderen Ruf in die Priesterschaft eines Glaubens, der erst kürzlich errichtet worden war», sagt der Historiker Fritz Stern. Das daraus gewonnene Gemeinschaftsgefühl hilft über alle Differenzen hinweg.

«Die jüdische Solidarität ist auch so eine Erfindung ihrer Gegner», sagt Einstein und höhnt: «Die Antisemiten sprechen so gern von der Gerissenheit der Juden, aber hat man jemals in der Geschichte ein schlagenderes Beispiel von Herdendummheit gesehen als die Verblendung der deutschen Juden?» Im Rückblick fällt er ein vernichtendes Urteil über die Stammesbrüder, die vor der aufkommenden Katastrophe die

Augen verschließen: «Die große Tragödie, die sich in Deutschland ab-
spielte, war auch die der Versklavung durch Wohlleben. Trotz allen
unmißverständlichen Vorzeichen klammerte sich das reiche, jüdische
Bürgertum an sein Vermögen, seine Häuser und Möbel.»

Einstein kümmert sich nicht um die Meinungsstreitereien innerhalb des deutschen Judentums, ob man nun mehr Jude oder mehr
Deutscher sei. Für ihn zählt, was er sieht. Und das findet er entwürdigend – ganz anders, aber gleichermaßen entwürdigend wie den Anblick seiner «Stammesbrüder» an der Klagemauer. Damit hat er seine
Grenzen auf beiden Seiten gezogen. Kein Klerus und kein Kleinmut.
Eine idealistische Haltung, die zu nichts führt – außer zur späten Bestätigung schlimmster Befürchtungen. «Das Hauptunglück liegt darin», schreibt er im März 1934 aus Princeton an seinen Freund Michele
Besso in der Schweiz, «daß die saturierten Juden der bisher verschon-
ten Länder wie ehedem die deutschen Juden sich der törichten Hoffnung hingeben, durch Schweigen oder patriotische Gebärden sich sichern zu können.»

So urteilt er über jene amerikanischen «Brüder», von denen er Besso
schon 1921 nach seinem ersten Besuch in den USA berichtet: «Die meisten unserer Stammesgenossen sind mehr klug als mutig, das hab ich
deutlich merken können.» Vor der Abfahrt nach Amerika 1921 hat Fritz
Haber – aus Furcht vor antisemitischen Reaktionen – ihn gedrängt,
nicht zu fahren: «Sie opfern mit Sicherheit den schmalen Boden, auf
dem die Existenz der akademischen Lehrer und Schüler jüdischen
Glaubens an deutschen Hochschulen beruht.» Einstein lässt sich von
keinem Hasenfuß abbringen, auch wenn er sich über seine Rolle keine
Illusionen macht: «Mich braucht man natürlich nicht wegen meiner
Fähigkeiten», schreibt er an Haber, «sondern nur wegen meines Namens, von dessen werbender Kraft sie sich einen ziemlichen Erfolg bei
den reichen Stammesgenossen von Dollaria versprechen.» Und Freund
Solovine lässt er wissen, er werde um «Dollars betteln müssen, wobei
ich als Renommierbonze und Lockvogel dienen muss». Zusammen
mit dem Zionistenführer Chaim Weizmann sammelt er Spenden für
die medizinische Fakultät der geplanten Hebräischen Universität. Am
Ende «bleibt das schöne Bewusstsein, etwas wirklich Gutes gethan zu

haben und mich tapfer und ungeachtet aller Proteste von Juden und Nichtjuden für die jüdische Sache eingesetzt zu haben».

Nach der Rückkehr schildert Einstein seine Reiseeindrücke bei einem Zionistentreffen im Berliner Blüthner-Saal. Die «Jüdische Rundschau» gibt die Rede am nächsten Tag wieder: «Mein größtes Erlebnis war, daß ich zum ersten Male in meinem Leben jüdisches Volk gesehen habe. Meine Damen und Herren! Juden habe ich schon ungeheuer viel gesehen (Heiterkeit), aber jüdisches Volk habe ich in Berlin und anderswo in Deutschland noch nicht gesehen. [...] Diese Menschen haben noch das gesunde Nationalgefühl in sich, welches nicht durch die Atomisierung und Verteilung des Individuums zerstört ist.» Beim Empfang in der City Hall von Manhattan hat die städtische Kapelle von New York das Deutschlandlied und das zionistische «Hatikvah» gespielt, die spätere Nationalhymne Israels. Verglichen mit ihrer Situation in Deutschland scheinen die amerikanischen Juden in den USA so etwas wie ihr Gelobtes Land gefunden zu haben.

Was aber macht einen Juden zum Juden? Als Verfechter der Ideen von Vererbung und Genetik bedient sich Einstein in den ersten Jahren der Weimarer Republik eines Vokabulars, das nach heutiger Lesart fast rassistisch klingt: «Ich bin nun ziemlich überzeugt», schreibt er nach seiner Begegnung mit der kleinen israelitischen Gemeinde in Hongkong, «dass die jüdische Rasse sich ziemlich rein erhalten hat in den letzten 1500 Jahren.»

Um 1930 hat sich das Bild schon erheblich gewandelt: «Ich gebe auch zu, dass unsere kulturelle Tradition uns Ehre macht; moralisch im Ganzen von überlegener Grösse, intellektuell einseitig, aber kräftig, künstlerisch und weltanschaulich ärmlich ... im Ganzen trefflich konservierend, aber die Persönlichkeit verkümmernd ... moralischer Adel ... unser politisches Weltbürgertum.»

Am 29. Januar 1930 erlebt die Berliner jüdische Gemeinde bei einem Benefizkonzert für ihr Fürsorgeamt in der großen Synagoge an der Oranienburger Straße Einstein in der traditionellen Yarmulka als zweiten Geiger. Angesichts des braunen Wahns und der Bedrohung aller Kultur durch die Nazis verlegt er sich mehr und mehr auf ein gesellschaftliches und kulturelles Verständnis: «Wie weit die Juden eine Rassengemeinschaft sind, ist ohne Interesse», sagt er im Juli 1932. «Ich bin für den Zionismus. Sicher ist, dass sie eine Schicksalsgemeinschaft sind und dass sie der gegenseitigen Hilfeleistung dringend bedürfen.»

Kurz nach der Machtergreifung Hitlers kursiert in Deutschland eine Nazi-Schrift mit dem Titel «Juden sehen Dich an», in der auch der entronnene Physiker steckbriefartig ausgestellt wird. «Einstein. Erfand eine stark bestrittene ‹Relativitätstheorie›. Wurde von der Judenpresse und dem ahnungslosen deutschen Volke hoch gefeiert, dankte dies durch verlogene Greuelhetze gegen Adolf Hitler im Auslande. (Ungehängt.)»

Zu Einsteins bittersten Erfahrungen zählt die gegen ihn gerichtete Reaktion seiner Stammesgenossen auf die Repressalien der neuen Machthaber. «Das Tragische in meines Mannes Schicksal ist», schreibt Elsa 1934 ihrer Freundin Antonina Vallentin, «daß alle deutschen Juden ihn dafür verantwortlich machen, daß ihnen dort so Schreckliches widerfahren [ist]. Sie [...] haben in ihrer Borniertheit die Parole herausgegeben, sich von ihm abzuwenden und ihn zu hassen. So bekommen wir mehr haßerfüllte Briefe von Juden als von den Nazis!»

Einstein zieht nun immer deutlicher eine Grenze zwischen den deutschen Juden, die das Verhängnis ihrer sturen Vaterlandsliebe nicht sehen, und jenen, die längst die Zeichen der Zeit erkannt haben. Im August 1938 schildert er Besso eine Anekdote, die für sich selber spricht: «Ein mit einer Jüdin verheirateter deutscher Jurist [...] antwortete mir auf die Frage, ob er nie Heimweh verspüre: Aber ich bin doch kein Jude! Der Mann hats kapiert.» Einstein auch. Etwa um diese Zeit verfasst er einen Vierzeiler, der seine Ambivalenz gegenüber den Stammesgenossen widerspiegelt:

«Seh' ich meine Juden an
Hab' nicht immer Freude dran;
Fallen mir die Andern ein:
Bin ich froh, ein Jud' zu sein.»

«Was die Juden verbindet und seit Jahrtausenden verbunden hat», sagt er 1938, «ist in erster Linie das demokratische Ideal der sozialen Gerechtigkeit und die Idee der Pflicht zur gegenseitigen Hilfe und Duldsamkeit aller Menschen untereinander.» Gleichzeitig wendet er sich weiterhin gegen eine Staatsgründung in Palästina: «Meinem Gefühl für das Wesen des Judentums widerspricht der Gedanke eines jüdischen Staates mit Grenzen, einer Armee und säkularen Machtmitteln. [...] Ich fürchte den inneren Schaden, den das Judentum dann erleidet.»

Nachdem im Holocaust auch Mitglieder seiner Familie umgekommen sind, findet er mildere Worte: «Der Zionismus hat die deutschen Juden fast gar nicht vor der Vernichtung schützen können», schreibt er einem Gegner der Bewegung. «Aber er gab den Überlebenden die innere Stärke, das Unheil mit Würde durchzustehen und die gesunde Selbstachtung nicht zu verlieren.» 1949 erteilt er dem neuen Staat den Segen: «Das Ziel des Kampfes der Juden in Palästina war nicht politische Unabhängigkeit um der Unabhängigkeit willen, sondern freie Einwanderung von in ihrer Existenz bedrohten Juden vieler Länder.»

Doch wieder warnt er, wie schon seit einem Vierteljahrhundert, dass Israel sein Glück nur mit den Arabern, aber nicht gegen sie finden werde. Schon 1929 hat er an Besso geschrieben: «Ohne Verständigung und Zusammenarbeit mit den Arabern wird es nicht gehen. [...] Es kann überhaupt keine Rede davon sein, Araber von ihrem Boden zu verdrängen. Das Land ist ja für seine Möglichkeiten schwach bevölkert.» Gebetsmühlenartig wiederholt er seinen Standpunkt bei jeder sich bietenden Gelegenheit. Als das Land nach dem Tod seines ersten Staatspräsidenten Chaim Weizmann 1953 Einstein dessen Amt anbietet, lehnt er demütig ab – nicht ohne anzuerkennen, dass «die Beziehung zum jüdischen Volke meine stärkste menschliche Bindung geworden» ist. Zu seiner Stieftochter Margot sagt er: «Wenn ich Präsident wäre, würde ich dem israelischen Volk manchmal Dinge sagen müssen, die die Menschen nicht gern hören würden.»

Seine Beziehung zum jüdischen Glauben dagegen hat schon früh einen anderen Weg genommen. Mit seiner «jähen» Abkehr von «tiefer Religiosität» hat er eine dritte Front in seiner lebenslangen Auseinandersetzung mit dem Judentum aufgebaut. Er hört zwar nicht auf, ein «religiöser Mensch» zu sein. Sein Glaube aber gilt fortan einer Richtung, die er als «stärkste und edelste Triebfeder wissenschaftlicher Forschung» beschreibt. «Die religiösen Genies aller Zeiten waren durch diese kosmische Religiosität ausgezeichnet, die keine Dogmen und keinen Gott kennt, der nach dem Bild des Menschen gedacht wäre.»

Mit diesem Schritt hat Einstein in den Worten des amerikanischen Wissenschaftshistorikers Gerald Holton sein «drittes Paradies» betreten. Es entsteht aus der Verschmelzung des ersten und zweiten, gewissermaßen von Metaphysik und Physik, und geht auf sein großes «Verallgemeinerungsbedürfnis» zurück – einen nach Holton tief in der deutschen Kultur wurzelnden Wunsch: Mechanik und Elektrodynamik, Masse und Energie, Raum und Zeit, Gravitation und Raumzeit, schließlich alle Theorien, vereinigt in der Weltformel. Aber auch die Forscher aller Länder, die Juden der Welt, die Nationen und Religionen: vereint in einer Weltregierung. Keine Grenzen und Barrieren soll es geben, vor allem nicht zwischen seinen religiösen und wissenschaftlichen Anschauungen.

«Das Erlebnis des Geheimnisvollen – wenn auch mit Furcht gemischt – hat auch die Religion gezeugt», fasst Einstein seine Grundgedanken 1931 zusammen. «Das Wissen um die Existenz des für uns Undurchdringlichen, der Manifestationen tiefster Vernunft und leuchtendster Schönheit, die unserer Vernunft nur in ihren primitivsten Formen zugänglich sind, dies Wissen und Fühlen macht wahre Religiosität aus; in diesem Sinn und nur in diesem gehöre ich zu den tief religiösen Menschen.» Und doch auch in einem anderen Sinne – in seiner tiefen Achtung vor dem Leben, die er mit den gläubigen Juden teilt und sich trotz seines leichtsinnigen Urteils über die Todesstrafe immer bewahrt hat. Mit Vorliebe zitiert er einen Satz von Walther Rathenau: «Wenn ein Jude sagt, er gehe zu seinem Vergnügen auf die Jagd, so lügt er.»

Obgleich Wissenschaft zum Erkennen des Göttlichen in der Natur im Schatz jüdischer Traditionen als geradezu heilig gilt, findet Einstein zu einem «Glauben» im Sinne der Religionsgemeinschaft nie wieder zurück. «Einen Gott, der die Objekte seines Schaffens belohnt oder bestraft, der überhaupt einen Willen hat nach Art desjenigen, den wir an uns selbst erleben, kann ich mir nicht einbilden.» Schonungslos schreibt er den Gläubigen ins Stammbuch: «Der jüdische Gott ist nur eine Verneinung des Aberglaubens, ein Phantasieersatz für dessen Beseitigung. Es ist auch ein Versuch, das Moralgesetz auf Furcht zu gründen, ein bedauernswerter unrühmlicher Versuch.»

Keine Autorität, und sei sie auch nur gedacht, keinen Gott über den Menschen lässt er gelten. «Demut ist Einsteins Religion», sagt sein Schwiegersohn Rudolf Kayser. «Sie besteht aus einer kindlichen Bewunderung für einen höheren Geist.» Da ist es wieder, das ewige Kind. Einstein glaubt nicht an einen personifizierten Gott, aber er benutzt mit kindlicher Weisheit das Gottesbild. Nicht das eines Gottes, der straft oder belohnt, sondern eines, der die Natur so gesetzmäßig geschaffen hat, dass alles im Universum diesen Gesetzen folgen muss. Alles ist vorherbestimmt, festgelegt, berechenbar, das Schicksal eine endlose Verkettung gesetzlich geregelter Vorgänge.

«Dieses realistische Gefühl gegenüber dem Universum, in das er gestellt ist, ist in Einstein so stark, daß es eine Form annimmt, die genau wie das Gegenteil aussieht», notiert sein Assistent Leopold Infeld 1938. «Wenn er von Gott und dessen Erschaffung der Welt spricht, meint er stets die innere Folgerichtigkeit und logische Einfachheit der Naturgesetze.» Nur diese Autorität akzeptiert Einstein. Sein Gott ist ein Prinzip – das Prinzip von Ursache und Wirkung. Er glaubt an das Gesetz der Kausalität, in dem allein sich göttliches Wirken ausdrückt. Und der jüdische Heilige sucht Augenhöhe mit seinem Gott, will dem «ewigen Rätselaufgeber» in die Karten gucken, sein Handwerk durchschauen, «wissen, wie Gott diese Welt erschaffen hat», nichts weniger. «Ich bin nicht an dieser oder jener Erscheinung interessiert, am Spektrum dieses oder jenes Elements. Ich möchte Seine Gedanken kennen, das übrige sind Details.»

Doch Einstein, der Determinist, glaubt nicht an den freien Willen. Gott hatte seine Chance, und seitdem vollzieht sich alles nach den unveränderlichen Gesetzen. Aber hatte Er überhaupt eine Chance, hatte Er wenigstens ein einziges Mal einen freien Willen? «Was mich am meisten beschäftigt ist die Frage, ob Gott bei der Erschaffung der Welt eine Wahl hatte», sagt Einstein. Gibt es Alternativen zu den bekannten Naturgesetzen? Oder sind sie die einzig möglichen? Welcher Natur sind die Gesetze? Sind sie selber Gott? Kann man an der Ewigkeit wie an der Endlichkeit verzweifeln, und doch Gott gegenübertreten, indem man sein Regelwerk entziffert?

«Wissenschaft ohne Religion ist lahm, Religion ohne Wissenschaft blind», sagt Einstein. Wie kaum einer seiner gläubigen Kollegen hat er die Religiosität seiner Zunft erkannt. «Jedem tiefen Naturforscher muß eine Art religiösen Gefühls nahe liegen; weil er sich nicht vorzustellen vermag, daß die ungemein feinen Zusammenhänge, die er erschaut, von ihm zum erstenmal gedacht werden. Der Forscher fühlt sich dem noch nicht Erkannten gegenüber wie ein Kind, das der Erwachsenen überlegenes Walten zu begreifen sucht.» Vielleicht liegt hierin Einsteins Geheimnis. In seiner Welt ist der Gott lebendig, den Nietzsche längst für tot erklärt hat – Nietzsche, dessen Werk Einstein strikt ablehnt: «Wenn ich etwas hassen kann, so sind es seine Schriften.»

Als ihn 1929 Herbert S. Goldstein per Telegramm fragt: «Glauben Sie an Gott? Stop Antwort bezahlt 50 Wörter», schreibt Einstein dem New Yorker Rabbi zurück: «Ich glaube an Spinozas Gott, der sich in der gesetzlichen Harmonie des Seienden offenbart, nicht an einen Gott, der sich mit dem Schicksal und den Handlungen der Menschen abgibt.» Er hat nur die Hälfte der bezahlten Einheiten gebraucht – ein Glaubensbekenntnis in 25 Wörtern. Vor allem der 29. «Lehrsatz» Spinozas hat es Einstein angetan: «In der Natur gibt es kein Zufälliges», heißt es da, «sondern alles ist vermöge der Notwendigkeit der göttlichen Natur bestimmt, auf gewisse Weise zu existieren und zu wirken.»

Schwiegersohn Rudolf Kayser fasst zusammen: «Das Weltbild: Die Verwandlung der unruhigen, irdischen Wirklichkeit in reine und ewige Idealität; Leibniz' ‹prästabilierte Harmonie› und Spinozas intellektueller Monismus; die Gesetzmäßigkeit als höchster Triumph über den Übermut des anarchischen Zufalls und der Willkür.» Gott entscheidet nichts, was er nicht schon entschieden hat. In der Raumzeit läuft der Augenblick immer vor sich selber weg. Oder her. Ohne Materie keine Raumzeit, ohne Ursache keine Wirkung. Diese folgt auf jene, nicht umgekehrt. Gott darf nicht einmal Zufall spielen.

«Im Alter aber nannte er sich wiederholt einen tiefreligiösen Ungläubigen», berichtet Rudolf Kayser über den Schwiegervater. So kommt Einsteins berühmter Spruch zustande, mit dem er dem Allmächtigen wie einem Geist in der Flasche selbst das freie Spiel untersagen will: «Gott würfelt nicht.»

Kapitel 17

Der Zweck heiligt die Zweifel

Einstein und die Quantentheorie

Klck macht das Messgerät, dem das Licht zufliegt, klck-klck, klck. Ein Detektor im Institut für Experimentalphysik an der Universität Wien. Unscheinbarer Kasten mit Strippen, Schaltern und Digitalanzeige, auf dessen Nummernzeiger Ziffern ihre Zahlen in die Höhe jagen. Aus einem kleinen Lautsprecher tönt das Klck. Kein steter Dauerton, kein Hüüüh oder Ummmh. Nur klck, klck-klck, scharf begrenzt und zählbar, genau wie es Einstein vor 100 Jahren prophezeit hat. Damals, in seinem «Wunderjahr», reicht es ihm nicht aus, mit seiner Relativitätstheorie das Licht zum Meister über die Zeit zu erheben. Er will auch noch wissen: Was ist das überhaupt – Licht?

Von «in Raumpunkten lokalisierten Energiequanten» spricht er im Frühjahr 1905, «welche sich bewegen, ohne sich zu teilen und nur als Ganze absorbiert und erzeugt werden können». Eine der bedeutendsten Ideen des 20. Jahrhunderts. Mit ihr beginnt eine theoretische Revolution, deren technische Folgen die Geschicke der Menschheit heute maßgeblich mitbestimmen. Auf dieser Theorie gründet die Hightech-Welt von Mikroelektronik, Mobiltelefonie und Digitalfotografie, Computer, Chip und Internet, Supraleitung, Nanotechnik und moderner Chemie.

Mit seinen Relativitätstheorien hat Einstein die Wissenschaft ab 1905 ins Reich der Riesen geführt, in den endlichen unbegrenzten Kosmos. Mit seiner «Lichtquantenhypothese» weist er ihr im selben Jahr den Weg in die Welt der Zwerge, der kleinsten Bestandteile der Materie bis in den subatomaren Bereich. Allein dank dieser Leistung gehörte er auf den Olymp der Physik – auch ohne Relativität und Gravitation. «Ich habe hundertmal so viel über Quantenprobleme nachgedacht wie über die allgemeine Relativitätstheorie», sagt er.

Erneut hat Einstein der Welt eines ihrer tiefsten Geheimnisse entlockt: die Doppelnatur des Lichtes. Es kann beides sein – wellenförmig,
wie in der klassischen Physik des 19. Jahrhunderts beschrieben, und
(beziehungsweise: oder) gekörnt, partikelartig, Energie in Päckchen,
gequantelt. Mit diesem frühen Vorläufer des «Welle-Teilchen-Dualismus», des gleichzeitigen Vorhandenseins einander ausschließender
Eigenschaften, trägt Einstein zum Fundament der Quantentheorie bei.
Einzelne Lichtteilchen in gequantelten Energiezuständen, 20 Jahre
später «Photonen» getauft, sausen wie winzigste Geschosse durch den
Raum – und wenn sie auf einen Detektor treffen, kann er sie hörbar machen, jedes für sich, klck, klck-klck.

Im Institut an der Wiener Boltzmanngasse arbeiten Wissenschaftler
auf Einsteins Schultern bereits an einer Zukunft, die auf den Namen
«Quantenkommunikation» hört. Der Chef des Instituts, Anton Zei-
linger, spricht über «Quantencomputer», «Quantenverschlüsselung»
und «Quantenteleportation» fast so selbstverständlich wie in Einsteins
Jugend alle Welt von Glühbirnen, Generatoren und Fernsprechappara-
ten. Auch so ein genialer Junge, der in die Jahre gekommen ist, dieser
«Quanton» (so nennen ihn heimlich seine Studenten): Vollbart und
Vollblut, brummbäriger Wiener Charme, ein Herr der Dinge, die kein
Mensch versteht, bevor nicht der Zeilinger kommt und sie erklärt.

«Einsteins Schleier» nennt er sein Buch über «die neue Welt der
Quantenphysik». Von einem «großen Schleier» hat Einstein 1924 gesprochen, hinter dem die Quantenwelt ihre Rätsel verberge. Zeilinger
versucht, den Schleier zu lüften – ohne sich der Illusion hinzugeben,
dass irgendjemand die Quantentheorie wirklich verstehen könnte.
Doch auch wenn sie bis heute nicht bis ins Letzte verstanden ist – sie
steht an der Schwelle ihrer direkten technischen Anwendung. Einzelne
Photonen, 1905 noch durch und durch geheimnisvoll, spielen heute als
Rohstoff im Routinebetrieb der Quantenphysik eine zentrale Rolle.

Weltbekannt wird Zeilinger 1997, als ihm und seinen Mitarbeitern
als Ersten das «Beamen» mit Lichtteilchen gelingt – eine Teleportation
im Stile von Star Trek, wenn auch «nur» von Information, und nicht
von Materie. «Das hätte Einstein schockiert», sagt Philip Walther, einer von etlichen Doktoranden im Wiener Team, so jung wie damals

der Himmelstürmer im Berner Patentamt. Einsteins «unglaubliches Wissen» und «seine kühne Logik», die bewundert er. «Cool» und «voll spannend» nennt er seine eigene Forschung. Und wenn ihn Freunde fragen, was er so treibt in seinem Labor, dann sagt er: «Was ich da mache, das ist verrückt.»

Genau mit dieser verrückten Interpretation der Quantenwelt, die er als Revolutionär 1905 mit aus der Taufe gehoben hat, wird sich Einstein in seiner zweiten Lebenshälfte nicht mehr abfinden. An den Quanten (und an der «Weltformel», über die noch zu berichten ist) erweist sich seine Tragik als Wissenschaftler. Die Entwicklung hängt ihn 1925 schließlich ab. Bis zu seinem Tod wird er der große Zweifler bleiben. Vielleicht der produktivste der Wissenschaftsgeschichte. Über die Wirkung seiner Zweifel hätte selbst Einstein gestaunt. Oder auch nicht.

Zeilingers Truppe hält den Weltrekord in einer merkwürdigen Disziplin: Sie testen die Grenzen des Welle-Teilchen-Dualismus aus. Mit raffinierten Versuchsaufbauten können sie zeigen, dass sich sogar so genannte Fußballmoleküle aus über 60 Kohlenstoffatomen, regelrechte Brocken auf der atomaren Skala, wie Wellen verhalten. Und wenn der Wiener Quantenkönig an der langen Wand in seinem Büro noch etwas Platz schafft, am besten neben dem Foto, das ihn an der Seite des Dalai-Lama zeigt, dann könnte dort einmal die Urkunde aus Stockholm hängen. Er wäre nicht der Erste unter Einsteins Erben, der den Nobelpreis bekäme.

Der Meister selbst erhält die Auszeichnung 1922 für seine Arbeit über «die Erzeugung und Verwandlung des Lichtes» von 1905 – nicht für die Relativitätstheorie. Die erscheint der Schwedischen Akademie selbst nach ihrer spektakulären Bestätigung während der Sonnenfinsternis 1919 noch immer zu spekulativ. Geehrt wird Einstein auch nicht für die Erkenntnis des Welle-Teilchen-Dualismus, sondern für seine gleichzeitig formulierte Theorie des «photoelektrischen Effekts». Die erklärt das Heraussprengen von Elektronen aus Metall durch Lichtenergie – Grundlage beispielsweise der heutigen Digitalfotografie. Dahinter steckt ein Vorgang, dessen Name in die Alltagssprache Eingang gefunden hat: der Quantensprung.

Entdeckt hat dieses Phänomen Max Planck, als er 1900 das Wesen der Lichtabstrahlung als unstet, als «gequantelt» erkennt. Wird einem «schwarzen Körper» (wie einer Herdplatte) Energie zugeführt, dann sendet er mit dem Heißerwerden elektromagnetische Strahlen aus – bei hohen Temperaturen sichtbar als Licht, von der Rot- bis zur Weißglut. Doch auch wenn sich die zugeführte Energie kontinuierlich erhöht, strahlt das Metall (im Vakuum) sie nicht ebenso kontinuierlich wieder ab – sondern diskontinuierlich in Stufen. Zwischen den einzelnen Stufen vollziehen sich die sprichwörtlich gewordenen Sprünge.

Bis zum Aufkommen der Quantentheorie haben sich im Prinzip alle Naturvorgänge mit stetigen, durchgehenden Kurven aufzeichnen und seit Leibniz und Newton auch in Form von Gleichungen ausdrücken lassen. Die Veränderungen von Geschwindigkeit, Kraft, Impuls oder Energie vollziehen sich nach den Gesetzen der klassischen Physik so stufenlos und fließend wie die von Raum und Zeit. Diese Stetigkeit findet in den Feldern der elektromagnetischen Theorie von Maxwell und in Einsteins Feldgleichungen der Gravitation ihre Vollendung.

Wird ein Auto beschleunigt, dann steigt seine Geschwindigkeit kontinuierlich an. Die Tachonadel bewegt sich stetig in den höheren Bereich. In den siebziger Jahren kamen Tachometer mit Digitalanzeigen in Mode. Auf denen sprang die Geschwindigkeit von einer ganzen Zahl zur nächsten. Das entsprach aber nicht dem Verhalten der Autos, die sanft und glatt beschleunigen, ohne dass ein Ruck zu spüren wäre. Ganz anders in der Quantenwelt. Um Quantenereignisse darzustellen, reichen Digitalanzeigen wie die damaligen Tachometer aus. Denn im Mikrobereich der Atome spielen sich Vorgänge nicht stetig, sondern gestuft ab – als wenn ein Auto nur 70 oder 71 oder 72 fahren könnte, aber nichts dazwischen. Qualitäten als Quantitäten manifestieren sich nicht nur in ganzen Zahlen, sie sind auch gequantelt. Darin liegt das grundlegend Neue der Quantentheorie, als sie auf der Bühne der Wissenschaft erscheint.

Planck ist sich der fundamentalen Bedeutung seiner Entdeckung bewusst. Doch als Revolutionär wider Willen versucht er alles, den Geist in der Flasche zu halten. Der eher bedächtige Fürst der deutschen Physik fürchtet um sein Fach. Natura non facit saltus, lautet das eherne Gesetz, die Natur macht keine Sprünge. Und dabei soll es bleiben.

Noch 1908 glaubt er, dass «unser gegenwärtiges Weltbild [...] gewisse Züge enthält, die durch keine Revolution, weder in der Natur noch im menschlichen Geiste, je mehr verwischt werden können». Doch da hat der junge Unbekannte in Bern bereits das Gespenst befreit, das sich nie wieder einfangen lässt. Durch Einstein wird das Quant zur Realität. Mit Fug und Recht kann er daher als wesentlicher geistiger Urheber der Quantentheorie angesehen werden, der fundamentalsten Neuausrichtung der Physik seit ihren Anfängen.

Schon in seiner Studentenzeit hat Einstein begonnen, sich für das Thema Schwarze Körper und Wärmestrahlung zu interessieren. Im März 1899 berichtet er Mileva: «Meine Grübeleien über die Strahlung fangen nun an, etwas mehr Grund & Boden zu kriegen – ich bin selbst neugierig, ob was draus werden will.» Zwei Jahre später hat er sich bereits ein genaueres Bild gemacht und schreibt ihr: «Gegen die Studien über die Strahlung von Max Planck sind mir prinzipielle Bedenken aufgestiegen.» Dann geben seine Schriften bis 1904 nichts mehr zur Sache her. Ohne Frage hat er sich aber intensiv mit Plancks bahnbrechender Arbeit beschäftigt, mit der am 14. Dezember 1900 das Quantenzeitalter begann.

Wie Einsteins Relativitätstheorie ziert auch Plancks Ableitung der «Hohlraumstrahlung» eine kurze, fundamentale Gleichung – nicht die berühmteste, aber eine der historisch wichtigsten Formeln der gesamten Physik. Ihr Entdecker hat sie sich in einem «Akt der Verzweiflung» abgerungen. So wie etwas, das richtig ist, aber falsch sein muss. Weil frei nach Christian Morgenstern nicht sein kann, was nicht sein darf. Was für die Relativitätstheorie E-gleich-m-mal-c-Quadrat, ist E-gleich-h-mal-nü für die Quantentheorie. Der griechische Buchstabe nü (ν) bezeichnet nichts anderes als die Frequenz des Lichtes, die sich mit der Zunahme seiner Wellenlänge verringert. Der lateinische Buchstabe h hat es dagegen in sich. Er steht für Plancks epochale Entdeckung – eine neue Naturkonstante, und zwar eine der bedeutendsten: das «Plancksche Wirkungsquantum». Dieses h ist universell, wie etwa auch das c, die Lichtgeschwindigkeit. Es gilt im gesamten Universum und beschreibt, grob gesagt, die Grenze zwischen Mikro- und Makrophysik.

Doch Planck versteht seine Formel nur als «eine mathematische Hypothese ohne physikalische Realität dahinter», sagt der dänische Wissenschaftshistoriker Helge Kragh. Auch erkennt er nicht, wie deutlich sein neues Strahlungsgesetz mit der klassischen Physik bricht und alles Gewohnte verneint. Die Kollegen nehmen ebenfalls keine Notiz von der Revolution, die hinter seinem Formelwerk steckt. «Während der ersten fünf Jahre des Jahrhunderts herrschte fast völlige Stille um die Quantenhypothese», sagt Kragh. «Einstein erkannte die revolutionären Folgen viel klarer und machte sich willentlich zum Propheten der Quantenrevolution.» In der Lichtquantenhypothese, seiner einzigen wissenschaftlichen Tat, die auch er selber «revolutionär» nennt, geht Einstein weit über Plancks Ideen zur Wärmeabstrahlung hinaus. Er beschreibt Energie und sogar Licht selbst als gekörnt oder gequantelt. Ein unerhörter Vorschlag, der zunächst nur Kopfschütteln auslöst. Erst 20 Jahre später werden die Lichtquanten als real anerkannt.

Den ersten großen Auftritt mit seiner Quantenhypothese hat Einstein, eben erst zum Professor berufen, 1909 bei der 81. Tagung der Gesellschaft Deutscher Naturforscher und Ärzte in Salzburg. Noch spricht er als Gastredner in der Physikalischen Sektion. Sein Thema: «Über die neueren Umwandlungen, welche unsere Anschauungen über die Natur des Lichtes erfahren haben.»

Wenn man so will, stehen in der Mozartstadt der Quanten- und der Relativitäts-Einstein gemeinsam auf der Bühne. Der eine nennt die alte Äther-Hypothese «einen überwundenen Standpunkt». Der andere macht deutlich, dass sich Licht ohne das Medium Äther durch den leeren Raum nur in Form elektromagnetischer Felder bewegen kann. Die verhalten sich wie «selbständige Gebilde» – also wie Teilchen mit gequantelten Energiezuständen. Die Kollegen hören dem werdenden Star ihrer Zunft ungläubig und bewundernd zu.

«Wir können im Hinblick auf die Entwicklung der Physik, wie ich glaube, sehr froh sein, einen jungen so originellen Denker zu besitzen», schreibt Walther Nernst 1910 nach einem Besuch bei Einstein in Zürich. «Grosse Kühnheit in der Theorie, die aber nichts schaden kann, weil der innigste Contact zum Experiment gewahrt wird. Die ‹Quantenhypothese› Einsteins gehört wohl zu dem Merkwürdigsten,

Einstein und die Quantentheorie   363

was erdacht wurde; [...] ist sie falsch, nun so wird sie für alle Zeiten ‹eine schöne Erinnerung› bleiben!»

Einstein gewinnt immer mehr Zuversicht. «Die Quantentheorie steht mir fest», hat er an seinen ehemaligen Mitarbeiter Jakob Laub schon im März 1910 geschrieben. Doch der Zweifel bleibt, dass sich jemals eine ausgewachsene Theorie entwickeln lassen wird. «Ob diese Quanten wirklich existieren, das frage ich nicht mehr», heißt es im Mai 1911 in einem Brief an Freund Besso. «Ich suche sie auch nicht mehr zu konstruieren, weil ich nun weiss, dass mein Gehirn so nicht durchzudringen vermag. Aber ich suche möglichst sorgfältig die Konsequenzen ab, um über den Bereich der Anwendbarkeit dieser Vorstellung unterrichtet zu werden.»

Bei der Solvay-Konferenz in Brüssel im Herbst 1911 beeindruckt Einstein die Teilnehmer einmal mehr mit einem Plädoyer für die Unausweichlichkeit von Quanten und Diskretheiten in der Natur. Wieder wirbt er für «die sogen. Quantentheorie, [...] keine Theorie im gewöhnlichen Sinne des Wortes, jedenfalls keine Theorie, die gegenwärtig in zusammenhängender Form entwickelt werden könnte». Bei seinem Freund Heinrich Zangger beklagt er sich zwar über die Tagung: «Die ganze Geschichte wäre ein Delicium für diabolische Jesuitenpadres gewesen.» Und dem verehrten Kollegen Hendrik Lorentz schreibt er mit Blick auf das Plancksche Wirkungsquantum: «Die h-Krankheit sieht überhaupt immer hoffnungsloser drein.» Doch die Kernbotschaft des Quants kommt allmählich bei seinen Kollegen an. Die wahre Tiefe des Bruchs mit der klassischen Theorie will die Mehrzahl der Teilnehmer gleichwohl immer noch nicht wahrhaben.

«Die meisten seiner Kollegen suchten zaghaft nach Wegen, irgendeine Art von Quanten in die theoretische Struktur der Physik einzubauen», schreiben die Kommentatoren von Einsteins Gesammelten Schriften. «Einige waren bereit, die Möglichkeit grundlegender Veränderungen der Mechanik ins Auge zu fassen, aber wahrscheinlich erwartete niemand außer Einstein, dass solche Veränderungen in der Elektrodynamik gebraucht wurden.» Besucher in dieser Zeit, Einstein lebt und forscht in Prag, führt er an die Fenster seines hellen, weiträumigen Arbeitszimmers, die auf den Park einer Heilanstalt für Geisteskranke blicken. «Das sind die Verrückten, die sich nicht mit der Quantentheorie beschäftigen.»

Einsteins Lichtteilchen, ein Phänomen aus dem Bereich der Elektrodynamik, finden selbst vor denjenigen keine Gnade, die allmählich die Quantisierung der Energie akzeptieren. Noch im Juni 1913 schreiben Planck, Nernst und Kollegen in ihrem Vorschlag für Einsteins Mitgliedschaft in der Preußischen Akademie: «Daß er in seinen Spekulationen gelegentlich auch einmal über das Ziel hinausgeschossen haben mag, wie z. B. in seiner Hypothese der Lichtquanten, wird man ihm nicht allzuschwer anrechnen dürfen.»

Erst nach und nach dämmert den meisten, dass es zum Verständnis vom Aufbau der Materie einer neuen Physik bedarf, die nicht ohne Quanten auskommt. «Das Quant stand in direktem Widerspruch sowohl zu Newton als auch zu Maxwell», erinnert sich Banesh Hoffmann, Einsteins Assistent Jahrzehnte danach. «Das Neue mit dem Alten in Einklang zu bringen, schien völlig aussichtslos. Die Wissenschaft steckte in einer tiefen Krise – viel tiefer, als die Wissenschaftler selber damals ahnten.»

Etwa seit Anfang des 20. Jahrhunderts herrscht als eine populäre Vorstellung von Atomen eine Art Mikro-Makro-Analogie. Danach kreisen die negativ geladenen Elektronen wie Asteroide um ein Zentrum positiver Elektrizität. Elektronen galten in jener Zeit als kleinste Bausteine von Materie und Elektrizität. Auch nach der Entdeckung des ungleich größeren Atomkerns um 1910 durch Ernest Rutherford bleibt es zunächst beim Bild eines Sonnensystems im Kleinen: Ein massiver Kern hält die Elektronen auf ihren Bahnen – freilich durch elektrische Kräfte statt durch Gravitation. Die Sache hat nur einen Haken: Nach der Theorie von Maxwell müssten die bewegten Elektronen Energie in Form elektromagnetischer Strahlen abgeben. Durch diesen Energieverlust könnten sie sich jedoch nicht auf ihren Bahnen halten und müssten in den Kern stürzen. Das tun sie aber nicht.

«Die elektromagnetische Theorie stimmt nicht mit den realen Bedingungen in der Materie überein», schreibt ein junger dänischer Physiker 1911 in seiner Doktorarbeit und beschwört hellsichtig «Kräfte in der Natur, die sich vollständig von den gewöhnlichen mechanischen unterscheiden». Der junge Mann heißt Niels Bohr und schlägt schon zwei Jahre später ein Atommodell vor, mit dem das Quant endgültig seinen Siegeszug in der Physik antritt: Danach kreisen die Elektronen auf «erlaubten» festen Bahnen, die bestimmten Energiezuständen des Atoms entsprechen, um dessen Kern. Bahn eins, Bahn zwei, Bahn drei, aber nicht Bahn zwei Komma fünf. Alle anderen Bahnen außer den ganzzahligen sind ausgeschlossen. Die diskreten Zahlen beschreiben «objektiv» die Natur.

Für die Bewegung der Elektronen ist nach Bohr die gewöhnliche Mechanik gültig, nicht aber die Elektrodynamik. Denn während der Bahnbewegung wird in seinem Modell kein Licht ausgestrahlt oder absorbiert. Erst beim Quantensprung von einer Bahn in eine andere geben die Elektronen Energie in Form elektromagnetischer Strahlung ab, also Licht, oder nehmen Energie auf, und zwar in ganz bestimmten – gequantelten – Mengen. Der Unterschied zwischen den Energiezuständen aber, und diese Erkenntnis kennzeichnet Bohrs Durchbruch, leitet sich genau aus dem Gesetz für die Hohlraumstrahlung ab, das Planck für die Erwärmung schwarzer Körper aufgestellt hat. Das Verhältnis von Energieänderung und Frequenz (also der Farbe) des abgestrahlten oder absorbierten Lichtes entspricht exakt dem Planck'schen Wirkungsquantum h.

Mit dieser Genietat an Intuition lassen sich plötzlich experimentelle Befunde erklären, die bis dahin rätselhaft waren. Nicht nur die unterschiedlichen Farben und die Muster von Spektrallinien des Lichtes bei unterschiedlichen Atomen beim Erhitzen. Das Bohr'sche Modell erlaubt erstmals auch eine wenigstens halbwegs vernünftige Deutung der Atomstruktur aller chemischen Elemente. «Dies ist höchste Musikalität auf dem Gebiet des Gedankens», schwärmt Einstein.

Die Idee des Quants als gestückelte Energie fasst zwar allmählich Fuß. Doch Einsteins Quantentheorie des Lichtes findet weiterhin so gut wie keine Anerkennung. Auch Bohr lehnt die Vorstellung von Lichtteilchen rundweg ab. Noch herrscht die Planck'sche Vorstellung vor, dass Licht eine beliebig teilbare Masse ist und dass die Quantisierung erst durch die Wechselwirkung mit der Materie, also mit Atomen, eintritt.

Ein Forscher wie Einstein lässt sich dadurch nicht entmutigen. Die Frage nach dem Wesen des Lichtes treibt ihn weiter um. Kaum hat er (Ende 1915) mit der Gravitationstheorie sein größtes Werk vollendet, da veröffentlicht er (im Juli 1916) eine ganz anders geartete Arbeit, die er zu Recht zu seinen besten zählt. «Eine verblüffend einfache Ableitung der Planck'schen Formel» sei ihm gelungen, «ich möchte sagen *die* Ableitung», schreibt er Besso. «Alles ganz quantisch.»

Mit dieser und einer weiteren Arbeit im August 1916 stößt Einstein die Tür zur kommenden modernen Quantentheorie ein großes Stück weiter auf. Er macht die – nichtklassische – Annahme, dass bei jeder Aussendung und Aufnahme von Licht ein Impuls übertragen wird, wie ihn etwa eine Billardkugel durch einen Stoß erfährt und weitergibt. Dadurch aber steht fest, dass Licht sich nicht in alle Richtungen ausbreitet. «Ausstrahlung in Kugelwellen gibt es nicht», stellt Einstein kategorisch fest. Vielmehr handele es sich bei der Lichtemission stets um gerichtete Einzelprozesse wie Schüsse aus einem Gewehr – ein entscheidender Schritt auf dem Weg zum endgültigen Konzept der Photonen. «Damit sind die Lichtquanten so gut wie gesichert», freut er sich im Brief an Besso.

Einstein unterscheidet zwei Arten der Lichtabstrahlung. Bei der «erzwungenen Emission» macht er – theoretisch, wie üblich – eine tiefgründige Entdeckung, die 35 Jahre später ihre erste praktische Anwendung finden wird. Befindet sich ein Atom in einem energetisch angeregten Zustand, dann kann ein auftreffendes Lichtteilchen, statt aufgenommen zu werden, ein zusätzliches mit herausschleudern. Mit diesem Effekt der Lichtverstärkung – ein Photon geht rein, zwei kommen raus – notiert Einstein die Grundgleichung für eine bedeutende Innovation, die «Light Amplification by Stimulated Emission of Radiation», kurz Laser genannt. Auf deren Basis funktionieren heute unzählige technische Systeme wie etwa in DVD-Geräten oder in der Medizin.

Mit der zweiten Art der Lichtabstrahlung öffnet Einstein erneut eine Pandora-Büchse, die sich nie wieder schließen lässt: Ohne dass er es beabsichtigt, entdeckt er den Zufall neu. Bei der spontanen Emission von Licht, sagt er, gibt es keine Möglichkeit vorauszusagen, wann ein Photon abgegeben wird. Sie lässt sich nur durch eine Wahrscheinlichkeitsformel beschreiben, wie sie auch für den radioaktiven Zerfall von Atomkernen angewandt wird. Damit bekommt der Begriff der Wahrscheinlichkeit eine neue Bedeutung – und auch der des Zufalls.

Wird eine Münze geworfen, dann liegt die Wahrscheinlichkeit für Kopf oder Zahl jeweils bei 50 Prozent. Jeder einzelne Wurf ergibt nur das eine oder andere. Das Ergebnis ist immer zu 100 Prozent Kopf oder zu 100 Prozent Zahl, aber nichts dazwischen. Da der Wurf den Gesetzen der klassischen Physik folgt, lässt sich sein Ergebnis prinzipiell auch vorhersagen. Wären alle Eckdaten wie Wurfgeschwindigkeit und -richtung genau bekannt, dann könnte man exakt den Wurf berechnen. Es handelt sich dabei, in der Sprache der Quantenphysik, nur um «subjektiven Zufall». Fliegt ein Baseball über das Spielfeld hinaus auf die Zuschauertribüne, wo ein Fan ihn fängt, dann hält dieser das für einen – glücklichen – Zufall. Damit hat er subjektiv Recht.

Ganz anders sieht es bei der Photonenaussendung und beim radioaktiven Zerfall aus. Hat eine Substanz eine Halbwertzeit von einer Stunde, dann ist ein einzelnes Atom nach einer Stunde zu 50 Prozent zerfallen und zu 50 nicht. Ob es das ist, darüber richtet allein der Zufall, und zwar der «objektive» Zufall. Auch wenn alle Bedingungen bekannt sind (von denen wir wissen), lässt sich für das Einzelatom nicht vorhersagen oder berechnen, wann es zerfallen wird. Das entscheidet es gewissermaßen selbst – oder wie Einstein später sagt, «aus freien Stücken». Dasselbe gilt nach seiner Arbeit von 1916 auch für Photonen: Es gibt keine Ursache, deren Wirkung sich kalkulieren ließe, um ihre Aussendung im Einzelnen vorherzusagen. Dass dieses neue Prinzip Zufall einmal zur tragenden Säule der modernen Quantentheorie werden wird, ahnt in diesem Moment wohl niemand – auch nicht die großen Köpfe Einstein und Bohr.

Im Frühjahr 1920, kurz nachdem Einstein plötzlich weltberühmt geworden ist, begegnen die beiden einander in Berlin zum ersten Mal – zwei Männer, die gegensätzlicher kaum sein könnten. Bohr hat sich in Dänemark als Fußballstar einen Namen gemacht, Einstein nie etwas von Sport gehalten. Dafür zeigt er eine höchst lebendige Art im Reden, setzt sich furchtlos und kraftvoll mit seinem Gegenüber auseinander. Bohr dagegen tritt ungelenk wie ein verschüchterter Junge auf, nuschelt bis zur Unverständlichkeit und wiederholt endlos Worte, wenn er in Gedanken versunken ist. Doch selbst wenn er sich schriftlich äußern muss, sieht es nicht besser aus. Er wirkt wie gelähmt, sodass er alle Texte diktieren muss – auf der Oberschule seiner Mutter, später seiner Frau oder im Institut seinen Mitarbeitern. Einsteins Schreibfreude springt einem dagegen aus jeder seiner Zeilen entgegen. Bohr schließlich lebt als Familienmensch eine lange glückliche Ehe, Einstein entpuppt sich in dieser Hinsicht als mehr oder weniger unbegabt.

In der Physik aber finden die beiden zusammen – auch wenn Welten sie später trennen. Deshalb machen sie vom ersten Augenblick an das, was sie über die nächsten Jahrzehnte verbunden hält. Sie diskutieren die Probleme der Theorie und besonders des Atomaufbaus. «Nicht oft im Leben hat mir ein Mensch durch seine bloße Gegenwart solche Freude gemacht wie Sie» – so der Schweizer aus Deutschland danach an den Dänen. «Es war für mich eines der größten Erlebnisse, die ich gehabt habe, Sie zu treffen und mit Ihnen zu sprechen» – so die prompte Antwort zurück.

Bei aller Freundlichkeit beschleicht Einstein aber ein wachsendes Unbehagen. Ihm schwant, dass mit seiner Entdeckung des Zufalls bei der Photonenaussendung auch das letzte Grundpostulat aller Naturwissenschaft versagt – das Gesetz von Ursache und Wirkung, an das er so glaubt wie andere an ihren Gott. «Das mit der Kausalität plagt auch mich viel», schreibt er Anfang 1920 an seinen Freund und Kollegen Max Born kurz vor dessen Ruf nach Göttingen. «Ich verzichte aber sehr sehr ungern auf die *vollständige* Kausalität.» Hier offenbaren sich bereits die Wurzeln seiner bald aufflammenden Kritik an der Quantenphysik.

Schon zu diesem Zeitpunkt zeichnet sich die «Quantenkrise» ab, die um 1924 ihren Höhepunkt erreicht. Immer häufiger zeigen sich Anomalien, lassen sich experimentelle Befunde nicht mehr mit Bohrs Modell in Einklang bringen. Zugleich vertieft Einstein, wie Born beobachtet, sein «physikalisch-philosophisches Glaubensbekenntnis, die Ablehnung statistischer Gesetze als letzte Grundlage der Physik».

In seinem berühmten Brief vom 29. April 1924 schreibt Einstein an Born: «Der Gedanke, daß ein einem Strahl ausgesetztes Elektron *aus freiem Entschluß* den Augenblick und die Richtung wählt, in der es fortspringen will, ist mir unerträglich. Wenn schon, dann möchte ich lieber Schuster oder gar Angestellter in einer Spielbank sein als Physiker.» Partikel, davon ist er überzeugt, haben keinen freien Willen. Sie können nichts selber tun. Es geschieht ihnen vielmehr. Hinter jeder ihrer Bewegungen muss eine Ursache stecken.

Schon im Jahr zuvor hat Born gefordert, das gesamte System physikalischer Konzepte «von Grund auf» zu erneuern. Einen ersten Schritt dorthin hat zwischen 1922 und 1924, noch ziemlich in Einsteins Sinn, ein blutjunger Doktorand namens Louis de Broglie unternommen. Der Franzose schlägt ein Modell vor, in dem er vereinfacht gesagt Planck- und Einstein-Gleichung zusammenbringt: Wenn Energie einerseits gleich m mal c Quadrat ist, also Masse mal Lichtgeschwindigkeit zum Quadrat, und andererseits gleich h mal nü, also gleich Planck'sches Wirkungsquantum mal Lichtfrequenz, was hat es dann zu bedeuten, so fragt sich de Broglie, wenn die beiden gegenübergestellt werden? Was steckt hinter der Gleichung «m mal c Quadrat gleich h mal nü»? Wenn m die Masse ist und nü die Frequenz, müsste sich dann nicht jedem Massepartikel eine Welle zuordnen lassen?

De Broglie erkennt den fundamentalen Zusammenhang zwischen Wellenlänge und Impuls. Damit verschafft er den «erlaubten» Elektronenbahnen in Bohrs Atommodell erstmals Sinn und Bedeutung. Er fasst sie als «stehende Wellen» auf. Nur wenn die Welle nicht fortläuft wie die Brandung des Meeres, sondern steht wie die schwingende Saite einer Geige, ist ein stabiler Zustand erreicht. Auf de Broglies Entdeckung von Materiewellen beruhen im Prinzip die Arbeiten, die Anton Zeilingers Gruppe in Wien heute mit Fußballmolekülen macht. Sie probieren aus, bis zu welcher Größe sich Partikel wie Wellen verhalten. Zeilinger denkt sogar daran, noch viel größere Moleküle wie etwa den Eiweißstoff Insulin und schließlich sogar ganze Virenpartikel zu testen.

Wie weit kann das gehen? Verbirgt die Grenze womöglich ein weiteres Geheimnis der Natur im Niemandsland zwischen Riesen- und Zwergenreich? «Es gibt keinerlei Hinweis darauf», sagt Zeilinger, «dass die Quantenwelt gerade dort zusammenbrechen wird, wo es weltanschaulich und konzeptiv wünschenswert ist, nämlich an der Grenze zwischen mikroskopischen und makroskopischen Systemen.»

In die Zeit von de Broglies Entdeckung fällt eine weitere Meisterleistung Einsteins, deren tiefe Bedeutung erst Ende des 20. Jahrhunderts in voller Tragweite sichtbar geworden ist. Der junge indische Physiker Satyendra Nath Bose von der Universität Dacca schickt ihm Mitte 1924 zur Prüfung einen Artikel, in dem er die Planck'sche Strahlungsformel auf eine völlig neuartige Weise herleitet – mit einem Abzählverfahren.

Doch erst Einstein erkennt, welche Entdeckung der Inder gemacht hat. Er verallgemeinert das von Bose vorgeschlagene Zählverfahren der Quanten zu einer Methode, die als Bose-Einstein-Statistik in die Literatur eingehen wird. Sie erlaubt erstaunliche Vorhersagen über die Materie in bestimmten Zuständen – vor allem über einen fünften Aggregatzustand neben fest, flüssig, gasförmig und dem Plasma. Bei Temperaturen nahe dem absoluten Nullpunkt verhalten sich diese «Bose-Einstein-Kondensate» wie ein einziges riesiges Atom. Für die Herstellung solcher Superatome sind die Amerikaner Carl Wieman und Eric Cornell und der Deutsche Wolfgang Ketterle 2001 mit dem Nobelpreis für Physik ausgezeichnet worden. Die Erben des Propheten ernten die Früchte seiner Saat.

Da Materie in diesem superkalten Zustand viele neuartige Eigenschaften besitzt, wird das Kondensat als eine der heißesten Entdeckungen des letzten Jahrzehnts gehandelt. Die Vielzahl möglicher Anwendungen beflügelt die Phantasie der Forscher und Ingenieure. So könnte es dazu dienen, in Quantencomputern Informationen zu speichern. Nanotechnologen versprechen sich eine bisher unerreichte Präzision beim Aufbau kleinster Strukturen mit Hilfe so genannter Atom-Laser. Ketterle und Kollegen haben ein entsprechendes System erstmals 1997 vorgestellt. Diese Laser senden nicht Licht aus, sondern Materiewellen des Bose-Einstein-Kondensats, die im Gleichtakt schwingen. Albert Einstein grüßt das 21. Jahrhundert.

In den zwanziger Jahren seines eigenen Jahrhunderts wird Einstein Zeuge einer beispiellosen Hochphase der Physik mit epochalen Durchbrüchen fast im Monatstakt. Seit Max Born 1921 Professor an der Göttinger Universität geworden ist, hat er mit brillanten Assistenten wie Wolfgang Pauli, Pascal Jordan und Werner Heisenberg das niedersächsische Städtchen zu einem Weltzentrum der Quantentheorie gemacht.

Die jungen Leute entwickeln völlig neue Ideen, die selbst einem Groß-meister wie Born schwer zu schaffen machen. «Ich muß mich oft sehr anstrengen, um ihnen bei ihren Überlegungen auch nur folgen zu kön-nen», gesteht er Einstein.

Im Sommer 1925 verfasst Heisenberg einen Artikel, der die Physik tatsächlich, wie Born es fordert, «von Grund auf» umkrempeln wird. Die «neue Arbeit», schreibt Born an Einstein, «sieht sehr mystisch aus, ist aber sicher richtig und tief». Heisenberg schlägt vor, «eine theore-tische Quantenmechanik, analog zur klassischen Mechanik», einzu-führen. Dahinter verbirgt sich eine Entdeckung, die unwiderruflich einen Wendepunkt markiert. Ähnlich wie sich Einstein 1905 bei der Entwicklung der Speziellen Relativitätstheorie fragte, was Messungen, etwa der Zeit, überhaupt bedeuten, stellt Heisenberg seinen neuartigen Ansatz auf eine Messtheorie quantenmechanischer Vorgänge: Was ist beobachtbar und was nicht? Elektronenbahnen in Atomen beispiels-weise lassen sich nicht beobachten – sehr wohl aber das ausgesandte Licht, wenn ein Elektron seine Bahn wechselt und seinen Energiezu-stand verändert.

Heisenberg stellt die Atomtheorie von Niels Bohr geradezu auf den Kopf: Während der Däne 1913 Bahnen beschrieb, aber nicht Übergänge, beschreibt der Deutsche genau diese Übergänge. Zustände wie die Bah-nen, sagt er, sind nur durch Übergänge definiert. Heisenberg schlägt eine für die Physik vollkommen neue Rechenmethode vor. Diese «Ma-trizenmechanik» gehört bis heute zu den Werkzeugen der Quanten-physiker. Jeder mögliche Übergang von einem Zustand in einen an-deren lässt sich als Matrix aus einzelnen Zahlen darstellen. Mit diesen Matrizen kann man wiederum rechnen wie mit Zahlen.

Heisenbergs «Umdeutung» der Mechanik, ein hochgradig mathe-matisiertes Modell subatomarer Realität, verschließt sich dem Verständ-nis der meisten seiner Zeitgenossen – und nicht zuletzt auch seinem eigenen. Kurzzeitig erwägt er sogar, die Blätter mit seinen sonderbaren Formeln dem Feuer zu übereignen. Auch Einstein hat seine Probleme mit dem abstrakten mathematischen Modell, das nichts mehr mit phy-sikalischer Intuition zu tun hat und überdies erst mühselig erlernt und geübt werden muss. Max Born aber erkennt den großen Wert der neuen

Theorie, und binnen weniger Monate bringt er sie zusammen mit dem Autor und Pascal Jordan in eine solide Form.

Doch der Wind weht heftig auf dem Gipfel des physikalischen Fortschritts jener Zeit. Unabhängig von der «Dreimännerarbeit» formuliert im englischen Cambridge der erst dreiundzwanzigjährige Paul Dirac die gleiche Theorie. Und an der Universität Zürich entwickelt 1926 der Österreicher Erwin Schrödinger, mit seinen 39 Jahren gemessen an den anderen fast schon ein Greis, eine ganz eigene «Wellenmechanik». Darin beschreibt der stets elegant gekleidete Frauenheld die Materie im Widerspruch zu allen Teilchenvorstellungen ausschließlich in Form von Wellen. Die bewegen sich allerdings in äußerst abstrakten vieldimensionalen Räumen. Dennoch erfährt die Arbeit großen Zuspruch. Denn sie nähert sich dem Quantenproblem mit Differenzialgleichungen, also mit einer Mathematik, die Schrödingers Kollegen viel vertrauter ist als Heisenbergs Matrizenmechanik. Verblüffenderweise produzieren aber beide Theorien, auf einfache physikalische Systeme angewendet, dieselben Resultate. Bald stellt sich heraus, dass die zwei Werke im abstrakten mathematischen Sinn identisch sind.

Nur wenige Wochen nach Schrödingers Durchbruch ist die Reihe wieder an Max Born. Er deutet die Theorie des Österreichers um – sehr zu dessen Unwillen. Schrödinger bereut daraufhin sogar, jemals Quantenphysik betrieben zu haben. Wellen ja, sagt Born, aber nicht Wellen von Materie, sondern Wellen von Wahrscheinlichkeiten. Eine jener Vorstellungen der Quantenmechanik, die sie bis heute so verrückt erscheinen lassen. Anhand von Borns Interpretation kann die Aufenthaltswahrscheinlichkeit eines Partikels berechnet werden.

Bleibt noch ein weiteres Problem: Bislang verträgt sich das Modell nicht mit Einsteins Spezieller Relativitätstheorie. Die Verbindung wird im Januar 1928 wiederum Paul Dirac mit seiner «Quantentheorie des Elektrons» schaffen. Damit lässt die Spezielle Relativitätstheorie etwas zu, wogegen sich die Allgemeine sperrt: Sie verträgt sich mit der Quantentheorie. In seiner Arbeit sagt Dirac auch die Existenz eines neuen Teilchens (und damit der «Antimaterie») voraus, das bald gefunden wird: das Positron, ein Elektron mit positiver Ladung. Seine Theorie markiert das Ende der heldenhaften Pionierphase der modernen Quantenphysik. Heute versuchen Forscher bereits herauszufinden, ob auch Antimaterie Licht ablenkt.

Und Einstein? In seinem festen Glauben, dass der Kosmos unabhängig von jeder Beobachtung existiert, dass der Mond auch scheint, wenn wir nicht hingucken, gerät er urplötzlich ins Abseits. Ausgerechnet Freund Born führt ihm unmissverständlich die größte Herausforderung seines Wissenschaftlerlebens vor Augen: die Welt als Wahrscheinlichkeitsfunktion. «Die Quantenmechanik ist sehr achtung-gebietend», schreibt Einstein Born im Dezember 1926. «Aber eine innere Stimme sagt mir, daß das doch nicht der wahre Jakob ist. Die Theorie liefert viel, aber dem Geheimnis des Alten bringt sie uns kaum näher. Jedenfalls bin ich überzeugt, dass *der* nicht würfelt.»

Das ist sein Ton der nächsten Jahre. Die neue Musik des Zufalls will ihm nicht gefallen, obgleich er sie selbst angestimmt hat. Einstein versteht die Welt nach wie vor wie sein Vorbild Newton als eine gigantische komplizierte Maschine, die nach strengen Regeln läuft – mit Gott als großem Uhrmacher, dessen Werk sich im ewigen Wechselspiel von Ursache und Wirkung erfüllt. Beinahe religiös hängt er dem Glauben des Determinismus an, nach dem die Zukunft vorhersagen kann, wer die Gegenwart vollständig kennt. Doch Einsteins Gott – das Prinzip der Kausalität – büßt seine Allmacht ein. Die Würfel im Kasino der Quantenwelt fallen ohne ihn. Seine große Zeit ist vorbei.

Einstein geißelt die neuen Ideen als «Knabenphysik». Born versucht ihn zu beruhigen: «Die Bewegung der Partikeln folgt Wahrscheinlichkeitsgesetzen, die Wahrscheinlichkeit selbst aber breitet sich im Einklang mit dem Kausalgesetz aus.» Das reicht Einstein nicht. Wie kann von objektiver Natur die Rede sein, wo keine Sicherheiten, sondern nur Wahrscheinlichkeiten existieren? Auch wenn die Teilchen gemeinsam dem Regelwerk der Quantenwelt folgen, wie kann es sein, dass jedes einzelne, wie er sagt, «aus freiem Entschluss» agiert? Wo ist die Ursache für seine Aktion, wo der letzte Grund?

Es kommt noch ärger. Im Frühjahr 1927 formuliert Heisenberg ein Prinzip, das für immer mit seinem Namen verbunden bleiben wird: Das «Heisenbergsche Unschärfeprinzip» besagt, dass der Mensch in seiner makroskopischen Welt, in der er auch seine Messungen unternimmt, nicht alles ermitteln kann, wenn er in den Mikrokosmos schaut. Wenn ein Ding in der Quantenwelt zwei bestimmte Eigenschaften hat, lässt sich nur eine genau oder «scharf» messen, die andere gleichzeitig aber nicht. Wer beide gleichzeitig zu messen versucht, bekommt es mit der Unschärfe oder Unbestimmtheit zu tun. Je bestimmter die Messung der einen, desto unbestimmter die andere Größe. Anders gesagt: Je genauer man das eine feststellt, desto mehr stört man das andere. Damit liefert Heisenberg eine anschauliche Deutung für die abstrakte Algebra seiner Matrizen.

Wer den Ort misst, an dem sich ein Partikel befindet, kann zur selben Zeit nicht mehr genau feststellen, mit welcher Geschwindigkeit es unterwegs war. Umgekehrt lässt sich das Tempo des Teilchens feststellen, aber damit verschwindet die Möglichkeit, gleichzeitig seinen Aufenthaltsort präzise zu bestimmen. Nach heutiger Sichtweise, die sich am Informationsbegriff orientiert, hat das System durch die Messung seine Information «verbraucht», sodass es keine weitere hergibt.

Wer aber nicht gleichzeitig Ort und Geschwindigkeit, so genannte Anfangsbedingungen, eines Teilchens kennt, kann nicht voraussagen, wo es sich später aufhalten wird. Seine Zukunft ist offen. Vor dem Quant kapituliert die Kausalität – oder das Messen? Ohne genaue Kenntnis der Anfangsbedingungen keine vorhersagbare Zukunft, zumindest nicht im Kleinsten. Die Quantentheorie weist den Determinismus in seine Schranken. Die Zukunft ist ungewiss, wer wüsste das nicht besser als jeder einzelne Mensch im Lichte seiner Biographie. Damit enthält die Theorie gleichsam als Kern eine Behauptung über die Freiheit der Materie – auch wenn das in der Philosophie bis heute umstritten ist.

Gleichzeitig bleibt die Welt im Quantenmaßstab kalkulierbar. Zwischen den Prozessen geistern Wahrscheinlichkeitswellen in berechenbarer Bestimmung. Eine neue Art von Determinismus erlaubt Prognosen in Form von Wahrscheinlichkeiten – Gewissheit auf dem Boden von Ungewissheit. Die Vorhersagen der Quantenmechanik treffen samt und sonders ein, bis auf den heutigen Tag.

Streng genommen stellt Heisenberg trotz der Bezeichnung kein Prinzip auf wie das von der Erhaltung der Energie oder der Konstanz der Lichtgeschwindigkeit. Vielmehr liefert er einen Deutungsversuch, er schafft eine Interpretation. Die Messung selber, sagt er, übe eine entscheidende Wirkung aus. Er spricht vom «Einfluß der Meßapparate» an der Schnittstelle zwischen klassischer und Quantentheorie, auf dem letztlich der «statistische Charakter des Zusammenhangs [...] beruht». Und dann geht er direkt auf Einsteins Gott los: «Die Teilung der Welt in das beobachtende und das zu beobachtende System verhindert also die scharfe Formulierung des Kausalgesetzes.»

Deshalb dürfe, so Heisenberg, über die Prozesse im Innern von Atomen gar nicht erst so gesprochen werden wie über makroskopisch messbare Vorgänge. Vielmehr ergeben sich die Werte der Messgrößen aus dem Verhältnis zwischen zwei Zuständen. Während die klassische Physik noch als eine Theorie der Objekte gelten kann, wird die Quantenphysik somit zu einer reinen Theorie der Beziehungen. Hier tritt zum ersten Mal ihr holistischer Charakter hervor. Das Ganze ist, anders als in der klassischen Theorie, mehr als die Summe seiner Teile.

Auf der einen Seite wird die Beschreibung von Systemen ungleich reichhaltiger, auf der anderen aber auch mehrdeutig. Liegt «klassisch» ein Zustand vor, dann ist kein anderer möglich. Die Vase steht hier und nirgendwo anders. Neben einem quantischen Zustand können mit gewisser Wahrscheinlichkeit auch andere gefunden werden. Das Elektron befindet sich hier, aber auch ein wenig dort. Wo genau es steckt, entscheidet erst die Messung. Bis dahin gilt nur die Wahrscheinlichkeit. Diese Wahrscheinlichkeit aber hat nichts mit der zu tun, wie sie etwa in der Statistik zur Berechnung von Würfelwürfen verwandt wird. Sie ist ein echter Bestandteil, ein Wesenszug von Quantensystemen.

Heisenbergs Unschärferelation markiert einen Wendepunkt in der Geschichte der Wissenschaft. In ihr fließen Physik und Philosophie ineinander. Nicht einmal im Prinzip kann der Zustand der Welt in einem gegebenen Moment gewusst werden. Deshalb ist alles, was beobachtet wird, immer nur eine Auswahl aus der Gesamtheit aller Möglichkeiten und damit eine Begrenzung dessen, was in der Zukunft möglich ist. Die Physik muss sich auf die Beschreibung der Verhältnisse zwischen den Wahrnehmungen beschränken. Nicht das Ding an sich, nur die Beziehungen zwischen den Dingen sind ihr zugänglich. Ob aber das Unschärfeprinzip Kausalität und Determinismus tatsächlich ausschließt, wird bis heute kontrovers diskutiert. «Ist nicht die ganze Philosophie wie in Honig geschrieben?», fragt Einstein einmal. «Wenn man hinsieht, sieht alles wunderbar aus, wenn man aber nochmals hinsieht, ist alles fort. Nur der Brei ist übrig.»

Niels Bohr, mittlerweile in ganz Europa als Quantenpapst verehrt, dreht die Schraube im Herbst 1927 noch weiter. Er stellt die Physik und die gesamte Naturwissenschaft auf ein neues philosophisches Fundament. Es geht weit über Heisenbergs Unbestimmtheit hinaus. Anders als in der klassischen Welt, sagt der Däne, lassen sich Systeme in der Quantenwelt prinzipiell niemals beobachten, ohne sie dabei zu verändern. Wer etwa ein Elektron misst, der macht das mit Licht, also mit Photonen, und beeinflusst dabei die Messung. Doch während Heisenberg nicht ausschließt, dass Systeme vor der Messung Werte haben, geht Bohr noch einen Schritt weiter: Er sagt, die Werte entstehen erst durch die Messung. Damit folgt er im Grunde einer Idee von Immanuel Kant, nach der Systeme per se keine Eigenschaften haben, sondern sie erst durch Beobachtung bekommen.

Um zu verstehen, wie es dann überhaupt noch möglich ist, den Zustand eines Systems zu beschreiben, führt Bohr das Prinzip der «Komplementarität» ein. Physikalische Größen sind nach Bohr dann komplementär, wenn sie sich prinzipiell nicht gleichzeitig genau bestimmen lassen. Das bekannteste Beispiel stammt von Einstein selbst – die Dualität von Welle und Teilchen. Sosehr die beiden der makroskopischen Welt entliehenen Vorstellungen einander auch auszuschließen scheinen, sie ergänzen sich in einer Weise, dass sie nur gemeinsam die Beschreibung der mikroskopischen Welt zulassen.

Der Konflikt zwischen den beiden Betrachtungsweisen entsteht im Beobachter, sagt Bohr. Da wir selbst einen Teil der Welt darstellen, die wir erforschen, sind wir «gleichzeitig Zuschauer und Schauspieler im großen Drama des Seins». Einsteins Frage: «Was ist Licht?» muss danach zweideutig bleiben – die Antwort liegt im Auge des Betrachters. Der steckt in der Rolle eines Kindes, das sich aussuchen kann, ob es blind oder taub ist, und dann ins Kino geht. Entscheidet es sich für taub, sieht es einen Stummfilm, ist es blind, hört es nur Stimmen, Musik und Geräusche. Es kann nie beides gemeinsam. Aber über das

Wesen des Wahrgenommenen kann es sich dennoch eine Vorstellung machen.

Der Beobachter hat die Wahl, ob er das eine oder andere messen will. Da nach Heisenberg beides gleichzeitig nicht möglich ist, zerstört er durch seine Messung die Chance, den komplementären Aspekt auch zu erfassen. Das Bizarre an der Geschichte: Bis zum Zeitpunkt der Messung besitzt ein Teilchen, etwa ein Photon, zugleich beide Eigenschaften und keine von ihnen. Es befindet sich in einem höchst merkwürdigen Zustand zwischen Weder-noch und Sowohl-als-auch. Quantenphysiker wie Anton Zeilinger gehen so weit zu sagen, «dass kein einzelnes Teilchen, bevor es gemessen wird, eine wohldefinierte Geschwindigkeit hat. Erst durch die Messung tritt eine solche auf.»

Zufall und Notwendigkeit werfen sich die Bälle zu. Im Mikroskopischen scheinen Freiheit und Willkür zu regieren. Das Makroskopische gehorcht – abgesehen von chaotischen Prozessen – dem Gesetz der Berechenbarkeit: Planeten ziehen vorhersagbar ihre Bahnen. Billardkugeln rollen wie geplant über viele Banden. Das Geschoss des Jägers trifft das Reh ins Herz. Der Zufall lässt sich zu Fall bringen. Aber wo die Grenze zwischen den Welten verläuft, weiß niemand. Jedenfalls ist sie nicht scharf. Für den Übergang hat Bohr eine weitere Hilfskonstruktion eingeführt, das «Korrespondenzprinzip». Es besagt grob gesprochen, dass in der Nähe der Grenze auch in der Quantenwelt bestimmte Regeln der klassischen Physik gelten müssen.

Die «Kopenhagener Deutung» – so nennt Heisenberg die Interpretation der Quantenmechanik durch den Weisen aus der dänischen Hauptstadt erstmals 1955 – findet unter Bohrs Zeitgenossen weniger Widerhall, als es im Rückblick oft erscheint. Der schiefe Eindruck geht vor allem auf Einsteins heftige Gegenwehr zurück, die sich erstmals öffentlich bei der Solvay-Konferenz im Oktober 1927 in Brüssel zeigt. Die Debatte, die sich die beiden Giganten der theoretischen Physik dort liefern und bei weiteren Gelegenheiten fortsetzen, gehört ebenso zu den Höhepunkten der Wissenschaftsgeschichte wie zum Sagenschatz des 20. Jahrhunderts. Sie markiert den Anfang vom langen Weg Einsteins in sein wissenschaftliches Exil. Nach mehr als 20 Jahren an vorderster Front sieht er sich plötzlich ins Abseits gedrängt. Die nächste Generation verehrt ihn als Helden ihrer Vergangenheit. In ihrer Zukunft hat er keinen Platz mehr. Sie wenden sich in Hochachtung kopfschüttelnd von ihm ab.

Einstein wehrt sich heftig und fordert die «Knaben» heraus. Das führt am Ende aber nur dazu, dass sie ihre Waffen schärfen, ihre Argumente verfeinern, ihre Theorien festigen. Mit seinen tief greifenden Einwänden leistet er zum letzten Mal, wie Anton Zeilinger sagt, «einen wertvollen Beitrag zur Wissenschaft» – konstruktiv durch Kritik und Verweigerung, der Zweck heiligt den Zweifel.

Paul Ehrenfest protokolliert das Zwiegespräch in seiner unnachahmlichen Art: «Schachspielartig. Einstein immer neue Beispiele. Gewissermaßen Perpetuum mobile zweiter Art, um die *Ungenauigkeitsrelation* zu durchbrechen. Bohr stets aus einer Wolke von Philosophischen Rauchgewölkes die Werkzeuge heraussuchend, um Beispiel nach Beispiel zu zerbrechen. Einstein wie die Teuferln in der Box. Jeden Morgen wieder frisch herausspringend. Oh das war köstlich.» Doch was der Ältere putzmunter beim Frühstück an Einwänden vorbringt, hat der Jüngere bis zum Abendessen widerlegt. «Ich bin rückhaltlos pro Bohr contra Einstein», fasst Ehrenfest zusammen. «Er verhielt sich nun exact gegen Bohr wie die Verteidiger der absoluten Gleichzeitigkeit sich gegen ihn verhalten haben.»

Ein bitteres Resümee. Innerhalb von zehn Jahren ist Einstein vom Verfechter eines neuen Weltbildes gegen uneinsichtige Kritiker selber in deren Rolle geraten. Die jungen Leute schimpfen ihn genervt «reaktionär». In ihren Augen verhält er sich wie ein beleidigter alter Herr, der dem Nachwuchs die Leviten liest und sich dafür auslachen lassen muss. Sein Verhalten findet eine Parallele im Privaten: Um dieselbe Zeit bekämpft er die Brautwahl seines Sohnes Hans Albert so, wie sich seine Mutter einst gegen seine Verbindung mit Mileva gewandt hat.

Bei der nächsten Solvay-Konferenz 1930, der letzten, an der Einstein teilnimmt, wiederholt sich das Spiel noch einmal. Er kommt bestens gerüstet, und als Bohr sein Gedankenexperiment gegen die Unschärferelation zunächst nicht entkräften kann, ist der Däne so bestürzt, dass er gleich «das Ende der Physik» nahen sieht. Paul Ehrenfest hat den Zweikampf nicht nur protokolliert, er hat ihn auch fotografiert. Eines seiner Bilder aus dieser Zeit zeigt die beiden Duellanten, beide mit Hut, beim Gang durch das herbstliche Brüssel. Bohr, den Mantel über dem Arm, den Mund im Sprechen wie hechelnd geöffnet, fast etwas wie Panik im Blick, versucht mit weiten Schritten Einstein einzuholen. Der lächelt ironisch vergnügt, als habe er gerade einen hübschen Treffer gelandet. Es war einer seiner letzten.

Der Ausgang des Duells bringt eine Neuauflage der Niederlage drei Jahre zuvor. Bohr und die Seinen gehen gestärkt aus dem Ringen hervor. Nach einer Nacht ohne Schlaf hat er das Argument gefunden, mit dem sich Einsteins Gedankenexperiment entkräften lässt. Es verstößt ausgerechnet gegen die Allgemeine Relativitätstheorie. Das sitzt. Einstein muss sich erneut geschlagen geben. Die von ihm selbst angezettelte Revolution hat seine Religion gestürzt. Doch er bleibt kämpferisch.

«Du glaubst an den würfelnden Gott und ich an volle Gesetzlichkeit in einer Welt von etwas objectiv Seiendem», wird er 1944 aus Princeton an Max Born schreiben, der inzwischen in Edinburgh lebt. «Der große anfängliche Erfolg der Quantentheorie kann mich doch nicht zum Glauben an das fundamentale Würfelspiel bringen, wenn ich auch wohl weiß, daß die jüngeren Kollegen dies als Folge der Verkalkung auslegen.» Und seinem Freund Michele Besso schreibt er 1951: «Die ganzen 50 Jahre bewusster Grübelei haben mich der Antwort der Frage ‹Was sind Lichtquanten?› nicht näher gebracht. Heute glaubt zwar jeder Lump, er wisse es, aber er täuscht sich.»

Das Gespräch mit Niels Bohr meidet Einstein schon Ende der dreißiger Jahre, als Bohr ihn in Princeton besucht. In Briefen konfrontiert er den Dänen aber weiterhin mit seinem Tick, der Frage, «ob Gott würfelt und ob wir an einer der physikalischen Beschreibung zugänglichen Realität festhalten oder nicht». Im April 1949 schreibt ihm Bohr freundschaftlich streng zurück: «Ich möchte sogar sagen, daß niemand – und nicht einmal der liebe Gott selber – wissen kann, was ein Wort wie Würfeln in diesem Zusammenhang heißen soll.»

So liest sich die Geschichte in fast allen Darstellungen. Doch gerade unter jungen Wissenschaftshistorikern gibt es auch eine andere Lesart: Einstein habe den Finger in eine Wunde der Quantenmechanik gelegt, die bis heute klafft. «Ich sympathisiere da sehr mit Einstein», sagt

Christoph Lehner, der fünf Jahre beim Einstein Papers Project gearbeitet hat und heute am Berliner Max-Planck-Institut für Wissenschaftsgeschichte die Entwicklung der Quantenphysik erforscht. «Bohr gibt keine vernünftige Erklärung, er beschreibt nur das Problem.» Wie die meisten Physiker heute sei Bohr mangels Alternative ein Instrumentalist gewesen. Die Quantenmechanik funktioniert wunderbar als Instrument, ihre Voraussagen treffen präzise zu. Das hat Einstein auch nie bestritten. Er hat nicht gegen die Quantenmechanik argumentiert, sondern gegen deren Interpretation.

Bohr sei mit seinem Versuch, eine Abbildung der Wirklichkeit zu schaffen, gescheitert, sagt Lehner. «Es gibt bis heute keine allgemein anerkannte und befriedigende Formulierung.» Nichts anderes habe Einstein jedoch eingefordert. Sein Vermächtnis sei der bis heute gültige, an sich metaphysische Anspruch an die Physik, die Welt objektiv zu beschreiben. Den aber haben weder Bohr noch seine Nachfolger erfüllt. Genau darauf habe Einstein mit seinem abschließenden großen Schlag gezielt, von dem sich die Quantenphysik noch immer nicht erholt hat.

Im Jahr 1935, in seiner letzten Arbeit von bleibender Bedeutung, fordert Einstein gemeinsam mit zwei Kollegen die Quantenverfechter heraus – mit einem Negativargument. Das «Einstein-Podolsky-Rosen-Paradoxon» ist bis heute im Sinn der Verfasser nicht gelöst. Die Quantentheorie, sagen die drei, liefere nur eine unvollständige Beschreibung der Welt. So wahr sie auch sein mag, sie decke nur ein Teil der Wahrheit ab. Dass wir nicht mehr wissen, heißt nicht, dass wir nicht mehr wissen können. Gibt es nicht doch «verborgene Parameter», so fragen die drei Zweifler, nach denen sich das Weltgeschehen bis ins Kleinste ausrichtet – und zwar im Geiste der Kausalität?

Einstein fordert physikalische Tatsachen, er pocht auf Ursache und Wirkung. Wenn ein Teilchen, argumentiert er, eine Eigenschaft wie etwa seinen Spin – seinen Eigendrehimpuls – vorher nicht hatte, und jetzt hat es sie, dann hat sich an ihm objektiv etwas geändert. Aber wodurch? Während er physikalisch argumentiert, reden Bohr und seine Mitstreiter, als ob es sich um einen rein psychologischen Vorgang handele. Dem Teilchen passiere nicht physikalisch etwas, sagt Bohr, sondern nur konzeptionell – also gewissermaßen im Kopf des Beobachters.

Einstein betrachtet es als paradox, angesichts dieses wolkigen Gebildes überhaupt von Wirklichkeit zu sprechen. «Er hat gute Argumente», sagt Lehner, «Bohr aber nicht.»

Ihre Zeitgenossen sehen es anders. «Einstein hat sich wieder einmal zur Quantenmechanik geäußert», mäkelt Wolfgang Pauli. «Bekanntlich ist das jedes Mal eine Katastrophe, wenn es geschieht.» Einsteins Einwand lässt die Physiker schwitzen, bringt sie nicht von der Kopenhagener Deutung ab.

Da springt Erwin Schrödinger seinem Freund Einstein mit einem weiteren Paradoxon zur Seite. Es hat seinen Namen in Laienkreisen bekannter gemacht als seine berühmten «Psi-Funktionen»: «Schrödingers Katze», so wird es genannt, sitzt in einer Kammer mit einem radioaktiven Atom. Dabei steht ein Apparat, der ausgelöst durch den Zerfall des Atoms tödliche Blausäure freigibt. Nach Ablauf der Halbwertszeit ist der Zerfall mit fünfzigprozentiger Wahrscheinlichkeit eingetreten. Nach klassischer Sicht stehen die Chancen der Katze eins zu eins, noch am Leben zu sein. Entweder sie lebt, oder sie ist tot, je nachdem, ob das Atom zerfallen ist oder nicht.

Nach der Quantenphysik im Sinne der Kopenhagener Deutung befindet sich das Atom in einem Zustand der «Überlagerung». Erst eine Messung, die feststellen soll, ob das Atom zerfallen ist oder nicht, zerstört diese «Superposition». Mathematisch gesprochen brechen dann die Wellenfunktionen zusammen. Durch den tödlichen Mechanismus trifft das auch auf die Katze zu. Sie befindet sich in einem Zwischenzustand und ist, solange niemand nachschaut, weder eindeutig tot noch eindeutig lebendig. Dass erst die Messung Wirklichkeit erzeugt, scheint jedoch hochgradig widersinnig. Müsste daher nicht, so Schrödinger, eine andere Deutung her?

Einstein beglückwünscht den Freund, diese Unstimmigkeit so plastisch dargestellt zu haben. Über Bohr schreibt er: «Es gibt auch noch den Mystiker, der ein Fragen nach etwas, das unabhängig davon existiert, ob es beobachtet wird oder nicht, als unwissenschaftlich verbietet; in diesem Fall die Frage, ob die Katze zu einem bestimmten Zeitpunkt vor der Beobachtung lebendig ist oder nicht.»

70 Jahre später ist die Überlagerung ins Zentrum quantenphysikali-

scher Arbeiten gerückt. «Die Superposition ist real», sagt Anton Zeilinger. Wird Licht in seinem Labor auf einen Doppelspalt geschickt, dann fliegt ein einzelnes Photon tatsächlich mit halber Wahrscheinlichkeit sowohl durch den einen wie durch den anderen Spalt – so wie die Katze sowohl lebendig als auch tot ist. Erst die Messung legt das Verhalten des Photons fest – oder anders gesagt: Erst durch die Messung legt es sein Verhalten fest. Entscheidet so auch erst das Nachschauen, ob die Katze lebt oder tot ist? Mit dem Argument der Verrücktheit lässt sich Wahrheit nicht bekämpfen.

Dabei sieht das, was in den Laboren der Quantenphysiker wie bei Zeilinger in Wien passiert, auf den ersten Blick so normal aus wie Schulphysik. Lichtstrahlen werden auf die Reise geschickt, unsichtbar für den Menschen, aber sichtbar für seine Apparate. Ihre Wege trennen sich im Strahlteiler, waagerecht ausgerichtet die einen, senkrecht die anderen – aber erst, wenn man sie misst: klck, klck – klck. Denn im «Wissen» umeinander bleiben sie vereint oder, wie sie hier sagen, verschränkt. So weit sie sich auch voneinander entfernen – einmal gemessen, kennt das eine die Orientierung des anderen. Hier weiß die rechte Hand, was die linke tut, auch wenn sie nichts mehr verbindet. Durch diesen Effekt ist das Beamen erst möglich geworden.

Den Begriff «Verschränkung», der zur Basis der neuen Quantenwelt wird, hat Schrödinger im Zusammenhang mit dem «Einstein-Podolsky-Rosen-Paradoxon» eingeführt. Zur Verschränkung kommt es durch die Überlagerung von Quantenzuständen – genau zu jenem Zustand also, den Zeilingers Team im Labor inzwischen routinemäßig herstellen kann. Die Verschränkung gehört neben der Quantisierung und der Unschärfe zu den Ecksteinen der Quantenmechanik.

Aber würde das nicht bedeuten, so das Argument von Einstein, Podolsky und Rosen 1935, dass die Photonen Informationen über Entfernungen austauschen, ohne dass dabei Zeit vergeht? Zumindest müssten sie es tun, wenn die Quantenmechanik vollständig wäre. Solche «spukhaften Fernwirkungen» sind nach Einstein jedoch ein Ding der Unmöglichkeit. Ein unmittelbarer Informationsaustausch widerspricht der Speziellen Relativitätstheorie. Also müssen die Partikel ihre Eigenschaften vorher gehabt haben.

«Aus Einsteins Behauptung lässt sich eine Ungleichung herleiten, die empirisch widerlegt worden ist», erklärt Christoph Lehner. Anders gesagt: Man kann, wie es die Wiener Forschergruppe in alltäglicher Selbstverständlichkeit tut, mit Experimenten genau das zeigen, was Einstein für unmöglich hielt. Das Einstein-Podolsky-Rosen-Paradoxon liefert Zeilingers Truppe ihre Arbeitsgrundlage. Wo Einstein in Negation den Konjunktiv gebraucht und sagt: «Wenn die Quantenmechanik vollständig wäre, dann müsste es ja …», widersprechen seine Erben dem Widerspruch im Indikativ und sagen: «Sie ist. Es geschieht.» Quantenmechanische Systeme sind tatsächlich so merkwürdig und spukhaft, wie Einstein es als Argument gegen sie angeführt hat. «Damit hat er nicht gerechnet», sagt Lehner. «Die spukhaften Fernwirkungen sind Realität – eine bemerkenswerte Tatsache.»

Hier in Wien treiben sie ihr Spiel mit dem Spuk. Im Mai 2003 bringt es Zeilinger mit seiner Arbeit auf die Titelseite des angesehenen Wissenschaftsjournals «Nature». Das Blatt feiert die Herstellung von «gereinigten verschränkten Photonen». Ebenfalls 2003 gelingt dem Wiener Team eine Verschränkung über eine Entfernung von 600 Metern – im freien Raum über die Donau hinweg, Weltrekord. Und im Jahr darauf demonstrieren sie in einem spektakulären Versuch die mögliche Anwendung der Quantenkryptografie. Sie übermitteln öffentlichkeitswirksam eine quantenmechanisch verschlüsselte Überweisung vom Rathaus der Stadt abhörsicher an eine Bankfiliale. Verschlüsselt wird sie durch die Verschränkung von Photonen, die unterschiedliche Wege gehen. Doch nicht der Ort des Experiments, das berühmte Wiener Abwasserkanalsystem, feit die Photonen vor unerwünschten Lauschern, sondern das Prinzip der Verschränkung: Kein unbefugter Dritter könnte sich unerkannt einschalten. Seine Messung der Daten würde das System sofort stören und damit bemerkt werden.

Die all dem zugrunde liegende Kopenhagener Deutung beherrscht bis heute die Diskussionen der Quantenphysiker. Bizarre Neudeutungen wie die «Viele-Welten-Interpretation» werden diskutiert. Danach beschreibt die Quantenmechanik tatsächlich vollständig die Wirklichkeit, was Einstein bezweifelt hat. Möglich wird das durch die Aufspaltung des Universums mit jeder Beobachtung in mehrere Universen.

Oder in mehrere Zustände des einen. Im einen lebt Schrödingers Katze, im anderen ist sie tot.

Eines haben solche Neudeutungen in Einsteins Sinn für sich: Sie kommen ohne «spukhafte Fernwirkungen» aus. Anton Zeilinger hält von solchen Sciencefiction-Phantasie anregenden Versionen physikalisch dennoch nichts. Für ihn besitzt «Kopenhagen» weiterhin Gültigkeit. In weiser Vorsicht zitiert er aber einen Satz von Niels Bohr, der eines der schönsten philosophischen Schlupflöcher im Bereich der Physik beschreibt: «Das Gegenteil einer jeden Wahrheit ist falsch, jedoch ist das Gegenteil einer tiefen Wahrheit wieder eine tiefe Wahrheit.»

Kapitel 18

Von der Größe des Scheiterns
Die Suche nach der Weltformel

Es hätte der Höhepunkt seines Forscherlebens werden sollen. Ein letzter Triumph, der alle anderen überträfe – die Vollendung seines Traums, sämtliche Theorien der Physik zu vereinen. Diesem einen großen Ziel widmet Einstein mehr Zeit als seinem gesamten übrigen Werk. Über 30 Jahre lang versucht er, das Weltgeschehen vom Quant bis zum Kosmos, vom Kleinsten zum Größten in einem einzigen Formelsystem zusammenzufassen, einer Theorie für alles.

Anfangs horcht die Welt noch auf und schaut gebannt hin, wenn aus seinem Kämmerlein der weiße Rauch unbeschriebener Erkenntnis aufsteigt. Kurz vor seinem 50. Geburtstag 1929 erreicht der Trubel einen Höhepunkt. Die Preußische Akademie hat 1000 Exemplare seiner neuen Arbeit drucken lassen, die im Nu vergriffen sind. Das Londoner Edelkaufhaus «Selfrigdes» präsentiert die Seiten in seinen Schaufenstern. Trauben von Neugierigen hängen davor. Der Berliner Korrespondent der «New York Herald Tribune» kabelt das gesamte Manuskript per Telex an seine Redaktion, die es in voller Länge veröffentlicht. Natürlich versteht kein Mensch, was hier abgedruckt und dort ausgestellt ist. An die 100 Reporter belagern das Haus in der Haberlandstraße, wo Einstein wohnt, um die Neuigkeit aus erster Hand zu erfahren.

«Die Welt erwartet Ihre Erklärung», sagt Wythe Williams von der «New York Times», als er den Verfolgten in seiner Wohnung begrüßt. Schon im November 1928 hat das Blatt von dessen neuem Opus Wind bekommen und vermeldet: «Einstein vor großer Entdeckung.» Der schätzt die Zeitung, seit ein Redakteur einmal einen mathematischen Fehler in einer seiner Gleichungen entdeckt hat. Williams, der als einziger Reporter vorgelassen wird, drängt ihn nun, sich zu erklären. Einstein vergräbt nur seinen Kopf in den Händen und antwortet: «Mein Gott.»

Innerhalb eines Jahrzehnts sind zwei fundamentale Modelle zur Beschreibung der Welt entstanden, Allgemeine Relativitätstheorie und Quantentheorie, die einander ausschließen, aber jede für sich Gültigkeit beanspruchen. Zudem zeichnet Erstere mit Feldgleichungen die Welt im Großen, ihre Sprache ist die Geometrie. Die Quantenmechanik dagegen malt ihr Bild von der Welt im Kleinen in der Sprache der Algebra. Wie unversöhnliche Geschwister, zwei Regelwerke ein und derselben Natur.

Wem es gelänge, sie zu vereinen, der hielte so etwas wie den Stein der Weisen in der Hand: die Weltformel. Deshalb die ungebrochene Faszination der Massen und mit ihnen der Presse, wenn der Geistesmächtige in Berlin sich zu Wort meldet. Als der Zeitungsfotograf der «New York Times» ihn bittet, für eine Aufnahme originell zu posieren, wendet sich Einstein an Reporter Williams: «Vielleicht würde er mich gern auf dem Kopf stehen sehen.» Dann verabschiedet der Physiker den Journalisten mit den Worten: «Ich kann nicht begreifen, warum so viel Lärm um mein kleines Manuskript gemacht wird.»

Wie sehr ihm das «kleine Manuskript» jedoch am Herzen liegt, verrät ein Brief, den er Anfang Januar 1929 an seinen Freund Michele Besso geschrieben hat: «Aber das Beste, an was ich fast die ganzen Tage und die halben Nächte gegrübelt und gerechnet habe, ist nun fertig vor mir und auf 7 Seiten zusammengepresst unter dem Namen ‹einheitliche Feldtheorie›.»

Bereits zu Beginn der zwanziger Jahre hat Einstein erste Gehversuche in das unbekannte Terrain unternommen, das einmal die Reiche von Riesen und Zwergen, Makro- und Mikrokosmos, zusammenführen soll. Er will die beiden Feldtheorien, die Elektrodynamik nach Maxwell und Lorentz und die Gravitation (wie er sie in seiner Allgemeinen Relativitätstheorie beschrieben hat), zu einer einzigen verschmelzen. Das physikalische Feld hält er für die größte Errungenschaft der Wissenschaft – ein «Standpunkt», wie er Erwin Schrödinger später anvertraut, «der mich tief in die Einsamkeit geführt hat». Die «Einheitliche Feldtheorie» wird zu seiner Manie, seinem Mantra, seinem Martyrium.

Andere seines Formats begründen Schulen, leiten Institute, stellen Wissen und Weisheit in den Dienst der nächsten Generation. Einstein bleibt ein Suchender, unterstützt nur von einer Hand voll Gläubiger, nahezu allein auf weiter Flur. Schon 1925 wähnt er sich «nach unablässigem Suchen» am Ziel, «die wahre Lösung gefunden zu haben». Ein Fehlglaube, wie sich bald herausstellen wird. Und der Anfang einer unendlichen Geschichte von Ankündigungen und Publikationen, im Jahrestakt fast, mit Niederlagen, Eingeständnissen, Rückzügen und immer wieder neuer Zuversicht.

«Das sieht altertümlich aus», frohlockt Einstein in seinem Brief an Besso Anfang 1929 über seinen Vorschlag einer neuen Einheitlichen Feldtheorie, «und die lieben Kollegen, sowie auch Du, mein Lieber, werden zunächst einmal die Zunge herausstrecken, so lange es geht. Denn in diesen Gleichungen kommt kein Planck'sches h vor. Aber wenn man an die Leistungsgrenzen des statistischen Fimmels deutlich gelangt sein wird, wird man wieder zur zeiträumlichen Auffassung reuevoll zurückkehren, und dann werden diese Gleichungen einen Ausgangspunkt bilden.»

Einstein glaubt fest an seine neuen Formeln. Der Erfolg seiner Allgemeinen Relativitätstheorie mit ihrer «zeiträumlichen Auffassung» und seine tiefe Ablehnung des «statistischen Fimmels» der Quantentheorie müssen ihn betriebsblind gemacht haben. Er hält tatsächlich eine Verallgemeinerung unter Verzicht auf das Planck'sche h für möglich – das universell gültige Wirkungsquantum. Er sucht eine Formel, nach der die Materie allein aus den Windungen der Raumzeit aufgebaut ist, wie seine Gravitationstheorie sie beschreibt – eine Art feindliche Übernahme einer Theorie durch eine andere: So wie er Newton nicht widerlegt, sondern in den Grenzen seiner eigenen Theorie für gültig erklärt hat, so soll die Quantenmechanik in der Einheitlichen Feldtheorie als Spezialfall enthalten sein. Gullivers Zwerge sollen sich im Reich der Riesen zurechtfinden, nicht umgekehrt. Ein Land, in dem beide gleichberechtigt ein Zuhause erkennen, sieht er nicht vor. Der große Einstein – ein Gefangener im goldenen Käfig seiner Überzeugungen.

Da er die Quanten nicht einbezieht, finden seine drei Jahrzehnte währenden Anstrengungen ab 1925 in den Geschichten über die Suche nach einer Weltformel allenfalls anekdotische Erwähnung – und das nur, weil sie von Einstein kommen. Dabei ist er seinem Programm durchaus treu geblieben. Er will Naturgesetze finden, die seinem Ideal von Wissenschaft entsprechen, einer vollständigen, einheitlichen Beschreibung der Welt. Nur dass ihn diesmal das Glück verlässt.

Auch bei der Relativitätstheorie hat er aus der prinzipiell unendlich großen Zahl möglicher Theorien eine nach der anderen ausprobiert und dann mit Glück die richtige gefunden. Doch nun fehlt ihm etwas, das ihn vorher zweimal sicher geleitet hat: Prinzipien wie sein Relativitäts- oder das Äquivalenzprinzip, die seinem neuen Gebäude ein Fundament geben könnten. Und noch krasser als bei der Allgemeinen Relativitätstheorie mangelt es auch an jeglicher empirischen Grundlage: Es gibt keinerlei Beobachtungen oder experimentelle Daten wie das Michelson-Morley-Experiment zur Konstanz der Lichtgeschwindigkeit oder die Abweichung des Merkur-Perihels, die irgendwie als Richtschnur dienen könnten.

«Einstein konnte die Weltformel auch aus einem anderen Grund nicht finden», sagt Thomas Thiemann, ein junger Professor im kanadischen Waterloo unweit von Toronto. «Er hat nicht alle bekannten Naturkräfte berücksichtigt.» Es gibt nicht nur elektromagnetische Kraft und Gravitation, die Einstein vereinen wollte. Daneben sind in den dreißiger Jahren die «schwache Kraft», wichtig für den radioaktiven Zerfall, und die «starke Kraft» entdeckt worden. Letztere hält den Atomkern zusammen. «Eine einheitliche ‹Theorie für alles›», sagt Thiemann, «muss natürlich auch alle bekannten Kräfte umfassen.»

Der Physiker, Mitarbeiter am Albert-Einstein-Institut in Golm bei Potsdam, hat – als zweites wissenschaftliches Standbein – am Perimeter-Institut in Waterloo angeheuert, einem neuen Denkzentrum der Quantenphysik. Der ortsansässige Unternehmer Mike Lazaridis, der mit drahtlosen Kommunikatoren ein Vermögen gemacht hat, hat dort ein Paradies für theoretische Physiker geschaffen, denen flache Hierarchien, völlige Unabhängigkeit und intellektuelle Dichte wichtiger sind als eine feste Anstellung. Neben üppiger Bezahlung gibt es Bar und Kantine, Konferenzzentrum und Squash Court – eine Art Institute for Advanced Study des 21. Jahrhunderts.

Nur wer in den Hieroglyphen der Theoretischen Physik träumt, zugleich ein und alles im Blick haben und ohne Wimpernzucken seine Optik des Universums vom Engsten zum Weitesten zoomen kann, darf hier daran mitwirken, Einsteins letzte Vision zu verwirklichen. Thiemann zählt zu den eingeweihten Hochbegabten, die Wabe an Wabe und Tür an Tür in ihren Denkzellen sitzen und grübeln. Aus seinem Fenster sieht er das Bild einer Kleinstadt aus Holz und Backstein, wie es sie in diesem Teil der Welt zu Hunderten gibt. In seinem Zimmer herrscht die aufgeräumte Klarheit karger Mönchsklausen. Schreibtisch mit Computer und Telefon, Stuhl und Gästestuhl, Bücherregal und die obligatorische Wandtafel, auf der sich die Silben der letzten Wahrheit im Dickicht ihrer Geheimschrift verbergen.

Der junge Professor arbeitet in der Abteilung für «Schleifen-Quanten-Gravitation» an einem neuen Ansatz zur Weltformel. Damit wandelt er im Geiste so direkt auf Einsteins Spuren wie möglich. In seinem Kopf laufen wie in einem Schaltzentrum die verschiedenen Stränge der modernen Physik zusammen. Er redet vom Urknall und von Dunkler Energie, von Supernovae und Schwarzen Löchern, von Gravitationswellendetektoren, Teilchenbeschleunigern, Quantenfeldtheorie und Kosmologie. Denn all diese Modelle und Beobachtungen und Phänomene und Experimente, die Gleichungen von Einstein und Heisenberg, die Messungen von Peter Aufmuth in Hannover und John Beckman auf Teneriffa muss eine «Theorie für Alles» am Ende umfassen.

Thiemann und seine Mitstreiter, weltweit etwa 100 Forscher, arbeiten im Schatten der populären «String-Theorie», die insgesamt gut und gerne 1000 Wissenschaftler beschäftigt. Deren Modell könnte ein Problem lösen, an dem jede Weltformel bisher gescheitert ist: Wer von unendlich kleinen Teilchen ausgeht, wie sie die klassische Physik vorsieht, landet irgendwann bei so genannten «Singularitäten», sieht an diesen immer wieder seine Gleichungen auseinander brechen. «Da kommen mathematisch unsinnige Werte wie Unendlichkeiten und Wahrscheinlichkeiten über 100 Prozent heraus», erklärt Thiemann.

Wären die Teilchen nicht singuläre Punkte, sondern stattdessen ausgedehnte vibrierende Fäden («Strings»), so die Verfechter der neuen

Theorie, dann ließe sich dieses Problem elegant umschiffen. Allerdings hat die schöne Vorstellung von der Musik des Kosmos mit schwingenden Saiten ihren Preis: Beim besten Willen lässt sich keine Geometrie finden, in der Strings in der Raumzeit mit ihren vier Richtungen schwingen. Erst wenn neben Raum und Zeit zusätzlich sechs weitere Raumdimensionen einbezogen werden und mit der Erweiterung zur «Superstring-Theorie» sogar eine elfte Dimension hinzugezogen wird, «funktionieren» die String-Gleichungen.

Die Idee der zusätzlichen Dimension ist nicht neu. Schon 1921 hat der Königsberger Mathematiker Theodor Kaluza der Einstein'schen Raumzeit eine fünfte Dimension aufgepfropft, um in einem scheinbaren Geniestreich dessen Gravitationstheorie mit der Maxwell'schen Elektrodynamik zu vereinen. Nachdem Kaluzas Göttinger Kollege, der Schwede Oskar Klein, dessen Werk verallgemeinert hat, scheint es eine Weile so, als habe sich mit der «Kaluza-Klein-Theorie» Einsteins Traum von einem allumfassenden Werk bereits erfüllt.

Doch schon bald kommen Einstein Zweifel, ob die fünfte Dimension wirklich existiert oder ob sie nicht nur eine rein mathematische Hilfskonstruktion darstellt. Die vier Dimensionen seiner Raumzeit entsprechen physikalischen Gegebenheiten, die fünfte hängt dagegen gleichsam in der Luft. Am Ende erweist sich die Kaluza-Klein-Theorie als nicht haltbar. Vergleichbare Zweifel hegen Thomas Thiemann und seine Kollegen. «Der String wohnt in zehn bis elf Dimensionen», sagt er, «wir beobachten aber nur vier.» Man müsse daher dafür sorgen, dass die überzähligen Dimensionen nicht beobachtbar sind – «aber das ist bis heute niemanden gelungen». Deshalb versuchen die Vertreter der Schleifen-Quanten-Gravitation ihre Weltformel innerhalb der vierdimensionalen Raumzeit und damit Einsteins Traum vielleicht auf die ihm gemäßeste Weise zu verwirklichen. Nach ihren Vorstellungen ist der Raum nicht homogen. Er selber ist feinkörnig aufgebaut – aus unzähligen miteinander verwobenen Schleifen.

Die Raumzeit stellt danach kein Kontinuum dar, sie ist gequantelt wie die Materie. Die Größenordnungen, in denen sich diese Quantelung abspielt, ist allerdings Schwindel erregend gering: Wäre ein Atom so groß wie unsere Galaxie, dann würde eine Quantenschleife nicht mehr «Raum» einnehmen als wiederum ein Atom. Thiemann spricht in dem Zusammenhang von «Quantenschäumen». Das klingt zwar ebenso abenteuerlich wie die Vorstellung von Fäden im elfdimensionalen Raum, hat aber den Vorteil, ohne zusätzliche Dimensionen auszukommen.

Ob Einstein diesen Weg der Quantengeometrie lieber mitgegangen wäre als den der Strings? Thomas Thiemann lässt solche Alternativen nicht gelten. Alles muss zusammenpassen. «Wir sind mit den String-Theoretikern etwa gleichauf», sagt er. An eine «Entscheidungsschlacht» zwischen den beiden glaubt er aber nicht. «Wir sehen uns gleichzeitig als Konkurrenten und Kooperationspartner.» Eher hält er es für möglich, dass am Ende beide gemeinsam ans Ziel gelangen, und dann zählt das Was mehr als das Wer. «Wenn das gelingt, dann revolutioniert es die Physik wie Allgemeine Relativitätstheorie und Quantenmechanik zusammen.»

Er spricht von «Gemeinschaftsanstrengungen», hat aber wie Einstein das Ideal vom Einzelhelden nicht ganz aufgegeben. Jeder müsse den Überblick haben, aber am Ende seien es immer Einzelne, die weiterkommen. «Alle, die in dem Spiel mitspielen, können einen neuen Einwurf machen, und einer schafft es dann vielleicht, über die Hürde zu kommen, und alles wird ganz einfach.» Das könnte, glaubt er, schon in den nächsten zehn Jahren passieren. «Wir haben grob gesagt schon vier große Hürden genommen und noch zwei vor uns. Das bestärkt uns in der Hoffnung, dass wir auch den letzten Check hinter uns bringen.»

Ein Unterschied der Schleifen-Quanten-Gravitation, die das Perimeter-Institut weltweit führend erforscht, verglichen mit der String-Theorie: Sie ließe sich womöglich durch ein bestimmtes kosmologisches Experiment überprüfen. «Wir denken an natürliche Lichtblitze, die von sehr weit her kommen», sagt Thiemann. «Wenn Photonen 10 Milliarden Jahre zu uns unterwegs sind, haben sie viel Zeit, etwas von der Granularstruktur des Raumes mitzubekommen.» Sie müssten die winzigen Schleifen passieren. Energiereichere Lichtteilchen würden dabei mehr gebremst als energieärmere. Sie kommen später an – und das ließe sich messen. «Da sind unter Umständen Unterschiede von bis zu zehn Sekunden zu erwarten.»

Was er aber mit «Hürde» und «Check» meint, das sind hoch kompliziertere Untersuchungen der «mathematischen Konsistenz» der Theorie. Seine «Operatoren» und geometrischen Gleichungen kann er bequem im Internet nachschlagen. Einstein musste noch die Mathematiker seiner Zeit befragen, um an die geeigneten Werkzeuge zu gelangen. Die Mathematik als Hebamme der Theorie muss sich ihrerseits an der physikalischen Wirklichkeit als höchster Richterin messen. Das Rechnen muss der Realität standhalten. Hierin liegt eine weitere Ursache für Einsteins Scheitern an der einheitlichen Theorie. Sein Assistent Banesh Hoffmann hebt im Rückblick hervor: «Die Suche war [...] eher ein Sichhintasten durch das Zwielicht eines mathematischen Dschungels, der von der physikalischen Intuition nur mangelhaft erhellt wurde.»

Rächt sich nun Einsteins Selbsttäuschung während der Arbeit an der Allgemeinen Relativitätstheorie, nur die mathematische Eleganz richte über den Wert einer Theorie? Schönheit und Symmetrie allein helfen wenig, wenn es darum geht, den großen Graben zwischen Mikro- und Makrowelt zu überbrücken. «Einstein schwimmt ganz gewaltig», sagt Thomas Thiemann. «Aber er weiß es und macht sich darüber keine Illusionen.» Hat er nicht auch bei der Allgemeinen Relativitätstheorie zwischen 1912 und 1915 zunächst oft danebengelegen und dann triumphiert?

Stellvertretend für die übrigen «Kritik übenden Physiker» schreibt Wolfgang Pauli an Einstein: «Es bleibt diesen nur übrig, Ihnen dazu zu gratulieren (oder soll ich lieber sagen: zu kondolieren?), daß Sie zu den reinen Mathematikern übergegangen sind.» Einstein selbst hat in seiner Nobelpreisrede 1923 das Problem mit der Einheitlichen Feldtheorie klar umschrieben: «Leider können wir uns bei dieser Bemühung nicht auf empirische Tatsachen stützen wie bei der Ableitung der Gravitationstheorie [...], sondern wir sind auf das Kriterium der mathematischen Einfachheit beschränkt, das von Willkür nicht frei ist.»

Fatal und für ihn zugleich tröstlich: Sein Glaube an seine Arbeit, an die Richtigkeit seines Ansatzes, hält ihn aufrecht. In einem Interview mit der englischen Tageszeitung «Daily Chronicle» erklärt Einstein Ende Januar 1929 tatsächlich: «Jetzt wissen wir, dass die Kraft, welche

Die Suche nach der Weltformel 393

die Elektronen auf ihren Ellipsen um die Atomkerne sich bewegen lässt, die gleiche Kraft ist, die unsere Erde ihre jährliche Bahn um die Sonne ziehen lässt, und die uns Licht und Wärme bringt, die das Leben auf der Erde ermöglichen.»

Eine schöne Erklärung dafür, was die Weltformelforscher sich fragen. Aber keine Antwort darauf. Die kennt bis heute niemand. Vielleicht wird sie auch niemals jemand finden. Einstein ist daran gescheitert, und wer will schon wissen, ob nicht Scheitern das Schicksal all derer ist, die sich am Heiligsten der Physik versuchen? Weil es die Weltformel womöglich gar nicht gibt? «Wer es unternimmt, auf dem Gebiet der Wahrheit und der Erkenntnis als Autorität aufzutreten», hat Einstein einmal gesagt, «scheitert am Gelächter der Götter.»

Seine Lebensuhr hinkt der Zeit nun deutlich hinterher – nur seine Träume sind ihr voraus. Allmählich erlahmt das Interesse von Masse und Medien, Einsteins Eifer aber nicht. Hörbar verkündet er den nächsten Durchbruch, leise zieht er ihn wieder zurück. Schon 1930 wartet er mit einer völlig neuen Theorie auf, und so geht es immer weiter – wie damals kurz vor dem Durchbruch zur Allgemeinen Relativitätstheorie. Könnte es nicht wieder so sein?

«Albert arbeitet wie kaum je zuvor», berichtet Ehefrau Elsa ihrer Freundin Antonina Vallentin. «Hat sich die herrlichste Theorie ausgedacht. Sie wird immer schöner, von Tag zu Tag. Wenn sie nur wahr bleibt!!» Sarkastisch wie gewöhnlich äußert sich Wolfgang Pauli. Einstein liefere jedes Jahr eine neue Theorie, und es sei doch zumindest psychologisch interessant, dass er die jeweils neueste auch jeweils für die definitive Lösung halte.

Im Sommer 1938 gibt Einstein bekannt, «in diesem Jahr nach zwanzig Jahren vergeblichen Suchen eine aussichtreiche Feld-Theorie gefunden» zu haben. Alter, Exil und Einsamkeit gelten nun als mildernde Umstände. Bei einem anderen als Einstein würde sein ernsthaftes Ringen als unerheblicher Zeitvertreib eines Hobbytheoretikers durchgehen. Ihm bedeutet das Hobby Heimat, Zuflucht – und das Leben, wie er es nicht anders kennt. «Ich arbeite wie ein Rasender, d.h. ich reite wie ein Wilder auf meinem Steckenpferd herum.» Würde er jetzt heruntersteigen, er stünde mit leeren Händen da.

Wie lange mag er geahnt, gewusst haben, dass er mit Problemen kämpft, die einer allein vermutlich nie lösen kann? Wenige Monate vor seinem Tod vertraut er seinem Freund Besso an: «Ich betrachte es aber als durchaus möglich, dass die Physik nicht auf den Feldbegriff gegründet werden kann, d. h. auf kontinuierliche Gebilde. Dann bleibt von meinem ganzen Luftschloss inclusive Gravitationstheorie *nichts* bestehen.»

Kapitel 19

Von Barbarien nach Dollaria
Einsteins Amerika

Sie kreischen, als wollten sie ihm die Kleider vom Leib reißen: «Einstein! ... Einstein!» Ein paar hundert aufgeregte Mädchen in Röckchen mit Fähnchen und roten Blumen, aufgereiht am Kai von San Diego, bereiten dem Popstar der Wissenschaft ein helles Halloh und Hurrah. Trompeten, Rasseln, Gesänge, Cheerleader und alles, was dazu gehört. «Sie kommen aufs Schiff», notiert der Reisende in seinem Tagebuch, «und geben mir alle die grossen roten Blüten in den Arm, dass ich die Stiele kaum mehr in meine Arme fassen kann. Ich rette mich endlich in die Kabine, um ein wenig zu frühstücken.»

Es ist noch früh an diesem 29. Dezember 1930, gerade sieben Uhr vorbei. Doch der Einstein-Trubel ist schon voll im Gange. «Nun durch Menschenmenge zum Auto», schreibt der Gehetzte. «Essen im Hotel und wieder einmal Rundfunk überall hin. Nicht zu vergessen am Vormittag feierlicher Empfang im Säulengang des Stadtgartens mit Orgelmusik (Wacht am Rhein!) und Reden der Offiziellen.»

Reporter jagen ihn durch die Stadt. Einer legt ihm ein Blatt mit Formeln vor, beobachtet ihn wie ein fremdartiges Tier, ob es den Happen frisst, oder wie einen Außerirdischen, der ganz anders reagiert. Cissy Patterson vom «Washington Herald» stöbert ihn auf, als er sich der Meute einmal entzogen hat – beim Sonnenbad, mit nichts als einem Taschentuch bekleidet, in typischer Manier an den vier Ecken zur gekrümmten Ebene einer Kopfbedeckung verknotet. Die Reporterin traut sich nicht, ihn anzusprechen, schreibt dann aber einen schlüpfrigen Bericht, der es auf die Titelseite ihrer Zeitung bringt. «Einstein sells» – das wissen die Verleger nirgendwo besser als in Amerika. Da zieht selbst die Story, wie man kein Interview mit ihm bekommen hat.

Ohne die überschwängliche Reaktion in den USA wäre Einstein nie zu dem Superstar geworden, als den ihn die Welt kennt. Erst der aufrichtig naive Kult der Amerikaner um das siegreiche Kind hat seinen Aufstieg zur Pop-Ikone der Wissenschaft ermöglicht. Amerika bewundert und feiert ihn – mitunter mehr, als ihm lieb sein kann. Er hat neue Kontinente entdeckt, das imponiert Amerika mehr als jede andere Tat. Ihn, den Europa als neuen Kopernikus feiert, sehen die Amerikaner als «neuen Kolumbus der Naturwissenschaft, der einsam durch die fremden Meere des Denkens fährt». So hat ihn – auf Deutsch – der Präsident der Universität Princeton begrüßt, wo er sich einen seiner vielen Ehrendoktortitel abholt. Das war 1921, ein knappes Jahrzehnt vor dem überwältigenden Empfang in San Diego.

Mit dieser ersten USA-Reise hat für Einstein das Abenteuer Amerika begonnen. Sollte er in jenen Tagen noch Zweifel gehabt haben, in welch Schwindel erregende Höhen ihn sein plötzlicher Ruhm nach Bekanntgabe der Sonnenfinsternisdaten im November 1919 katapultiert hat, so bleibt ihm nun nichts anderes übrig, als vor dem kompromisslosen Jubel zu kapitulieren. Schon bei der Ankunft im New Yorker Hafen am 1. April 1921 stürmt die Reportermeute den Dampfer und stellt ihr überraschtes Opfer.

Laut Bericht der «New York Times» «blickte Einstein schüchtern einem Schwarm Kameramänner entgegen. Mit der einen Hand umklammerte er eine glänzende Bruyerepfeife, in der anderen hielt er eine kostbare Violine.» So etwas hat er noch nicht erlebt. Blitzlichtgewitter, Fragen wie Donnerschläge im Sekundentakt, wo sich am Ende der Lauteste durchsetzt. Und alle wollen vor allem das eine: seine Erklärung der Relativitätstheorie.

Einstein, der Landessprache nicht mächtig, kann sich nur mit Hilfe des Schulenglisch von Gattin Elsa verständlich machen. Und doch soll er bei dieser Gelegenheit erklärt haben: «Früher hat man geglaubt, wenn alle materiellen Dinge aus dem Weltall verschwinden, so blieben nur noch Raum und Zeit übrig. Nach der Relativitätstheorie aber verschwinden Zeit und Raum mit den Dingen.» Nach Verlassen des Schiffs kommt es noch dicker. Eine aufgeputschte Menschenmenge erwartet die Gäste johlend am Hafen. Aus der endlosen Reihe von Autos mit amerikanischen und zionistischen Flaggen hebt ein ohrenbetäubendes Hupkonzert an. Statt gleich zum Hotel zu fahren, folgt der offene Wagen mit den Einsteins und Zionistenführer Chaim Weizmann zuerst dem Korso quer durch Manhattan zur Lower East Side. «Fast auf dem ganzen Weg standen Tausende Menschen auf den Bürgersteigen und winkten», berichtet die «New York Times». Sie strecken die Hände aus, um ihn zu berühren. So feiern sie sonst allenfalls Sportidole, Filmstars oder siegreiche Soldaten. Einstein ist buchstäblich überwältigt.

Ein paar Tage danach folgen Reporter dem Ehepaar bis in seine Suite im Waldorf Astoria. Noch begegnet Einstein der permanenten Bedrängnis mit Staunen und Heiterkeit. «Die New Yorker Frauen wollen jedes Jahr einen neuen Stil», erklärt er den Journalisten. «Dieses Jahr ist Relativität die Mode.» Seine humorvolle Art kommt an. Ein Clown findet sein Publikum.

Doch der Spaß hört bald auf. Der Ernst für den Rest seines Lebens ruft. Am 8. April verleiht die Stadt Einstein und Weizmann die Ehrenbürgerschaft. Am 12. April 1921 hält Einstein vor über 8000 Menschen im überfüllten Arsenal des 69. Regiments in Manhattan die kürzeste Ansprache des Abends: «Euer Führer, Dr. Weizmann, hat geredet, und er hat sehr gut für uns alle gesprochen. Folgt ihm und euch wird es gut gehen. Das ist alles, was ich zu sagen habe.» Tosender Applaus für eine ungehaltene Rede. Einstein kann seine Wirkung auf die Menge kaum fassen. Dem Besitzer der «New York Times», Adolph Ochs, gibt er zu erkennen, er halte das Interesse der Massen an seiner Person für «psycho-pathologisch».

Das Treffen mit Präsident Harding im Weißen Haus am 25. April gerät, wie Elsa dem «Berliner Tageblatt» nach der Rückkehr erzählt, zur «Pantomime». Einstein spricht kaum Englisch, Harding nichts anderes als das. So begnügen sich die beiden damit, so lange lächelnd einander die Hände zu schütteln, bis die Kameras der Fotografen sich satt geknipst haben. Am 13. Mai berichtet die «Chicago Daily Tribune»: «Einstein hier, nicht relativ, sondern in Fleisch und Blut – sagt, er braucht fünf Tage, seine Theorie auszuführen». Der Reporter habe daraufhin beschlossen, «das Interview auf andere Dinge zu beschränken». Über Einsteins Bild mit Elsa fragt eine Zeile: «Der schlaueste Mann der Welt?»

In Boston händigt ihm einer der wartenden Reporter einen Fragebogen aus, der dort seit längerem für Kontroversen sorgt. Mit insgesamt 150 Fragen wie: «Wer erfand den Logarithmus?» oder «Was sind Leukozyten?» oder «Wie groß ist die Entfernung zwischen Erde und Sonne?» testet der Erfinder und Unternehmer Thomas Edison jeden Bewerber auf eine Stelle in seiner Firma. Nun soll Einstein zeigen, wie schlau er wirklich ist. «Was ist die Geschwindigkeit des Schalls?», übersetzt einer der Reporter ins Deutsche. «Das weiß ich nicht auswendig», gibt Einstein zurück. «Ich behalte keine Informationen im Kopf, die in Büchern fertig verfügbar sind.» Punktsieg gegen Edison, den er im Übrigen als großen Mann preist.

Gegen Ende des Monats beschreibt die «Cleveland Press» den umjubelten Gast, bei dessen Empfang durch 3000 Wartende es beinahe zu Ausschreitungen kommt, als «typischen Professor. Er hat graues Haar, das er ziemlich lang trägt». Ob willentlich oder nicht – Einstein passt perfekt ins Klischee des avantgardistischen Künstlers der Wissenschaft.

Als bei seinem Besuch in Princeton plötzlich das Gerücht auftaucht, die Versuche zur Konstanz der Lichtgeschwindigkeit seien widerlegt und damit seine Relativitätstheorie in Zweifel gezogen worden, macht Einstein den legendären Ausspruch: «Raffiniert ist der Herrgott, aber boshaft ist Er nicht.» Der Satz steht bis heute dort in Stein gehauen – zu besichtigen auf dem Kaminsims im Fakultätsclub der mathematischen Abteilung.

Einsteins erste USA-Reise hat ein unerfreuliches Nachspiel. Am 4. Juli 1921 gibt er, noch immer unerfahren im Umgang mit der Presse, einer Reporterin des «Nieuwe Rotterdamsche Courant» ein Interview, das in Amerika für Wirbel sorgt. Am 8. Juli druckt die «New York Times» seine Aussagen in Schlagzeilen ab: «Nach Einstein regieren hier die Frauen – Der Wissenschaftler sagt, amerikanische Männer seien die Schoßhündchen des anderen Geschlechts – Die Leute langweilen sich unendlich.»

Es hagelt erboste Leserbriefe, und die Zeitung legt mit einem Leitartikel zu Einsteins Benehmen nach: «Seine Tiraden werden nun von den meisten Amerikanern als Mangel an Urteilsfähigkeit gewertet, der zu einem Mann dieser Art zu gehören scheint, besonders zu einem, der, obwohl nicht deutsch von Blut oder Geburt» – ein Fehler – «das Produkt einer ausschließlich deutschen Erziehung ist» – was mehr oder weniger stimmt. «Dr. Einstein wird seine flegelhafte Verspottung freundlicher Gastgeber nicht vergeben werden.»

Einstein bereut, zeigt sich zeitungsöffentlich «entsetzt» über den niederländischen Bericht und sichert den Amerikanern sein «Gefühl der Dankbarkeit» zu. Es wird nicht die letzte Irritation bleiben. Brutal ehrlich, wie er ist, kann er die Ambivalenz seiner Ansichten nicht verbergen. Noch hat er keine Ahnung von der Doppelbödigkeit amerikanischer Freundlichkeit, die von Fremden oft mit Freundschaft verwechselt wird. Er hat Land und Leute zwar kennen gelernt, aber er kennt sie nicht. Das Amerika seiner Zeit ist weder offen nationalistisch noch offensiv patriotisch. Aber defensiv. Wenn jemand sie angreift, dann halten die Amerikaner zusammen – bis hin zur Gruppenhaft. Das gilt bis heute. Andererseits ist Amerika großherzig, geradezu arglos oft, es kann verzeihen, eine seiner angenehmsten Eigenschaften. Als er zehn Jahre später Kalifornien bereist, trübt kein Schatten seine Wiederkehr.

Dies ist erst sein zweiter Besuch. Noch flirtet Einstein mit Amerika. Die Cheerleader jubeln. Zwei weitere Visiten folgen. Dann ab 1933 das Exil. Aus dem Flirt wird eine Beziehung bar jeder Romantik, ab 1940 mit der Einbürgerung eine Vernunftehe. Eine Liebe war es zu keinem Zeitpunkt. «Er war nie glücklich in den USA», erinnerte sich später der israelische Botschafter in Washington, Abba Eban.

Aus Deutschland verstoßen, Europa verloren, bleibt Einstein während seines letzten Lebensdrittels heimatlos. Mit dem Kontinent seiner Kultur verbindet ihn bis zuletzt hilfloses Heimweh. Die heimliche Leidenschaft für Germania aber verwandelt sich in offenen, unversöhnlichen Hass. Nur aus dieser Perspektive lässt sich Einsteins Leben in den USA ab 1933 begreifen, sein politisches Engagement, sein Einsatz für Flüchtlinge, seine (vorübergehende) Preisgabe des Pazifismus, sein Mitwirken in der militärischen Forschung, seine Rolle bei der Entwicklung der Atombombe, seine Kompromisse beim Thema Israel. In allem bekämpft er in trauriger Wut irgendwie auch immer den deutschen Dämon in seinem Herzen.

Zur Jahreswende 1930/31 spielen ihm die Orgeln die «Wacht am Rhein» – ungeliebte Heimatklänge im «Paradies», wie er Kalifornien mehrfach nennt. Ein nachgebauter Garten Eden mit Palmen, Parks und Palästen als Kulisse einer Zukunftswerkstatt, die den Aufstand der Oberfläche über den Inhalt probt. Simulation als Sinnersatz – mit breitem Lächeln in breiten Limousinen auf breiten Boulevards. «Auf zwei Einwohner kommt ein Auto», bemerkt der Gast. «Zu Fuss geht selten einer.»

Freunde zu Hause sehen und hören Einstein in der «Tönenden Wochenschau». Über das Bild vom «Blumenwagen mit schönen Meeresjungfrauen» schreibt Hedi Born: «So meschugge solche Dinge von außen aussehen, so habe ich doch dabei das Gefühl: Der liebe Gott wird schon wissen, was er tut!» Einstein besucht zum ersten Mal einen Supermarkt und schwärmt: «Wunderbar sind die Läden eingerichtet. Jeder nimmt selbst und zahlt für die Sachen, die er in seinen Korb gepackt hat. Verpackungen genial, besonders Karton-Verpackung der Eier. Alle kennen mich auf den Strassen und schmunzeln mich an.»

Sie bieten ihm Filmrollen an, und Ehefrau Elsa hat alle Mühe, die Offerten abzuwehren. Eine Millionärin spendet dem California Institute of Technology (dem «Cal Tech» in Pasadena, wo heute das Einstein Papers Project untergebracht ist) 10 000 Dollar, damit sie ihn besuchen darf. Er lehnt ab. Sie bitten ihn, seine alten Schuhe für eine Ausstellung abgetragener Treter von Filmsternen und Präsidentschaftskandidaten herzugeben. Sie tischen ihm Lachs aus Alaska auf, körbeweise tropische Früchte und preisgekrönten Schinken. «Die Nahrungsmittel werden meist ins Haus gebracht von Menschen aller Rassen, die nichts gemein haben als das amerikanische Lächeln», hält Einstein seine Eindrücke fest.

Seinen Gastgebern im konservativen Kalifornien bereitet er nicht nur Freude. Dem sozialkritischen Schriftsteller Upton Sinclair, mit dem er fortan in Freundschaft verbunden bleibt, gibt er ein Interview für ein sozialistisches Wochenblatt. Und den Studenten des Cal Tech ruft er zu: «Die Sorge um die Menschen und ihr Schicksal muss stets das Hauptinteresse allen technischen Strebens bilden, die grossen ungelösten Fragen der Organisation der Arbeit und der Güterverteilung, damit die Erzeugnisse unseres Geistes dem Menschengeschlecht zum Segen gereichen und nicht zum Fluche. Vergesst dies nie über Euren Zeichnungen und Gleichungen!» Nicht gerade Worte, die ihn bei den 200 reichen Mitgliedern des Förderkreises beliebt machen, mit denen er im gediegenen Fakultätsclub der Forschungsstätte zu Abend speist.

In Pasadena begegnet Einstein auch dem legendären Albert Michelson, der zusammen mit Edward Morley 1887 die Konstanz der Lichtgeschwindigkeit nachgewiesen und damit das Ende des Äthers eingeläutet hat. Ohne dessen Arbeit, versichert Einstein dem nunmehr Neunundachtzigjährigen, wäre die Relativitätstheorie Spekulation geblieben. Dass er die beiden Amerikaner und ihr epochales Experiment mit ihrem Interferometer in seiner Veröffentlichung 1905 nicht erwähnt hat, bleibt unerwähnt.

An der berühmten Sternwarte auf dem nahen Mount Wilson besucht er Edwin Hubble, der im Jahr zuvor die Rotverschiebung im Licht ferner Galaxien und damit die Expansion des Universums entdeckt hat. Einstein zeigt sich von den Ergebnissen so beeindruckt, dass er seine «kosmologische Konstante» als überflüssig fallen lässt – jenes Lambda, das Ende des 20. Jahrhunderts triumphal in die Kosmologie zurückkehren wird. Kamerateams begleiten ihn immer wieder auf seinen Exkursionen – Einstein am größten Teleskop der Welt, Einstein in der Wüste, Einstein in Palm Springs, Einstein beim Picknick mit schönen Frauen.

Und dann auch noch Hollywood – «zu dem Filmzaren Laemmle, einem schlauen, buckligen Jüdchen mit mickriger, mieser Familie, der die Filmstars tanzen lässt und ein Meister des faulen Zaubers ist». Der führt ihm den Streifen «Im Westen nichts Neues» nach dem Roman von Erich Maria Remarque vor, der die Grausamkeiten des Ersten Weltkrieges ungeschönt darstellt. «Ein gutes Stück, dessen Verbot die Nazis in Deutschland glücklich durchgesetzt haben», so Einstein in seinem Tagebuch, «eine bedenkliche Schwäche gegenüber der Strasse».

Auf seinen Wunsch trifft er auch den von Hollywood adoptierten britischen König der Stummfilm-Mimen. Seine innere Verwandtschaft mit Charlie Chaplin fügt sich einer äußeren mit dessen Figuren. Einstein verkörpert, was Chaplin spielt. Kein Mann seines Ranges kommt dem Bild des Tramps so nahe, schon gar kein Wissenschaftler. Der Film-Tramp residiert im wirklichen Leben aber wie ein Fürst in weitläufigen Gemächern, wo der Gast seiner Geige Mozart-Sonaten entlocken darf. Die geräumige Wohnung der Einsteins in der Berliner Haberlandstraße wird Chaplin bei seinem späteren Gegenbesuch eng und bescheiden nennen.

Charlie lädt Albert zur Premiere von «Lichter der Großstadt» ein. Einstein erscheint wie Chaplin im Smoking. Die festliche Kleidung steht ihm blendend. Elsa in ihrer weiten Abendgarderobe mit der unvermeidlichen Lorgnette in der Hand wirkt dagegen wie eine verkleidete Landpomeranze. Am Ende der Vorstellung gibt es stehende Ovationen für die beiden Helden von Film und Physik. Der Theoretiker fragt den Praktiker, was der Beifall zu bedeuten habe. «Nichts», sagt Chaplin. Und wie erklärt er sich diese Verehrung? «Mir applaudieren die Leute, weil alle mich verstehen, und Ihnen, weil Sie niemand versteht.»

Einsteins mitunter chaplineskes Verständnis von Etikette verrät eine kleine Szene, die er später im selben Jahr während einer England-Reise im Tagebuch festhält: «Zuerst schloss das frische Hemd nicht beim Umziehen, sodass behaarte Männerbrust bei jeder 2. Bewegung herausschaut. Ich durchsuche das Junggesellen Schlafgemach, finde Nadel und Faden und nähe das Ding so zu, dass ich zwar noch durchschlupfen kann, dass aber seine Bewegungsfreiheit in dezenter Weise beschränkt wird. Dort beim Abendessen fehlt mein Löffel für das Gefrorene (nach echt englischem Mahle mit fremdsprachiger konventioneller Unterhaltung); ich esse selbiges mit ernster Miene mit dem Salzlöffelchen. Dann zeigt mir die bedienende Seele das unter meinem Teller geschlüpfte Löffelchen.» Der Alltag als Slapstick. Hätte er doch nur immer Tagebuch geschrieben.

Einstein lässt sich herumreichen. Auch wenn er dabei «angegafft wird wie der Orang im Zoo» – er spielt das Spiel mit. Bei der Rückreise mit der Eisenbahn quer durch den amerikanischen Kontinent machen die Eheleute am Grand Canyon Halt. Der Häuptling eines Hopi-Stammes nennt ihn «The Great Relative» – ein Wortspiel, das den Verwandten («the relative») und den Erfinder der Relativitätstheorie in einem

Wort zusammenbringt. Einstein posiert zum Dank im vollen Feder-schmuck. Futter für die Kameras der Fotografen. Von Zwang kann da keine Rede sein.

In Chicago spricht er an der Seite des Architekten Frank Lloyd Wright von der Plattform des Zuges zu einer großen Menge von Pazifis-ten und fordert sie zur Kriegsdienstverweigerung auf. In New York lässt er noch einmal ein Spenden-Dinner zugunsten der Zionisten über sich ergehen. Die 16 Stunden in Manhattan geraten erneut zum Einstein-Taumel. Der deutsche Generalkonsul will sogar «Ausbrüche einer Art Massenhysterie» festgestellt haben. In der Riverside Church findet sich Einstein als einzig Lebender unter den in Stein gehauenen Größen der Weltgeschichte. Als er und Elsa endlich den Dampfer «Deutschland» betreten, der sie nach Europa zurückbringt, macht sich Erleichterung über das Ende der Ochsentour breit. Und erste leise Kritik wächst her-an, die fortan in seinem Verhältnis zu den USA mitschwingt und später den Ton angibt.

«Man merkt, dass man an dem alten Europa mit seinen Schmerzen und Nöten hängt und kehrt gern wieder zurück», beichtet er der be-freundeten belgischen Königin Elisabeth. «Um Europa erfreulich zu finden, muss man Amerika besuchen», heißt es in einem Brief an Besso. «Zwar sind die Menschen dort freier von Vorurteilen, aber dafür meist hohl und uninteressant, mehr als bei uns.» Und Freund Ehrenfest schildert er «eine fade und öde Gesellschaft, in der Dich bald frösteln würde».

Spricht hier einer über das Land seiner Wahl? Oder drückt sich darin die verzweifelte Vorahnung aus, aufgrund der deutschen Verhältnisse bald keine Wahl mehr zu haben? Rückblickend muss es fast so erschei-nen, als habe sich Einstein eine geraume Zeit vor seinem erzwungenen Abschied aus Deutschland innerlich bereits ein Stück weit entfernt. Bei seinem zweiten Besuch in Kalifornien 1932 trifft er auf einen Mann, der sein weiteres Schicksal nicht unwesentlich beeinflussen wird.

Abraham Flexner, jahrelang Sekretär bei der Rockefeller Stiftung, hat sich als Höhepunkt seiner Laufbahn als Forschungsorganisator die Gründung einer kleinen, feinen Denkfabrik ausgedacht. Von solch ei-nem Plan muss ein Einstein nicht erst überzeugt werden. Wenn schon nicht gelehrte Republik, dann wenigstens Gelehrtenrepublik – eine Insel der seligen Denker, wie sie ihm in seinem Innern über alle Grenzen hinweg ohnehin seit langem vorschwebt. Ein Institut für Wissenschaftler von Weltruf, die Einsteins privilegierten Status in Berlin genießen sollen: frei von Verpflichtungen, sine cure, ihren Forschungen nachgehen.

Das Drehbuch menschlicher Geschicke scheint manchmal von höherer Hand geschrieben. Flexners Traum materialisiert sich ausgerechnet in jenem schicksalhaften Moment, als die braune Macht Deutschland überwältigt und dabei innerhalb weniger Monate auch das Weltzentrum naturwissenschaftlicher Forschung aufreibt. Das «Institute for Advanced Study» in Princeton nimmt 1933 seinen Betrieb auf. Und Albert Einstein wird zu dessen prominentestem Aushängeschild. Er soll 10 000 Dollar jährlich plus Reisekosten für sich und seine Frau bekommen. Noch plant er, jeweils zur Hälfte in Amerika und in Deutschland zu leben.

Dem nicht geplanten Abschied ins Exil geht erneut eine kleine Affäre voraus, die einen Vorgeschmack auf das gespaltene Verhältnis zwischen Einstein und Amerika in den kommenden zwei Jahrzehnten gibt. Seiner pazifistischen und sozialistischen Äußerungen während der früheren Besuche wegen ist er den konservativen Kräften des Landes nicht unbedingt willkommen. Das «National Patriotic Council» prangert öffentlich den «deutschen Bolschewisten» an, und die feministisch-konservative «Woman Patriotic Corporation» dringt sogar darauf, ihm die Einreise zu verweigern. Auf 16 Seiten warnen sie vor Einsteins kommunistischen Umtrieben – «nicht einmal Stalin ist mit so vielen anarcho-kommunistischen Gruppen verbunden» – und unterstellen, die Relativitätstheorie höhle die Autorität von Staat, Kirche und Wissenschaft aus.

Einstein wird ins Berliner amerikanische Konsulat zitiert, um zu den Vorwürfen Stellung zu nehmen. Als ihm nach Routineerhebungen die (später während des gesamten Kalten Krieges übliche) Frage gestellt wird: «Welcher Partei gehören Sie an oder mit welcher sympathisieren Sie? Sind Sie zum Beispiel ein Kommunist oder ein Anarchist?», reißt ihm der Geduldsfaden. Wie Elsa dem Berliner Korrespondenten der

«Associated Press» gleich brühwarm ausplaudert, schreit ihr Mann den Konsularbeamten an: «Was ist das hier, eine Inquisition? Ist das ein Versuch von Schikane? Ich habe nicht vor, solche dummen Fragen zu beantworten.»

Erstmals hat Einstein in das andere Gesicht Amerikas geblickt, aus dem ihm Paranoia, Intoleranz und administrative Härte entgegenblicken. Und Amerika lernt einen anderen Einstein als den netten Professor zum Anfassen kennen – kaltschultrig, berechnend und unbequem. «Ich habe nicht darum gebeten, nach Amerika zu fahren», wirft er dem Assistenten an den Kopf. «Ihre Landsleute haben mich eingeladen; ja mich ersucht. Falls ich als Verdächtiger in Ihr Land reisen muss, will ich überhaupt nicht fahren. Wenn Sie mir kein Visum geben wollen, sagen Sie es mir bitte. Dann weiß ich, wo ich stehe.» Weder er noch der Beamte können um die Pikanterie wissen, dass es diesmal um den endgültigen Wohnortwechsel Einsteins gehen wird. Der greift sich Mantel und Hut, fragt noch: «Machen Sie das aus eigener Freude, oder handeln Sie auf Befehl von oben?» – und verlässt das Konsulat an Elsas Seite, ohne eine Antwort abzuwarten.

Von zu Hause ruft er noch einmal an, dass er die Reise absagen werde, falls er nicht in 24 Stunden das Visum habe. Elsa geht noch weiter. Sie erzählt dem Korrespondenten der «Associated Press», sie habe sechs Koffer gepackt, und wenn diese nicht am nächsten Tag nach Bremen geschickt würden, sei es zu spät. «Das bedeutet das Ende unserer Amerikafahrt.» Und den Kollegen der «New York Times» lässt sie wissen, ihr Mann habe gesagt: «Wäre es nicht komisch, wenn sie mich nicht reinlassen würden? Die ganze Welt würde über Amerika lachen.»

Zu alledem hat Einstein auch noch eine bitterböse Philippika gegen die organisierten Frauen verfasst, die am 4. Dezember in der «New York Times» erscheint: «Noch nie habe ich von seiten des schönen Geschlechtes so energische Ablehnung gegen jede Annäherung gefunden; sollte es doch einmal der Fall gewesen sein, dann sicher nicht von so vielen auf einmal. Aber haben sie nicht recht, die wachsamen Bürgerinnen? Was soll man einen Menschen zu sich kommen lassen, der mit demselben Appetit und Behagen hartgesottene Kapitalisten frißt wie einst das Ungeheuer Minotaurus in Kreta leckere griechische Jungfrauen und der zudem so gemein ist, jeden Krieg abzulehnen, ausgenommen den unvermeidlichen Krieg mit der eigenen Gattin? Hört also auf Eure klugen und patriotischen Weiblein und denkt daran, daß auch das Kapitol des mächtigen Rom einst durch das Geschnatter seiner treuen Gänse gerettet worden ist!»

Druck und Drohung zeitigen den gewünschten Erfolg. Einsteins bekommen rechtzeitig und anstandslos ihre Visa. Das sonderbare Gutachten «des schönen Geschlechts» verschwindet jedoch nicht dort, wo es hingehört: im Papierkorb der Geschichte. Es hat eine seltsame Karriere vor sich und wird zum Ausgangspunkt von Einsteins Akte beim Federal Bureau of Investigation, kurz FBI.

Im Februar 1933 entsteht in Kalifornien das berühmte Foto des lachenden Physikers in schwungvoller Schieflage auf einem kurvenden Fahrrad. Aus heutiger Sicht erscheint es wie ein Sinnbild seiner damaligen Lage nach dem erzwungenen Abschied aus Deutschland. «Denn beim Menschen ist es wie beim Velo», hat er 1930 seinem Sohn Eduard geschrieben. «Nur wenn er fährt, kann er bequem die Balance halten.»

Als Albert und Elsa Einstein nach der Zeit in Pasadena und ihrem letzten Aufenthalt in Europa im Herbst 1933 zusammen mit Sekretärin Helene Dukas und Assistent Walther Mayer, genannt «der Rechner», in Princeton eintreffen, nehmen die Medien den neuen Mitbewohner wieder aufs Korn. Ob er sich ein Vanille-Eis mit Schokostreuseln kauft und genüsslich verschlingt oder einen Kamm ersteht («Einsteins erste Handlung in Princeton») – selbst banalste Geschichten sind den Zeitungen Schlagzeilen wert. Die Anekdote mit dem Kamm drucken die Blätter weltweit. «Die Menschen sind wie das Meer», schreibt Einstein Ende 1933 an Sohn Eduard, «manchmal glatt und freundlich, manchmal stürmisch und tückisch – aber eben in der Hauptsache nur Wasser.»

Doch nicht nur die Presse hat sich an seine Fersen geheftet. Unter dem wachsweichen Generalverdacht linker Umtriebe steht er praktisch seit dem ersten Tag seines Lebens in den USA unter Beobachtung. In seiner öffentlichen Erklärung Anfang März 1933, nicht mehr nach Deutschland zurückzukehren, hat er noch gesagt: «Solange mir eine Möglichkeit offensteht, werde ich mich nur in einem Land aufhalten, in dem politische Freiheit, Toleranz und Gleichheit aller Bürger vor dem Gesetz herrschen.» Doch als ganz so tolerant, gleichheitlich und frei, wie er sich das erträumt hat, erweist sich seine neue Heimstatt nicht. Überwachung, Rassismus und Antisemitismus in beiden Spielarten – versteckt und offen – gehören zur gesellschaftlichen Realität.

Schon 1932 hat Einstein im Monatsblatt «The Crisis» der Nationalen Vereinigung für die Förderung farbiger Menschen einen einschlägigen Beitrag veröffentlicht. Darin beklagt er sich, dass «Minderheiten – besonders wenn deren Individuen durch körperliche Merkmale erkennbar sind – von den Mehrheiten, unter denen sie leben, als minderwertige Menschenklasse behandelt werden». Nur durch «engeren Zusammenschluss» und «erzieherische Aufklärung» könne die «seelische Befreiung der Minderheit erreicht werden. Das zielbewusste Streben der amerikanischen Neger in dieser Richtung verdient alle Anerkennung und Förderung.» Ähnlichkeiten mit seinem Engagement für ein jüdisches Selbstbewusstsein Anfang der zwanziger Jahre sind nicht zufällig.

Was 1932 noch als Einmischung in fremde Angelegenheiten gelesen werden kann, wird im Jahr darauf schon zur Auseinandersetzung mit den Verhältnissen in der eigenen Nachbarschaft. Für Einstein ist Princeton nicht nur «ein wundervolles Stückchen Erde und dabei ein ungemein drolliges zeremonielles Krähwinkel winziger stelzbeiniger Halbgötter». Er wohnt in einer Stadt mit 20 Prozent schwarzer Bevölkerung, die abseits der weißen Mehrheit größtenteils im Elend lebt, im Kino auf gesonderten Sitzen Platz nehmen und ihre Kinder in eine eigene Grundschule schicken muss. Die Universität Princeton nimmt keine farbigen Studenten auf – und nur wenige jüdische, deren Zahl per Quote begrenzt bleibt. Zum Lehrkörper in dem Städtchen gehören nur zwei jüdische Professoren – Einstein und sein Freund und späterer Nachlassverwalter Otto Nathan, der aber nach einem Jahr Lehrtätigkeit gefeuert wird. Schwester Maja berichtet er vom «mächtigen wirtschaftlichen Antisemitismus, der auch in diesem freien Lande blüht».

Als das Hotel «Nassau Inn» der berühmten schwarzen Operndiva Marian Anderson 1937 ein Zimmer verweigert, nimmt Einstein sie in seinem Haus auf. Die beiden freunden sich an, und die Sängerin wohnt fortan immer bei ihm, wenn sie in Princeton weilt – nicht gerade nach dem Geschmack der weißen angelsächsischen Protestanten, der Wasps. Doch von solchen Konventionen hat sich Einstein sein Handeln nie diktieren lassen. Furchtlos, stur und in gewisser Weise auch blind für die unausgesprochenen Regeln lebt er seine Freiheit im Rahmen des geschriebenen Rechts.

Wie empfindlich der Freigeist auf jegliche Beschneidung seiner Unabhängigkeit reagiert, muss Abraham Flexner schon kurz nach dessen Ankunft in Princeton erfahren. Flexner, der stolze Direktor des neuen Instituts, nimmt die Verantwortung für seinen Schützling so ernst, dass er dessen Post öffnet und sogar eigenmächtig Einladungen absagt. Angeblich allein darauf bedacht, für dessen Ruhe zu sorgen, fürchtet er in Wahrheit Einsteins politische Eskapaden. Als der Bevormundete auf Umwegen erfährt, dass Flexner sogar eine Besuchsofferte des Präsidentenehepaares nach Washington ausgeschlagen hat, setzt Einstein sich gegen die «Einmischungen» zur Wehr, «die sich kein aufrechter Mann gefallen lässt». Er droht dem Direktor offen mit Kündigung und schlägt Verhandlungen vor, «wie meine Beziehung zu dem Institut in würdiger Weise zu lösen ist».

Flexner muss klein beigeben. Elsa und Albert speisen im Januar 1934 mit Franklin und Eleanor Roosevelt im Weißen Haus zu Abend, wo sie auch übernachten. Einstein hat große Sympathien für die sozialen und wirtschaftlichen Reformen des demokratischen Präsidenten. Sein Verhältnis zu seinem Direktor aber erfährt einen nicht mehr zu kittenden Riss.

Überhaupt muss sich Flexner fragen, ob er sich mit dem Engagement des prominenten Professors auf Dauer einen so großen Gefallen getan hat. Einstein sieht sich nur noch, wie er Maurice Solovine schreibt, «als altes abgestempeltes Museumsstück und Kuriosum hoch geschätzt». Anders als viele seiner Kollegen wie etwa die Mathematiker Kurt Gödel oder Johann (John) von Neumann trägt er zum wissenschaftlichen Ruhm des Instituts nicht viel mehr bei als seinen Namen.

«Das raffinierte Princeton kommt wieder mit seiner Treibhausgelehrsamkeit», ätzt er 1935 in einem Brief an Schwester Maja. «Es bleibt mir aber der Trost, dass das Hauptsächliche, was ich gemacht habe, zu dem selbstverständlichen Bestande unserer Wissenschaft geworden ist.» Und im Jahr darauf: «Aber kann es anders sein bei einem Besessenen? Wie in der Jugend sitze ich unaufhörlich da und denke und rechne, hoffend tiefe Geheimnisse zu lüften.» Da hat er noch knapp 20 Jahre vor sich.

Einsteins Alltag in Amerika bewegt sich im Rahmen einer fast rührend beschaulichen Routine. Jeden Morgen, nach Schaumbad und reichlichem Frühstück, zwei Spiegeleier Minimum, geht er zur Arbeit. Die 20 bis 30 Minuten von seinem Haus in der Mercer Street ins Institut legt er in aller Regel zu Fuß zurück. In seinem Eckbüro in der Fuld Hall (das bis heute unverändert erhalten geblieben ist) vertieft er sich in seine Gleichungen, schreibt unzählige Blätter mit Formeln voll oder steht mit seinem Assistenten vor der Wandtafel (auf Walther Mayer folgen Leopold Infeld und mehr als ein halbes Dutzend weiterer Mitarbeiter). Er dreht sich Locken um die Finger, streicht seinen Schnauzbart und diskutiert die Fort- und Rückschritte bei der Weltformel, vulgo Einheitlichen Feldtheorie. Auch wenn er keine Ergebnisse erzielt, die der Nachwelt nennenswert erscheinen – mehr denn je bildet die Wissenschaft den Mittel- und Ankerpunkt seines Daseins.

Laut Infeld «war die Zusammenarbeit mit ihm nicht leicht», da er seine Mitarbeiter «stets zwang, in einem Zustand dauernder aufgeregter Aktivität zu leben». Vor allem die «Überdosis an Wissenschaft begann mich zu ermüden». Er schildert eine Szene mit dem italienischen Mathematiker Tullio Levi-Civita, wo er sich das Lachen kaum verbeißen kann über «Einstein, wie er alle paar Sekunden seine sackartige Hose heraufzog». Er erinnert sich, wie die beiden «in einer Sprache redeten, die sie für Englisch hielten».

Einstein hat die Sprache seines Zufluchtlandes nie richtig erlernt – was seine Einsamkeit und das Gefühl des Fremdseins nur noch steigert. Zur Mitarbeit lässt er ausschließlich deutsch sprechende Assistenten zu, denen er fortwährend aus Goethes «Faust» zitiert. «Einsteins Englisch war sehr simpel und bestand aus ungefähr dreihundert Worten, die er sehr eigenartig aussprach», erinnert sich Infeld. Dessen späterer Nachfolger Banesh Hoffmann berichtet, Einstein habe das englische «th» nicht aussprechen können, sodass er in Anlehnung an den deutschen Satzbau drollige Sätze von der Art «I will a little tink» herausbringt. Wer Tonaufnahmen seines schwäbisch eingefärbten Englisch hört, kann sich aus seinem Mund auch sehr gut Sätze vorstellen, wie sie ein Princetoner Student überliefert hat: «Oh, he is a very good formula.» Als er eine Ansprache gegen die Wasserstoffbombe im Fernsehen auf Englisch hält, spricht er ein so unverständliches Kauderwelsch, dass den Zuschauern englische Untertitel eingeblendet werden müssen.

Aus der Zeit um 1940 kursiert auch eine Anekdote, die wie viele andere nicht verbrieft ist, aber treffend seinen Umgang mit den Studierenden illustriert. Einstein beaufsichtigt eine Examensklausur. Da meldet sich einer der Prüflinge und sagt: «Herr Professor, das sind ja genau dieselben Fragen wie im letzten Jahr» – «Ja», antwortet Einstein, «aber die Antworten sind andere.»

Mittags kehrt er regelmäßig in sein Haus zurück, wo Helen Dukas mit heimatlichem Essen auf ihn wartet. Für traditionelle Geschmackstreue sorgen nicht zuletzt die regelmäßig von Freunden aus Europa geschickten Brühwürfel und Tütensuppen. Das Mobiliar stammt aus der Berliner Wohnung in der Haberlandstraße. Oft geht er den Weg nach Hause an der Seite seines Mitarbeiters oder auch des Kollegen Gödel, mit denen er über Gott und die Welt diskutiert (hier stimmt das Bild endlich einmal).

Princeton und die Presse haben sich allmählich an ihn gewöhnt und lassen ihn weitgehend unbehelligt. Zwar «blickte», wie Infeld berichtet, «jeder mit hungrigen, erstaunten Augen auf Einstein». Doch der hat längst gelernt, die Blicke zu übersehen. Und wenn doch mal ein Auto anhält und jemand ihn bittet, sein Foto aufnehmen zu dürfen, nimmt er bereitwillig Pose ein und vergisst den Zwischenfall gleich wieder. Vielleicht die beste Art, damit umzugehen. Er lehnt sich nicht auf, sondern integriert die Neugierigen in sein Leben wie lästige Fliegen. Und doch ist ihm sein öffentliches Bild nicht gleichgültig. Gerüchten zufolge soll er, sobald sich Fotografen nähern, sein Haar mit beiden Händen aufgewühlt und so den typischen Einstein-Look aufgefrischt haben.

Nach dem Mittagessen steigt er in sein Arbeitszimmer im zweiten Stock, das seine Berliner Mansarde und das Caputher Refugium als

Rückzugshöhle abgelöst hat. Dort sieht er durch das eigens für ihn eingebaute große Fenster mit Blick über den Garten die Jahreszeiten an sich vorbeiziehen. Mit Helen Dukas erledigt er nach seinem Mittagsschläfchen die Korrespondenz, jeden Tag ein neuer Berg. Einstein stöhnt:

> «Briefträger bringt uns allemal
> Haufen Post zu meiner Qual
> Ach warum denn denkt sich keiner
> Wir sind viel' und er nur einer.»

Viel Fanpost ist auch dabei und all die Briefe «an den geliebten Albert Einstein, Professor und Bote Gottes und Diener der Menschheit» oder an «Herrn Oberwirrkopf Albert Einstein», die im Jerusalemer Einstein-Archiv in der «komischen Mappe» aufbewahrt werden: «Es wäre mir eine Ehre, Ihnen die Füße zu waschen.» – «Eine geheime Stimme in meiner innersten Seele (die mich selten täuscht) sagt mir, daß ich mein Leben Ihnen widmen muß.» – «Mein Bruder, 16 Jahre alt, will sich nicht die Haare schneiden lassen. Er bewundert Sie und wehrt sich, indem er sagt, er werde vielleicht ein neuer Einstein.» – «Ich muß mit Ihnen unter vier Augen sprechen. Ich bin der Nachfolger Jesu Christi. Bitte beeilen Sie sich.» – «Wenn ein Tag, eine Woche oder sonst eine Zeiteinheit vorbei ist, wo ist sie dann?» – «Teilen Sie mir mit, ob man Physik studieren muß, um das Leben zu verlängern.»

Am Nachmittag setzt er sich wieder an sein Werk, nicht selten noch einmal mit seinem Assistenten. Ob er wirklich glaubt, die ersehnten Formeln zu finden, ist eher zweitrangig bei dieser Suche, wo der Weg alles ist und das Ziel nur ein Ziel. Er liebe das Reisen, soll er einmal gesagt haben, hasse aber das Ankommen. «Ich möchte nicht mehr leben, wenn ich die Arbeit nicht hätte», schreibt er im Oktober 1938 seinem Freund Besso. Und Maurice Solovine, dem alten Kameraden von der «Akademie Olympia», gesteht er im selben Jahr: «Denken kann ich noch, aber die Arbeitskraft hat nachgelassen. Und dann: tot sein ist auch nicht übel.» Noch hat er 17 Jahre vor sich.

Während seine Wirkung längst weltumspannend geworden ist,

wird sein Wirkungskreis immer kleiner. Hier und da unternimmt er Ausflüge, meist nur ins nahe New York. Viel weiter kommt er nicht mehr. Im Sommer entflieht er der Schwüle Princetons und verlebt ein paar Wochen Ferien, möglichst am Wasser, oft auf Long Island. Der Nachfolger des stattlichen Jollenkreuzers Tümmler hört auf den Namen Tinnef, eine kleine Jolle ohne jeglichen Komfort. Selbst um Sitzkissen müssen seine Begleiter betteln. Und Schwimmwesten lehnt der Nichtschwimmer nach wie vor ab.

Ansonsten bewegt sich der einstige Vagabund kaum noch aus seinem Kleinstadtleben heraus. In der Summe von 20 Jahren allerdings scheint er auch dort ein bewegtes Leben zu führen. Besuche von und bei den Großen seiner Zeit, von Niels Bohr über Wilhelm Reich, Nehru und Ben-Gurion bis Thomas Mann, der eine Weile nur ein paar Straßen entfernt von ihm wohnt. Konzertabende, Vorträge, Jubiläen, und immer mal wieder geht die Presse in Kompaniestärke auf ihn los. Zwei Jahrzehnte Vorruhestand, der auch bei der Pensionierung nicht endet. Und zugleich die Symbiose mit einer Weiberwirtschaft, die sich um seinen Alltag so umfassend kümmert, wie er für ihr Auskommen sorgt.

Helen Dukas, die sich dem Hausherrn verschrieben hat wie eine Nonne dem Gottessohn, umsorgt ihn als Mädchen für alles, vom Kochen bis zur Korrespondenz. Stieftochter Margot hat sich von ihrem Mann Dimitri Marianoff getrennt. Sie verbringt wie Dukas ihre reifen Jahre und nach Einsteins Tod ihre alten Tage an der Mercer Street. Durch sie kommen die Katzen ins Haus, die Einstein liebt wie ein Kind. Als ihre Zahl 30 übersteigt, gebietet der Hausherr freundlich Einhalt. Einmal, als es ununterbrochen regnet und die Katzen jammern, soll er gesagt haben: «Ich weiß, woran es fehlt. Aber wie man es abstellt, weiß ich nicht.»

Ehefrau Elsa bleiben nur zwei Jahre im Exil vergönnt. Nach dem Tod von Tochter Ilse 1934 in Paris verliert sie den Lebensmut, ihre Lebenskraft und schließlich Ende 1936 ihr Leben. Zwischen Freud und Leid liegt bei Einstein mitunter nur ein Semikolon. An Max Born schreibt er: «Meine Frau ist leider sehr schwer krank; ich persönlich fühle mich sehr glücklich hier und genieße es unbeschreiblich, daß ich wirklich ein ruhiges Leben führen kann.»

Einstein zieht sich noch tiefer in die schützende Hülle seiner Fluchtburg Arbeit zurück. «Ich habe mich hier vortrefflich eingelebt», schreibt er an Born, «hause wie ein Bär in seiner Höhle und fühle mich eigentlich mehr zuhause als je in meinem wechselvollen Leben. Diese Bärenhaftigkeit ist durch den Tod der mehr mit den Menschen verbundenen Kameradin noch gesteigert.» Zu Hause heißt dabei nichts anderes als: ungestört.

Solange Elsa noch auf den Beinen war, hat sie das gesellschaftliche Leben mit Abendessen und Empfängen zum großen Verdruss ihres umgarnten Gatten auch in Princeton weiter betrieben. Sobald ihre Kräfte nachlassen, sagt Einstein alle Einladungen mit der Begründung ab, *er* sei krank.

Elsas Platz im Frauenhaushalt nimmt ab 1939 Schwester Maja ein. Sie scheidet 1951 ebenfalls nach bitterem Siechtum dahin. Der Tod reißt immer wieder auch Brücken nach Europa ein. Ehrenfest 1933, Grossmann 1936, Mileva 1948. «Der Schmerz, den Paul Langevins Hinscheiden mir verursacht», sagt Einstein 1946 nach dem Tod des französischen Physikers, «war darum so brennend, weil mich dabei das Gefühl überkam, völlig allein und verlassen zurückzubleiben.» So wenig er bisweilen auch mitfühlen und -leiden kann, so sehr fühlt und leidet er in seiner eigenen Haut. Sein Einsamkeitsstreben ist aber auch Flucht: «Was ich auch in der menschlichen Sphäre unternehme», sagt er 1949 zu Carl Seelig, «hat alles die Tendenz, in eine Affenkomödie auszuarten.»

Bei aller Freude über seine «splendid isolation» entgeht Einstein nicht, was in seinen Jahren in den USA um ihn herum geschieht. Er hört Radio und liest die «New York Times» – zumindest sporadisch. Die Wirtschaftkrise, ausgelöst durch den «Schwarzen Donnerstag» im Oktober 1929, hat Amerika um Jahrzehnte zurückgeworfen. Bruttosozialprodukt, private Einkommen und Außenhandel sind seit 1929 um 50 Prozent gesunken. Die Bautätigkeit ist fast ganz zum Erliegen gekommen. In New York wird mit dem Rockefeller Center 1932 das letzte Hochhausprojekt für mehr als 20 Jahre realisiert. Ungefähr 15 Millionen Amerikaner sind 1933 arbeitslos, etwa ein Viertel der arbeitsfähigen Bevölkerung.

Fast zeitgleich mit Einsteins Bekanntgabe, ins Exil zu gehen, hat am 4. März 1933 der Demokrat Franklin D. Roosevelt sein Amt als 32. Präsident der USA übernommen. Er leitet eine Reihe sozialer und wirtschaftlicher Reformen ein, die unter dem Begriff «New Deal» zur Signatur seiner Amtszeit werden. Mit staatlich domestiziertem Kapitalismus kann er die Talfahrt langsam abbremsen. Doch auch in der abgemilderten Form betrachtet Einstein Amerika mit den kritischen Augen des aufgeklärten Sozialstaat-Europäers. «Es ist hier ein rasches und rücksichtloses Treiben», schreibt er im Mai 1937 an seinen Sohn Eduard, «der richtige Tanz um das goldene Kalb, ein wilder und hässlicher Tanz.» Schwester Maja teilt er im gleichen Jahr mit: «In Wahrheit zählt hier nichts als das Geld.»

Als 1937 Hans Albert sein Kommen ankündigt, freut sich der Vater zwar, den Sohn bald in seiner Nähe zu wissen. «Nur fürchte ich, dass Du der Schwindelbande nicht recht gewachsen bist.» Und Besso schärft er 1938 ein: «Denn auch hier herrscht faktisch das Geld und die Bolschewisten-Angst oder überhaupt die Furcht der Besitzenden für ihre Privilegien.» Er erklärt dem Freund, dass «der Business-Man der Nationalheilige ist. Ich meine damit, dass ein neuartiges Strumpfband mehr wiegt als eine neuartige philosophische Theorie.»

Doch das zählt wenig gegen die Nachrichten aus Deutschland, wo die Verfolgung von Juden und Andersdenkenden immer alarmierendere Ausmaße angenommen hat. Da unternimmt Einstein etwas, das im Schatten seiner wissenschaftlichen und politischen Leistungen als vielleicht größte Tat seines Lebens häufig übersehen wird. «Ich habe mit Frl. Dukas zusammen eine Art Einwanderungs-Bureau», teilt er Schwester Maja 1938 mit. Dahinter verbirgt sich mehr als nur emsige Geschäftigkeit. Er, dem ein ums andere Mal seine Engel ihre rettende Hand gereicht haben, ist nun selber zum Engel geworden. Wie nur wenige tritt er den Beweis dafür an, dass Humanismus und Humanität eine gemeinsame Wurzel haben. Die Menschen, die Einstein ihr Leben verdanken, hat niemand gezählt. Die Zahl dürfte in die Hunderte gehen.

Einstein schreibt unzählige Empfehlungsbriefe und Gutachten – fast zu viele, um im Einzelfall die gewünschte Wirkung zu erzielen.

«Jeder besaß ein Empfehlungsschreiben von Einstein!» berichtet Leopold Infeld. Nebenbei gibt er ein kleines Vermögen aus, um vor allem bedrohten jüdischen Künstlern und Wissenschaftlern die Ausreise aus Deutschland und die Einreise in die USA zu ermöglichen. Gerade Letztere macht wegen der restriktiven amerikanischen Einwanderungspolitik in den dreißiger Jahren große Schwierigkeiten. Erwachsene müssen neben Geburtsurkunde und Arbeitsplatzzusage (oder Finanzierungsgarantien, wie sie Einstein zu Hunderten ausstellt) ein polizeiliches Führungszeugnis für die letzten fünf Jahre vorlegen. Doch den Verfolgten des Nazi-Regimes ist es in der Regel unmöglich, dieses Papier beizubringen. Das amerikanische Außenministerium verweigert außerdem jedem den Zugang, dessen Name die Gestapo führt – und das sind nicht wenige. Bis zum Kriegseintritt der USA Ende 1941 arbeiten die Behörden beiderseits des Atlantiks effektiv zusammen. Allein der Hinweis der Gestapo auf «kommunistische Sympathien» reicht aus, Einreisewillige abzuweisen.

Hier unter anderem setzt das traurigste Kapitel im Verhältnis von Einstein und Amerika ein. Die größte demokratische Nation legt ein umfangreiches Dossier über seine tatsächlichen und angeblichen politischen Aktivitäten an. Dahinter steckt ein kühler Hitzkopf: J. Edgar Hoover, der erzkonservative, bekennend judenfeindliche Chef des FBI. Der kämpft, wie der amerikanische Journalist Fred Jerome sein Buch «The Einstein File» untertitelt, einen «geheimen Krieg gegen den bekanntesten Wissenschaftler der Welt». Kaum ist Einstein den Klauen von Hitlers Schergen entronnen, nimmt Hoovers Behörde ihn aufs Korn.

Seit das FBI die Akte Einstein offen gelegt hat, ist das Ausmaß an Schnüffelei, Verleumdung und schlichter Stümperei deutlich geworden, mit dem der Immigrant als «extremer Radikaler» überführt werden sollte. Die mehr als 1800 Seiten erinnern an die Machenschaften der Stasi in der DDR. Der Mann, der für nichts mehr kämpft als für den Frieden und den Idealen der Französischen Revolution anhängt, der nicht das leiseste Talent zu Zersetzung und Staatsgefährdung besitzt, erscheint dort wie ein subversiver Agent eines kommenden kommunistischen Umsturzes.

Eines der Motive, Einstein heimlich auszuspionieren: sein Eintreten für Flüchtlinge, denen die Gestapo «kommunistische Sympathien» nachsagt. Dass sie sich oft in akuter Lebensgefahr befinden, weshalb sich Einstein ja vor allem für sie einsetzt, spielt dabei keine Rolle. Ein weiterer Umstand, der Einstein verdächtig macht: seine Unterstützung der spanischen Demokraten im Bürgerkrieg gegen Francos Faschisten. Schon damals reagiert die rechte Presse heftig auf sein politisches Engagement.

«Professor Einstein ist in diesem Land Zuflucht zuteil geworden», leitartikelt die erzkonservative katholische Zeitung «The Tablet» am 14. Mai 1938. Nun mache er nicht nur der Regierung Vorschriften. «Was schlimmer wiegt, ist, dass er die Bewegung unterstützt, Christen in Spanien niederzuschießen und zu verfolgen.» Der Artikel schließt mit der Empfehlung, «Einstein nach Deutschland zurückzuschicken, wo er sich mal so richtig klar machen kann, was es bedeutet, sich um seine eigenen Angelegenheiten zu kümmern».

Kapitel 20

«Menschen sind eine schlechte Erfindung»

Einstein, die Atombombe, McCarthy
und das Ende

Juli 1939. Familie Einstein verbringt ihren Urlaub im Örtchen Nassau Point an der Great Peconic Bay auf Long Island. Wer es sich leisten kann, entflieht der Treibhausschwüle in Princeton. Hier oben, unweit von New York, lässt es sich trotz der Hitze besser aushalten. Strand, milder Wind, Segelwetter. Ein Auto hält vor dem Ferienhaus, zwei Männer steigen aus. Einstein begrüßt seinen alten Freund und Kollegen Leo Szilard, mit dem er in den zwanziger Jahren in Berlin Patente für neue Kühlschränke erwirkt hat, und den jungen Physiker Eugene Wigner an dessen Seite. Als die drei Emigranten auf der Terrasse Platz genommen haben, unterbreiten die Gäste dem sechzigjährigen Sommerfrischler eine Neuigkeit, die seine Lebenslinie noch einmal neu ausrichtet: Die Deutschen bauen möglicherweise an einer Atombombe.

Die Legende will es, dass Einstein erst bei diesem Treffen das Potenzial atomarer Kettenreaktionen erkannt hat. «Daran habe ich gar nicht gedacht!», soll er gerufen haben. Ob es so war oder nicht: Was nun folgt, lässt sich am besten aus seinem abgrundtiefen Misstrauen gegenüber der einstigen heimlichen Liebe verstehen. Dem Lande «Barbarien» traut er alles zu. Eine «Uranbombe» in deutschem Besitz wäre wie «die Axt in der Hand des pathologischen Verbrechers». Er hat nicht vergessen, wie konsequent die Deutschen im Ersten Weltkrieg unter Leitung seines Freundes Fritz Haber die Errungenschaften der Wissenschaft beim Einsatz von Giftgas militärisch umgesetzt haben. Augenblicklich erklärt er sich bereit, auf höchster Ebene vor der Gefahr zu warnen.

Der Legende zweiter Teil stammt von Einstein selbst. «Man hat mir einen fertigen Brief gebracht, und ich habe bloß unterschrieben», lautet seine bitterste Lebenslüge. Tatsächlich hat er bei einem zweiten Treffen mit Szilard und dessen Landsmann Edward Teller (dem späteren «Vater» der Wasserstoffbombe) Ende Juli selber den Entwurf zu dem Schreiben diktiert, das Präsident Roosevelt am 3. Oktober 1939 überreicht wird – unterzeichnet mit feiner Handschrift von A. Einstein.

«Einige [...] neue Arbeiten von E. Fermi und L. Szilard lassen mich annehmen, dass das Element Uran in absehbarer Zeit in eine neue wichtige Energiequelle verwandelt werden könnte», heißt es darin. «Das neue Phänomen würde auch zum Bau von Bomben führen. [...] Eine einzige Bombe dieser Art, auf einem Schiff befördert oder in einem Hafen explodiert, könnte unter Umständen den ganzen Hafen und Teile der umliegenden Gebiete völlig vernichten. Möglicherweise würden solche Bomben infolge ihres Gewichts den Transport auf dem Luftweg ausschließen.»

Mit diesen Zeilen beginnt ein Lehrstück in Sachen Schuld und Sühne, wie es die Weltgeschichte nicht häufig aufführt. Die Hauptperson: Albert Einstein. Einerseits schmälert sein Gedächtnis die Rolle, die er gespielt hat. Andererseits überhöht sein Gewissen das Maß an Verantwortung, die er auf sich lädt. Seinem ersten Brief an Roosevelt lässt er am 7. März 1940 noch einen weiteren, dringlicheren folgen.

«Seit dem Ausbruch des Krieges besteht in Deutschland erhöhtes Interesse am Uran», führt er darin aus. «Ich habe jetzt gehört, dass die Forschungen in grösster Verschwiegenheit fortgeführt werden und auf einen weiteren Zweig der Kaiser-Wilhelm-Gesellschaft, das Institut für Physik, ausgedehnt worden sind.»

Auch wenn er die technische Umsetzbarkeit lange in Zweifel gezogen hat, über das verheerende Potenzial der Atomenergie dürfte sich Einstein keinen Illusionen hingegeben haben. Von seinem ersten Biographen, Alexander Moszkowski, nach den möglichen Folgen von Rutherfords Experimenten zur Atomumwandlung befragt, räumt Einstein um 1919 ein, «daß man nunmehr im Beginn einer neuen Entwicklung stände, die vielleicht irgendwann auch neue Wege für die Technik erschließen könnte».

Moszkowski geht in seinen Spekulationen weiter – möglicherweise angeregt durch den 1914 erschienenen Roman «Die Welt befreit» von H. G. Wells. Darin ist bereits von unvorstellbar vernichtungsmächtigen Atombomben auf Paris die Rede. «Ein solches Maß entfesselter Gewalt würde nicht dienen, sondern nur zerstören», schreibt der Einstein-Biograph 1920. «Sämtliche Bombardements seit Erfindung der Feuerwaffen zusammengenommen wären eine harmlose Kinderspielerei gegen den Zerstörungseffekt. [...] Möge der Himmel verhüten, daß derartige Explosivkräfte jemals auf die Menschheit losgelassen werden!» Das Thema Atombombe gehört ein Vierteljahrhundert vor Hiroshima schon zum intellektuellen Diskurs. Der Autor schließt mit dem prophetischen Satz: «Einsteins wundersame Sesamformel ‹Masse mal Quadrat der Lichtgeschwindigkeit› klopft gewaltig an die Pforten der Zukunft.»

Es wäre aber grundfalsch, eine direkte Linie von der Relativitätstheorie zur Atombombe, von 1905 nach 1945 zu ziehen. In Hiroshima findet die Gleichung $E = mc^2$ keine Anwendung, sondern nur ihre grausame Bestätigung. Der Weg zur Mega-Explosion führt vielmehr über die Atomphysik, deren Fortschritte Einstein nur am Rande verfolgt. Die Entwicklung wäre auch ohne die Existenz seiner «Sesamformel» geschehen. Begonnen hat sie bereits 1896 mit der Entdeckung der Radioaktivität durch Henri Becquerel.

Als 1932 der Brite James Chadwick das theoretisch schon lange vorhergesagte Neutron findet, tritt die Atomforschung in eine entscheidende Phase. Schon zwei Jahre später kündigen der italienische Physiker Enrico Fermi und seine Mitarbeiter an, sie hätten Urankerne mit Neutronen beschossen und dabei die ersten «transuranischen» Elemente hergestellt – so genannt, weil ihre Kerne Neutronen geschluckt haben und deshalb schwerer sein sollen als die des Urans. Angeregt durch diese Nachricht führen in Berlin die Chemiker Lise Meitner und Otto Hahn ähnliche Experimente durch.

Die von der Wissenschaftsgeschichte lange übergangene deutsche Chemikerin Ida Noddack liefert kurz darauf erstmals eine neue Deutung der Ergebnisse. «Es wäre denkbar, daß bei der Beschießung schwerer Kerne mit Neutronen diese Kerne in mehrere große Bruchstücke zerfallen.» Am 18. Dezember 1938 wird ihre weit reichende Prognose von Otto Hahn und seinem Kollegen Fritz Straßmann in Berlin experimentell bestätigt.

Doch erst Lise Meitner, die im Juli desselben Jahres aus Berlin Richtung Stockholm geflüchtet ist, unternimmt den entscheidenden Schritt. Gemeinsam mit ihrem Neffen Otto Frisch, der bei Niels Bohr in Kopenhagen arbeitet, gelingt ihr nach Ida Noddack die richtige Deutung des Vorgangs: Wird ein Urankern mit Neutronen beschossen, kann es zu dessen «Spaltung» kommen. Der Name geht auf das Vokabular der Biologie zurück, wo sich beim Prozess der Zellteilung der Zellkern spaltet. Diese wohl folgenreichste Entdeckung der Kernphysik löst hektische Aktivitäten in den Laboratorien weltweit aus. Bis Ende 1939 erscheinen über 100 Publikationen zur Kernspaltung.

Leo Szilard denkt bereits seit 1934 über die Möglichkeit von Neutronen-Kettenreaktionen und dadurch ausgelöste gewaltige Explosionen nach. Während Einstein angeblich noch zweifelt, ob Atombomben überhaupt gebaut werden können, posaunt die Presse die Neuigkeit bereits heraus. «Physiker erwägen Möglichkeit, ganze Quadratmeilen in die Luft zu jagen», meldet die «Washington Post» am 29. April 1939.

Vor diesem Hintergrund vollzieht Einstein auf Drängen Szilards jenen Schritt, den er mehr als jeden anderen in seinem Leben bereuen wird – seinen legendären Brief an den Präsidenten der Vereinigten Staaten. Damit hat sich seine «Beteiligung» an der Entwicklung der Atombombe aber auch schon erschöpft. Roosevelt setzt zwar eine Kommission ein, die aber nur über geringe Mittel verfügt und lediglich beratende Funktion hat. Selbst wenn Einstein gern an dem Projekt mitgewirkt hätte – sie lassen ihn nicht. Der Grund: erhöhtes Sicherheitsrisiko. So geht es aus einem Dossier hervor, auf dessen Basis FBI-Chef J. Edgar Hoover 1940 von Einsteins Beteiligung abrät.

Das Landhaus in Caputh wird darin zu «Einsteins Villa am Wannsee» und zum «Versteck von Moskaus Gesandten», seine Unterstützung des Kongresses der «Amerikanischen Liga gegen Krieg und Faschismus» im November 1937 zum Beleg für subversive Energien. Die US-Politik jener Zeit drückt auf der rechten Seite gern mal ein Auge zu, weil sie Deutschland und andere faschistische Länder als Bollwerk gegen den Bolschewismus braucht. Das linke Auge aber hat sie weit geöffnet, und zur Einstufung als Linker reicht schon das Engagement als Pazifist. Anfangs nimmt Einstein den Kommunismusverdacht noch auf die leichte Schulter. «Man merkt, dass der E. in Princeton ist», witzelt er noch 1937 in einem Brief an Maja, «neulich erschien eine Publikation der Universität P. in rotem Einband.» Der Sinn für solche Scherze soll ihm schon bald vergehen.

«Im Hinblick auf seinen radikalen Hintergrund», heißt es im Resümee des FBI-Papiers, «würde dieses Amt die Beschäftigung von Dr. Einstein mit Angelegenheiten geheimer Natur nicht empfehlen.» Als wichtigste Primärquelle hat dem FBI ausgerechnet jenes 16-seitige Pamphlet gedient, mit dem die «Woman Patriotic Corporation» 1932 seine Einreise in die USA zu verhindern versucht hat. Nach Recherchen des Autors Fred Jerome macht es 80 Prozent des Dossiers aus.

Auch wenn er wohl nie von seinem amtlichen Ausschluss aus den Atombomben-Aktivitäten erfahren hat, dürfte Einstein bald bemerkt haben, dass ein gigantisches Regierungsprojekt angeschoben worden ist. Die meisten bekannten Physiker, auch viele seiner Mit-Exilanten, sind plötzlich wie verschwunden. Und obwohl selbst seine Freunde weitgehend Stillschweigen über ihre neue Aufgabe bewahren, hat er mit Sicherheit gewusst, woran sie bald unter Hochdruck arbeiten werden.

Warum gerade Einstein die Teilnahme verwehrt wird, bleibt allerdings ein Geheimnis des FBI. Als einziges Dokument aus seiner Akte ist der entscheidende Brief mit der Begründung unauffindbar verschwunden. Das Totschlagargument Kommunismus oder der subtilere Einwand Judentum (wegen Hoovers Antisemitismus) können allein den Ausschlag nicht gegeben haben. Nicht wenige Mitarbeiter am geheimen «Manhattan-Projekt» haben viel deutlichere Bezüge zu kommunistischen Gruppen, und ohne die vielen jüdischen Immigranten wäre das Unternehmen sowieso gescheitert.

Die Marine hat auch keine Bedenken, Einstein (für 25 Dollar am Tag) bei der Entwicklung von Torpedos mitwirken zu lassen – wobei er die Bedeutung seines Beitrages durchaus realistisch einschätzt: «Ich bin neugierig», schreibt er seinem Sohn Hans Albert, «ob ich für die Navy was werde leisten können, bevor der Krieg vorbei ist; ich bin in meiner Klause hier etwas abgeschnitten.» Sehr viel effizienter trägt er zu den militärischen Bemühungen bei, als er das Manuskript zu seiner Relativitätstheorie abschreibt und die Handschrift versteigern lässt:

Der Erlös von 6,5 Millionen Dollar wandert in die Kriegskasse. Das wertvolle Schriftstück liegt heute in der Library of Congress.

In einem Punkt stehen sich der FBI-Mann und der Physiker diametral entgegen. Hoover, ein heimlicher Nazi-Sympathisant mit Verbindungen zu Gestapo-Chef Heinrich Himmler, steht bis Ende 1941 auf Seiten der Isolationisten und mit ihnen gegen den Kriegseintritt der USA. Einstein dagegen, nachdem er weitsichtig den deutschen Eroberungskrieg vorhergesehen und seinen Pazifismus hintangestellt hat, erkennt in Amerika die einzige Macht, dem braunen Durchmarsch zu begegnen. Damit weiß er sich einig mit Thomas Mann, der in Roosevelt den «geborenen Gegenspieler gegen Das, was fallen muß», sieht.

Die Amerikaner verstärken erst nach dem japanischen Angriff auf die US-Flotte im pazifischen Pearl Harbor und ihrem Kriegseintritt Ende 1941 ihre Bemühungen um die Atombombe. Dass sie später Japan treffen wird und nicht Deutschland, das Einstein als einziges Ziel gebilligt hätte, ist aus seiner Sicht die größte Katastrophe der an großen Katastrophen nicht armen Zeit. Die endgültige Entscheidung für den Bau der Bombe hat mit dem japanischen Angriff indes nichts zu tun. Sie ist am 6. Dezember 1941 gefallen – einen Tag vor Pearl Harbor.

«Wir müssen hart zuschlagen und die Mäßigung anderen überlassen», sagt Einstein Ende 1941 der «New York Times». Er, der am 1. Oktober 1940 die Staatsbürgerschaft seines Gastlandes angenommen hat, sei nun «besonders glücklich, ein Amerikaner zu sein». Schon 1935 hat er seinen pazifistischen Freunden zugerufen: «Andere Zeiten, andere Mittel, wenn auch das Endziel dasselbe bleibt.»

Anfang 1943 sind die amerikanischen und britischen Bemühungen in einer Militärorganisation unter dem Decknamen «Manhattan Engineering District» zusammengefasst worden. Im Frühjahr nimmt unter der Leitung des (mit Einstein bekannten) amerikanischen Physikers J. Robert Oppenheimer aus Princeton das Atombomben-Labor in Los Alamos, Neumexiko, seine Arbeit auf. Zweigstellen im ganzen Land arbeiten unter höchster Geheimhaltung mit der Zentrale zusammen. Die wichtigsten Mitarbeiter unter den Physikern stammen zu einem nicht geringen Teil aus Europa – unter ihnen Szilard, Fermi, Niels Bohr, Hans Bethe und James Franck.

Gegen Hitler ist Einstein jede Härte recht. Auch Krieg für Frieden, sogar die Atombombe. Als die ersten Gerüchte über den Holocaust durchsickern, setzt Einstein Nazis und Deutsche faktisch gleich. 1944 schreibt er in einem «Nachruf auf die Helden des Ghettos in Warschau»: «Die Deutschen als ganzes Volk sind für diese Massenmorde verantwortlich und müssen als Volk dafür gestraft werden.»

Als ab Mitte 1944 kaum noch Zweifel bestehen, dass Deutschland keine eigene Bombe produzieren kann, setzt unter den Wissenschaftlern im Manhattan-Projekt eine Debatte über die ethischen Folgen ihrer Mitarbeit ein. Für die Mehrzahl der Physiker ist der wichtigste Grund, sich zu beteiligen, entfallen. Doch das gewaltige Unternehmen ist viel zu weit fortgeschritten, als dass es sich noch stoppen ließe.

Nun stellt sich vielen Physikern die brennende Frage, welche Folgen ihr geheimes Rüsten für die Nachkriegszeit haben könnte. Obwohl Einstein offiziell nichts von den Aktivitäten weiß, erfährt er von der Diskussion und wendet sich an Bohr. Hellsichtig sieht er – wie andere – ein «technisches Geheimwettrüsten» voraus. Eine «übernationale Regierung scheint die einzige Alternative», sagt der Kosmopolit und Menschenfreund mit tiefem Misstrauen gegen die Abgründe menschlicher Schwäche. Dafür sollten sich die international führenden Wissenschaftler einsetzen. Bohr ist entsetzt. Wieder droht von einer Einstein-Eskapade Ungemach. Wegen Verletzung der Geheimhaltungspflicht könnten der Däne und seine Kollegen in schlimmste Bedrängnis kommen. Er reist sofort nach Princeton, um Einstein von seinem Plan abzubringen.

Der lässt sich zwar überzeugen. Doch im Frühjahr 1945, als der Einsatz der Atombombe gegen Deutschland längst nicht mehr zur Debatte steht, stattdessen aber Japan als mögliches Ziel ins Auge gefasst wird, tritt er in Aktion. Er darf nichts wissen, aber er weiß genug, dass er sich gezwungen sieht, am 25. März erneut einen Brief an Roosevelt zu verfassen. «Hiermit möchte ich Herrn Dr. L. Szilard einführen, der Ihnen gewisse Überlegungen und Vorschläge nahelegen möchte.» Mit Einsteins Hilfe soll Szilard verhindern, dass die Waffe gegen Städte und Zivilisten eingesetzt wird. Doch Roosevelt stirbt am 12. April. Der Brief wird einen Tag später ungeöffnet auf seinem Schreibtisch gefunden.

Sein Nachfolger Harry Truman fährt einen entschieden antisowjetischen Kurs. Nicht einmal ein Vorstoß von James Franck und sechs seiner Kollegen findet Gehör. Sie schreiben im Juni 1945 einen Bericht an den Verteidigungsminister, in dem sie dringend empfehlen, die amerikanische Bombe solle «der Welt zuerst in einer sorgfältig ausgewählten unbewohnten Gegend offenbart werden».

Doch die Wissenschaftler haben nun nichts mehr zu melden. Im größten Forschungsprojekt aller Zeiten, geschätzte Kosten zwei Milliarden Dollar, dürfen sie zwar in strenger Disziplin die furchtbarste Waffe erschaffen, die jemals Menschen in die Hände fiel. Diese Menschen aber tragen Uniform und verfolgen ihre eigenen Ziele. Die erste Atombombenexplosion geschieht am 16. Juli 1945 tatsächlich «in einer sorgfältig ausgewählten unbewohnten Gegend» – in der Alamogordo-Wüste im Südwesten der USA. Statt jedoch der Welt den «Erfolg» im Sinne einer Abschreckung zu demonstrieren, führen die Militärs den so genannten «Trinity-Test» unter strengster Geheimhaltung zur Vorbereitung des eigentlichen Einsatzes durch.

Am 6. August 1945 um 8 Uhr 16 morgens explodiert über der Stadt Hiroshima eine Vier-Tonnen-Uranbombe, die den Namen «Little Boy» trägt. Der «kleine Junge» löscht augenblicklich die Leben von mehr als 100 000 Menschen aus, verwundet 75 000 weitere, Zehntausende sterben an den Folgen. Eine Fläche mit einem Durchmesser von vier Kilometern ist restlos zerstört.

Familie Einstein verbringt gerade ihren Urlaub am idyllischen Saranac-See im Adirondack-Gebirge nördlich von New York City. Helen Dukas hört als Erste im Radio die schreckliche Nachricht. Als sie Einstein die Neuigkeit hinterbringt, hat er nach ihrer Schilderung nur einen Seufzer von sich gegeben: «Oh weh.» Was hätte er wohl gesagt, wäre die Bombe über Hamburg oder Frankfurt hochgegangen?

Die Amerikaner sprechen sich deutlich für die neue Waffe aus. Fast 70 Prozent von ihnen sind auch einen Monat nach Hiroshima in einer Umfrage davon überzeugt, dass der Abwurf der Atombombe «eine gute Sache» gewesen sei. «Der Japse hat die Wahl zwischen Kapitulation und Vernichtung», titelt «Newsweek». Am 9. August, um zwei nach zehn Ortszeit, radiert die Viereinhalb-Tonnen-Plutoniumbombe

«Fat Man» mit fast doppelt so großer Sprengkraft wie «Little Boy» die Stadt Nagasaki aus. Fünf Tage danach kapituliert Japan. Damit steht in nie dagewesener Deutlichkeit fest: Wissenschaft kann Kriege entscheiden und den Lauf der Geschichte verändern. Doch um welchen Preis?

Dass die atomaren Erstschläge den Krieg verkürzt, sein Ende herbeigeführt und damit die Leben amerikanischer Soldaten gerettet haben, steht außer Frage. Dass deren Zahl in keinem Verhältnis zu den getöteten Zivilisten steht, dürfte ebenso unzweifelhaft sein. Der politische Sinn des nuklearen Wahnsinns aus Sicht der USA, besonders der heutigen, besteht in ihrer selbst gewählten Bestimmung: Kleiner Junge und fetter Mann symbolisieren den Beginn von Amerikas unaufhaltsamem Aufstieg zur – inzwischen einzigen – Weltmacht.

Mit dem Ende des Dritten Reiches ist auch eines der spannungsreichsten Kräftedreiecke der Geschichte zusammengebrochen. Es hat Sowjetunion, Vereinigte Staaten und Deutsches Reich (und ihre jeweiligen Verbündeten) in wechselnden Allianzen ein Weile wie Skatspieler der Weltpolitik zusammengehalten. Sahen zunächst Amerika und Deutschland das kommunistische Russland als ihren Feind, werden durch den Hitler-Stalin-Pakt plötzlich die USA mit dem Rest der Welt zum gemeinsamen Gegner. Das Ende des Paktes durch den deutschen Angriff auf die Sowjetunion führt wiederum zur Zusammenarbeit Russlands und Amerikas gegen das Dritte Reich. Unmittelbar nachdem die beiden zutiefst konträren Großmächte als Waffenbrüder den gemeinsamen Widersacher aufgerieben haben, werden sie selber einander zum Feind – mit jeweils einem Teil des besiegten Dritten als Puffer zwischen sich.

Einsteins Sache sind solche machtpolitischen Kalküle nicht. Sein vorübergehendes Eintreten für den Krieg hat sich einzig und allein gegen Deutschland gerichtet. Mit dessen Niederlage, die er nicht als Befreiung empfindet, sondern als notwendige Unterwerfung der insgesamt schuldhaft verstrickten Deutschen, hat sich für ihn auch der Einsatz der Atombombe als Option erledigt – zu Zwecken der Machtdemonstration gegenüber dem neuen Feind allzumal. Er will nicht wahrhaben, dass die Allianz der beiden gegensätzlichen Partner Sowjetunion und USA mit dem Erreichen des gemeinsamen Ziels fast augenblicklich in ihr Gegenteil umschlägt.

Einstein mahnt und warnt. «Der Krieg ist gewonnen – aber nicht der Friede», sagt er Ende 1945 während eines Dinners zu Ehren Alfred Nobels. Merkwürdigerweise hat er den Abwurf der Bomben auf japanische Städte nie ausdrücklich kritisiert. Mit Blick auf die Abermillionen Toten des Zweiten Weltkrieges sagt er, die Atombombe habe «die Dinge quantitativ, aber nicht qualitativ verändert» – eine Fehleinschätzung, wie die zweite Hälfte des 20. Jahrhunderts gezeigt hat. Gerade die neue Qualität der Zerstörungskraft hat die Hemmschwelle so weit erhöht, dass es bislang nicht zu einem Atomkrieg gekommen ist. Einstein hofft, die Alliierten könnten in einer Allianz verbunden bleiben. Wieder muss er sich als politisch «naiv» belächeln lassen. Aber was heißt das schon? Wirkt nicht jeder Idealismus naiv, dafür aber erfrischend und befreiend gegen jede Ideologie und alle Sachzwänge?

In einem Interview mit dem Londoner «Sunday Express» erkennt Einstein acht Tage nach Nagasaki ziemlich realistisch, dass der Atombombenabwurf «ausgeführt wurde, um den Pazifischen Krieg zu beenden, bevor Russland sich beteiligen könnte» – also um den sowjetischen Machtblock aus diesem Teil der Welt fern zu halten. Er sei aber «sicher, dass Präsident Roosevelt die atomare Bombardierung von Hiroshima verboten hätte, wäre er noch am Leben gewesen». Ob er damit richtig liegt oder nicht, ob sein dritter Brief ans Weiße Haus, hätte Roosevelt ihn noch gelesen, nicht fast ebenso folgenlos geblieben wäre wie die ersten beiden, sei dahingestellt.

Gleichwohl glaubt Einstein an eine gewisse Wirkung seiner Zeilen. Obwohl er durch die Empfehlung des FBI von jeder Beteiligung am Manhattan-Projekt ausgeschlossen war, wird zeitlebens der Schatten einer Teilschuld auf seiner Seele liegen. «Wenn ich gewußt hätte, daß es den Deutschen nicht gelingen würde, die Atombombe zu konstruieren, hätte ich mich von allem ferngehalten», sagt er nach dem Krieg. Und dem Chemiker und Nobelpreisträger Linus Pauling gesteht er wenige Monate vor seinem Tod: «Ich denke, ich habe einen Fehler in meinem Leben gemacht, jenen Brief unterschrieben zu haben.»

An der Elle strenger Moral gemessen, hätte sich Einstein mehr vor sich selber schuldig gemacht als vor der Geschichte. Denn als er 1939 und 1940 seine Briefe an Roosevelt schreibt, besitzt er bei weitem nicht genügend gesicherte Informationen, um so weit zu gehen, ein Atomprogramm auf Seiten der Amerikaner zu fordern. Der Konjunktiv in doppelter Verneinung – hätte er sie nicht geschrieben, wäre die Geschichte nicht anders verlaufen – hilft ihm nicht aus seinem Dilemma. Dennoch plädiert er auf eine gewisse Schuldunfähigkeit. Anfang September 1945 schreibt er seinem Sohn: «Lieber Albert! Meine wissenschaftliche Arbeit steht nur in ganz indirektem Zusammenhang mit der atomic bomb.» Im November sagt er der Zeitschrift «The Atlantic Monthly»: «Ich betrachte mich nicht als den Vater der Auslösung der Atomenergie.»

Das schützt ihn freilich nicht vor der veröffentlichten Meinung. Am 1. Juli 1946 ziert sein unverwechselbarer Kopf das Titelblatt des Magazins «Time». Daneben ist ein Atompilz zu sehen, vor dem sich die Formel $E = mc^2$ abzeichnet. Darunter steht: «Weltzerstörer Einstein. Alle Materie besteht aus Geschwindigkeit und Flammen.» Im Titelstück ist zu lesen: «In dem Inferno aus Explosionen und Feuersbrünsten, das uns erwartet, werden die, die sich für Kausalzusammenhänge in der Geschichte interessieren, schwach die Konturen eines scheuen, kindlich unschuldigen Mannes mit sanften braunen Augen, den schlaffen Gesichtszügen eines des Lebens überdrüssigen Hundes und mit vom Sturm zerzausten Haaren wahrnehmen.»

Angriffe solcher Art pariert Einstein mit souveräner Demut. Entweder er beachtet sie nicht. Oder er rückt sie sachlich zurecht, wie im März 1947, als auch noch «Newsweek» titelt: «Einstein, der Mann, der alles in Gang brachte.» Sein Gewissen aber reicht weit über den Horizont eigener Handlungen hinaus. Obwohl er vom Manhattan-Projekt ausgeschlossen war, schlägt er sich auf die Seite der Beteiligten. Die Forscher haben ihre Schöpfung zwar aus der Hand gegeben, aber nicht ihre Verantwortung. Er lässt sich zum Vorsitzenden des «Notkomitees der Atomforscher» wählen – als einziges Mitglied, das nicht am Bau der Bombe mitgewirkt hat. Den Sündenfall der Physik sieht er als kollektive Last wie die Erbsünde, mit der alle Menschen leben müssen, die an die Bibel glauben. «*Wir* halfen bei der Erschaffung dieser neuen Waffe, um den Feinden der Menschheit zuvorzukommen», sagt er. Nun gilt es, das Feuer in Schach zu halten.

Einsteins Gewissen gibt ihm die Gewissheit, dass er nach dem einzig vertretbaren Krieg, dem gegen die Nazis, mehr denn je für den Frieden eintreten muss – und zwar für den Weltfrieden. Mit der Rückkehr zum strikten Pazifismus erwacht seine kritische Haltung gegenüber Amerika zu neuem Leben. Ab 1945 ist es auch in seinem inneren Kräftedreieck zu dramatischen Verschiebungen gekommen. Die Stärke der USA, die ihm gegen Deutschland willkommen war, erscheint ihm nun zunehmend gefährlich. «Den hiesigen besonders ist der Erfolg zu Kopf gestiegen», schreibt er 1947 seinem Sohn Hans Albert, der mittlerweile selber in Amerika lebt: «God's own country wird leider immer übermütiger und macht-toller.» Einstein habe nun «mehr Furcht vor dem Anwachsen des Nationalismus in den Vereinigten Staaten als in der Sowjet-Union», berichtet Antonina Vallentin, «denn bei uns sieht er eine Art Volkshysterie, die einer Nation, die in anderer Beziehung so groß ist, schlecht ansteht.»

Insbesondere wendet er sich gegen die Militarisierung der USA, die ihn an die «militärische Religion» im deutschen Kaiserreich erinnert. Als er im Frühjahr 1948 bei einer Feier in der New Yorker Carnegie Hall den «One World Award» entgegennimmt, sieht er wieder hellsichtig die kommenden düsteren Jahre voraus, die unter dem Etikett «McCarthy» in die amerikanischen Geschichtsbücher eingehen. «Die vorgeschlagene Militarisierung der Nation bedroht uns nicht nur unmittelbar mit Krieg, sie wird auch langsam aber sicher den demokratischen Geist und die Würde des Individuums in unserem Land untergraben.»

Enttäuscht von den Vereinten Nationen – gegründet im Juni 1945 in San Francisco – fordert er: «Das Geheimnis der Bombe sollte einer Weltregierung anvertraut werden.» Sein Lebensthema Vereinigung hat die politische Ebene erreicht. Doch Kommunismus und Kapitalismus verweigern sich der Harmonisierung ebenso wie Quantenmechanik und Allgemeine Relativitätstheorie. Er kritisiert Moskau wie Washington, sich der Idee einer gemeinsam regierten Welt zu widersetzen. Der Nationalismus früherer Tage sei ohnehin nicht mehr zeitgemäß.

Schon 1945 hat er gewarnt: «Neue Kriege sind unvermeidlich, solange souveräne Staaten weiterhin rüsten und die Rüstungen geheim halten.» Mit sicherem Gespür sieht er voraus, dass die USA ihr Monopol auf die Atombombe bald verlieren werden. Deshalb fordert er als Vorsitzender des Notkomitees der Atomforscher nun Kooperation anstelle von Konfrontation. «Diese Waffe wurde dem amerikanischen und dem britischen Volk als Treuhändern der ganzen Menschheit, als Kämpfern für Frieden und Freiheit übergeben.»

Lauter vernünftige Gedanken, die allerdings in der Nachkriegswirklichkeit wiederum ziemlich naiv erscheinen. Und gefährlich. Das FBI hat das Notkomitee gleich nach dessen Gründung 1946 unter Beobachtung genommen. Mit Einstein an seiner Spitze, so die Logik von Hoovers Leuten, sei der Geheimnisverrat praktisch unvermeidbar. Das FBI geht zwar noch nicht so weit, ihn der Spionage zu bezichtigen. Allein seine nicht antisowjetische Haltung reicht jedoch aus, ihn als antiamerikanisch einzustufen und unter Dauerobservation zu stellen.

Trotz aller Geheimhaltung macht sich Einstein allerdings keine Illusionen über seinen Status im Staate Amerika. Bei einem Dinner im Juli 1948 sagt er dem polnischen Botschafter, der müsse sich klar machen, «dass die Vereinigten Staaten kein freies Land mehr sind, dass unser Gespräch unzweifelhaft aufgezeichnet wird. Dieser Raum ist verdrahtet, und mein Haus wird streng überwacht.»

Der Kummer frisst sich auch in sein Äußeres, das nun mehr und mehr greisenhafte Züge annimmt. «Auf Einstein lasten die Jahre mit ihrem ganzen Gewicht. Er kommt mir mit schwerem Schritt entgegen, in dem ich nichts mehr von der früheren Elastizität und dem stillen Gleiten entdecke», berichtet Elsas Freundin Antonina Vallentin, die ihn im Frühjahr 1948 noch einmal in Princeton besucht. «Die erschütterndste Veränderung ist aber mit seinen Augen vor sich gegangen. Ihr Umkreis ist von einem wie angesengten Braun, das in große violette Ringe übergeht, die bis zu den Wangen reichen. [...] Die Augäpfel sind in die tiefen Höhlen gesunken, aber nichts hat den blitzenden Blick, dieses unlöschbare, dunkle Feuer anzugreifen vermocht. Wohl ist das bleiche Gesicht von innen her verzehrt.» Zwar «bricht er immer noch in Lachen aus wie einst, wenn irgendetwas Absurdes seinen Humor weckte. Aber sein Lachen ist kurz und wie ausgetrocknet. Es kommt nicht mehr aus voller Kehle, es ist nur ein Lachen der Lippen, das sich selbst überlebt hat.»

Die anfangs vergleichsweise harmlose Handhabung des Falles Einstein im Aktensumpf der Hoover-Behörde schlägt ab 1949, wiewohl weiterhin streng geheim, in handfeste Hexenjagd um. Erklärtes Ziel der Schergen: Ausbürgerung und Ausweisung als unerwünschter Ausländer. Obwohl sich Einstein über Ausmaß und Details der Hetze mit Sicherheit nicht im Klaren ist, fühlt er sich wie in einem Déjà-vu-Erlebnis an die Situation 20 Jahre zuvor in Deutschland erinnert. Jeglicher Illusion über das freiheitsliebende Amerika beraubt, werden seine letzten fünf Lebensjahre vielleicht zum traurigsten Kapitel seiner Biographie.

Schon im März 1946 hat Winston Churchill vom «Eisernen Vorhang» gesprochen. Die westeuropäischen Staaten erfahren zur Eindämmung des sowjetischen Expansionsstrebens amerikanischen Beistand, vor allem durch Zuwendungen aus dem Marshall-Plan. Moskaus Antwort lässt nicht lange auf sich warten: Im Februar 1948 kommt es zum kommunistischen Staatsstreich in der Tschechoslowakei, im Juni 1949 zur Blockade von West-Berlin als Antwort auf die Gründung der Bundesrepublik im Mai. Im Oktober gründet sich die Deutsche Demokratische Republik. Im gleichen Jahr rufen Kommunisten die Volksrepublik China aus. Mitte 1950 befinden sich die USA schon wieder im Krieg, als sie Südkorea gegen den kommunistischen Norden unterstützen.

Der weitaus wichtigste Vorfall, der die Angst vor der kommunistischen Bedrohung in blanke Hysterie umschlagen lässt, hat sich im September 1949 ereignet. Die Sowjetunion zündet ihre erste Atombombe und beendet damit das amerikanische Monopol auf Kernwaffen. Schlimmer noch: Der sowjetische «Erfolg» ist offenbar erst durch Spionage möglich geworden. Am 13. Januar 1950 gesteht der deutsche Physiker Klaus Fuchs den englischen Sicherheitsbehörden seinen Geheimnisverrat. Jahrelang hat er das Vertrauen der Briten und Amerikaner genossen und sein Wissen heimlich an Moskau weitergegeben. Nun ist im Prinzip jeder verdächtig – vor allem jeder Wissenschaftler. Geschichten über «rote Spione» beherrschen die Schlagzeilen auch der seriösen Zeitungen.

Die Ereignisse überschlagen sich. Am 31. Januar 1950 verkündet

Präsident Truman ein Programm zur forcierten Entwicklung der Wasserstoffbombe, einer ungleich zerstörerischeren Kernwaffe als die Bomben auf Japan. Leiten wird es der Exil-Ungar Edward Teller. Die Rüstungsspirale rotiert. Gleichzeitig nimmt ein dunkles Kapitel der amerikanischen Geschichte seinen Anfang. Am 9. Februar hält der republikanische Senator Joseph McCarthy aus Wisconsin erstmals eine seiner berüchtigten Reden gegen den Kommunismus. Im selben Jahr wird er Vorsitzender eines Senatsausschusses zur Untersuchung «unamerikanischer Umtriebe». Die McCarthy-Zeit ist angebrochen.

Verdacht, Verleumdung und falsche Verurteilung vergiften ein halbes Jahrzehnt lang das gesellschaftliche Klima in den USA. Verhaftungen, ruinierte Karrieren und Selbstmorde sind an der Tagesordnung. Grob geschätzt verlieren allein 10 000 Menschen nur deshalb ihren Job, weil sie nicht mit den Kommunistenjägern kooperieren.

Einer der üblichen Verdächtigen meldet sich schon kurz nach McCarthys Rede zu Wort: Am 12. Februar 1950 warnt Einstein in einem landesweit ausgestrahlten Fernsehbeitrag vor den Folgen der Wasserstoffbombe. Das Schicksal der gesamten Menschheit stehe auf dem Spiel, hören und sehen ihn Millionen in der ersten Folge der NBC-Sendung «Today with Mrs. Roosevelt» sagen. «Abrüsten oder sterben – sagt Einstein», titelt daraufhin «The New York Daily News». Selbst die Witwe des früheren Präsidenten, Gastgeberin in diesem Politmagazin-Vorläufer, ist nun verdächtig.

Einen Tag später fordert Edgar Hoover, der ewige FBI-Chef, ein ausführliches Dossier über den missliebigen Mitbürger an. Am 15. Februar hält er die Unterlagen in Händen. Wie muss er triumphiert haben, als er liest, dass Einsteins Einreise in die USA wegen seiner Mitgliedschaft in verschiedenen subversiven Organisationen wie der Internationalen Arbeiterhilfe womöglich illegal gewesen ist. Außerdem habe der Physiker um das Jahr 1930 als persönlicher Kurier für das Zentralkomitee der Kommunistischen Partei Briefe, Telegramme und telefonische Mitteilungen befördert. Und im Dezember 1947 soll Einstein gesagt haben: «Ich habe einen Fehler gemacht, Amerika als Land der Freiheit auszuwählen, einen Fehler, den ich in meinem Leben nicht mehr ausgleichen kann.»

Der erste ausführliche Geheimdienstbericht über Einstein ist am 13. März 1950 fertig. Er enthält eine lange Liste von dessen angeblichen kommunistischen Verbindungen und Aktivitäten während seiner Zeit in Deutschland – darunter auch viele Informationen, die Einstein jederzeit bereitwillig preisgegeben hätte. Er hat nie einen Hehl daraus gemacht, seinen Namen allen möglichen, auch kommunistischen Organisationen in deren Kampf gegen Krieg und Ungerechtigkeit geliehen zu haben.

Für das FBI hat sich Einstein schon durch seinen Einsatz gegen Lynchmorde an Schwarzen in den USA verdächtig gemacht. Deren Zahl ist nach Kriegsende sprunghaft angestiegen. Er ist offen gegen den Rassismus aufgetreten. Er hat gegen die Verhaftung von amerikanischen Kommunisten protestiert. Er hat sich für Straftäter verwandt, die zum Tode verurteilt worden sind. Er hat 1948 den unabhängig-linken Kandidaten Henry Wallace beim Rennen um das Weiße Haus unterstützt. Um wie viel verdächtiger macht sich so ein Linker, der eine Weltregierung unter Beteiligung der Russen fordert, die das Atomgeheimnis verwalten soll! Hoovers Hoffnung: Nun, da die Sowjets hinter der Wasserstoffbombe her sind und die Furcht vor feindlichen Agenten einen Höhepunkt erreicht hat, Einstein der Spionage zu überführen.

Schon seit 1934 hat das FBI alle Einstein betreffenden Posteingänge gesammelt – auch Verdächtigungen von falschen Zeugen und echten Verrückten, auf die Einstein, wie er selbst einmal sagt, wie ein Magnet gewirkt habe. Darunter befinden sich so abstruse Behauptungen wie die einer gewissen Lucy Apostolina aus Jersey City, Einstein habe einen elektrischen Roboter erfunden, der menschliche Gedanken lesen und beeinflussen könne. Ein anonymer Informant behauptet, Einstein würde mit Strahlen experimentieren, mit denen sich Flugzeuge und Panzer zerstören lassen.

«Ich bin so schon ziemlich in Verruf gekommen», teilt Einstein Besso mit. Er klagt, dass die Amerikaner «auf dem besten Wege sind, die Deutschen an militaristischer Gesinnung noch zu überbieten». Er habe sich kaum jemals so von den Menschen entfremdet gefühlt, und nirgends gebe es irgendetwas, mit dem er sich gemein machen könnte. Überall nur Brutalität und Lügen. Einsamer war er wohl nie. «Die meisten der lieben Freunde», schreibt er überdies im Mai 1952 an Max Born, «sind schon gegangen.»

Einstein fühlt auch die Einsamkeit des Kosmopoliten, der keinen Ort mehr nennen kann, nach dem er Heimweh empfindet. Der einzige Platz, der ihm ein Stück weit Heimat war, das Sommerhaus in Caputh, blieb ihm nur drei Sommer lang. Gäbe es einen Pass mit der Aufschrift «Weltbürger» – Einstein wäre einer der Ersten, dem er ausgestellt werden müsste. Nachdem er seine Illusionen über Amerika verloren hat und dort sogar faschistoide Tendenzen auszumachen meint, gibt es für ihn kein Land mehr, in dem er seine Ideale verwirklicht sähe – auch nicht die einst so geliebte Schweiz, der er in doppelter Staatsbürgerschaft bis zu seinem Ende verbunden bleibt.

«Ich habe dieses Land im gleichen Maß gern, als es mich nicht gern hat», sagt er drei Jahre vor seinem Tod. Hintergrund seiner Vergrätzung: Als er nach seinem Abschied aus Deutschland 1933 die Schweiz um den Schutz seines von den Nazis konfiszierten Eigentums gebeten hat, der ihm als Doppelbürger zusteht, hat ihm die Regierung in Bern die kalte Schulter gezeigt. Da «Professor Einstein mit einem deutschen Diplomatenpass gereist» ist, sei «es offensichtlich, dass die Voraussetzungen erfüllt sind, um Einstein den schweizerischen Diplomatischen Schutz vorzuenthalten».

Da er sich als Deutscher habe feiern lassen, solle er sich nun auch mit den Deutschen ins Benehmen setzen. «Es kommt hinzu, dass die Massnahmen, denen er sich gegenwärtig in Deutschland ausgesetzt sieht, von den deutschen Behörden gerade im Hinblick auf seine Reichszugehörigkeit und angebliche Verletzung seiner staatsbürgerlichen Pflichten getroffen worden sind.» Damit folgt die Schweiz im Grunde der Argumentation, Einstein habe sich mit seiner «Greuelhetze» gegen die deutsche Regierung gewandt.

Einstein wehrt sich zwar und stellt fest, «dass ich nicht jenen Menschen gleichzustellen bin, welche in der Schweiz mit dem bezeichnenden Namen ‹Papierschweizer› benannt werden». Dennoch lassen die Eidgenossen die Enteignung seines Vermögens in Höhe von 58000 Mark durch die Gestapo tatenlos geschehen. Bei seinem Sohn Hans Albert beschwert er sich danach, dass «die Schweiz keinen Finger gerührt hat, um die Wegnahme meiner Ersparnisse in Deutschland zu verhindern». Und Mileva schreibt er nach Zürich: «Die Schweizer haben mir mit keinem Piepser geholfen.»

Isoliert und desillusioniert zugleich beschließt Einstein mit fast 74 Jahren noch einmal, öffentlich in die Offensive zu gehen. Es geht um die drohende Hinrichtung von Julius und Ethel Rosenberg. Das Ehepaar ist auf dem Höhepunkt der Spionagehysterie 1950 verhaftet, wegen der Weitergabe atomarer Geheimnisse an Moskau angeklagt und im April 1951 zum Tode verurteilt worden. Die Anklage stützt sich wesentlich auf die Aussage von Ethels Bruder, der Schwester und Schwager der Todesstrafe ausliefert, um sein eigenes Leben zu retten. Erst Ende 2001 wird er zugeben, unter Eid gelogen zu haben.

Als die Hinrichtung näher rückt, führen die Zweifel am Urteil zu massenhaften Demonstrationen rund um den Erdball. Hunderttausende ziehen durch die Straßen von Paris, London und Rom, Moskau, Prag und Warschau, New York, Washington und Toronto. Einstein hat zunächst versucht, auf privatem Weg etwas zu erreichen, und dem scheidenden Präsidenten Truman einen Brief geschrieben. Als er damit nicht weiterkommt, schließt er sich dem Kampf um die Begnadigung der Rosenbergs an, den unter vielen anderen Prominenten auch Pablo Picasso, Jean-Paul Sartre und sogar Papst Pius XII. unterstützen. Ungeachtet der Proteste enden die Eheleute jedoch auf dem elektrischen Stuhl.

Hoover und McCarthy bekommen durch Einsteins Eintreten für die Verurteilten wieder neues Material an die Hand. Die Akte wird dicker, und sie wächst weiter, als sich Einstein mit einer mutigen Tat direkt mit den selbstgerechten Spürhunden auseinander setzt – und mit ihren Opfern. Da er die amerikanische Situation mit der Lage in Deutschland kurz vor Hitlers Machtantritt vergleicht, fordert er öffentlich zum Gesetzesbruch auf.

«Ich sehe offengestanden nur den revolutionären Weg der Verweigerung der Zusammenarbeit im Sinne Gandhis», schreibt er am 16. Mai 1953 in einem offenen Brief an einen verfolgten Lehrer, der ihn um Hilfe gebeten hat. «Jeder Intellektuelle, der vor eines der Committees vorgeladen wird, müßte jede Aussage verweigern, d. h. bereit sein, sich einsperren und wirtschaftlich ruinieren zu lassen, kurz, seine persönlichen

Interessen den kulturellen Interessen des Landes zu opfern. [...] Wenn sich genug Personen finden, die diesen harten Weg zu gehen bereit sind, wird ihnen Erfolg beschieden sein. Wenn nicht, dann verdienen eben die Intellektuellen dieses Landes nichts besseres als die Sklaverei, die ihnen zugedacht ist.»

Allein diese Zeilen hätten ihn selber vor den Ausschuss bringen können. Doch so wie Hoover schreckt auch McCarthy vor der letzten Konsequenz zurück. Er nennt Einstein zwar «einen Feind Amerikas», kann aber keinen Zweifel daran haben, dass der Physiker das Tribunal umkehren und die Anklage gegen die Ankläger richten würde.

Im selben Jahr 1953 darf FBI-Chef Hoover neue Hoffnung schöpfen, Einstein doch noch festnageln zu können. Am 4. September betritt ein gut gekleideter Herr in den Sechzigern das FBI-Büro in Miami, um eine Aussage über Einsteins kommunistische Vergangenheit zu machen. Er weist sich als Paul Weyland aus – genau jener Mann, der als rechter Demagoge mit seiner «Arbeitsgemeinschaft deutscher Naturforscher zur Erhaltung reiner Wissenschaft e. V.» im August 1920 zusammen mit Ernst Gehrcke in der Berliner Philharmonie eine Großveranstaltung gegen Einstein und seine Relativitätstheorie abgehalten hat und dann bald von der Bildfläche verschwunden ist.

Nun gibt er zu Protokoll, Einstein habe in einem Zeitungsartikel 1920 erklärt, er sei Kommunist. Warum er gerade jetzt seine Aussage macht, außer aus altem Hass gegen Einstein, ist unklar. Womöglich will er das Einbürgerungsverfahren für sich und seine Frau beschleunigen. Hoover kann nicht wissen, dass er es mit einem ausgemachten Windhund zu tun hat, den selbst die Nazis ins Gefängnis gesteckt haben. Nach dem Krieg hat er in Berlin für die Amerikaner gearbeitet, erst als Übersetzer, dann als Mitarbeiter im Dokumentationszentrum, wo er Zugang zu allen Akten der NSDAP hat. Mit seinem Wissen erpresst er ehemalige Parteimitglieder, bis er auffliegt. Er kann sich gerade noch rechtzeitig absetzen – in die USA.

Doch Hoovers neue Hoffnung währt nicht lange. Der angebliche Zeitungsartikel wird nie gefunden, und die Sache zerschlägt sich wie fast alles in Weylands Leben. Auf der anderen Seite sorgt Einsteins Aufruf zum zivilen Ungehorsam weltweit für Furore. Der solchermaßen bloßgestellte McCarthyismus schürt das antiamerikanische Ressentiment rund um den Globus. Auch in den USA erfährt Einstein massiv Unterstützung – aber ebenso viel Widerstand von der Sorte: «Sie sollten in Ihr Heimatland zurückbefördert werden und dort in ein Lager.» Einstein sagt, er wäre lieber Klempner, dann dürfte er problemlos sagen, was er denkt. Die Klempner-Vereinigung bietet ihm daraufhin die Ehrenmitgliedschaft an.

Die generelle Tonlage, die ihn bis in seinen Tod begleitet, ist getragen vom Vorwurf der Undankbarkeit nach der Melodie, er habe «von den Vereinigten Staaten viel mehr bekommen, als er gegeben hat». Die einflussreichsten Zeitungen beziehen Stellung gegen Einstein. Die «Kräfte des zivilen Ungehorsams», schreibt die «New York Times» am 13. Juni 1953, seien nicht nur gesetzeswidrig, sondern auch «unnatürlich».

Gleichwohl hat Einstein mit seinem Aufsehen erregenden offenen Brief an den verfolgten Lehrer im hohen Alter noch einmal eine Heldentat vollbracht. Nur indem er den Bogen geschickt überspannt und nicht allein kritisiert, sondern illegalen Widerstand propagiert, erzielt er das große Echo. Damit trägt er nicht unwesentlich dazu bei, das Ende der McCarthy-Ära einzuleiten, die ihn nur um wenige Monate überlebt.

Die Sache hätte für Einstein durchaus auch anders ausgehen können. Nach allem Dafürhalten seiner Häscher ist er ein «Linker», der Lenin verehrt und vielen KP-nahen Organisationen angehört hat. Das würde in der uferlosen Hysterie der McCarthy-Tribunale als Hintergrund für eine Anklage schon ausreichen – hätte Edgar Hoover all diejenigen Informationen gehabt, über die wir heute verfügen.

Seit 1945 sammelt das FBI auch Unterlagen über Einsteins Sekretärin Helen Dukas. Wenige Wochen vor seinem Tod suchen zwei Beamte seine engste Mitarbeiterin auf. Die Befragung bringt zwar keine Ergebnisse, aber im Prinzip sind die Ermittler auf einer richtigen Spur. In Dukas' Berliner Wohnung sind tatsächlich die von McCarthy bekämpften «Commies» – wie die amerikanische Rechte die Kommunisten nennt – aktiv gewesen. Vom Frühjahr 1931 bis Mitte 1933 betreibt die KPD dort über ein Untermietverhältnis ein illegales Büro, in dem Spionageberichte geschrieben und womöglich sogar Nachrichten kodiert und dekodiert werden. Wie weit Helen Dukas über die Machenschaften informiert war, lässt sich nicht mehr feststellen. Dass sie überhaupt nicht gewusst hat, in welche Richtung sie zielen, ist unwahrscheinlich.

Doch Einsteins gefährliche Nähe zu geheimdienstlichen Aktivitäten geht noch weiter. Selbst dass seine eigene Wohnung tatsächlich als Kommunikationszentrale sowjetischer Spione gedient hat, lässt sich nach Recherchen des Berliner Historikers Siegfried Grundmann nicht ausschließen. Denn einer von Moskaus Agenten ist in der Haberlandstraße ein- und ausgegangen: Einsteins Schwiegersohn Dimitri Marianoff. Vor allem während der langen Abwesenheiten der Hausherren – im Sommer in Caputh, im Winter in den USA – steht ihm die Stadtwohnung mit Ehefrau Margot und für längere Perioden auch allein zur Verfügung. Zwar ist nicht bekannt, was Marianoff dort getrieben hat. «Nach allem, was wir wissen», schreibt Grundmann, «ist aber anzunehmen, daß Einsteins Wohnung Spionagezwecken diente.»

Hätten Hoover und McCarthy dann auch noch von Margarita Konenkova gewusst, wäre Einstein womöglich doch in ihre Fänge geraten. Kennen gelernt hat er die 41-jährige Russin 1935, als deren Mann, der Bildhauer Sergei Konenkov, eine Büste von ihm anfertigt. Die beiden verlieben sich ineinander, schreiben sich leidenschaftliche Briefe (die erst 1998 aufgetaucht sind), ihre Affäre dauert bis zur Rückkehr des russischen Ehepaares 1945 nach Moskau. Was die Liebenden teilen, nennen sie «Almar» – nach einem Einfall Einsteins aus den Anfängen von «Albert» und «Margarita» zusammengesetzt.

«Alles hier erinnert mich an Dich», schreibt er ihr einmal. «Almars Decke, die Wörterbücher, die wundervolle Pfeife, die wir für tot gehalten hatten, und all die anderen kleinen Dinge in meiner Zelle; und auch das einsame Nest». Was der Physiker vermutlich nicht gewusst hat: Konenkova hat mit großer Wahrscheinlichkeit für den sowjetischen Geheimdienst KGB gearbeitet. Ob sie ihn tatsächlich ausspioniert und militärische Geheimnisse aus ihm herauslocken will – die er ohnehin nicht kennt –, ist fraglich. Edgar Hoover aber bekommt gewissermaßen posthum Recht, Einstein die Zustimmung für seine Mitarbeit am Manhattan-Projekt verweigert zu haben.

Nicht allein die blonde Schönheit der Russin schlägt Einstein in Bann. Für ihn verkörpert sie auch das alte Europa, nach dem er sich bis ans Ende seiner Tage in der Neuen Welt so vergebens sehnt. Einen «Teil der alten Welt», so sein Princetoner Freund Gillet Griffin, habe Einstein auch in seiner Geliebten Johanna Fantova gesehen, mit der er seit Ende der vierziger Jahre liiert war. «Sie las ihm aus Goethes Werken vor. Sie war eine Verbindung zu Dingen, die er vermisste.»

Die 22 Jahre jüngere «Hanne», wie er sie nennt, ist 1939 auf Einsteins Drängen hin aus Prag in die USA emigriert. Seit seiner Prager Zeit um 1911 kennt er die Familie ihres Mannes. Dessen Mutter Bertha Fanta hat seinerzeit den Salon betrieben, in dem Einstein auch Max Brod und Franz Kafka begegnet ist. Nun hat er auf seine alten Tage mit der Schwiegertochter der damaligen Gastgeber ein Techtelmechtel begonnen. In bewährter Manier schreibt er ihr Briefe und Gedichte, die er gelegentlich mit «Dein Elefant» unterschreibt. Er nimmt sie mit zum Segeln (er in seinen geliebten Klamotten, sie im eleganten Kleid), sie gehen zusammen in Konzerte, telefonieren mehrmals in der Woche, sie besucht ihn regelmäßig zu Hause, darf ihm sogar die Mähne stutzen. Auch ihr widmet er etliche seiner Gedichte.

«Liebe Hanne!
Ganz erschöpft vom langen Schweigen
Muss auf diesem Weg ich zeigen
Dass du stets mir bist im Sinn
Tief im Oberstübchen drin.
Heilger Samstag nahet sich
Ängstlich drum erwartet dich
Der bewusste Elefant
Bess'res hat er nicht gekannt.
Frohes Wiedersehen mit Würsteln
und Bussel.
Dein A. E.

Die 1981 verstorbene Fantova hat ihre Erlebnisse mit dem berühmten Rentner in einem Tagebuch festgehalten. Im Februar 2004 werden die 62 maschinengetippten Seiten zufällig in ihrer Personalakte in der Bibliothek der Universität Princeton entdeckt – eine kleine Sensation. Es ist die einzige ausführliche Aufzeichnung aus Einsteins letzter Lebensphase von jemandem, der ihm so nahe stand. Sie zeigt unter anderem auch, mit welcher Verve er, der sich als «alter Revolutionär» empfindet, bis zuletzt gefochten hat. «Politisch bin ich noch immer ein Feuer speiender Vesuv.»

Über McCarthys Anhänger sagt er ihr: «Die Herrschaft der Dummen ist unüberwindlich, weil es so viele sind und ihre Stimmen genauso zählen wie unsere» – das Dilemma jeder Demokratie zwischen Demagogie und Populismus. «God's own country wird immer sonderbarer», schreibt er im Dezember 1954 seinem Sohn Hans Albert. «Alles, auch die Thorheiten werden da eben durch Massenfabrikation erzeugt.» Und zu Fantova sagt er: «Es sieht politisch hier sehr hässlich aus.» Eines der prominentesten Opfer der «Hexenjagd» zählt zu seinen engsten Freunden in Princeton: J. Robert Oppenheimer, Leiter des Manhattan-Projekts und nun Direktor des Institute for Advanced Study, verliert 1954 wegen seiner – eingestandenen – Nähe zu linken Kreisen seinen Zutritt zur Atomenergie-Kommission.

Laut Fantova regt sich Einstein darüber auf, dass sein Freund «nicht schon längst hingeschmissen» habe, statt die Sache nun als persönliche Niederlage zu erleben. «Oppenheimer ist kein Zigeuner wie ich, ich bin mit einer Elefantenhaut geboren», sagt Einstein. «Es gibt niemanden, der mich verletzen kann, es fließt an mir ab wie Wasser am Krokodil.» Sein Seelenpanzer, mit dem er alles «Nur-Persönliche» von sich fern hält, funktioniert bis ins hohe Alter.

Seinem Sohn Hans Albert hat er einmal geschrieben: «Ich habe selber den Neid in all seinen Formen zu spüren bekommen. Auch jetzt ist es nicht anders. Nur hänge ich nicht mehr von denen ab, die mich hassen.» Allerdings muss er zugeben, dass er auch eine gewisse «Narrenfreiheit» genießt: «Die ausgestreckte Zunge gibt meine politischen Anschauungen wieder», sagt er Fantova. Das Bild, sein ultimatives Markenzeichen und ein Pop-Motiv für Poster, Buttons und T-Shirts, ist an seinem 72. Geburtstag entstanden. Das komplette Foto zeigt ihn zwischen Frank Aydelotte, einem Exdirektor des Institute for Advanced Study, und dessen Frau im Fond eines Automobils. Doch nur der Ausschnitt mit seinem Kopf wird zur Ikone – von Einstein selbst begründet: Er lässt ihn in großer Auflage abziehen und schickt das Bild an Freunde, Bekannte und Kollegen. Doch längst nicht alles perlt so an ihm ab, wie sein bekanntestes Abbild es vermuten lässt. Als seine Institutskollegen sich nicht auf eine gemeinsame Erklärung für ihren Direktor Oppenheimer einigen können, wendet er sich angewidert ab: «Es war abscheulich, Menschen sind eine schlechte Erfindung.»

Entschieden äußert er sich auch gegen die deutsche Wiederbewaffnung: «Anstatt sich mit Russland zu einigen, hilft man Deutschland aufrüsten.» Da «alle die schrecklichen Sachen, die die Deutschen gemacht haben, [...] vergessen» seien, sieht er schon wieder eine «große Kriegsgefahr» heraufziehen. Als Werner Heisenberg im Oktober 1954 Princeton besucht, sagt Einstein über den Erfinder der Unschärferelation, er sei ein «großer Nazi» und «ein großer Physiker, aber kein angenehmer Mensch». Über dessen Nähe zum NS-Regime gehen die Meinungen bis heute auseinander. Ein Gegner der Braunen war Heisenberg mit Sicherheit nicht.

Mit den Deutschen ist Einstein ohnehin fertig, für immer. Allen Versuchen, alte Brücken wiederherzustellen, erteilt er schroffe Absagen. Weder will er sich zum Auswärtigen Wissenschaftlichen Mitglied der neuen Max-Planck-Gesellschaft machen lassen («einfach aus Reinlichkeitsbedürfnis») noch in sonstige akademische Bindungen zurückkehren. Er wolle, schreibt er Arnold Sommerfeld nach München, «nichts mehr mit Deutschen zu tun haben, auch nichts mit einer relativ harmlosen Akademie». Den westdeutschen Präsidenten Theodor Heuss lässt er wissen, «dass ein selbstbewusster Jude nicht mehr mit irgendeiner deutschen offiziellen Veranstaltung oder Institution verbunden sein will». Einzig der deutschen Jugend macht er noch Zugeständnisse, wenn er sich etwa einverstanden erklärt, dass Schulen nach ihm benannt werden. Absolventen des Albert-Einstein-Gymnasiums in Berlin-Neukölln bekommen bis heute zusammen mit ihrem Abiturzeugnis seinen Brief ausgehändigt.

Seine letzte Freundin protokolliert, wie es mit Einsteins Gesundheit zunehmend bergab geht. Immer häufiger klagt er über Schmerzen, besonders in der Leber. «Ich habe nur ganz wenig Butter gegessen weil meine Haut so trocken wird und habe bitter dafür büssen müssen. Mir ist noch immer ziemlich übel.» Als Fantova ihn fragt, warum er nicht mehr auf seiner Geige spiele, antwortet er: «Zum Phantasieren ist das Klavier viel geeigneter, auch zum allein spielen und ich spiele ja jeden Tag Klavier. Es würde mich auch körperlich zu sehr anstrengen Geige zu spielen.» Für das weltberühmte Juilliard-Streichquartett, das ihn besucht, packt er Violine Lina noch einmal aus. Zwar müssen die Musiker ihr Tempo drosseln, damit er mitkommt. Aber dem Vernehmen nach verlassen sie nach dem gemeinsamen Musizieren sein Haus mit Tränen in den Augen.

Während der letzten Monate im langen kalten Winter von Princeton sucht er Trost in seinen Formeln. «Das Ringen mit den Problemen macht von der menschlichen Sphäre unabhängig», vertraut er der Herzensdame an, «und das ist eine unschätzbare Gnade.» Seit er sich in seinem letzten Brief an Besso eingestanden hat, dass von seinem «Luftschloss» möglicherweise «*nichts* bestehen» bleibt, gleichen seine Reflexionen über das Wesen der Welt mehr und mehr den Reflexen des Weltflüchtigen, der noch im Sterbebett die letzten Formeln niederschreibt.

«Ich bin ein Ketzer in der Physik», sagt er. «Es wird noch lange dauern und ich werde schon lange tot sein, bis meine jetzige Arbeit anerkannt werden wird.» Er, dem es wie kaum einem anderen gelungen ist, Brücken zu schlagen, findet sich am Ende zwischen den Stühlen wieder. «Die Physiker sagen, dass ich ein Mathematiker bin, und die Mathematiker sagen, dass ich ein Physiker bin», zitiert ihn seine Freundin. «Ich bin ein ganz isolierter Mensch, obwohl mich jeder kennt. Aber es sind doch wenige, die mich wirklich kennen.» Bis zum Schluss rechnen, denken und planen gegen das Sterben im Leben – Einstein beherrscht diese Kunst meisterlich.

«Der Teufel zählt die Jahre überhaupt gewissenhaft, das muss man anerkennen», schreibt er Maurice Solovine kurz vor seinem Tod. «An die unsterbliche Akademie Olympia» hat er 1953 einen Nachruf gerichtet, der mehr den Mut als das Weh seiner Wehmut beleuchtet: «In deinem kurzen aktiven Dasein hast du in kindlicher Freude dich ergötzt an allem was klar und gescheit war. […] Wir alle drei Mitglieder haben uns zum Mindesten als dauerhaft erwiesen. Wenn sie auch schon etwas

krächelig sind, so strahlt doch noch etwas von deinem heiteren und be-
lebenden Licht auf unseren einsamen Lebenspfad; denn du bist nicht
mit ihnen alt geworden und ausgewachsen wie eine ins Kraut gewach-
sene Salatpflanze. Dir gilt unsere Treue und Anhänglichkeit bis zum
letzten hochgelehrten Schnaufer!»

Anfang der fünfziger Jahre ist sein Freund Michele Besso einmal in
den Ton der Heldenverehrung verfallen. Als er Einstein mit «Lieber,
geistesgewaltiger Freund» anspricht, kriegt er zur Antwort: «Alter
Freund bin ich, aber zu der Anrede ‹gewaltiger› kann ich nur ‹nebbich›
sagen, wenn Dir dies ausdrucksvolle Wort unserer Väter geläufig ist. Es
drückt eine Legierung von Mitleid und Geringschätzigkeit aus.» Einfach nur ein alter Freund sein, mehr nicht – für einen wie Einstein war
das schwerer erreichbar als alles andere.

Als Besso am 15. März 1955 in Genf stirbt, verliert Einstein seinen
wichtigsten Haltepunkt im Leben – einen aufrichtigen Gefährten, der
auch seine Physik versteht. «Nun ist er mir auch mit dem Abschied von
dieser sonderbaren Welt ein wenig vorausgegangen», schreibt Einstein
an den Sohn und die Schwester Bessos. «Dies bedeutet nichts. Für uns
gläubige Physiker hat die Scheidung zwischen Vergangenheit, Gegenwart und Zukunft nur die Bedeutung einer wenn auch hartnäckigen
Illusion.»

Seinen letzten Willen hat er schon im März 1950 aufgesetzt. Eine
Woche vor seinem Tod setzt er seinen Namenszug unter sein politisches
Testament. Zusammen mit dem Philosophen Bertrand Russell warnt
er die Regierungen und Völker der Welt eindringlich vor der Mega-
Katastrophe eines Atomkrieges. Es sei nicht auszuschließen, «dass ein
Wasserstoffbombenkrieg das Ende der menschlichen Rasse bedeuten
könnte». Es sei zu befürchten, dass die Anwendung vieler Wasserstoff-
bomben den universellen Tod bedeuten würde – «für eine Minderheit
sofortigen Tod, für die Mehrheit aber langwieriges Siechtum und qual-
voller Verfall».

Das «Russell-Einstein-Manifest» begründet die bedeutendste Frie-
densinitiative der vergangenen 50 Jahre: die nach ihrem Gründungsort
benannte «Pugwash-Bewegung». Sie hat durch ihre unermüdlichen
Bemühungen nicht wenig dazu beigetragen, dass der Kalte Krieg kalt

geblieben ist. Für seine vierzigjährige Arbeit in der Pugwash-Führung ist der Physiker Joseph Rotblat, einer der wenigen, die sich (im Dezember 1944) aus dem Manhattan-Projekt zurückgezogen haben, 1995 mit dem Friedensnobelpreis ausgezeichnet worden – in gewisser Weise der Würdigste unter Einsteins noblen Erben.

Einstein sagt, er wolle «mit Grazie» abtreten. «Ich möchte gehen, wann ich möchte», soll er erklärt haben. «Es ist geschmacklos, das Leben künstlich zu verlängern.» Für ihn steht schon lange fest: «Man kann auch ohne die Hilfe eines Arztes sterben.» Als ihn am Vorabend seines Todes sein Freund Gustav Bucky verlässt, fragt er ihn, warum er denn schon gehe. «Sie sollen schlafen», antwortet der Arzt. «Daran würde mich auch ihre Gegenwart nicht stören», entgegnet der Kranke mit unverbrauchtem Schalk.

Zu den Letzten, die ihn lebend sehen, gehört seine Stieftochter Margot. Sie liegt, im Zimmer neben seinem, zufällig im Princetoner Krankenhaus, als er am 15. April 1955 dort eingeliefert wird. «Zuerst hatte ich ihn nicht erkannt – so verändert war er durch die Schmerzen und die Blutleere im Gesicht», schildert sie die Begegnung. «Aber sein Wesen war das gleiche. Er [...] scherzte mit mir und war vollkommen überlegen dem Zustande gegenüber; er sprach mit tiefer Ruhe – sogar mit einem leichten Humor – über die Ärzte und wartete auf sein Ende wie auf ein bevorstehendes Naturereignis. So furchtlos, wie er im Leben war – so still und bescheiden war er dem Tod gegenüber. Ohne Sentimentalität und ohne Bedauern ist er von dieser Welt gegangen.» Und dann soll er ihr noch gesagt haben: «Ich habe meine Sache hier getan!»

In der Nacht zum 18. April 1955, kurz nach ein Uhr morgens, nimmt Albert Einstein Abschied von dieser Welt. Er sagt noch etwas in seiner Muttersprache. Doch die Nachtschwester versteht kein Deutsch. Die letzten Worte des Mannes, der zu den Größten der Weltgeschichte gehört, bleiben unverstanden.

Wenige Stunden später erscheint ein junger amerikanischer Pathologe namens Thomas Harvey zum Dienst, obduziert den Toten und schneidet ihm das Gehirn aus dem Schädel. Einsteins Leben nach dem Tod beginnt.

Liebe Nachwelt!
Wenn ihr nicht gerechter, friedlicher und überhaupt vernünftiger sein
werdet, als wir sind, bezw. gewesen sind, so soll euch der Teufel holen.
Diesen frommen Wunsch mit aller Hochachtung geäußert habend
bin ich euer (ehemaliger)

gez. Albert Einstein (1936)

Zitatnachweise

13 *Dem Herrgott:* in Calaprice (1999), 146

14 *Eine der bedeutendsten:* Times 7.11.1919

15 *H. A. Lorentz hat mir:* Seelig (1952), 156

15 *Die ganze Atmosphäre:* Whitehead (1926), 13

16 *Sterne am Himmel:* New York Times 10.11.1919

16 *Das große Los:* Der Abend 3.11.1919

16 *Wir müssen ein Zimmer:* an Pauline Einstein 5.9.1919, CP9, 147

16 *Eine Woche:* an Hans Albert und Eduard, 26.3.1920, CP9, 486

18 *In Berlin, wo der Vollmond:* Berliner Morgenpost 7.11.1919

19 *Man wird sich:* Berliner Illustrirte Zeitung 2.11.1919

20 *Ganz England redet:* von Eddington 1.12.1919, CP9, 262

20 *Alle Zeitungen:* von Paul Ehrenfest 24.11.1919, CP9, 246

20 *Gegacker:* an Paul Ehrenfest 4.12.1919, CP9, 266

20 *Eine neue Größe:* Berliner Illustrirte Zeitung 14.12.1919

20 *Kein Name wurde:* Moszkowski (1922), 26 f.

21 *Ich bin sicher:* zit. n. Calaprice (1999), 41

21 *Es ist doch:* an Max Planck 23.10.1919, CP9, 216

21 *Mit mir hat:* an Zangger Anfang 1920, CP9, 339

21 *Die Post bringt:* 1934, Einstein-Archiv ‹31-160›

23 *Nahrung für:* An Pauline Einstein u. a. 14.5 1919, CP9, 64

24 *Vor dem unterzeichneten:* Seelig (1960), 8

24 *Außergewöhnlich großer eckiger:* CP1, LVI

25 *Zum Geborenwerden ist:* an C. Erlanger 16.3.1929, Stadtarchiv Ulm

26 *Die Stadt der Geburt:* 18.3.1929, Stadtarchiv Ulm

26 *Viel zu dick!:* Seelig (1960), 399

27 *Es ist wahr:* zit. n. Fölsing (1993), 23

27 *Würde heute speziellen:* Holton (1997), 157

27 *Ergriff er einen Stuhl:* CP1, LVII

27 *Tiefen und bleibenden:* Schilpp (1955), 3

28 *Aus ihm vielleicht:* Reiser (1930), 26

28 *Das Schauen:* an Heinrich Zangger 18.6.1919, CP9, 94

29 *Alles, was ich:* Hoffmann (1979), 13
29 *Es vollzieht sich:* Vallentin (1955), 41
29 *Man könnte einen Höllenlärm:* Vallentin (1955), 42
29 *Daß er in sich selbst:* Vallentin (1955), 52
29 *Vollständige Aufgehen im Gegenstand:* Gardner (1996), 45
30 *Algebra ist die Kunst:* Moszkowski (1922), 222
30 *Die Moderne bezieht:* Gardner (1996), 24
30 *Die Gelegenheit, sich:* Gardner (1996), 52
31 *Maultierhafte Starrnackigkeit:* Seelig (1956), 72
31 *Gott schuf den Esel:* an Marcel Grossmann 14.4.1901, CP1, 290
31 *Albert hat mich:* Hermann Einstein an Jost Winteler 30.12.1895, CP1, 19
31 *Ich ließ also lieber:* an Philipp Frank, Briefentwurf 1940, zit. n. CP1, LXIII
32 *Ihre bloße Anwesenheit:* an Philipp Frank, Briefentwurf 1940, zit. n. CP1, LXIII
32 *Autoritätsdusel ist der größte:* an Jost Winteler 8.7.1901, CP1, 310
32 *In seinem Aussehen:* Gardner (1996), 153
32 *Wenn ich mich frage:* Seelig (1952), 73
33 *Symbol der gereiften:* Gardner (1996), 163
34 *Du verstehst das nicht:* von Max Born 13.10.1920, Einstein/Born (1982), 66
34 *Was weißt du:* von Michele Besso 18.9.1932, Einstein/Besso (1972), 286
34 *Die Pfeif' im Mund:* vermutlich 1932, Einstein-Archiv ‹31-101›
34 *Das Gefühl der Furcht:* Vallentin (1955), 23
35 *Das Alpdrücken:* Vallentin (1955), 83
35 *So große Glupschaugen:* Katia Mann (2), 132
35 *Dem dieses wirklich liebe:* Pfeiffer-Belli (1996), 289
35 *Ich fahre immer:* an Heinrich Zangger 17.5.1915, CP8, 130
35 *Er war ein Gott:* zit. n. Brian (1996), 292
35 *Das war wie zum Tee:* zit. n. Brian (1996), 403
35 *Es genügt, Albert Einstein:* Vallentin (1955), 35
36 *Im Alter von 12–16:* Schilpp (1955), 5
36 *Noch ziemlich naiv:* an Caesar Koch Sommer 1895, CP1, 10
38 *Paßte schon als Jüngling:* Seelig (1952), 14 ff.
38 *Einstein kann eine sehr:* zit. n. Herneck (1978), 89
38 *Es ist schwer:* zit. n. Herneck (1978), 89
38 *So recht mit Ihnen:* an Pauline Winteler 7.6.1897, CP1, 57
39 *Es lebe die Unverfrorenheit:* an Mileva Marić 12.12.1901, CP1, 323
39 *Flucht vom Ich:* Hoffmann (1979), 298
39 *Einiger seiner interpersonellen:* Holton (1997), 159
39 *Ich bin ein richtiger ‹Einspänner›:* Seelig (1952), 42
39 *Etwas sonderbare:* Seelig (1998), 120
40 *Wenn ich stirnerunzelnd:* an Pauline Winteler 7.6.1897, CP1, 57
40 *Jener Einsamkeit:* Seelig (1998), 13

40 *Nirgends wurzelnder Mensch:* an N. M. Butler 11. 4. 1923, zit. n. Fölsing (1993), 550

40 *Das Alleinsein:* an Paul Ehrenfest 24. 10. 1916, CP8, 347

40 *Es war nicht leicht:* Infeld (1969), 78

40 *Eine dünne Wand:* zit. n. Brian (1996), 230

40 *Er zählte zu jenen Doppelnaturen:* Seelig (1952), 16

40 *Er wollte selbst:* zit. n. Brian (1996), 146

40 *Dies gelingt leicht:* an Heinrich Zangger 17. 5. 1915, CP8, 130

41 *In sich abgeschlossene:* Brod, 211

41 *Beharrlichkeit sondergleichen:* Brod, 17

41 *Mit der ganzen:* Brod, 140

41 *Der größere wichtigere:* Brod, 87

41 *Im strengsten Sinne:* Brod, 149

41 *Einstein verstand:* Infeld (1969), 73

41 *Da hat sich einer frei gemacht:* zit. n. Highfield/Carter (1996), 300

42 *In Gleichgültigkeit verwandelte:* zit. n. Hermann (1996), 284

42 *Er schläft:* zit. n. Fischer (1996), 43

42 *Er lacht:* zit. n. Herneck (1978), 76

42 *Eine übernatürliche:* Brod, 77

42 *Wirklich war nichts:* Brod, 17

42 *Verbrauchte sein ganzes Ich:* Brod, 17

42 *Unempfindlichkeit für:* Brod, 138

42 *Glückliche Blindheit:* Brod, 87

43 *Wenn er aber:* Vallentin (1955), 37

44 *Solange er in eine Arbeit:* Brod, 83

44 *Etwas Außermenschliches:* Brod, 143

44 *So hat der liebe Gott:* zit. n. Herneck (1978), 169

44 *Es ist das Verhängnis:* ‹36-601› 32 vermutlich 1931

44 *Seitdem aber:* an Eduard Einstein, verm. 1936/37, Einstein-Archiv ‹75-939›

44 *Dr. Freud hat:* an Hans Albert Einstein 1949, Einstein-Archiv ‹75-810›

44 *Ich bin nicht:* an Eduard Einstein 20. 8. 1932, Einstein-Archiv ‹75-688›

44 *Gerne im Dunkel:* Entwurf einer Antwort auf die Anfrage von H. Freund vom 17. 1. 1927, zit. n. Rosenkranz (2004), 39

45 *Stiegen prasselnd:* Schwabinger Gemeinde Zeitung 2. 3. 1889

45 *Mit einem Male:* Schwabinger Gemeinde Zeitung 2. 3. 1889

46 *Seine vielgestaltigen:* CP1, LI

47 *Die Transmission:* Höchtl (1934) zit. n. Hettler (1996), 88

48 *Weltliche Kloster:* an Michele Besso 12. 12. 1919, Einstein/Besso S. 147 f.

48 *Die Arbeit an:* Seelig (1956), 12

49 *Sehr gefällt:* an Hans Wohlwend, zwischen 15. 8. u. 3. 10. 1902, CP5, 6

49 *Ein kleines Laboratorium:* an Johannes Stark 14. 12. 1908, CP5, 152

49 *Einen riesigen Erfolg:* an Michele Besso 26. 12. 1911, Einstein/Besso, 42

49   *Die Kerle:* an Michele Besso 4. 2.1912, Einstein/Besso, 47
49   *Ich selbst:* Moszkowski (1922), 175
50   *Ein bischen Technik:* an Rudolf Goldschmidt November 1928, Einstein-Archiv ‹31-071›
50   *Das Legen eines Eis:* von Rudolf Goldschmidt 1928
51   *Als ich nach:* Paul G. Ehrhardt August 1954, zit. n. Fölsing, 448
51   *Ich glaube nicht:* 1. 9.1943, zit. n. Der Spiegel 33/2003, 128
52   *Die A.E.G. interessiert:* an Hans Albert Einstein 31. 3.1928, Einstein-Archiv ‹75-753›
52   *Szilard und ich:* an Hans Albert Einstein 12. 5.1928, Einstein-Archiv ‹75-755›
53   *Während des Oktoberfestes:* Centralblatt für Elektrotechnik 1886, 605
53   *Der milde:* Stadtarchiv München, Oktoberfestzeitung 1884
55   *Das bedeutendste:* zit. n. Hettler (1996), 58
55   *Bei den Einsteins:* Hettler (1996), 184
57   *Gewiss hast auch du:* Einstein (2001), 1
57   *Hast du schon einmal :* Bernstein (1869), Bd. 3, 1
57   *Ein Werk:* Schilpp (1955), 5
58   *Da gab es draußen:* Schilpp (1955), 2
58   *Die bisherige:* Büchner (1888), VIII
59   *Aber, mein verehrter Leser:* Bernstein (1869), Bd. 16, 3
59   *Siegreichen Gang:* Bernstein (1869), Bd. 16, 265
59   *Wie schnell zerrann:* Büchner (1888), 96
60   *Denkende und freiheitsliebende:* Büchner (1888), 111
60   *Die Wahrheit birgt:* Büchner (1888), 504
60   *Nach einer Verallgemeinerung:* Humboldt (1850), 10 f.
60   *Das höchste und letzte Ziel:* Bernstein (1869), Bd. 1, 2
60   *Ob alle nur herstammen:* Bernstein (1869), Bd. 3, 8
61   *Einfachheit ist:* Büchner (1888), 13
61   *Der Schleifstein:* Bernal (1954), 216
61   *Die Zahl:* Humboldt (1850), 146
67   *Gott dauert:* zit. n. Fischer (1995), 172
67   *Am Anfang:* Schilpp (1955), 7
67   *Körper, die in einem Raum:* zit. n. Barnett (1954), 42
67   *Hier ruht:* Hoffmann (1997), 33
68   *Newton, verzeih' mir:* Hoffmann (1979), 291
68   *Seht die Sterne:* 1927?, Einstein-Archiv ‹31-049›
69   *Der Lauf des Mondes:* Bernstein (1869), Bd. 3, 50
70   *Die absolute:* Hoffmann (1997), 47
71   *Reisen wir zu Wasser:* Bernstein (1869), Bd. 16, 11
71   *Im Jahre 1846:* Bernstein (1869), Bd. 16, 1 f.
72   *Ich will Dich nicht:* Bernstein (1869), Bd. 16, 4

72 *Darum: Ehre:* Bernstein (1869), Bd. 16, 10

73 *Das Licht:* Bernstein (1869), Bd. 8, 138

73 *Diesem Gesetz des Lichtes:* Bernstein (1869), Bd. 8, 129

74 *Denken wir uns:* Bernstein (1869), Bd. 17, 92

74 *Jemand, der im Wagen:* Bernstein (1869), Bd. 17, 93

74 *In der kleinen Zeit:* Bernstein (1869), Bd. 17, 95

75 *Aber wie so oft:* Bernstein (1869), Bd. 17, 91

75 *Daß nunmehr jeder Zweifel:* Bernstein (1869), Bd. 19, 22

76 *Wie nun Lichtzeit:* Bernstein (1869), Bd. 19, 5

76 *Physikalische Begriffe:* Calaprice (1999), 146

77 *Daß die von uns betrachteten:* Bernstein (1869), Bd. 5, 101

78 *Wir sehen in diesem Sinne:* Bernstein (1869), Bd. 8, 131

78 *Solche Begebenheiten:* zit. n. Eberty (1925), VIII

79 *Bei der unendlich großen:* Eberty (1925), 9

79 *Allwissenheit Gottes:* Eberty (1925), 10

79 *Denn wenn wir uns:* Eberty (1925), 11

79 *Gemälde:* Eberty (1925), 11 f.

79 *Nicht nur auf den Dielen:* Eberty (1925), 17

80 *Vorhanden ist also:* Eberty (1925), 17

80 *Die Geschichte nicht nur:* Eberty (1925), 26

80 *Es ist klar:* Wells (2002), 6

80 *Die Zeit ist nur:* Eberty (1925), 42

80 *Die Dauer der Zeit:* Eberty (1925), 21

80 *Das Jahr in sechs Monaten:* Eberty (1925), 38

80 *Wir würden:* Eberty (1925), 39

80 *Da wir nämlich:* Eberty (1925), 39

80 *Wir selbst würden uns:* Eberty (1925), 43

82 *Bei mir:* Dukas (1981), 23

83 *Auch keine Haare:* Dukas (1981), 44

84 *Die wenigen Tage:* an Adriaan D. Fokker 30. 7. 1919 CP9, 117

84 *Das Leben fasst uns alle hart an:* an Adriaan D. Fokker 30. 7. 1919 CP9, 117

84 *Die Leute haben keine:* an Adriaan D. Fokker 30. 7. 1919 CP9, 117

84 *Es scheint doch:* an Ardriaan D. Fokker 30. 7. 1919 CP9, 117

86 *Pasadena ist ein Riesengarten:* Einstein-Archiv ‹29-134›, 28

87 *Das ist Fräulein:* zit. n. Grüning (1990), 51

87 *Große, schlanke:* Highfield/Carter (1996), 261

87 *Einstein starb:* Highfield/Carter (1996), 342

89 *Ich war nicht darauf vorbereitet:* Holton (1998), 203

89 *Der Zugang zum Archiv:* Highfield/Carter (1996), 340

94 *Meine Freunde all mich foppen:* 1936, Einstein-Archiv ‹31-178›

98 *Ich vermisse zwei Ärmchen:* an Mileva Marić 9?. 8. 1900, CP1, 253

110   *Du Mädel klein und fein:* Gedicht im Album von Anna Schmidt August 1899, CP1, 220

110   *Nur durch Starke:* an Georg Meyer 7.6.1909, CP5, 199

111   *Seelisches Gleichgewicht:* an Michele Besso 17.11.1909, CP5, 219

111   *Ich hätte gar zu gerne:* von Mileva Einstein-Marić 4.10.1911, CP5, 331

111   *Sowohl für Einsteins Geschick:* Highfield/Carter (1994), 182

111   *Seine Briefe an sie:* Marianoff (1944), 54

112   *Jemand lieb haben:* an Elsa Löwenthal 30.4.1912, CP5, 457

112   *Ich würde etwas drum geben:* an Elsa Löwenthal 23.3.1913, CP5, 518

112   *Er arbeitet unermüdlich:* Trbuhović-Gjurić (1988), 122

112   *Fahrendes Volk:* an Elsa Löwenthal nach dem 22.11.1913, CP5, 570

112   *Wie hübsch wäre es:* an Elsa Löwenthal 16.10.1913, CP5, 561

112   *Unsere Zusammenkünfte:* an Elsa Löwenthal 7.11.1913, CP5, 565

113   *Ich lebe ganz zurückgezogen:* an Heinrich Zangger 7.7.1915, CP8, 145

113   *Meine Frau heult:* an Elsa Löwenthal nach dem 21.12.1913, CP5, 585

113   *Es graut mir davor:* an Elsa Löwenthal nach dem 21.12.1913, CP5, 585

113   *Behandle ich meine Frau:* an Elsa Löwenthal vor dem 2.12.1913, CP5, 573

113   *Bis jetzt:* an Elsa Löwenthal 27.12.1913 bis 4.1.1914, CP5, 587

114   *A. Du sorgst dafür:* Memorandum für Mileva Einstein-Marić, ca. 18.7.1914, CP8, 44

115   *Das äusserst wohlthuende:* an Michele Besso 12.2.1915, CP8, 91

115   *Wir Männer sind:* an Michele Besso 21.7.1916, CP8, 316 f.

115   *Wenn sie auch manchmal:* an Hans Albert Einstein 5.2.1927, Einstein-Archiv ‹75-738›

116   *Sie hatte sich, entweder aus Trägheit:* Vallentin (1955), 136

116   *Zum Schicksal meiner Mutter:* Margot Einstein in: Grüning (1990), 457

116   *Sie hat sich in seinen Schatten:* Vallentin (1955), 86

117   *Sprich von dir:* zit. n. Highfield/Carter (1996), 243

117   *Mein Mann schnarcht:* Grüning (1990), 42

117   *Einen für weibliche Geschmäcker:* an Elsa Löwenthal nach dem 2.12.1913, CP5, 574

117   *Dienstliches:* an Elsa Löwenthal nach dem 22.11.1913, CP5, 570 f.

117   *In der Wahl:* János Plesch an Peter Plesch 18.5.1955, Notes Rec. Soc. Lond. 49 (2) 303–328 (1995), 309

118   *Einstein liebte Frauen:* zit. n. Highfield/Carter (1996), 256

118   *Ich habe immer gefühlt:* Marianoff (1944), 189

        Herr Professor: Herneck (1978), 124

118   *Bevor ich auch nur:* Stern (2001), 142

118   *Die Österreicherin:* Herneck (1978), 124

119   *Wenn sie kam:* Herneck (1978), 123

119   *Ihre Liebe war unteilbar:* Grüning (1990), 159

119   *Er wirkte auf Frauen:* Grüning (1990), 158
119   *Die Ehe ist der erfolglose Versuch:* zit. n. Highfield/Carter (1996), 260
119   *Eine Sklaverei:* zit. n. Highfield/Carter (1996), 259
119   *Die Ehe ist bestimmt:* zit. n. Renn (1994), 68
119   *Ein Unterfangen:* an Vero Besso und Frau Bice 21.3.1955, Einstein/Besso (1972), 538
120   *Dem Reinen:* zit. n. Highfield/Carter (1996), 272 ??
120   *Gestern plötzlich:* Ilse Einstein an Georg Nicolai 22.5.1918, CP8, 769 ff.
120   *Grund: Erhaltung:* an Ilse und Margot Einstein 17.8.1919, CP9, 132
120   *Von den Frauen:* an Fritz Haber, September 1920 zit. n. Fölsing (1993), 555
121   *Wir können nicht umhin:* Trbuhović-Gjurić (1988), 95
121   *Alles was ich geschaffen:* Trbuhović-Gjurić (1988), 94
121   *Wie glücklich:* an Mileva Marić 27.3.1901, CP1, 282
122   *Führt zur Schlussfolgerung:* Stachel (2001), 39
122   *Sehr neugierig bin ich:* an Mileva Marić 30.4.1901, CP1, 295
122   *Ich hab ihm:* an Mileva Marić Mai? 1901, CP1, 300
124   *Dieser Einstein:* Seelig (1960), 55
124   *Ich bin ja eine Last:* an Maja Einstein 1898, CP1, 211
124   *Als lustiger Fink:* an Alfred Stern 3.5.1901, CP1, 296
124   *In väterlicher:* an Alfred Stern 3.5.1901, CP1, 296
124   *Für Menschen meiner Art:* Seelig (1956), 12
124   *So lernte ich:* Seelig (1956), 10
125   *Es ist eigentlich:* Schilpp (1955), 6
125   *Ich sah:* Schilpp (1955), 6
125   *Mit großer Meisterschaft:* an Mileva Marić 16.2.1898, CP1, 212
126   *Mit Fleiß und Eifer:* Seelig (1956), 10
126   *‹Schwänzte› ich viel:* Seelig (1956), 10
126   *Daß alle Naturkräfte:* zit. n. Helferich (1985), 228
127   *Jede Woche einmal:* Seelig (1956), 11
127   *Er ist zwar ein arger:* an Mileva Marić 4.4.1901, CP1, 285
128   *Die Beziehung entspricht:* Moszkowski (1922), 52 f.
129   *Meine zwei wertlosen:* an Johannes Stark 7.12.1907, CP5, 79
130   *Kannst Dir vorstellen:* Mileva Marić an Helene Savić 20.12.1900, CP1, 273
130   *Auf seine Irrtümer:* an Mileva Marić Mai? 1901, CP1, 303
130   *Der für die Erbärmlichkeit:* an Mileva Marić 7?.7.1901, CP1, 308
130   *Der wackre Schwabe:* an Mileva Marić 14?.8.1900, CP1, 254
130   *Was diese Philister:* an Mileva Marić 17.12.1901, CP1, 326
130   *Da mir das doch wenig hilft:* an Michele Besso 22?.1.1903, CP5, 11
131   *Bald werde ich:* an Mileva 4.4.1901, CP1, 285
131   *Wir bleiben Student:* an Mileva Marić 12.12.1901, CP1, 324
131   *Wieder einige Stellenjägereien:* an Mileva Marić 15.4.1901, CP1, 291

454 Zitatnachweise

179 *Ich habe hier:* an Marcel Grossmann 27.4.1911, CP5, 294
179 *Mit ziemlich guter:* an Hans Tanner 24.4.1911, CP5, 293
179 *Die Tintenscheisserei:* an Alfred und Clara Stern 17.3.1912, CP5, 432
179 *Prag ist übrigens:* an Michele Besso 13.5.1911, CP5, 295
180 *Ein lebendiges Kunstwerk:* an Heinrich Zangger 15.11.1911, CP5, 349
180 *Positives:* an Michele Besso 26.12.1911, Einstein/Besso (1972), 40
181 *Er ist kein Lehrer:* zit. n. Fölsing (1993), 330 f.
181 *Vor zwei Tagen:* an Alfred und Clara Stern 2.12.1912, CP5, 402
182 *Zusammenfassend:* Vorschlag für Einsteins Aufnahme in die Preußische Akademie der Wissenschaften, CP5, 527
183 *Längstens nächstes Frühjahr:* an Elsa Löwenthal 14?.7.1913, CP5, 534
183 *Der regelmässige Verkehr:* an Elsa Löwenthal 19.7.1913, CP5, 536
183 *Ostern gehe ich:* an Jakob Laub 22.7.1913, CP5, 538
183 *Wenn ich daran denke:* an die Preußische Akademie der Wissenschaften 7.12.1913, CP5, 582
183 *Die Herren Berliner:* zit. in Seelig (1956), 30
184 *Der Versuchung:* zit. n. Fölsing (1993), 385
184 *Die Akademie erinnert:* an Familie Hurwitz 4.5.1914, CP8, 17
185 *Wo ich geh:* 1927, Einstein-Archiv ‹31-052›
186 *Die Welt:* Einstein (1993), 66
187 *Wir gingen:* an Elsa Einstein 30.7.1914, CP8, 50
187 *Den letzten Kuss:* an Elsa Einstein 30.7.1914, CP8, 50
188 *Ich habe gestern:* an Elsa Einstein 30.7.1914, CP8, 50
188 *Drei Stunden:* an Elsa Einstein 26.7.1914, CP8, 47
188 *Heute Nacht:* an Elsa Einstein 26.7.1914, CP8, 47
188 *So eine Sache:* an Elsa Einstein 26.7.1914, CP8, 47
188 *Du l. Elschen:* an Elsa Einstein 30.7.1914, CP8, 51
188 *Das Leben ohne meine Frau:* an Heinrich Zangger, ca. 10.4.1915, CP8, 118
188 *Es ist mir zu Mute:* an Heinrich Zangger, ca. 10.4.1915, CP8, 118
188 *Von einem kameradschaftlichen:* an Mileva Einstein-Marić, ca. 18.7.1914, CP8, 45
189 *Begreift auch vollkommen:* an Elsa Einstein 26.7.1914, CP8, 52
189 *Sie ist und bleibt:* an Helene Savić 8.9.1916, CP8, 337
189 *Lebendigen Plage:* an Elsa Einstein nach dem 3.8.1914, CP8, 54
189 *Wunder an Takt:* an Elsa Einstein 30.7.1914, CP8, 51
190 *Nun werde ich:* an Elsa Einstein 30.7.1914, CP8, 51 f.
190 *Es ist nicht Mangel:* an Elsa Einstein nach dem 3.8.1914, CP8, 54
190 *Mein Leben hier:* an Heinrich Zangger 28.5.1915, CP8, 134
190 *Lebe ich ruhig:* an Heinrich Zangger 24.8.1916, CP8, 331
190 *Ich döse ruhig:* an Paul Ehrenfest 19.8.1914, CP8, 56
191 *Der emotionale Preis:* CP8, xli
191 *Ich nicht beabsichtige:* an Mileva Einstein-Marić 18.8.1914, CP8, 55

205 *Für 40 M:* an Mileva Einstein-Marić 23.5.1918, CP8, 772
205 *Deinen Brief mit:* an Michele Besso 9.7.1918, CP8, 831
205 *Sehr leid:* an Michele Besso vor dem 28.6.1918, CP8, 816
205 *Mein Lieber Tetel:* an Eduard Einstein vor dem 28.6.1918, CP8, 817
205 *Ich liege am Gestade:* an Max Born nach dem 29.6.1918, CP8, 818
206 *Wie viel einfacher:* an Hans Albert Einstein nach dem 29.6.1918, CP8, 819 f.
206 *Sehr glücklich:* an Michele Besso 29.7.1918, CP8, 835
206 *Der Albert fängt schon:* an Heinrich Zangger vor dem 11.8.1918, CP8, 850
206 *Hans Albert behandelte:* Michelmore (1968), 72
206 *Ich bin eigentlich froh:* an Eduard Einstein 17.4.1926, Einstein-Archiv ‹75-654›
207 *Der Kleine ist:* von Heinrich Zangger vor dem 11.8.1918, CP8, 851
207 *Ich bin vollständig:* an Mileva Einstein-Marić, ca. 9.11.1918, CP8, 938 f.
207 *Es ist richtig:* zit. n. CP8, 974
208 *Leider liegt:* an Hans Albert Einstein 13.6.1919, Einstein-Archiv ‹75-709› CP9, 90
208 *Drei Tage Aufenthalt:* an Pauline Einstein 9.8.1919, CP9, 130
208 *Es ist daher notwendig:* an Mileva Einstein-Marić 15.10.1919, Einstein-Archiv ‹75-725› CP9, 196
208 *Unser Geld:* an Paul Ehrenfest 1.3.1920, CP9, 457
208 *Durch Wohnungstausch:* an Mileva Einstein-Marić 16.11.1919, Einstein-Archiv ‹75-728› CP9, 234
208 *Dort ist ein gutes:* an Mileva Einstein-Marić und Familie o. D., Einstein-Archiv ‹75-728›
208 *Zu bedenken:* an Mileva Einstein-Marić 20.7.1938, Einstein-Archiv ‹75-949›
208 *Es scheint uns:* an Mileva Einstein-Marić 5.12.1919, CP9, 270
208 *Ich habe sehr Sehnsucht:* an Mileva Einstein-Marić 16.11.1919, Einstein-Archiv ‹75-728› CP9, 235
209 *Großes Tier:* an Hans Albert Einstein 27.2.1920, CP9, 453
209 *Ich habe auch:* an Hans Albert Einstein 27.2.1920, CP9, 453
209 *Schreibt mir bald:* an Hans Albert und Eduard Einstein 26.3.1920, CP9, 486
209 *Wer weiß, ob ich:* an Hans Albert Einstein 5.4.1920, CP9, 496
209 *Erkundige Dich:* an Hans Albert Einstein 4.7.1920, Einstein-Archiv ‹75-733›
209 *Für die Zukunft:* an Mileva Einstein-Marić 23.7.1920, Einstein-Archiv ‹75-734›
209 *Es thut mir auch oft weh:* an Eduard Einstein 20.8.1920, Einstein-Archiv ‹75-735›
209 *Albert ist ein Prachtkerl:* an Mileva Einstein-Marić 1933, Einstein-Archiv ‹75-723›
210 *Liebe Mama!:* Eduard Einstein an Mileva Einstein-Marić 1933?, Einstein-Archiv ‹75-724›

210 *Ich bin Dir dafür dankbar:* an Mileva Einstein-Marić 28.8.1921, Einstein-Archiv ‹75-721›

210 *Du kannst Dir denken:* an Eduard Einstein 15.7.1923, Einstein-Archiv ‹75-627›

210 *Bei Tete ist es:* an Mileva Einstein-Marić 14.8.1925, Einstein-Archiv ‹75-963›

210 *Tete ist lang:* an Maja Winteler-Einstein 14.9.1925, Einstein-Archiv ‹29-402›

211 *Es thut mir sehr leid:* an Mileva Einstein-Marić 1925?, Einstein-Archiv ‹75-719›

212 *L.A. Ich danke Dir:* von Mileva Einstein-Marić o. Datum, Einstein-Archiv

213 *Leidet er offenbar:* an Mileva Einstein-Marić 14.8.1925, Einstein-Archiv ‹75-963‹

213 *Ich will Dich nicht:* an Mileva Einstein-Marić 5.5.1928, Einstein-Archiv ‹75-754›

213 *Alles kommt daher:* an Hans Albert Einstein 23.2.1927, Einstein-Archiv ‹75-739›

213 *Zur Verhütung:* an Hans Albert Einstein 7.9.1926, Einstein-Archiv ‹75-657›

214 *Die Verschlechterung der Rasse:* an Eduard Einstein 23.2.1927, Einstein-Archiv ‹75-748›

214 *Ich sehe in ihm:* an Mileva Einstein-Marić Sommer 1929, Einstein-Archiv ‹75-776›

214 *Denn man ist doch:* an Eduard Einstein 17.4.1926, Einstein-Archiv ‹75-654›

214 *Albert ist ein gutmütiger:* an Eduard Einstein 27.7.1932, Einstein-Archiv ‹75-670›

214 *Wenn ich Dich tierähnlich:* an Eduard Einstein 23.12.1927, Einstein-Archiv ‹75-748›

215 *Die schöpferische:* an Mileva Einstein-Marić Sommer 1926?, Einstein-Archiv ‹75-651›

215 *So ging mirs:* an Eduard Einstein 10.7.1929?, Einstein-Archiv ‹75-782›

215 *Nur aussergewöhnlich:* an Eduard Einstein vor dem 2.12.1931, Einstein-Archiv ‹75-984›

215 *Wenn Du einmal:* an Eduard Einstein 8.10.1932, Einstein-Archiv ‹75-668›

215 *Eine innere Verwandtschaft:* an Eduard Einstein vor dem 14.3.1929, Einstein-Archiv ‹75-779›

215 *Du scheinst Dich:* an Eduard Einstein o. Datum, Einstein-Archiv ‹75-993›

215 *Ich weiss, was ich selber:* an Eduard Einstein 1935?, Einstein-Archiv ‹75-662›

216 *Man muss sich:* an Eduard Einstein 24.1.1930, Einstein-Archiv ‹75-992›

216 *In einer Beziehung:* an Eduard Einstein 5.2.1930, Einstein-Archiv ‹75-990›

216 *Ich bin zwar auch:* an Eduard Einstein o. Datum, Einstein-Archiv ‹75-988›

216 *Du wirst überhaupt:* an Mileva Einstein-Marić 1926?, Einstein-Archiv ‹75-656›

216 *Ein grosses Schwein:* an Maja Winteler-Einstein 14.9.1925, Einstein-Archiv ‹29-410›

216 *Das mit Albert:* an Mileva Einstein-Marić 1926?, Einstein-Archiv ‹75-655›
216 *Er schrieb mir neulich:* an Mileva Einstein-Marić 1926?, Einstein-Archiv ‹75-651›
217 *Er bringt Dich:* an Mileva Einstein-Marić 1926?, Einstein-Archiv ‹75-656›
217 *Wie miserabel:* an Mileva Einstein-Marić 11.1.1928, Einstein-Archiv ‹75-697›
217 *Ich bin schon zufrieden:* an Mileva Einstein-Marić 15.10.1926, Einstein-Archiv ‹75-658›
217 *Sie ist auch für andere:* an Mileva Einstein-Marić 1927?, Einstein-Archiv ‹75-676›
217 *Wenn Du mir noch:* an Hans Albert Einstein Februar 1927, Einstein-Archiv ‹75-738›
217 *Sehr respektlos:* zit. n. Herneck (1978), 50
217 *Da ein schweres:* an Hans Albert Einstein 31.3.1928, Einstein-Archiv ‹75-753›
218 *Ich war nahe:* an Michele Besso 5.1.1929, Einstein/Besso (1972), 241
218 *Du musst es begreifen:* an Hans Albert Einstein 6.10.1932, Einstein-Archiv ‹75-787›
218 *Nur ein:* Vallentin (1955), 89
218 *Lieber Tetel! Deine beiden:* an Eduard Einstein 30.8.1932, Einstein-Archiv ‹75-686›
219 *Plötzlich kamen:* Vallentin (1955), 185 f.
219 *Es ist mir besonders:* an Eduard Einstein 7.9.1932, Einstein-Archiv ‹75-666›
219 *Du wirst selbst:* von Hans Albert Einstein 1932?, Einstein-Archiv ‹75-684›
220 *Du wirfst mir vor:* an Hans Albert Einstein 5.11.1932, Einstein-Archiv ‹75-685›
220 *Albert werde ich:* an Mileva Einstein-Marić 29.4.1944, Einstein Archiv ‹75-678›
220 *Lieber Albert! Ich habe:* an Hans Albert Einstein 30.5.1933, Einstein-Archiv ‹75-663›
221 *Meine Trotzeinstellung:* an Maja Winteler-Einstein 15.6.1933, Einstein-Archiv ‹75-962›
221 *Vor etwa 14 Tagen:* an Hans Albert Einstein 4.1.1937, Einstein-Archiv ‹75-926›
221 *In unserem Alter:* zit. n. Seelig (1956), 45
221 *Liebe Kinder!:* an Hans Albert und Frieda Einstein 7.1.1939, Einstein-Archiv ‹75-904›
221 *Ich freue mich:* an Hans Albert und Frieda Einstein 1941?, Einstein-Archiv ‹75-906›
221 *Das Eveli entwickelt:* Hans Albert Einstein an Mileva Einstein-Marić 26.7.1942, Einstein-Archiv ‹75-813›
221 *Jetzt ist es:* Hans Albert Einstein an Mileva Einstein-Marić 23.7.1942, Einstein-Archiv ‹75-956›

221 *Bei mir ist ein:* an Hans Albert Einstein 24.6.1947, Einstein-Archiv ‹75-808›

222 *Wenn ich irgendwo esse:* an Hans Albert Einstein o. Datum, Einstein-Archiv ‹75-831›

222 *Ich möchte nicht gern:* an Mileva Einstein-Marić 7.9.1949, Einstein-Archiv ‹75-845›

222 *Bedenke aber:* an Hans Albert Einstein 7.6.1948, Einstein-Archiv ‹75-958›

222 *Ich finde die Idee:* an Hans Albert Einstein 14.6.1948, Einstein-Archiv ‹75-835›

222 *Ich begreife völlig:* an Hans Albert Einstein 4.8.1948, Einstein-Archiv ‹75-836›

222 *Ich schreibe Dir:* an Hans Albert Einstein 26.12.1948, Einstein-Archiv ‹75-837›

222 *Es sind Verwachsungen:* an Hans Albert Einstein 2.3.1949, Einstein-Archiv ‹75-835›

222 *Geburtstagshagelwetter:* an Hans Albert und Frieda Einstein 18.3.1949, Einstein-Archiv ‹75-829›

223 *Es ist doch zu schön:* Maja Winteler-Einstein an Eduard Einstein 19.11.1944, Einstein-Archiv ‹75-806›

223 *Ich freue mich jeden Tag:* Maja Winteler-Einstein an Theresia Mutzenbecher 15.7.1946, zit. n. Highfield/Carter (1996), 306

223 *Montag Nachmittag:* an Hans Albert und Frieda Einstein 27.6.1951, Einstein-Archiv ‹75-794›

223 *Ich habe eine hartnäckige:* an Hans Albert Einstein 28.12.1954, Einstein-Archiv ‹75-917›

223 *Es ist mir eine Freude:* an Hans Albert Einstein 11.5.1954, Einstein-Archiv ‹75-918›

224 *Der sowieso:* an Mileva Einstein-Marić 1928?, Einstein-Archiv ‹75-783›

224 *Wird eben immer:* an Mileva Einstein-Marić 4.6.1932, Einstein-Archiv ‹75-672›

224 *Nimm den Jungen:* von Michele Besso 18.9.1932, Besso/Einstein (1972), 286

224 *Gräme Dich nicht:* an Eduard Einstein 8.10.1932, Einstein-Archiv ‹75-668›

224 *Er ist deprimiert:* an Maja Winteler-Einstein o. Datum, Einstein-Archiv ‹29-415›

224 *Aufgedunsen:* Maja Winteler-Einstein an Theresia Mutzenbecher 20.4.1934, zit. n. Highfield/Carter (1996), 295

224 *Ich lebe jetzt:* an Eduard Einstein 25.5.1937, Einstein-Archiv ‹75-933›

224 *Gestern abend:* von Michele Besso 19.6.1937, Besso/Einstein (1972), 316

225 *Das Gesicht Ihres Sohnes:* Carl Seelig an Albert Einstein, zit. n. Highfield/Carter (1996), 315

225 *Schon zur Zeit:* zit. n. Huonker (2003), 222

225 *Sicher ist:* zit. n. Huonker (2003), 223

462   Zitatnachweise

226 *Denkst Du gar:* an Mileva Einstein-Marić 1934, Einstein-Archiv ‹75-969›

226 *Es ist jammerschade:* an Michele Besso 11.11.1940, Besso/Einstein (1972), 352

226 *Für unbedingt:* an Mileva Einstein-Marić 22.12.1946, Einstein-Archiv ‹75-846›

226 *Studiere er daran herum:* zit. n. Huonker (2003), 223

226 *Es liegt da eine Hemmung:* an Carl Seelig 4.1.1954, zit. n. Highfield/Carter (1996), 316

227 *Streicht ums Haus:* zit. n. Huonker (2003), 223

227 *Er trug ein blaues:* zit. n. Huonker (2003), 223 f.

227 *Ahnt, wie ich einsam:* zit. n. Huonker (2003), 224

228 *Papa, warum:* zit. n. Grüning (1990), 438

228 *Kein Wissenschaftler:* zit. n. Infeld (1969), 81

230 *Als alter Freund:* zit. n. Bührke (2004), 90

234 *Einen vom Dache:* Entwurf eines Artikels für «Nature» nach dem 22.1.1920, CP7, 265

234 *Lässt der Beobachter:* Entwurf eines Artikels für «Nature» nach dem 22.1.1920, CP7, 265

235 *Er hat das Recht:* Entwurf eines Artikels für «Nature» nach dem 22.1.1920, CP7, 265

241 *Großmann, Du musst:* zit. n. Seelig (1956), 27

246 *Dass ich in Göttingen:* an Heinrich Zangger, 24.7.–7.8.1915, CP8, 154

247 *Entweder sind:* an Erwin Freundlich 30.9.1915, CP8, 178

247 *In meiner Suppe:* an David Hilbert 7.11.1915, CP8, 191

247 *Axiomatische Lösung:* von David Hilbert 13.11.1915, CP8, 195

247 *Die Andeutungen:* an David Hilbert 15.11.1915, CP8, 199

248 *Das Vertrauen:* Sitzungsbericht d. Königl. Preuß. Akad. d. Wiss. 4.5.1915, CP6, 215

249 *Perihelbewegungen:* an Michele Besso 17.11.1915, CP8, 201

249 *Ich war einige Tage:* an Paul Ehrenfest 17.1.1916, CP8, 244

250 *Früher hat man geglaubt:* zit. n. Frank (2002), 179

252 *Aber nur ein Kollege:* an Heinrich Zangger 26.11.1915, CP8, 205

253 *Es ist objektiv schade:* an David Hilbert 20.12.1915, CP8, 222

255 *Deshalb war ich:* Entwurf eines Artikels für «Nature» nach dem 22.1.1920, CP7, 260

255 *Man kann also sagen:* Entwurf eines Artikels für «Nature» nach dem 22.1.1920, CP7, 278

260 *Die größten Körper:* zit. n. GEO (11/2002), 61

260 *Die Trägheit:* an Karl Schwarzschild 9.1.1916, CP8, 240 f.

261 *Ich habe auch wieder:* an Paul Ehrenfest 4.2.1917, CP8, 386

261 *Wenn ich dass alles:* an Willem de Sitter 1.11.1916, CP8, 358

263 *Das λ-Glied:* von Willem de Sitter 18.4.1917, CP8, 435

263   *Wir haben von der Welt*: von Willem de Sitter 1. 4. 1917, CP8, 428

264   *Unsere ‹Glaubensdifferenz›*: von Willem de Sitter 18. 4. 1917, CP8, 434

265   *Wir können uns den Beginn*: Nature 9. 5. 1931, zit. n. Bührke (2004), 149

274   *Da könnt' mir halt*: zit. n. Calaprice (1999), 140

276   *Ich danke Ihnen*: an J. Cattell 18. 12. 1936, Einstein-Archiv ‹65-603›

280   *Frau Haber hat sich*: an Mileva Einstein-Marić 15. 5. 1915, CP8, 129

280   *Was Fritz in diesen*: Clara Haber an Richard Abegg 25. 4. 1909, zit. n. Stern (2001), 77

280   *Frühen Fall*: zit. n. Stern (2001), 121

281   *In einer Art Manhattan*: zit. n. Stern (2001), 119

281   *Solange ich mich*: zit. n. Moszkowski (1922), 174

281   *Tragische Figur*: zit. n. Grüning (1990), 179

282   *Leider ist Habers*: an Elsa Löwenthal nach dem 2. 12. 1913, CP5, 574

282   *Wenn ein Haufe*: an Hendrik A. Lorentz 1. 8. 1919, CP9, 121

282   *Der heute tobende*: Mitte Oktober 1914, CP6, 70

283   *Unglaubliches*: an Paul Ehrenfest 19. 8. 1914, CP8, 56

283   *Ich döse ruhig*: an Paul Ehrenfest 19. 8. 1914, CP8, 56

283   *Der Entschluss*: an Paul Ehrenfest Anfang Dezember 1914, CP8, 63

283   *Ich fange nun an*: an Heinrich Zangger ca. 10. 4. 1915, CP8, 116 f.

283   *Mein Leben hier ideal*: an Heinrich Zangger 28. 5. 1915, CP8, 134

283   *Traurigen internationalen*: an Hendrik A. Lorentz, 23. 1. 1915, CP8, 83

283   *Die internationale Katastrophe*: an Paul Ehrenfest Anfang Dezember 1914, CP8, 63

284   *Meine Meinung*: Manuskript für den Goethe-Bund 23. 10.–11. 11. 1915, CP6, 211

284   *Unser ganzer gepriesene*: an Heinrich Zangger 6. 12. 1917, CP8, 562

284   *Dies Land*: an Romain Rolland 22. 8. 1917, CP8, 505

285   *Fiel aus wegen*: Vorlesungsnotizen 11. 10. 1918–Februar 1919, CP7, 90

286   *Genossen und*: Redemanuskript 13. 11. 1918, CP7, 123

286   *Ich muß Dir übrigens*: an Max Born 27. 1. 1920, CP9, 387

286   *Oben persönlicher*: an Henri Barbusse 6. 6. 1932, zit. n. Grüning (1990), 395

286   *Wer seinen Kopf*: zit. n. Grüning (1990), 245

286   *Die sozialen*: zit. n. Vallentin (1950), 115

286   *Ich geniesse den Ruf*: an Michele Besso 4. 12. 1918, CP8, 959

287   *Etwas Grosses*: an Michele Besso 4. 12. 1918, CP8, 958

287   *Wenn England*: an Arnold Sommerfeld 6. 12. 1918, CP8, 963

287   *Ich bin überzeugt*: an Max Born 4. 6. 1919, CP9, 85

287   *Einstein wurde*: FAZ 5. 10. 1981

287   *Das grösste äussere*: an Paul Winteler und Maja Winteler-Einstein 11. 11. 1918, CP8, 945

288   *Drollig sind*: an Michele Besso 4. 12. 1918, CP8, 959

288 *Das Unglück:* an Heinrich Zangger 24.12.1919, CP9, 326

288 *Zum Namen:* zit. n. Holton (1998), 153

288 *Ich werde nämlich:* an Heinrich Zangger 24.12.1919, CP9, 326

290 *Nicht nur ohne Zorn:* zit. n. Moszkowski (1922), 27

291 *Auf die geschmacklosen:* an Wilhelm Wien 17.10.1916, CP8, 344

291 *Darauf hinzuweisen:* Dt. Phys. Ges. Verhandlungen 30.12.1918, CP7, 127

291 *Zugeben, daß:* Die Naturwissenschaften 29.11.1918, CP7, 119

292 *Es wäre richtiger:* an Hendrik A. Lorentz 15.11.1919, CP9, 232

292 *Das Zeitungsgewäsch:* an Heinrich Zangger 15. oder 22.12.1919, CP9, 307

292 *Eine andere drollige:* an Heinrich Zangger 15. oder 22.12.1919, CP9, 306

292 *Tumultszenen:* 8-Uhr-Abendblatt 13.2.1920, CP7, 285

292 *Ich habe mich:* 8-Uhr-Abendblatt 13.2.1920, CP7, 285

292 *Eben kommt:* an Heinrich Zangger 13.2.1920, CP9, 428

292 *Das Land gleicht:* an Aurel Stodola 31.3.1919, CP9, 28

294 *Germanen, uns wagt:* Morus 27.8.1920, zit. n. Grundmann (2004), 162

294 *Über die:* Berliner Tageblatt 27.8.1920, CP7, 345

294 *Den Beweis dafür:* Berliner Tageblatt 31.8.1920

295 *Ich bewundere:* Berliner Tageblatt 27.8.1920, CP7, 345

295 *Wenigstens von einigen:* von Paul Ehrenfest 2.9.1920 zit. n. Fölsing (1993), 523

295 *Die leider sehr:* von Hedi Born 8.9.1920, Einstein/Born (1982), 58

295 *Liebe Borns!:* an Max und Hedi Born 9.9.1920, Einstein/Born (1982), 59

295 *Dies musste ich:* an Paul Ehrenfest vor dem 10.9.1920, CP7, FN 43, 107

296 *Sein Einfluß:* Tägliche Rundschau 26.8.1920

296 *Entrüstet:* Berliner Tageblatt 31.8.1920

296 *Wir sollten einen solchen:* zit. n. Grundmann (2004), 167

296 *Die politische:* an Marcel Grossmann 27.2.1920, CP9, 449

296 *Im ersten Augenblick:* an Max und Hedi Born 9.9.1920, Einstein/Born (1982), 59

296 *Mit einer geradezu:* Deutsche Allgemeine Zeitung 25.9.1920 Morgenausgabe, CP7, FN 52, 109

297 *Lenard: Ich bewege mich:* Berliner Tageblatt 24.9.1920 CP7, 358

297 *Unter der Leitung:* Deutsche Zeitung, zit. n. CP7, FN 63, 110

298 *Sein lebhaftes Bedauern:* Berliner Tageblatt 25.9.1920, Morgenausgabe, CP7, FN 57, 110

299 *Liegt glatter Volksverrat:* Staatsbürger-Zeitung 9.1.1921

299 *Denn ich soll:* an Max Planck 6.7.1922, zit. n. Grundmann (2004), 176

299 *So weit sind wir:* von Max Planck an Max von Laue 9.7.1922, zit. n. Hermann (1996), 281

299 *Viele und sehr angesehene:* zit. n. CP7, FN 76, 113

300 *Eine Form:* Grundmann (2004), 182

300 *Bedürfnis:* Grundmann (2004), 184

300   *Der guten deutschen Sache:* zit. n. Grundmann (2004), 237

301   *Er ist ein Jude:* Daily Mail, zit. n. Grundmann (2004), 200 f.

302   *Ewig grauen Mantel:* zit. n. Grundmann (2004), 214

302   *Die ganze Diskussion:* Vossische Zeitung 6. 4. 1922

302   *Dieser Deutsche:* Berliner Tageblatt 12. 4. 1922

302   *Hier, wo der Weizen:* zit. n. Grundmann (2004), 214 f.

303   *Es unterliegt:* zit. n. Grundmann (2004), 220

304   *Wie roh und primitiv:* an Elsa Löwenthal nach dem 2. 12. 1913, CP5, 574

304   *Seine Reise durch Japan:* zit. n. Grundmann (2004), 231

305   *Einstein ist:* zit. n. Grundmann (2004), 274

305   *Über die schweizerische:* zit. n. Grundmann (2004), 276

305   *Erst 1919 drang:* an Mileva Einstein-Marić 20. 7. 1938, Einstein-Archiv ‹75-949›

306   *Den Beamteneid:* zit. n. Grundmann (2004), 278

306   *Gegen diese Auffassung:* zit. n. Grundmann (2004), 281

306   *Jetzt keinen Schritt:* von Max Planck 10. 11. 1923 zit. n. Fölsing (1993), 620

306   *Die politischen:* an Michele Besso 24. 5. 1924, Einstein/Besso (1972), 202

307   *Seine reichlich:* zit. n. Grundmann (2004), 264

307   *Hielt sich:* zit. n. Grundmann (2004), 260

307   *Drollige Gesellschaft:* Reisetagebuch 17. 4. 1925

309   *In der letzten Zeit:* an M. Pierre Comert 21. 3. 1923, zit. n. Grundmann (2004), 296

309   *Das lahmste Unternehmen:* Nathan/Norden (1975), 129

310   *Ich zweifle:* an Michele Besso 21. 10. 1932, Einstein/Besso (1972), 290

310   *Lasset Euch führen:* an die Kinder des Erziehungsheimes «Mopr» 27. 3. 1929, zit. n. Grundmann (2004), 409

310   *Ich verehre:* zit. n. Grundmann (2004), 410

310   *Verehrte An- und Abwesende!:* Ansprache 22. 8. 1930, zit. n. Grundmann (2004), 381

311   *Militärische Ausbildung:* Nathan/Norden (1975), 130 f.

311   *Wissen Sie:* 20. 7. 1930 zit. n. Pais (1998), 228

311   *Welchen Nutzen:* zit. n. Grüning (1990), 259

311   *Selbst wenn nur:* zit. n. Fölsing (1993), 718

311   *Von verbrecherischer Naivität:* Romain Rolland an Stefan Zweig 15. 9. 1933, zit. n. Grundmann (2004), 433

311   *Im Prinzip:* 4. 11. 1931 zit. n. Dukas (1981), 81

311   *Solange ich:* zit. n. Grüning (1990), 198 f.

312   *Abtreibung:* an die Weltliga für Sexualreformen 6. 9. 1929, zit. n. Grüning (1990), 305 f.

312   *Ich muss nämlich:* an Alfons Goldschmidt 21. 8. 1931, zit. n. Grüning (1990), 357

312   *Unberechenbaren Konflikts:* an Henri Barbusse 20. 4. 1932, zit. n. Grüning (1990), 386

466   Zitatnachweise

312 *Ich würde mich niemals:* an Henri Barbusse 20.4.1932, zit. n. Grüning (1990), 387

312 *Wer es zulässt:* zit. n. Grüning (1990), 254

313 *Dass es wahrscheinlich:* zit. n. Grüning (1990), 198

313 *Gibt es eine:* zit. n. Pais (1998), 246 f.

313 *Unter den heutigen:* zit. n. Nathan/Norden (1975), 245

314 *Einstein ist:* Romain Rolland an Stefan Zweig 15.9.1933, zit. n. Grundmann (2004), 433

314 *Europa vor:* Kölnische Zeitung 30.3.1933

314 *Heute entschloss:* Reisetagebuch 6.12.1931, Einstein-Archiv ‹29-136›

314 *Ich bitte Sie:* an Max Planck 17.7.1931, zit. n. Grüning (1990), 353

315 *Die durch meine Stellung:* an die Preuß. Akad. d. Wiss. 28.3.1933, zit. n. Grundmann (2004), 442

315 *Meinung, daß durch:* Protokoll der Sitzung des Plenums der Akad. d. Wiss. vom 30.3.1933, zit. n. Grundmann (2004), 167

315 *Die Preußische:* Presseerklärung der Akad. d. Wiss. 1.4.1933, zit. n. Kirsten/Treder (1979), 248

315 *Er war einer:* Max von Laue an Heinrich von Ficker 11.7.1947, zit. n. Kirsten/Treder (1979), 274

315 *Der Hausknecht:* Deutsche Tageszeitung 1.4.1933

315 *Es hätte den Nazis:* Max von Laue an Heinrich von Ficker 11.7.1947, zit. n. Kirsten/Treder (1979), 273

316 *Dort aber bin:* an Mileva Einstein-Marić 29.4.1933, Einstein-Archiv ‹75-678›

316 *Scharlatan:* Großdeutscher Pressedienst 4.2.1934, zit. n. Grundmann (2004), 434

316 *Bin ich in den deutschen:* an Maja Winteler-Einstein 1933, Einstein-Archiv ‹29-416›

316 *Ich muss jetzt doch:* an Max Planck 6.4.1933, zit. n. Nathan/Norden (1975), 233 f.

317 *Es ist doch kein:* an Fritz Haber 8.8.1933, zit. n. Fölsing (1993), 752

317 *Deren Bedeutung:* Protokoll der Sitzung des Plenums der Akad. d. Wiss. vom 11.5.1933, zit. n. Kirsten/Treder (1979), 267

318 *In mangelhaftem:* New York Times 4.10.1933

318 *Leitenden Staatsmännern:* Rede 3.10.1933, zit. n. Pais (1998), 254

318 *Einer der großen:* Hermann (1996), 407

318 *Kalte, barbarische:* zit. n. Grüning (1990), 286

319 *Dass Ihre frühere Liebe:* an Fritz Haber 8.8.1933, zit. n. Fölsing (1993), 752

322 *Heute denke ich:* an Max und Hedi Born 9.9.1920, Einstein/Born (1982), 59

322 *Ich mich wie eine Art:* an Maja Winteler-Einstein 1926, Einstein-Archiv ‹29-403›

322 *Für die unvergesslichen:* zit. n. Seelig (1998), 105

322   *Er merkt sehr wohl:* Vallentin (1955), 11
323   *Auch Chaplin:* zit. n. Grüning (1990), 105
323   *Mir ist sogar:* Vallentin (1955), 11
323   *Die Menschen sind:* Grüning (1990), 496
323   *Jeder Schritt:* zit. n. Grüning (1990), 265
323   *Vor ihrer Tür:* Vallentin (1955), 88
323   *Erlebt, dass unentwegt:* zit. n. Grüning (1990), 35
323   *Maler und Fotografen:* zit. n. Grüning (1990), 36
323   *Der eine schreibt:* zit. n. Grüning (1990), 155
324   *Anstelle von faselnden:* Vallentin (1955), 175
324   *Ein für Einstein:* zit. n. Grüning (1990), 450
324   *Die Menschen:* zit. n. Hermann in: Jb. Preuß. Kulturbesitz VIII (1970), 90 f.
324   *Die Relativitätstheorie:* zit. n. Grüning (1990), 33
325   *Er stand der Gesellschaft:* Vallentin (1955), 24
325   *Ich sehe aber im allgemeinen:* an Mileva Einstein-Marić 1930?, Einstein-Archiv ‹75-985›
326   *Prototyp eines:* zit. n. Grüning (1990), 169
326   *Man erklärte ihm:* Vallentin (1955), 24
327   *Er sah immer so aus:* zit. n. Grüning (1990), 141
327   *Zuerst fast immer:* zit. n. Herneck (1978), 27
328   *Ich bin doch:* zit. n. Herneck (1978), 58
328   *Herr Professor:* zit. n. Herneck (1978), 114
328   *Dieses dicke:* zit. n. Grüning (1990), 239
328   *Einen elektrischen:* an Maja Winteler-Einstein 1928/29, Einstein-Archiv ‹29-406›
329   *Das Zimmer soll nur:* zit. n. Grundmann (2004), 371
329   *Tische, Stühle:* zit. n. Grüning (1990), 239
329   *Geliebt wie ein Junge:* zit. n. Grüning (1990), 211
329   *Das neue Schiff:* an Mileva Einstein-Marić 4.7.1929, Einstein-Archiv ‹75-784›
330   *Bescheiden, wie er ist:* zit. n. Grüning (1990), 75
330   *Es sollte braungebeizt:* zit. n. Grüning (1990), 42
330   *Dann kann ich gleich:* zit. n. Grüning (1990), 54
330   *Ihre Zeichnungen:* zit. n. Grüning (1990), 55
331   *Welches allen Anforderungen:* zit. n. Grundmann (2004), 375
331   *Die Blamage:* Berliner Tageblatt 14.5.1929
331   *Das Haus wird gebaut:* zit. n. Grüning (1990), 123
331   *Ich will kein Haus:* zit. n. Grüning (1990), 78
332   *Ich will doch nicht:* zit. n. Grüning (1990), 130
332   *Diese neue:* zit. n. Holton (1998), 152
333   *Keine der künstlerischen:* Gardner (1996), 162
333   *Der Mann, der das Weltbild:* zit. n. Grüning (1990), 241

468   Zitatnachweise

333   *Er war nicht in der Lage:* zit. n. Grüning (1990), 237
333   *Betrachtung moderner:* zit. n. Grüning (1990), 241
333   *Bauwerk, das sozusagen:* Proust (1981), 85
334   *Eine Minute ist so lang:* Mann (2002), 102 f.
334   *Ich nahm meine Uhr:* Faulkner (1973), 108 f.
334   *Ein beeindruckender:* zit. n. Grüning (1990), 152
335   *Wann immer das Gespräch:* zit. n. Grüning (1990), 206
336   *Ich fand, dass:* zit. n. Grüning (1990), 461
336   *Einstein geigte:* zit. n. Herneck (1978), 68
336   *Hatte einen Strich:* zit. n. Herneck (1978), 129
336   *Der Dilettant hat:* zit. n. Calaprice (1999), 225
337   *Die Musik wirkt:* zit. n. Calaprice (1999), 225
337   *Als eine Art illegitimen:* zit. n. Seelig (1952), 113
337   *Was ich zu Bach's:* zit. n. Rosenkranz (2004), 177
337   *Mozarts Musik:* zit. n. Calaprice (1999), 225
338   *Jeder Besitz:* zit. n. Seelig (1956), 37
338   *Männer Weib:* Vorrede Gästebuch Caputh 4.5.1930, Einstein-Archiv ‹31-067›
339   *Ich glaube, dass alle:* zit. n. Grüning (1990), 216
339   *Das Segelschiff:* zit. n. Grüning (1990), 312
339   *Dieses Paradies:* zit. n. Grüning (1990), 475
339   *Vielleicht ziehe:* an Hans Albert Einstein 5.6.1929, Einstein-Archiv ‹75-777›
340   *Er ist:* zit. n. Grüning (1990), 515
342   *Dann hinunter zur Tempelmauer:* Reisetagebuch 3.2.1923, Einstein-Archiv ‹29-129› – ‹29-131›
342   *Professor Einstein:* zit. n. Fölsing (1993), 607
342   *Das Herz sagt ja:* Reisetagebuch 13.2.1923, Einstein-Archiv ‹29-129› – ‹29-131›
342   *Das Land:* an Maurice Solovine, Pfingsten 1923, Einstein (1960), 44
343   *War ich mir meines Judentums:* Jüdische Rundschau 21.6.1921, CP7, 428
343   *Eine mittelalterlich:* an Hedwig Born 8.9.1916, CP8, 336
343   *In den Schoß Abrahams:* Paul Ehrenfest an Tatiana Ehrenfest 25.2.1912, CP5, FN3, 254
343   *In der Familie:* CP1, LIX
343   *Ein inniges Religionsgefühl:* CP1, LIX
343   *Sich genau selbst:* CP1, LX
344   *Zum ersten Mal:* Reiser (1930), 30
344   *Täthlichen Angriffen:* zit. n. Fölsing (1993), 29, CP9 ??
344   *Künstlich zwei Bürgerklassen:* zit. n. Hettler (1996), 155
344   *Im Alter von 12 Jahren:* Schilpp (1955), 1 f.
344   *Der mir in deutschen Ländern:* an Mileva Marić 27.3.1901, CP1, 282

345 *Mein Schatz:* Mileva Marić an Helene Savić, Nov./Dez. 1901, CP1, 320

345 *Mache ich nicht:* an Marcel Grossmann 3.1.1908, CP5, 84

345 *Gerade den Israeliten:* zit. n. Fölsing (1993), 288

345 *Das Ministerium:* zit. n. Fölsing (1993), 310

346 *Judenfrage:* Nachama (Hg.) (2001), 106

346 *Als ihre Pflicht:* Nachama (Hg.) (2001), 90

347 *Ich habe und kenne:* zit. n. Charpa/Grunwald (1993), 133

347 *In dieser Stunde:* Nachama (Hg.) (2001), 129

347 *Gab den Juden:* Nachama (Hg.) (2001), 129

347 *Noch eine Art:* Times 28.11.1919

348 *Hier ist starker:* an Paul Ehrenfest 4.12.1919, CP9, 268

348 *Die Zuwanderung:* Berliner Tageblatt 30.12.1919, Morgenausgabe, CP7, 238

348 *Den Antisemitismus:* an Max Born 9.11.1919, Einstein/Born (1982), 36

348 *Daß die Juden:* Jüdische Rundschau 21.6.1921, CP7, 427f.

349 *Ich habe die würdelose:* Jüdische Rundschau 21.6.1921, CP7, 428

349 *Bestandteil:* Grüning (1990), 261

349 *Central-Vereins:* Israelitisches Wochenblatt für die Schweiz 24.9.1920, CP7, 303

349 *Zuerst aber müßte:* Israelitisches Wochenblatt für die Schweiz 24.9.1920, CP7, 303

350 *Den Nichtjuden:* Seelig (1998), 117

350 *Menschen eines:* Seelig (1998), 116f.

350 *Alle Juden:* Seelig (1998), 117

350 *Der bedauernswerte:* Seelig (1998), 105

350 *Haber und Einstein:* Stern (2001), 68

350 *Die jüdische Solidarität:* Vallentin (1955), 209

351 *Die große Tragödie:* Vallentin (1955), 211

351 *Das Hauptunglück:* an Max Born 22.3.1943, Einstein/Born (1982), 169

351 *Die meisten:* an Michele Besso 28.5.1921, Einstein/Besso (1972), 163

351 *Sie opfern:* von Fritz Haber 9.3.1921, zit. n. Fölsing (1993), 573

351 *Mich braucht man:* an Fritz Haber 9.3.1921, zit. n. Fölsing (1993), 571

351 *Dollars betteln:* Einstein (1960), 26

351 *Bleibt das schöne:* an Michele Besso 28.5.1921, Einstein/Besso (1972), 163

352 *Mein größtes:* Jüdische Rundschau 1.7.1921, CP7, 439

352 *Ich bin nun:* Reisetagebuch 9.11.1922

352 *Ich gebe auch zu:* Grüning (1990), 321

352 *Wie weit die Juden:* an Edward M. Freed 11.7.1932, zit. n. Grüning (1990), 321

353 *Einstein. Erfand:* zit. n. Grundmann (2004), 432

353 *Das Tragische:* zit. n. Vallentin (1955), 211

353 *Ein mit einer Jüdin:* an Michele Besso 8.8.1938, Einstein/Besso (1972), 321

353 *Seh' ich meine:* Einstein-Archiv ‹31-324›

470 Zitatnachweise

353 Was die Juden: Einstein (1993), 245
354 Meinem Gefühl: Rede vor dem National Labor Committee 17. 4. 1938, zit. n. Calaprice (1997), 106
354 Der Zionismus: zit. n. Calaprice (1999), 108
354 Das Ziel des Kampfes: Radiosendung für die Konferenz des United Jewish Appeal 27. 11. 1949, Einstein-Archiv ‹58-904›
354 Ohne Verständigung: an Michele Besso 4. 9. (oder 11.) 1929, Einstein/Besso (1972), 255
354 Die Beziehung: an Abba Eban 18. 11. 1952, Einstein-Archiv ‹48-943›
354 Wenn ich Präsident: an Margot Einstein o. D., zit. n. Calaprice (1999), 110
355 Das Erlebnis: Seelig (1998), 12
355 Wenn ein Jude sagt: zit. n. Grüning (1990), 260
355 Einen Gott: Seelig (1998), 12
355 Der jüdische Gott: Seelig (1998), 101
356 Demut ist: zit. n. Grüning (1990), 471
356 Dieses realistische: Infeld (1969), 56
356 Ich bin nicht: zit. n. Gardner (1996), 164
356 Was mich am meisten: zit. n. Fischer (1996), 206
357 Wissenschaft ohne: zit. n. Pais (1998), 164
357 Jedem tiefen: Moszkowski (1922), 58
357 Wenn ich etwas hassen: an Eduard Einstein o. D., Einstein-Archiv ‹75-987›
357 Glauben Sie: zit. n. Hermann (1996), 338
357 Ich glaube: Hoffmann (1979), 114
357 In der Natur: Spinoza (1987), 55
357 Das Weltbild: Seelig (1956), 90
357 Im Alter: Seelig (1956), 58
358 In Raumpunkten: CP2, 151
358 Ich habe hundertmal: zit. n. Calaprice (1999), 152
362 Unser gegenwärtiges: zit. n. Görnitz (1999), 125
362 Meine Grübeleien: an Mileva Marić März 1899, CP1, 216
362 Gegen die Studien: an Mileva Marić 4. 4. 1901, CP1, 284
362 Akt der Verzweiflung: zit. n. Zeilinger (2003), 16
363 Eine mathematische: zit. n. Kragh (1999), 62
363 Während der ersten: Kragh (1999), 66
363 Über die neueren: CP2, FN97, 147
363 Einen überwundenen: CP2, 147
363 Selbständige Gebilde: CP2, 148
363 Wir können im Hinblick: CP3, FN36, XXIII
364 Die Quantentheorie: an Jakob Laub 16. 3. 1910, CP5, 232
364 Ob diese Quanten: an Michele Besso 13. 5. 1911, Einstein/Besso (1972), 19 f.
364 Die sogen. Quantentheorie: 3. 11. 1911, CP3, 550

364   *Die ganze Geschichte:* an Heinrich Zangger 15.11.1911, CP5, 349

364   *Die h-Krankheit:* an Hendrik A. Lorentz 23.11.1911, CP5, 360

364   *Die meisten:* CP3, XXVIII

365   *Das sind die Verrückten:* Frank (2002) 98

365   *Daß er in seinen:* CP5, 527

365   *Das Quant stand:* Hoffmann (1979), 203

365   *Die elektromagnetische:* zit. n. Kragh (1999), 53

366   *Dies ist die höchste:* Hoffmann (1979), 206

367   *Eine verblüffend:* an Michele Besso 11.8.1916, Einstein/Besso (1972), 79

367   *Ausstrahlung:* CP6, 396

367   *Damit sind die:* an Michele Besso 6.9.1916, Einstein/Besso (1972), 82

369   *Nicht oft im Leben:* zit. n. Hoffmann (1979), 209

369   *Das mit der Kausalität:* an Max Born 27.1.1920, Einstein/Born (1982), 44

369   *Physikalisch-philosophisches:* an Max Born 27.1.1920, Einstein/Born (1982), 119

369   *Der Gedanke:* an Max und Hedi Born 29.4.1924, Einstein/Born (1982), 118

370   *Von Grund auf:* Kragh (1999), 159

372   *Ich muß mich oft:* von Max Born 15.7.1925, Einstein/Born (1982), 121

372   *Neue Arbeit:* von Max Born 15.7.1925, Einstein/Born (1982), 121

374   *Die Quantenmechanik ist:* an Max Born 27.1.1920, CP9, 387

374   *Die Bewegung der:* Max Born 1926, zit. n. Fölsing (1993), 664f.

776   *Einfluß der Meßapparate:* zit. n. Görnitz (1999), 137f.

377   *Ist nicht die ganze:* zit. n. Fölsing (1993), 542

377   *Gleichzeitig Zuschauer:* Barnett (1955), 145

379   *Schachspielartig:* Paul Ehrenfest 3.11.1927, zit. n. Pais (1986), 454

380   *Der große anfängliche:* an Max Born 7.9.1944, Einstein/Born (1982), 204

380   *Die ganzen 50 Jahre:* an Michele Besso 12.12.1951, Einstein/Besso (1972), 453

380   *Ob Gott würfelt:* zit. n. Fischer (1996), 177

380   *Ich möchte sogar:* zit. n. Fischer (1996), 178

382   *Einstein hat sich:* Wolfgang Pauli an Werner Heisenberg 15.6.1935, zit. n. Fölsing (1993), 783f.

382   *Es gibt auch noch:* zit. n. Hoffmann (1979), 276

385   *Das Gegenteil:* zit. n. Zeilinger (2003), 173

387   *Aber das Beste:* an Michele Besso 5.1.1929, Einstein/Besso (1972), 240

387   *Standpunkt:* zit. n. Hoffmann (1979), 276

388   *Nach unablässigem:* zit. n. Hoffmann (1979), 266

388   *Das sieht altertümlich:* an Michele Besso 5.1.1929, Einstein/Besso (1972), 240

393   *Die Suche war:* zit. n. Hoffmann (1979), 268

393   *Es bleibt diesen:* von Wolfgang Pauli 19.12.1929, zit. n. Fölsing (1993), 688

393   *Leider können wir:* Les Prix Nobel 1921–1922, Stockholm 1923, 9

393   *Jetzt wissen wir:* Daily Chronicle 26.1.1929, zit. n. Fölsing (1993), 687

394   *Wer es unternimmt:* Seelig (1998), 118

394   *Albert arbeitet:* Elsa Einstein an Hedwig Born 13.9.1930, zit. n. Fölsing (1993), 697

394   *In diesem Jahr:* an Michele Besso 8.8.1938, Einstein/Besso (1972)

394   *Ich arbeite wie ein Rasender:* zit. n. Fölsing (1993), 805

395   *Ich betrachte es:* an Michele Besso 8.8.1938, Einstein/Besso (1972), 527

396   *Sie kommen:* Reisetagebuch 29.12.1930, Einstein-Archiv ‹29-135›

396   *Nun durch Menschenmenge:* Reisetagebuch 29.12.1930, Einstein-Archiv ‹29-135›

397   *Neuen Kolumbus:* Princeton Alumni Weekly 11.5.1921

397   *Blickte Einstein:* New York Times 3.4.1921

397   *Früher hat man:* Frank (2002), 179

398   *Fast auf dem ganzen Weg:* New York Times 3.4.1921

398   *Die New Yorker:* zit. n. Brian (1996), 123

398   *Euer Führer:* zit. n. Brian (1996), 124

398   *Einstein hier:* Chicago Daily Tribune 13.5.1921

399   *Typischen Professor:* The Cleveland Press 25.5.1921

399   *Nach Einstein regieren:* New York Times 8.7.1921

400   *Dr. Einstein wird seine:* New York Times 11.7.1921

400   *Gefühl der Dankbarkeit:* Berliner Tageblatt Juli 1921, zit. n. Pais (1998), 204

400   *Er war nie glücklich:* PBS-Video «A. Einstein – How I see the world», 1995

401   *Auf zwei Einwohner:* Reisetagebuch 29.12.1930, Einstein-Archiv ‹29-135›

401   *Zu Fuss geht:* Reisetagebuch 7.1.1931, Einstein-Archiv ‹29-135›

401   *Wunderbar sind:* Reisetagebuch 7.1.1931, Einstein-Archiv ‹29-135›

401   *Die Nahrungsmittel:* an Familie Lebach 16.1.1931

401   *Die Sorge um:* Nathan/Norden (1975), 138 f.

402   *Zu dem Filmzaren:* Reisetagebuch 8.1.1931, Einstein-Archiv ‹29-135›

403   *Mir applaudieren:* zit. n. Jerome (2003), 22

403   *Zuerst schloss:* Reisetagebuch 15.5.1931, Einstein-Archiv ‹29-142›

403   *Angegafft wird:* Reisetagebuch vor dem 15.6.1931, Einstein-Archiv ‹29-134›

404   *Ausbrüche:* Bericht des Deutschen Generalkonsulats in New York 21.3.1931, Kirsten/Treder (1979), 237

404   *Man merkt, dass man:* an Königin Elisabeth von Belgien 9.2.1931, zit. n. Dukas/Hoffmann (1981), 47

404   *Um Europa erfreulich:* an Michele Besso 5.6.1925, Einstein/Besso (1972), 204

404   *Eine fade und öde:* an Paul Ehrenfest 3.4.1932, zit. n. Fölsing (1993), 730

405   *Nicht einmal Stalin:* zit. n. Jerome (2003), 7

405   *Welcher Partei:* New York Times 6.12.1932, zit. n. Sayen (1985), 7 f.

406   *Noch nie habe:* Seelig (1998), 51 f.

407   *Denn beim Menschen:* an Eduard Einstein 5.2.1930, Einstein-Archiv ‹75-990›

407   *Einsteins erste:* zit. n. Brian (1996), 252

474 Zitatnachweise

417 *Professor Einstein ist in:* The Tablet 14. 5. 1938
418 *Daran habe ich:* zit. n. Pais (1998)
418 *Man hat mir:* Vallentin (1955), 256
419 *Einige ... neue Arbeiten:* an Franklin D. Roosevelt 2. 8. 1939, Einstein-Archiv ‹33-088›
419 *Seit dem Ausbruch:* an Franklin D. Roosevelt 7. 3. 1940, zit. n. Nathan/Nordon (1975), 314
419 *Daß man nunmehr:* Moszkowski (1922), 48
420 *Ein solches Maß:* Moszkowski (1922), 45
420 *Sämtliche Bombardements:* Moszkowski (1922), 46
420 *Einsteins wundersame:* Moszkowski (1922), 49
420 *Es wäre denkbar:* zit. n. Sexl/Hardy (2002), 76 f.
421 *Physiker erwägen Möglichkeit:* Washington Post 29. 4. 1939
421 *Einsteins Villa:* Jerome (2003), 39
422 *Man merkt:* an Maja Winteler-Einstein 1937, Einstein-Archiv ‹29-424›
422 *Im Hinblick:* Jerome (2003), 39
422 *Ich bin neugierig:* an Hans Albert Einstein 1943?, Einstein-Archiv ‹75-832›
423 *Geborenen Gegenspieler:* Thomas Mann an Agnes E. Meyer 24. 1. 1941, Erika Mann (1965), 188
423 *Wir müssen hart:* New York Times 30. 12. 1941
423 *Andere Zeiten:* zit. n. Pais (1998), 263
424 *Die Deutschen als:* Einstein (1993), 254
424 *Übernationale Regierung:* an Niels Bohr 12. 12. 1944, zit. n. Fölsing (1993), 807
424 *Hiermit möchte ich:* Nathan/Nordon (1975), 318
425 *Der Welt zuerst:* zit. n. Kragh (1999), 269
425 *Eine gute Sache:* zit. n. Jerome (2003), 58
425 *Der Japse hat:* zit. n. Jerome (2003), 59
427 *Der Krieg ist gewonnen:* Einstein (1993), 134
427 *Die Dinge quantitativ:* Nathan/Nordon (1975), 357 f.
427 *Ausgeführt wurde:* zit. n. Jerome (2003), 56
427 *Sicher, dass Präsident:* zit. n. Jerome (2003), 56
427 *Wenn ich gewußt hätte:* Vallentin (1955), 262
427 *Ich denke, ich habe:* zit. n. Brian (1996), 420
428 *Lieber Albert!:* an Hans Albert 2. 9. 1945, Einstein-Archiv ‹75-790›
428 *Ich betrachte mich:* zit. n. Pais (1998), 297
428 *Weltzerstörer Einstein:* zit. n. Pais (1998), 292
428 *Einstein, der Mann:* Newsweek 10. 3. 1947
428 *Wir halfen bei:* Vallentin (1955), 262
429 *Den hiesigen besonders:* an Hans Albert 18. 2. 1946 oder 1947, Einstein-Archiv ‹75-790›
429 *God's own country:* an Hans Albert 25. 8. 1947, Einstein-Archiv ‹75-844›

429 *Mehr Furcht:* Vallentin (1955), 270
429 *Die vorgeschlagene:* zit. n. Nathan/Nordon (1975), 476
429 *Das Geheimnis der Bombe:* zit. n. Pais (1998), 297
429 *Neue Kriege:* New York Times 15.9.1945
430 *Diese Waffe:* Einstein (1993), 133 f.
430 *Dass die Vereinigten Staaten:* zit. n. Jerome (2003), 93
430 *Auf Einstein lasten:* Vallentin (1955), 279
430 *Bricht er immer:* Vallentin (1955), 280
432 *Abrüsten oder sterben:* zit. n. Jerome (2003), 156
432 *Ich habe einen Fehler:* zit. n. Jerome (2003), 171
433 *Ich bin so schon ziemlich:* an Michele Besso 12.12.1951, Einstein/Besso (1972), 453 f.
433 *Die meisten der:* an Max Born 12.5.1952, Einstein/Born 1982, 257
434 *Ich habe dieses Land:* Seelig (1952), 180
434 *Professor Einstein mit einem deutschen:* Weltwoche Nr.20/04, 51
434 *Dass ich nicht jenen Menschen:* Weltwoche Nr.20/04, 52
434 *Die Schweiz keinen Finger:* an Hans Albert Einstein 3.2.1936, Einstein-Archiv ‹75-976›
435 *Die Schweizer haben:* an Mileva Marić 21.7.1937, Einstein-Archiv ‹75-938›
435 *Ich sehe offengestanden:* Dukas (1979), 290 f.
436 *Einen Feind Amerikas:* zit. n. Jerome (2003), 240
437 *Sie sollten:* zit. n. Jerome (2003), 240
437 *Von den Vereinigten:* zit. n. Jerome (2003), 240
437 *Kräfte des:* New York Times 13.6.1953
438 *Nach allem, was:* Grundmann (2004), 615
438 *Alles hier erinnert:* zit. n. Weltwoche Nr.20/04, 51
439 *Teil der alten:* zit. n. New York Times 24.4.2004
439 *Liebe Hanne:* alle Fantova-Zitate aus ihrem unveröffentlichten Tagebuch, Princeton Library
440 *Alles, auch:* an Hans Albert Einstein 28.12.1954, Einstein-Archiv ‹75-917›
440 *Ich habe selber den Neid:* an Hans Albert Einstein o. D., Einstein-Archiv ‹75-800›
441 *Einfach aus:* an Otto Hahn 28.1.1949, zit. n. Fölsing (1993), 816
441 *Nichts mehr mit Deutschen:* an Arnold Sommerfeld 14.12.1945, zit. n. Fölsing (1993), 815
441 *Dass ein selbstbewusster:* an Theodor Heuss 16.1.1951, zit. n. Fölsing (1993), 816
442 *Der Teufel zählt:* an Maurice Solovine 27.2.1955, Einstein (1960), 138
442 *An die unsterbliche:* an Maurice Solovine 3.4.1953, Einstein (1960), 124
443 *Lieber, geistesgewaltiger:* von Michele Besso, Einstein/Besso (1972) 27.10.1949, 420

476 Zitatnachweise

443   *Alter Freund bin:* an Michele Besso 12.12.1951, Einstein/Besso (1972), 453
443   *Nun ist er mir:* an Vero Besso und Michele Bessos Schwester 21.3.1955, Einstein/Besso (1972), 538
443   *Dass ein Wasserstoffbombenkrieg:* zit. n. Nathan/Nordon (1975), 629
444   *Zuerst hatte ich:* zit. n. Einstein/Born 1982, 310
444   *Ich habe meine:* Seelig (1956), 86
445   *Liebe Nachwelt:* Rosenkranz (2004), 215

Quellen und Literatur

Albert Einstein: «Gesammelte Schriften», Bd. 1 bis 9 (versch. Hg.) – abgek. CP1 – CP9, Princeton University Press

Einstein-Archiv, Hebrew University, Jerusalem
Einstein Papers Project, California Institute of Technology
Archiv der Max-Planck-Gesellschaft, Berlin
Nachlass von Ernst Gehrcke, Max-Planck-Institut für Wissenschaftsgeschichte, Berlin
Pressearchiv Spiegel-Verlag, Hamburg
Pressearchiv Gruner & Jahr, Hamburg
Zeitungsarchiv der Staatsbibliothek, Berlin

Interviews (Name, Ort des Gesprächs):
Dr. Markus Aspelmeyer, Wien; Dr. Peter Aufmuth, Hannover; Prof. John Beckman, Teneriffa; Erika Britzke, Caputh; Alice Calaprice, Princeton; Evelyn Einstein, Berkeley; Paul Einstein, Ulm; Prof. Gerd Graßhoff, Bern; Dr. Thomas Harvey, Princeton; Prof. Dieter Hoffmann, Berlin; Prof. Michel Janssen, Minneapolis; Prof. Diana Kormos-Buchwald, Pasadena; Dr. Christoph Lehner, Berlin; Dr. Ulrich Müller PD, Berlin; Prof. Peter Plesch; Prof. Jürgen Renn, Berlin; Zeév Rosenkranz, Jerusalem; Dr. Tilman Sauer, Pasadena; Prof. Ursula Staudinger, Berlin; Prof. Robert Schulmann, Bethesda Md.; Prof. Thomas Thiemann, Waterloo; Prof. Hans-Jürgen Treder, Potsdam; Philip Walther, Wien; Milena Wazeck, Berlin; Anton Zeilinger, Wien

Verwendete Literatur:

Abraham, Carolyn, «Possessing Genius», New York 2003
Atkins, Peter, «Galileo's Finger», New York 2003
Auerbach, Felix, «Raum und Zeit, Materie und Energie», Leipzig 1921

Bachelard, Gaston, «Die Bildung des wissenschaftlichen Geistes», Frankfurt/M. 1987

Balibar, Françoise, «Einstein – Decoding the Universe», New York 2001

Barnett, Lincoln, «Einstein und das Universum», Frankfurt/M.–Hamburg 1954

Bartusiak, Marcia, «Einsteins Unfinished Symphony», Washington, D. C. 2000

Baumgart, I. u. a. (Hg.), «Albert Einstein in Berlin 1913–1993 Teil II», Berlin 1979

Bernal, J. D., «Science in History» (Vol. 1, 2, 3), Cambrige MA 1971

Bernstein, Aaron, «Naturwissenschaftliche Volksbücher», Berlin 1869

Bernstein, Jeremy, «Albert Einstein», München 1975

Bodanis, David, «Bis Einstein kam», Frankfurt/M. 2003

Born, Max, «Die Relativitätstheorie Einsteins», Berlin 1921

Brecht, Bertolt, «Leben des Galilei», Frankfurt/M. 1963

Brian, Denis, «Einstein – a Life», New York 1996

Brod, Max, «Tycho Brahes Weg zu Gott», Bochum o. J.

Büchner, Ludwig, «Kraft und Stoff», Leipzig 1888

Bucky, Peter A., «Der private Albert Einstein», Düsseldorf–Wien 1993

Bührke, Thomas, «Albert Einstein», München 2004

Calaprice, Alice (Hg.), «Einstein sagt», München 1999

Calder, Nigel, «Einstein's Universe», New York 1990

Charpa, Ulrich, u. Grunwald, Armin, «Albert Einstein», Frankfurt/M.–New York 1993

Clark, Ronald W., «Albert Einstein – Leben und Werk», München 1976

Cohen, I. Bernard, «The Birth of a New Physics», New York–London 1985a

Cohen, I. Bernard, «Revolution in Science», Cambridge MA–London 1985b

Deutsch, David, «Die Physik der Welterkenntnis», München 2002

Dukas, Helen, u. Hoffmann, Banesh (Hg.), «Albert Einstein – Briefe», Zürich 1981

Eberty, Felix, «Die Gestirne und die Weltgeschichte», Berlin 1925

Einstein, Albert, «Briefe an Maurice Solovine», Berlin 1960

Einstein, Albert, «Aus meinen späten Jahren», Frankfurt/M.–Berlin 1993

Einstein, Albert, «Über die spezielle und die allgemeine Relativitätstheorie», Berlin–Heidelberg–New York 2001

Einstein, Albert, u. Besso, Michele, «Correspondance 1903–1955», Paris 1972

Einstein, Albert, u. Born, Max, «Briefwechsel 1916–1955», Frankfurt/M. 1982

Einstein, Albert, u. Infeld, Leopold, «Die Evolution der Physik», Reinbek 2002

Epstein, Lewis C., «Relativitätstheorie – anschaulich dargestellt», Basel–Boston–Berlin 1988

Faulkner, William, «Schall und Wahn», Zürich 1973

Ferris, Timothy, «The Whole Shebang», New York 1997

Feyerabend, Paul, «Wider den Methodenzwang», Frankfurt/M. 1983

Fischer, Ernst-Peter, «Einstein – Ein Genie und sein überfordertes Publikum», Berlin–Heidelberg–New York 1996

Fischer, Klaus, «Einstein», Freiburg 1999
Flückiger, Max, «Albert Einstein in Bern», Bern 1974
Fölsing, Albrecht, «Albert Einstein», Frankfurt/M. 1993
Frank, Philipp, «Einstein – His Life and Times», Cambridge MA 2002
Friedman, Alan J., u. Donley, Carol C., «Einstein as Myth and Muse», Cambridge 1985
Fritzsch, Harald, «Eine Formel verändert die Welt», München 1997
Galison, Peter, «Einsteins Uhren, Poincarés Karten», Frankfurt/M. 2003
Gardner, Howard, «So genial wie Einstein», Stuttgart 1996
Geier, Manfred, «Kants Welt», Reinbek 2003
Gleick, James, «Isaac Newton», New York 2003
Gloy, Karen, «Das Verständnis der Natur», München 1995
Goenner, Hubert, «Einsteins Relativitätstheorien», München 1997
Görnitz, Thomas, «Quanten sind anders», Heidelberg–Berlin 1999
Gott, J. Richard, «Time Travel in Einstein's Universe», Boston–New York 2001
Greene, Brian, «Das elegante Universum», Berlin 2003
Grundmann, Siegfried, «Einsteins Akte», Berlin–Heidelberg–New York 2004
Grüning, Michael, «Ein Haus für Albert Einstein», Berlin 1990
Hawking, Stephen, «Einsteins Traum», Reinbek 1999
Hawking, Stephen, «Eine illustrierte kurze Geschichte der Zeit», Reinbek 1999
Hejlek, Ossi, «Albert Einstein für Einsteiger», Wien–Köln–Weimar 1999
Helferich, Christoph, «Geschichte der Philosophie», Stuttgart 1985
Hermann, Armin, «Einstein – Der Weltweise und sein Jahrhundert», München 1996
Herneck, Friedrich, «Einstein und sein Weltbild», Berlin 1976
Herneck, Friedrich, «Einstein privat», Berlin 1978
Herneck, Friedrich, «Albert Einstein», Leipzig 1980
Hettler, Nicolaus, «Die Elektrotechnische Firma J. Einstein u. Cie. in München 1876–1894», Diss. Stuttgart 1996
Highfield, Roger, u. Carter, Paul, «Die geheimen Leben des Albert Einstein», München 1996
Hoffmann, Banesh, «Einsteins Ideen», Heidelberg–Berlin–Oxford 1997
Hoffmann, Banesh, u. Dukas, Helen, «Einstein – Schöpfer und Rebell», Frankfurt/M. 1979
Holton, Gerald, «Einstein, die Geschichte und andere Leidenschaften», Braunschweig 1998
Holton, Gerald, u. Elkana, Yehuda (Hg.), «Albert Einstein – Historical and Cultural Perspectives», Mineola–New York 1997
Horgan, John, «The End of Science», New York 1997

Humboldt, Alexander von, «Kosmos – Entwurf einer physischen Weltbeschreibung», Stuttgart 1850

Huonker, Thomas, «Diagnose: ‹moralisch defekt›», Zürich 2003

Infeld, Leopold, «Albert Einstein – His Work and Its Influence on Our World», New York 1950

Infeld, Leopold, «Leben mit Einstein», Wien–Frankfurt/M.–Zürich 1969

Jerome, Fred, «The Einstein File», New York 2003

Kaku, Michio, «Einstein's Cosmos», New York–London 2004

Karamanolis, Stratis, «Albert Einstein – Mythos und Realität», München 1991

Kirsten, Christa, u. Treder, Hans-Jürgen, (Hg.), «Albert Einstein in Berlin 1913–1993 Teil I», Berlin 1979

Kragh, Helge, «Quantum Generations», Princeton 2002

Kuhn, Thomas S., «Die Struktur wissenschaftlicher Revolutionen», Frankfurt/M. 1981

Kuznecov, B. G., «Einstein», Berlin 1979

Levenson, Thomas, «Einstein in Berlin», New York 2003

Lightman, Alan, «Einstein's Dreams», New York 1994

Livio, Mario, «The Accelerating Universe», New York 2000

Maddox, John, «What Remains to Be Discovered», New York 1998

Mann, Erika (Hg.), «Thomas Mann, Briefe 1933–1947», Berlin–Weimar 1965

Mann, Katia, «Meine ungeschriebenen Memoiren», Frankfurt/M. 2000

Mann, Klaus und Erika, «Escape to Life», Reinbek 1996

Mann, Thomas, «Der Zauberberg», Frankfurt/M. 2002

Marianoff, Dimitri, «Einstein – An Intimate Study of a Great Man», Garden City NY 1944

Melcher, Horst, «Einstein wider Vorurteile und Denkgewohnheiten», Berlin 1979

Michelmore, Peter, «Albert Einstein – Genie des Jahrhunderts», Hannover 1968

Miller, Arthur I., «Einstein, Picasso», New York 2001

Moszkowski, Alexander, «Einstein», Berlin 1922

Nachama, Andreas u. a. (Hg.), «Juden in Berlin», Berlin 2001

Nathan, Otto, u. Norden, Heinz (Hg.), «Albert Einstein – Über den Frieden», Bern 1975

Overbye, Dennis, «Einstein in Love», New York 2000

Pais, Abraham, «Raffiniert ist der Herrgott», Braunschweig 1986

Pais, Abraham, «Ich vertraue auf Intuition», Heidelberg–Berlin–Oxford 1998

Panek, Richard, «The Invisible Century», New York 2004

Parker, Barry, «Einstein – The Passions of a Scientist», New York 2003

Paterniti, Michael, «Unterwegs mit Mr. Einstein», Reinbek 2001

Pfeiffer-Belli, Wolfgang (Hg.), «Harry Graf Kessler – Tagebücher», Frankfurt/M. 1996

Pickover, Clifford A., «Time – A Traveler's Guide», New York–Oxford 1998
Proust, Marcel, «In Swanns Welt», Frankfurt/M. 1953
Pyenson, Lewis, «The Young Einstein», Bristol–Boston 1985
Radkau, Joachim, «Das Zeitalter der Nervosität», Darmstadt 1998
Reichinstein, David, «Albert Einstein – sein Lebensbild und seine Weltanschauung», Prag 1935
Reiser, Anton (Pseud. f. Rudolf Kayser), «Albert Einstein – A Biographical Portrait», New York 1930
Renn, Jürgen, u. a., «Albert Einstein: Alte und neue Kontexte in Berlin», Berlin 1998
Renn, Jürgen, u. Schulmann, Robert (Hg.), «Am Sonntag küss' ich Dich mündlich», München 1994
Rosenkranz, Zeév, «The Einstein Scrapbook», Baltimore–London 2002
Rosenkranz, Zeév, «Albert Einstein privat und ganz persönlich», Zürich–Bern 2004
Sayen, Jamie, «Einstein in America», New York 1985
Schilpp, Paul Arthur (Hg.), «Albert Einstein als Philosoph und Naturforscher», Stuttgart 1955
Seelig, Carl, «Albert Einstein und die Schweiz», Zürich–Stuttgart–Wien 1952
Seelig, Carl (Hg.), «Helle Zeit – dunkle Zeit», Zürich–Stuttgart–Wien 1956
Seelig, Carl, «Albert Einstein – Leben und Werk eines Genies unserer Zeit, Gütersloh 1960
Seelig, Carl (Hg.), «Albert Einstein – Mein Weltbild», Berlin 1998
Serres, Michel (Hg.), «Elemente einer Geschichte der Wissenschaften», Frankfurt/M. 1994
Sexl, Lore, u. Hardy, Anne, «Lise Meitner», Reinbek 2002
Silver, Brian L., «The Ascent of Science», Oxford 1998
Smith, Peter D., «Einstein», London 2003
Sowell, Thomas, «The Einstein Syndrome», New York 2001
Spinoza, Baruch, «Ethik», Köln 1987
Stachel, John (Hg.), «Einsteins Annus mirabilis», Reinbek 2001
Stachel, John, «Einstein ‹B› to ‹Z›», Boston–Basel–Berlin 2002
Steiner, Frank (Hg.), «Albert Einstein», Heidelberg–Berlin–New York 2004
Stern, Fritz, «Einstein's German World», London 2001
Trbuhovic-Gjurić, Desanka, «Im Schatten Albert Einsteins», Bern 1988
Treder, Hans-Jürgen, «Einstein in Potsdam», Leipzig 1986
Vallentin, Antonina, «Das Drama Albert Einsteins», Stuttgart 1955
Weissensteiner, Friedrich, «Die Frauen des Genies», München 2004
Weizsäcker, Carl Friedrich von, «Zeit und Wissen», München 1995
Wells, H. G., «Die Zeitmaschine», München 2002

Whitehead, Alfred N., «Science and the Modern World», London 1926
Wickert, Johannes, «Einstein», Reinbek 1991
Wolfson, Richard, «Simply Einstein», New York–London 2003
Zackheim, Michele, «Einsteins Tochter», München 1999
Zeilinger, Anton, «Einsteins Schleier», München 2003

Danksagung

Mein besonderer Dank gilt dem Einstein-Archiv an der Hebrew University in Jerusalem und dem Einstein Papers Project in Pasadena, Kalifornien, ohne deren kollegiale Unterstützung, vor allem durch das Bereitstellen noch unveröffentlichter Quellen, das vorliegende Buch nicht hätte entstehen können.

Des weiteren danke ich der Max-Planck-Gesellschaft (MPG) und hier besonders der Abteilung 1 des Max-Planck-Instituts für Wissenschaftsgeschichte in Berlin (Direktor: Prof. Jürgen Renn), das mir den Status eines Gastforschers mit allen dazugehörigen fachlichen und technischen Hilfestellungen freundschaftlich gewährt hat, sowie den Mitarbeitern des ebenfalls in Berlin ansässigen Archivs der MPG (Leitung: Prof. Eckart Henning).

Eigens Dank für seine fach- und sachkundige, kreative und dabei stets freundschaftliche kritische Mitarbeit gebührt dem Berliner Historiker und Publizisten Jörg von Bilavsky.

Ein herzliches Dankeschön auch den Mitarbeitern des Rowohlt-Verlages, die mich auf dem spannenden, mitunter beschwerlichen Weg durch Einsteins Leben begleitet haben – allen voran meinem Lektor Uwe Naumann sowie Barbara Wenner von der Berliner Agentur Graf & Graf.

Nicht zuletzt möchte ich allen danken, die das Manuskript ganz oder teilweise gegengelesen (und verbessert) haben, besonders Mathias Greffrath, Prof. Dieter Hoffmann, Dr. Arno Nehlsen, Harald Schumann und vor allem Dr. Hania Luczak – sowie Dr. Markus Aspelmeyer, Dr. Peter Aufmuth, Prof. John Beckman, Prof. Diana Kormos Buchwald, Prof. Michel Janssen, Dr. Christoph Lehner, Christian Ludwig, Prof. Jürgen Renn, Prof. Robert Schulmann, Prof. Ursula Staudinger und Prof. Thomas Thiemann.

Personenregister

Abrams, Henry 10
Adler, Friedrich 309
Anderson, Marian 408
Anschütz-Kämpfe, Hermann 50
Apostolina, Lucy 433
Apollonios von Perge 64
Archimedes 63 f.
Aufmuth, Peter 270–274, 278 f., 390
Aydelotte, Frank 440

Bach, Johann Sebastian 227, 337
Bachelard, Gaston 167
Baker, Josephine 308
Baron-Cohen, Simon 43
Baudelaire, Charles 30
Beckman, John 257 ff., 262 ff.,
    266–269, 278, 390
Becquerel, Antoine-Henri 128 f., 420
Beethoven, Ludwig van 337
Ben-Gurion, David 413
Berg, Alban 333
Bernal, John Desmond 61
Bernstein, Aaron 57, 59 f., 69, 71–78,
    143
Besso, Anna 38, 129, 204
Besso, Michele 34, 38, 48 f., 111, 115,
    127, 129, 137 f., 141 f., 153 f., 161, 172 f.,
    175 f., 179, 187, 194 f., 197–200,
    202 f., 205 f., 218, 224, 226, 245 f.,
    249, 286 f., 306, 310, 336, 351, 353 f.,

364, 367, 380, 387 f., 395, 404, 412,
    415, 433, 443
Bethe, Hans 423
Blum, Helaine 86
Bohr, Niels 366, 368 f., 372, 377–382,
    385, 413, 421, 423 f.
Boltzmann, Ludwig 126, 130
Born, Hedwig (Hedi) 34, 295 f., 322,
    348, 401
Born, Max 34, 285ff., 295 f., 307, 322,
    324, 336, 348, 369–374, 380, 413 f., 434
Bose, Satyendra Nath 371
Boyd, Charles 94 f.
Bradley, James 74 f.
Brahe, Tycho 63
Brahms, Johannes 337
Brecht, Bertolt 83, 119, 335, 339
Breuer, Marcel 332
Britzke, Erika 320 f., 332, 335, 340 f.
Broch, Hermann 333
Brod, Max 41 f., 44, 343, 439
Broglie, Louis de 370
Brown, Robert 171
Bruno, Giordano 63
Buber, Martin 346
Büchner, Georg 58
Büchner, Ludwig 58–61
Buchwald, Diana Kormos 85
Bucky, Gustav 37, 51, 326, 444
Bucky, Thomas 324

Erikson, Erik 27, 33, 39
Euklid 57, 238, 240 f.

Fanta, Bertha 41, 439
Fantova, Johanna 439 ff.
Faraday, Michael 17, 77 f., 232, 255
Faulhaber, Johannes 26
Faulkner, William 334
Fermi, Enrico 419 f., 423
Fischer, Brigitte B. 336
Flexner, Abraham 404 f., 409
Fokker, Adriaan D. 84
Föppl, August 150, 153
Franck, James 423, 425
Franco, Francisco Bahamonde 417
Freimüller, Hans 225
Fresnel, Augustin 75
Freud, Sigmund 22, 30, 44, 142, 310,
    313, 346
Freundlich, Erwin 181, 245 ff.
Friedmann, Alexander 264 f.
Friedrich II. (der Große), König von
    Preußen 327
Frisch, Otto 421
Fuchs, Klaus 431

Galilei, Galileo 18, 23, 58, 64 ff., 68 ff.,
    72 f., 77, 145 ff., 151, 154, 158, 231 f.,
    235, 251, 291, 297
Galison, Peter 162
Galle, Johann 72
Gamov, George 265 f.
Gandhi, Mahatma 23, 30, 120, 289, 435
Gardner, Howard 30, 32 f., 162, 333
Gauß, Carl-Friedrich 240 f.
Gehrcke, Ernst 291–295, 298, 301,
    436
Gerber, Paul 291
Giedion, Siegfried 333
Gilbert, William 63
Gödel, Kurt 409, 411

Goethe, Johann Wolfgang von 261,
    335, 410, 439
Goldschmidt, Rudolf 50
Goldstein, Herbert S. 357
Gorki, Maxim 312
Grass, Günter 33
Griffin, Gillet 439
Gropius, Walter 330, 333
Grossmann, Marcel 124 f., 127, 129,
    131 f., 136, 148, 172, 175, 179, 182,
    240 ff., 244, 248, 345, 414
Grundmann, Siegfried 299, 438

Haber, Clara 280
Haber, Fritz 19, 120, 181, 187 ff., 280 ff.,
    287, 308, 315 ff., 319, 327, 340, 347,
    349, 350 f., 418
Habicht, Conrad 49, 132–135, 137 ff.,
    166 ff., 170, 173, 208
Habicht, Paul 49
Hahn, Otto 167, 420
Haller, Friedrich 132, 136
Halley, Edmund 71
Harding, Warren G. 398
Harvey, Thomas 7–10, 88, 95, 228,
    444
Hauptmann, Gerhart 282, 335, 339
Hawking, Stephen 266
Haydn, Joseph 337
Heine, Heinrich 333
Heisenberg, Werner 371–378, 390,
    440 f.
Helmholtz, Hermann von 101, 126
Hermann, Armin 318
Hertz, Heinrich 126
Hettler, Nicolaus 55
Heuss, Theodor 441
Heymann, Ernst 315
Highfield, Roger 111
Hilbert, David 246 f., 249, 252 f.
Himmler, Heinrich 423

Hindemith, Paul 337
Hindenburg, Paul von 20
Hirschfeld, Magnus 286
Hitler, Adolf 220, 313, 316, 318, 353, 416, 424, 435
Höchtl, Aloys 47
Hoffmann, Banesh 165, 365, 393, 410
Holton, Gerald, 89, 355
Hoover, Edgar J. 416, 421 ff., 430, 432 f., 435–439
Hounker, Thomas 226
Hubble, Edwin P. 258, 264 f., 268, 402
Hulse, Russell A. 279
Humboldt, Alexander von 58, 60 f., 78, 142, 160
Hume, David 134 f., 175
Hurwitz, Adolf 125, 184
Huygens, Christian 75

Infeld, Leopold 40 f., 356, 410 f., 416

Jackson, Michael 325
Janssen, Michel 229, 231, 236, 238 f., 242–248, 253 ff.
Jaspers, Karl 287
Jerome, Fred 416, 422
Jordan, Pascal 371, 373
Jost, Hilda 92
Jost, Res 90, 93
Joyce, James 333

Kafka, Franz 41, 343, 439
Kaluza, Theodor 391
Kant, Immanuel 36, 58, 135, 155, 169, 377
Karl Theodor, Herzog in Bayern 47
Kästner, Erich 312
Katzenbogen, Estella 118
Katzenstein, Moritz 326
Kayser, Rudolf 317, 335, 344, 356 f.
Kellermann, Bernhard 334

Kennedy, John F. 119
Kepler, Johannes 26, 41 f., 63 f., 68, 72, 232, 258, 317
Kessler, Harry Graf 35
Ketterle, Wolfgang 371
Kisch, Egon Erwin 343
Klee, Paul 332
Klein, Oskar 391
Kleiner, Alfred 130, 172, 177
Knecht, Frieda 40, 90 ff., 96, 213, 217, 221
Koch, Cäsar 28, 36 f., 149
Koch, Julius 47, 52
Koch, Robert 24
Kollros, Louis 124, 183
Kollwitz, Käthe 286, 312
Konenkov, Sergei 438
Konenkova, Margarita 438
Kopernikus, Nikolaus 21 f., 62 f., 72, 117, 232, 258, 397
Koppel, Leopold 182
Kornprobst, Sebastian 48
Kox, Anne J. 84
Kragh, Helge 363
Kraus, Elliot 9 f.

Laemmle, Carl 402
Langevin, Paul 302, 414
Laplace, Pierre Simon de 260, 262
Laub, Jakob 170, 177, 183, 364
Laue, Max von 293, 296, 315, 317, 327
Lazaridis, Mike 389
Le Corbusier (eigentl. Charles Èdouard Jeanneret) 333
Lebach, Margarete 118
Lehner, Christoph 381 f., 384
Leibniz, Gottfried Wilhelm 68, 70, 357, 361
Lemaître, Georges 265
Lenard, Philipp 291, 295–299, 303
Lenin, Wladimir I. 310, 321, 437

Leverrier, Jean Joseph 72
Levi-Civita, Tullio 410
Liebermann, Max 282
Lorentz, Hendrik A. 15, 18, 148, 151 f.,
    154, 159, 174, 180, 292, 364, 387
Ludwig II., König von Bayern 47
Luxemburg, Rosa 310

Mach, Ernst 127 f., 134, 175, 254, 259,
    264
Maier, Hans W. 225
Mandl, Rudi 276
Mann, Golo 347
Mann, Heinrich 286, 312, 335
Mann, Katia 35
Mann, Thomas 35, 311, 334 f., 339, 413,
    423
Marianoff, Dimitri 111, 118, 322, 413,
    438
Marić, Marija 101
Marić, Mileva 23, 90 f., 96 f., 99–115,
    117, 121–124, 126 f., 129–132, 136–139,
    141, 149, 186–189, 191 f., 194–200,
    202–205, 207–214, 216, 220, 222,
    224, 226 f., 280, 305, 325, 329, 345,
    362, 379, 414, 435
Marić, Milos 101
Marić, Zorka 200
Marx, Groucho 22
Marx, Karl 346
Marx, Wilhelm 309
Maxwell, James Clerk 17, 78, 126, 148,
    152 f., 166, 232, 239, 255, 361, 365,
    387, 391
Mayer, Walther 407, 410
McCarthy, Joseph 418, 429, 432,
    435–440
Meili, Heinrich 226
Meitner, Lise 167, 420 f.
Mendel, Gregor 200
Mendel, Toni 118

Mendelsohn, Erich 181, 332, 336
Michelmore, Peter 108 f., 206
Michelson, Albert 150 f., 154, 175, 272,
    402
Mill, John Stuart 134
Minkowski, Hermann 80, 125, 162,
    176, 230
Mondrian, Piet 332
Morgenstern, Christian 362
Morley, Edward 150 f., 154, 175, 272,
    402
Moszkowski, Alexander 49, 290, 419
Mozart, Wolfgang Amadeus 31, 33, 36,
    119, 285, 336 ff.
Mühsam, Erich 309
Müller, Ulrich 332

Nathan, Otto 87–91, 93, 96 f., 408
Nelken, Dinah 308
Nernst, Walther 181 ff., 282, 293, 296,
    327, 340, 363, 365
Neumann, Betty 118
Neumann, Johann von 409
Newton, Isaac 14 f., 17 ff., 58, 63,
    66–73, 75, 77, 128, 145, 147, 151,
    155, 158 f., 231 ff., 235, 238 ff., 244 f.,
    249 ff., 253 ff., 260, 266, 274, 294,
    301, 317, 361, 365, 374, 388
Nicolai, Georg Friedrich 120, 282
Nielsen, Asta 308
Nietzsche, Friedrich 22, 357
Niggli, Julia 106
Nobel, Alfred 427
Noddack, Ida 420 f.
Nüesch, Jakob 131 f.

Ochs, Adolph 398
Oppenheimer, J. Robert 266, 423, 441
Ørsted, Hans Christian 77
Ostwald, Wilhelm 131
Pais, Abraham 137

Quellennachweis der Abbildungen